BENELUX
& France Nord
& Noord-Frankrijk
& North of France
& Nordfrankreich

1/150 000 - 1 cm = 1,5 km

ATLAS ROUTIER et TOURISTIQUE
TOERISTISCHE WEGENATLAS
TOURIST and MOTORING ATLAS
STRASSEN- und REISEATLAS

Sommaire / Inhoud
Contents / Inhaltsübersicht

Sommaire / Inhoud
Contents / Inhaltsübersicht

Plans de ville / Stadsplattegronden
Town plans / Stadtpläne

Grands axes routiers

Grote verbindingswegen

Main road map

Durchgangsstraßen

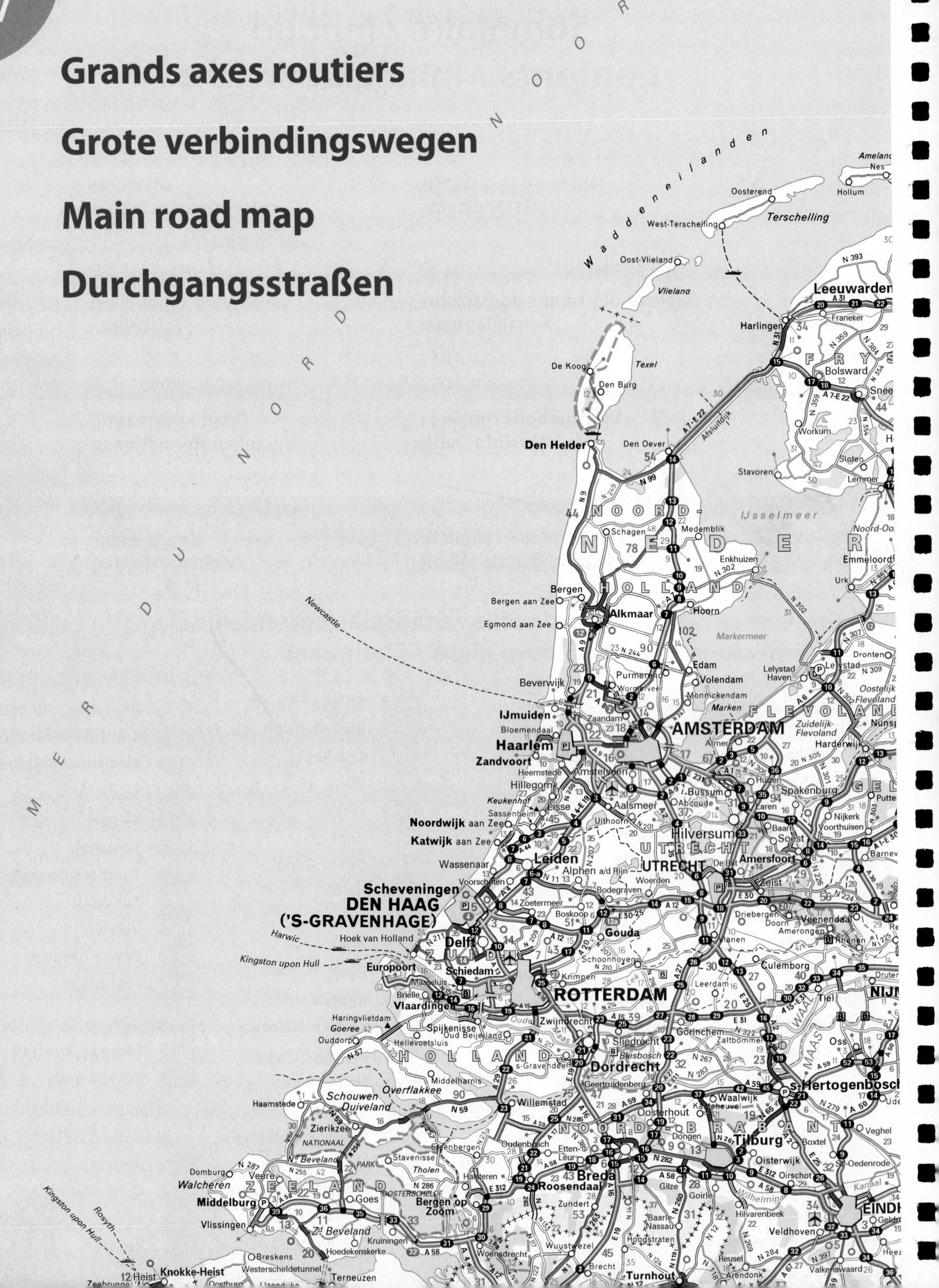

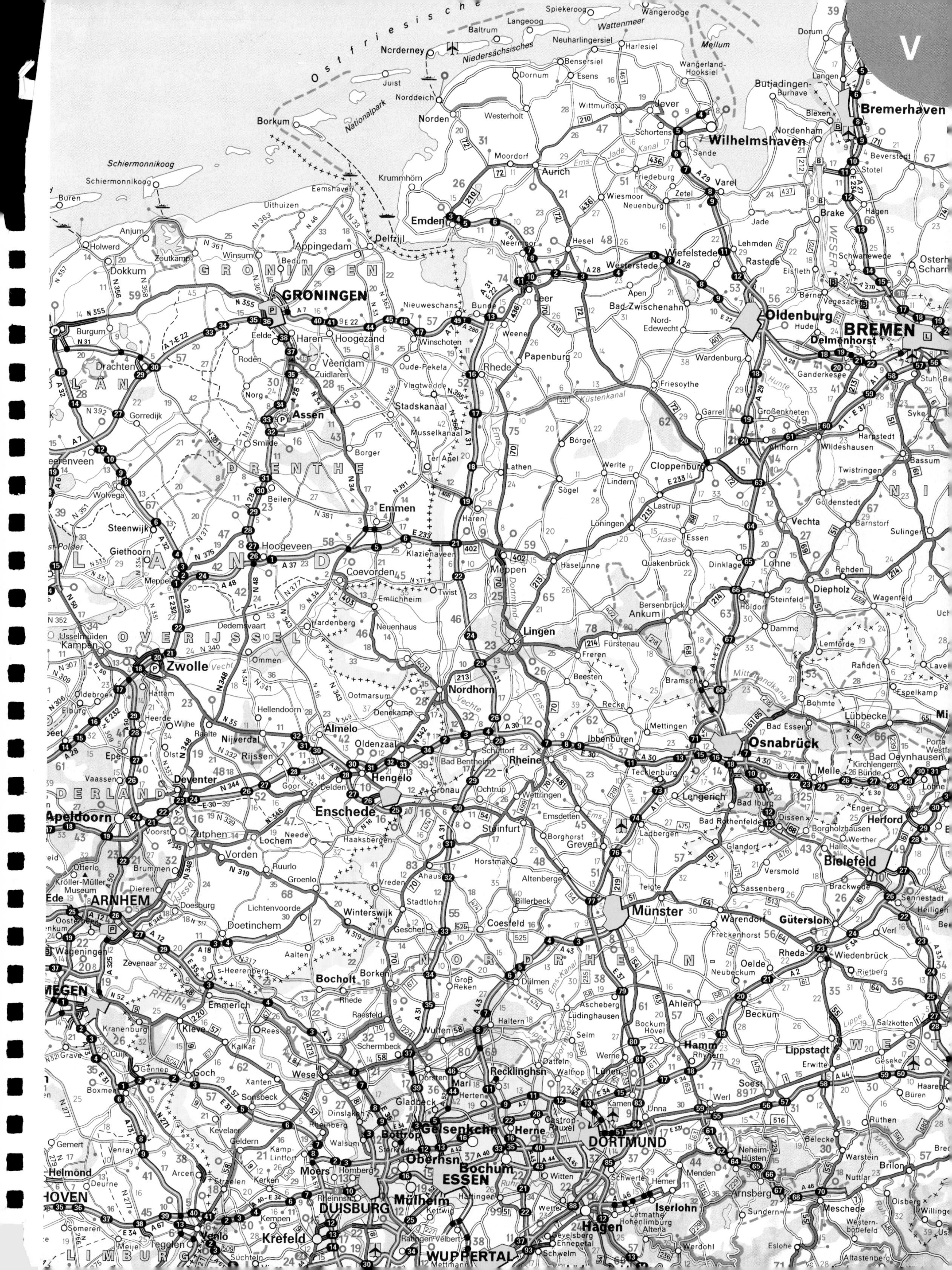

39
V
Ostfriesische
Niedersächsisches
Nationalpark
Wattenmeer
Mellum
Spiekeroog
Wangerooge
Baltrum
Langeoog
Norderney
Juist
Norddeich
Borkum
Norden
Schiermonnikoog
Dornum
Esens
Bensersiel
Neuharlingersiel
Harlesiel
Wittmund
Jever
Schortens
Wilhelmshaven
Sande
Wangerland-Hooksiel
Butjadingen-Burhave
Blexen
Nordenham
Bremerhaven
Langen
Dorum
Westerholt
Moordorf
Aurich
Friedeburg
Zetel
Varel
Krummhörn
Emden
Eemshaven
Uithuizen
Delfzijl
Appingedam
Winsum
Zoutkamp
Dokkum
Holwerd
Anjum
GRONINGEN
Groningen
Hesel
Neermoor
Leer
Wiesmoor
Neuenburg
Westerstede
Wiefelstede
Apen
Bad Zwischenahn
Oldenburg
Rastede
Lehmden
Jade
Brake
Elsfleth
Schwanewede
Berne
Vegesack
BREMEN
Delmenhorst
Hude
Ganderkesee
Stuhr
Osterholz-Scharmbeck
Hagen
Beverstedt
Stotel
Nieuweschans
Bunde
Weener
Papenburg
Rhede
Winschoten
Haren
Hoogezand
Eelde
Burgum
Drachten
Roden
Veendam
Zuidlaren
Oude-Pekela
Vlagtwedde
Stadskanaal
Musselkanaal
Assen
Norg
Gorredijk
Smilde
Borger
Ter Apel
Heerenveen
Wolvega
Beilen
DRENTHE
Emmen
Lathen
Sögel
Werlte
Lindern
Cloppenburg
Friesoythe
Edewecht
Wardenburg
Garrel
Großenkneten
Wildeshausen
Ahlhorn
Harpstedt
Bassum
Twistringen
Goldenstedt
Vechta
Barnstorf
Sulingen
Steenwijk
Giethoorn
Meppel
Hoogeveen
Klazienaveen
Coevorden
Twist
Meppen
Haselünne
Löningen
Lastrup
Essen
Quakenbrück
Dinklage
Lohne
Diepholz
Rehden
Wagenfeld
Steinfeld
Damme
Lemförde
Holdorf
Bersenbrück
Ankum
Fürstenau
Freren
Lingen
Emlichheim
Hardenberg
Neuenhaus
Dedemsvaart
OVERIJSSEL
IJsselmuiden
Kampen
Zwolle
Ommen
Hattem
Elburg
Heerde
Wijhe
Raalte
Nijverdal
Hellendoorn
Ootmarsum
Denekamp
Nordhorn
Beesten
Recke
Bramsche
Mettingen
Ibbenbüren
Osnabrück
Bad Essen
Lübbecke
Bohmte
Espelkamp
Rahden
Porta Westfalica
Bad Oeynhausen
Kirchlengern
Bünde
Melle
Löhne
Herford
Enger
Bielefeld
Werther
Halle
Borgholzhausen
Dissen
Bad Rothenfelde
Bad Iburg
Lengerich
Tecklenburg
Rheine
Schüttorf
Bad Bentheim
Oldenzaal
Almelo
Hengelo
Enschede
Gronau
Ochtrup
Wettringen
Emsdetten
Steinfurt
Borghorst
Greven
Ladbergen
Glandorf
Versmold
Sassenberg
Warendorf
Gütersloh
Telgte
Münster
Deventer
Rijssen
Goor
Delden
Haaksbergen
Neede
Lochem
Zutphen
Vorden
Ruurlo
Groenlo
Eibergen
Vreden
Ahaus
Stadtlohn
Winterswijk
Gescher
Coesfeld
Billerbeck
Altenberge
Horstmar
Apeldoorn
Voorst
Vaassen
Epe
Olst
Otterlo
Kröller-Müller Museum
Brummen
Dieren
Doesburg
Ede
ARNHEM
Oosterbeek
Wageningen
Zevenaar
Doetinchem
Lichtenvoorde
Aalten
Bocholt
Borken
Rhede
Raesfeld
Groß Reken
Dülmen
Lüdinghausen
Ascheberg
Selm
Werne
Hamm
Ahlen
Beckum
Oelde
Neubeckum
Rheda-Wiedenbrück
Rietberg
Verl
Heiligenstadt
Lippstadt
Salzkotten
Geseke
Erwitte
Soest
Werl
Unna
Kamen
Lünen
Bockum-Hövel
Rhynern
Waltrop
Datteln
Haltern
Recklinghsn
Marl
Dorsten
Herten
Gladbeck
Gelsenkchn
Bottrop
Herne
Castrop-Rauxel
DORTMUND
Bochum
ESSEN
Oberhsn
Mülheim
DUISBURG
Moers
Homberg
Kamp-Lintfort
Rheinberg
Dinslaken
Wesel
Schermbeck
Wulfen
Emmerich
's-Heerenberg
Kleve
Kranenburg
Kalkar
Rees
Xanten
Sonsbeck
Goch
Gennep
Cuijk
Grave
Boxmeer
Kevelaer
Geldern
Straelen
Kerken
Kempen
Krefeld
Venlo
Tegelen
Venray
Helmond
Deurne
Someren
Meijel
LIMBURG
Arcen
Wuppertal
WUPPERTAL
Ratingen
Velbert
Hattingen
Witten
Wetter
Hagen
Schwelm
Gevelsberg
Ennepetal
Schwerte
Iserlohn
Letmathe
Hohenlimburg
Altena
Werdohl
Hemer
Menden
Neheim-Hüsten
Arnsberg
Sundern
Eslohe
Meschede
Wenholthausen
Bestwig
Olsberg
Brilon
Warstein
Belecke
Rüthen
Büren
Nuttlar
Möhne
Ruhr
Lippe
Ems
Hunte
Weser
Rhein
IJssel
Vechte
Dortmund-Ems-Kanal
Mittellandkanal
Küstenkanal
Jade
NORDRHEIN
WESTFALEN
NEDERLAND

VI
Margate
North Foreland
Broadstairs
Ramsgate
Deal
South Foreland
Dover
Tunnel-sous la Manche
Channel Tunnel
Dunkerque
Calais
Cap Blanc Nez
Wissant
Cap Gris Nez
Wimereux
Boulogne
le Portel
Hardelot-Plage
Le Touquet-Paris-Plage
Etaples
Montreuil
Berck-Plage
Fort-Mahon-Plage
Rue
le Crotoy
Cayeux
St Valery
Abbeville
Gravelines
Bourbourg
Audruicq
Guînes
Ardres
Marquise
Desvres
Samer
Hucqueliers
Fruges
Fauquembergues
St Omer
Arques
Lumbres
Thérouanne
Aire
Hazebrouck
Cassel
Wormhout
Bergues
Hondschoote
Bailleul
Armentières
Estaires
Merville
Lillers
Béthune
Bruay-la-Buissière
Houdain
Heuchin
Hesdin
St Pol-s-T.
Frévent
Auxi-le-Chau
Doullens
Crécy-en-P.
Nouvion
St Riquier
Bernaville
Aubigny
Avesnes-le-Cte
Arras
Beaumetz lès-L.
Pas-en-Artois
Bapaume
Lens
Liévin
Carvin
Hénin-Beaumont
Douai
Marchiennes
Orchies
St Amand-les-Eaux
Denain
Valenciennes
Condé
Bruay s/l'E.
Quiévrain
Le Quesnoy
Maubeuge
Jeumont
Bavay
Hautmont
Berlaimont
Aulnoye-Aymeries
Cambrai
Caudry
Solesmes
Landrecies
Avesnes
Sains-du-N.
Sars-Poteries
Solre-le-Chau
Trélon
Fourmies
le Cateau
le Nouvion-en-T.
Wassigny
la Capelle
Hirson
St Michel
Bohain-en-V.
le Catelet
St Quentin
Vermand
Guise
Origny-Ste Benoite
Sains-Richaumont
Ribemont
Vervins
Aubenton
Marle
Rozoy
Crécy
Montcornet
Laon
Sissonne
Tergnier
la Fère
Chauny
St Gobain
Noyon
Anizy-le-Chau
Coucy-le-Chau-Auffrique
Craonne
Neufchâtel
Asfeld
Soissons
Vic
Vailly
Braine
Fismes
Reims
Ville-en-Tardenois
Verzy
Châtillon-s-M.
Dormans
Fère-en-T.
Oulchy-le-Chau
la Ferté-Milon
Neuilly-St Front
Villers-Cotterêts
Pierrefonds
Compiègne
Verberie
Crépy-en-Valois
Senlis
Ermenonville
Nanteuil-le-H.
Betz
Chantilly
Creil
Pont-Ste Maxence
Clermont
Estrées-St Denis
St Just-en-Chaussée
Breteuil
Froissy
Maignelay-Montigny
Lassigny
Ressons
Ribécourt
Montdidier
Roye
Nesle
Ham
Guiscard
Péronne
Roisel
Chaulnes
Rosières
Moreuil
Ailly-s-N.
Amiens
Boves
Corbie
Villers-Bretonneux
Bray
Albert
Acheux
Villers-Bocage
Domart-en-P.
Ailly-le-Ht Clocher
Flixecourt
Picquigny
Airaines
Hallencourt
Oisemont
Molliens-Dreuil
Hornoy
Poix
Conty
Aumale
Blangy
Gamaches
Moyenneville
Grandvilliers
Formerie
Forges-les-Eaux
Crèvecoeur-le-Gd
Marseille-en-B.
Songeons
Argueil
Gournay-en-B.
Beauvais
Auneuil
Lyons-la-F.
Fleury-s-A.
Gisors
Etrépagny
Chaumont-en-V.
les Andelys
Ecos
Magny-en-Vexin
Marines
Méru
Neuilly-en-T.
Noailles
Mouy
Bresles
Chambly
Beaumont
l'Isle-Adam
Pontoise
La Roche-Guyon
Vernon
Luzarches
Survilliers
SOMME
OISE
AISNE
NORD
PAS-DE-CALAIS
Oostende
Middelkerke-Bad
Nieuwpoort
Koksijde-Bad
De Panne
Bray-Dunes
Malo-les-Bains
Veurne
Diksmuide
Torhout
Gistel
Jabbeke
Oostkamp
Brugge
(Brugges)
Blankenberge
De Haan
Zeebrugge
Heist
Knokke-Heist
Oostburg
Sluis
Breskens
IJzendijke
Terneuzen
Hulst
Zelzate
Eeklo
Aalter
Gent
(Gand)
Evergem
Lokeren
Stekene
St-Niklaas
Temse
Beveren
Antwerpen
(Anvers)
Dendermonde
Wetteren
Zele
Aalst
(Alost)
Asse
Ninove
Bruxelles
Brussel
Halle
Enghien
Lessines
Geraardsbergen
Oudenaarde
Ronse
(Renaix)
Deinze
Tielt
Roeselare
(Roulers)
Ingelmunster
Izegem
Harelbeke
Waregem
Kortrijk
(Courtrai)
Menen
Wervik
Comines
Halluin
Ieper
(Ypres)
Poperinge
Steenvoorde
Tourcoing
Mouscron
Roubaix
Lille
V. d'Ascq
Haubourdin
Seclin
Tournai
(Doornik)
Leuze
Ath
Beloeil
Péruwelz
Mons
(Bergen)
Soignies
Braine-le-Comte
Nivelles
la Louvière
Binche
Thuin
Beaumont
Vlissingen
Middelburg
Domburg
Veere
Walcheren
Goes
Zd Beveland
Nd Beveland
Kruiningen
Tholen
Bergen op Zoom
Stavenisse
Westerscheldetunnel
Hoedekenskerke
ZEELAND
WEST-VLAANDEREN
OOST-VLAANDEREN
HAINAUT
Kingston upon Hull
Rosyth
Ramsgate
Scheldt
Escaut
Sambre
Somme
Oise
Aisne
Vesle
Ourcq
Canche
Authie
Lys
Therain
Seine

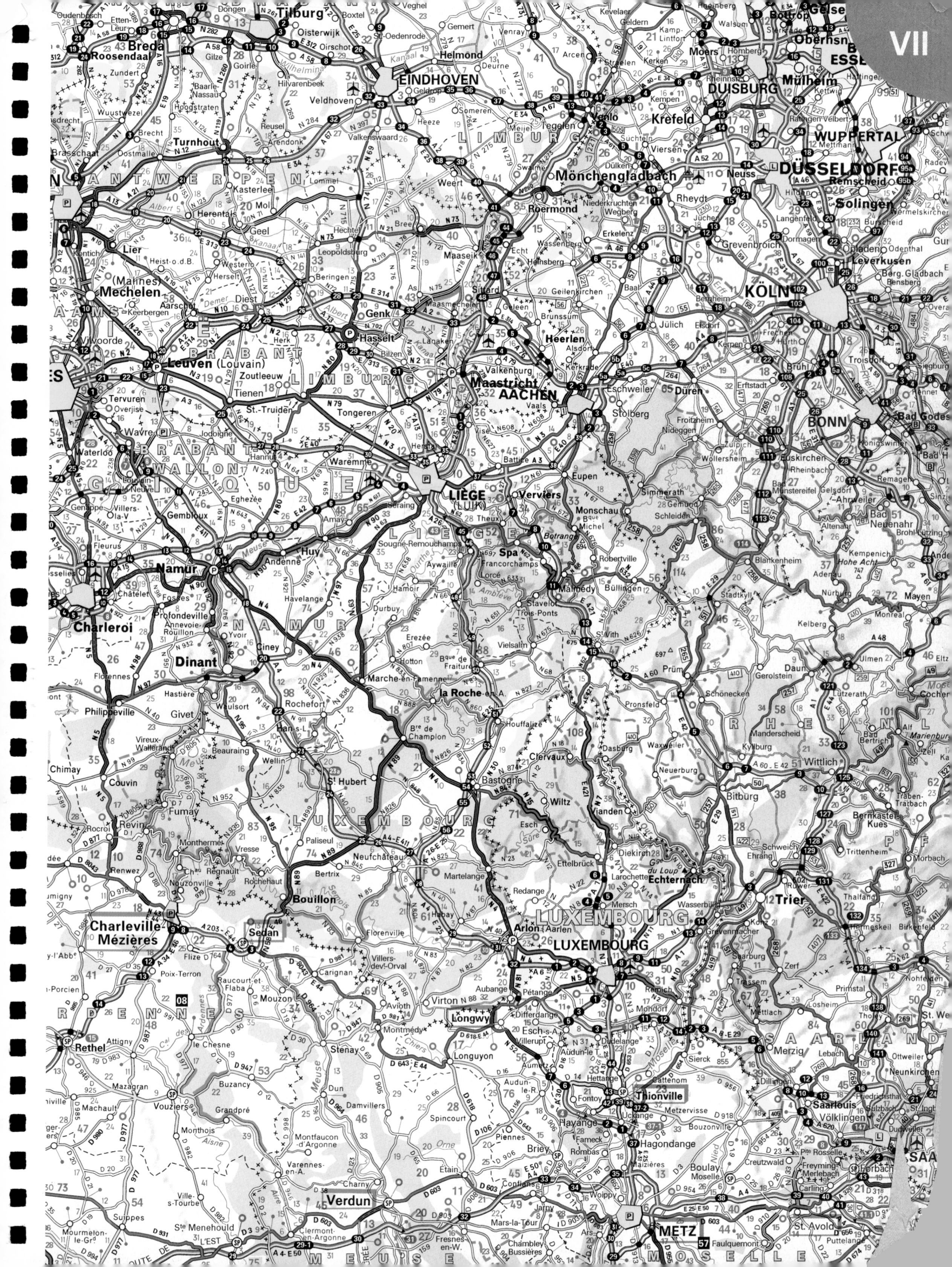
Tilburg
Breda
Roosendaal
Oisterwijk
Boxtel
St-Oedenrode
Helmond
EINDHOVEN
Veldhoven
Valkenswaard
Turnhout
Brecht
Brasschaat
Hoogstraten
ANTWERPEN
LIMBURG
Venlo
Krefeld
Moers
DUISBURG
Mülheim
ESSEN
Bottrop
Oberhsn
Gelsen
Kempen
Viersen
Mönchengladbach
Neuss
DÜSSELDORF
WUPPERTAL
Solingen
Remscheid
Roermond
Weert
Lommel
Mol
Geel
Herentals
Kasterlee
Lier
Mechelen
(Malines)
Heist-o.d.B.
Aarschot
Diest
Beringen
Hasselt
Genk
Maaseik
Sittard
Geilenkirchen
Heerlen
Erkelenz
Rheydt
Grevenbroich
Dormagen
Leverkusen
KÖLN
Bergheim
Jülich
Düren
Eschweiler
AACHEN
Maastricht
Vaals
Stolberg
Brühl
Troisdorf
Siegburg
BONN
Bad Godesberg
Euskirchen
Zülpich
Rheinbach
Bad Münstereifel
Vilvoorde
Leuven (Louvain)
BRABANT
Tienen
Zoutleeuw
St.-Truiden
Tongeren
Tervuren
Overijse
Wavre
Waterloo
Jodoigne
Hannut
Waremme
Herstal
Visé
LIÈGE
(LUIK)
Seraing
Verviers
Eupen
Monschau
Simmerath
Schleiden
Gemünd
Nideggen
Ahrweiler
Bad Neuenahr
Remagen
Adenau
Nürburg
Mayen
Gembloux
Eghezée
Louvain-la-Neuve
Genappe
Fleurus
Namur
Charleroi
Châtelet
Andenne
Huy
Amay
Spa
Theux
Malmedy
Stavelot
Trois-Ponts
Robertville
Büllingen
Stadtkyll
Blankenheim
Aywaille
Hamoir
Durbuy
Havelange
NAMUR
Dinant
Ciney
Yvoir
Fosses
Profondeville
Philippeville
Florennes
Givet
Hastière
Beauraing
Rochefort
Marche-en-Famenne
Hotton
Erezée
Vielsalm
St. Vith
Prüm
Gerolstein
Daun
Ulmen
Cochem
la Roche-en-A.
Houffalize
Bastogne
Wiltz
Clervaux
Dasburg
Vianden
Bitburg
Wittlich
Manderscheid
Kyllburg
Bernkastel-Kues
Traben-Trarbach
Chimay
Couvin
Fumay
Revin
Rocroi
Monthermé
Vresse
Wellin
St Hubert
LUXEMBOURG
Neufchâteau
Bertrix
Paliseul
Bouillon
Sedan
Charleville
Mézières
Florenville
Arlon (Aarlen)
Martelange
Ettelbrück
Diekirch
Echternach
Mersch
Trier
Saarburg
Grevenmacher
Remich
Mondorf
Merzig
Hermeskeil
Saarlouis
Völklingen
Dillingen
SAARLAND
Carignan
Mouzon
Virton
Longwy
Montmédy
Stenay
Longuyon
Esch-s-A.
Differdange
Dudelange
Thionville
Hayange
Hagondange
Briey
Rethel
Vouziers
Buzancy
Grandpré
Dun
Damvillers
Spincourt
Étain
Verdun
Varennes-en-A.
Clermont-en-Argonne
Ste Menehould
METZ
Boulay-Moselle
Creutzwald
Forbach
St. Avold
Faulquemont
Sierck
Cattenom
ARDENNES
MEUSE
MOSELLE

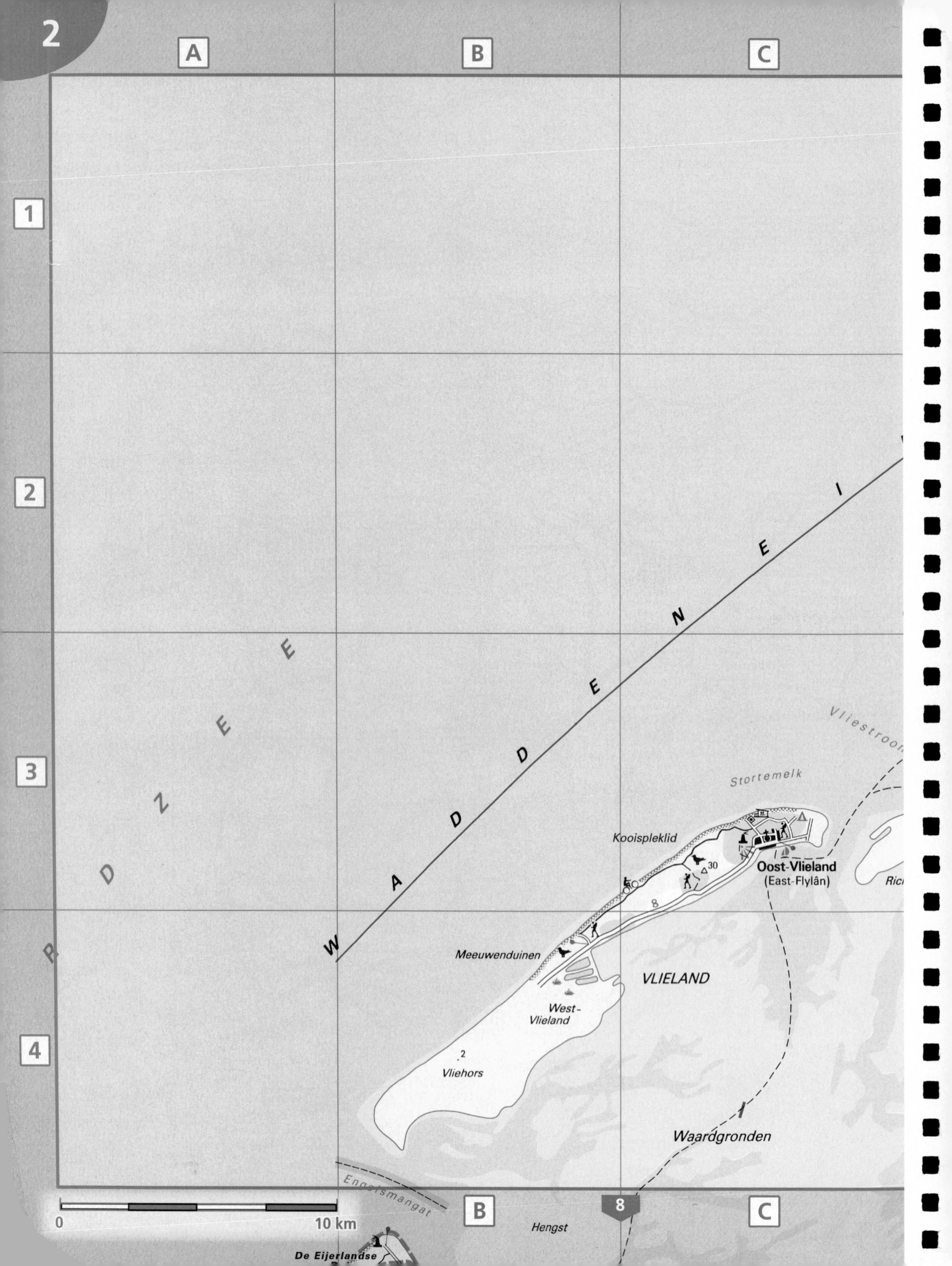

2
A
B
C
1
2
3
4
N O R D Z E E
W A D D E N E I
Vliestroom
Stortemelk
Kooispleklid
Oost-Vlieland
(East-Flylân)
30
8
Meeuwenduinen
VLIELAND
West-
Vlieland
2
Vliehors
Waardgronden
Engelsmangat
0
10 km
B
8
C
Hengst
De Eijerlandse

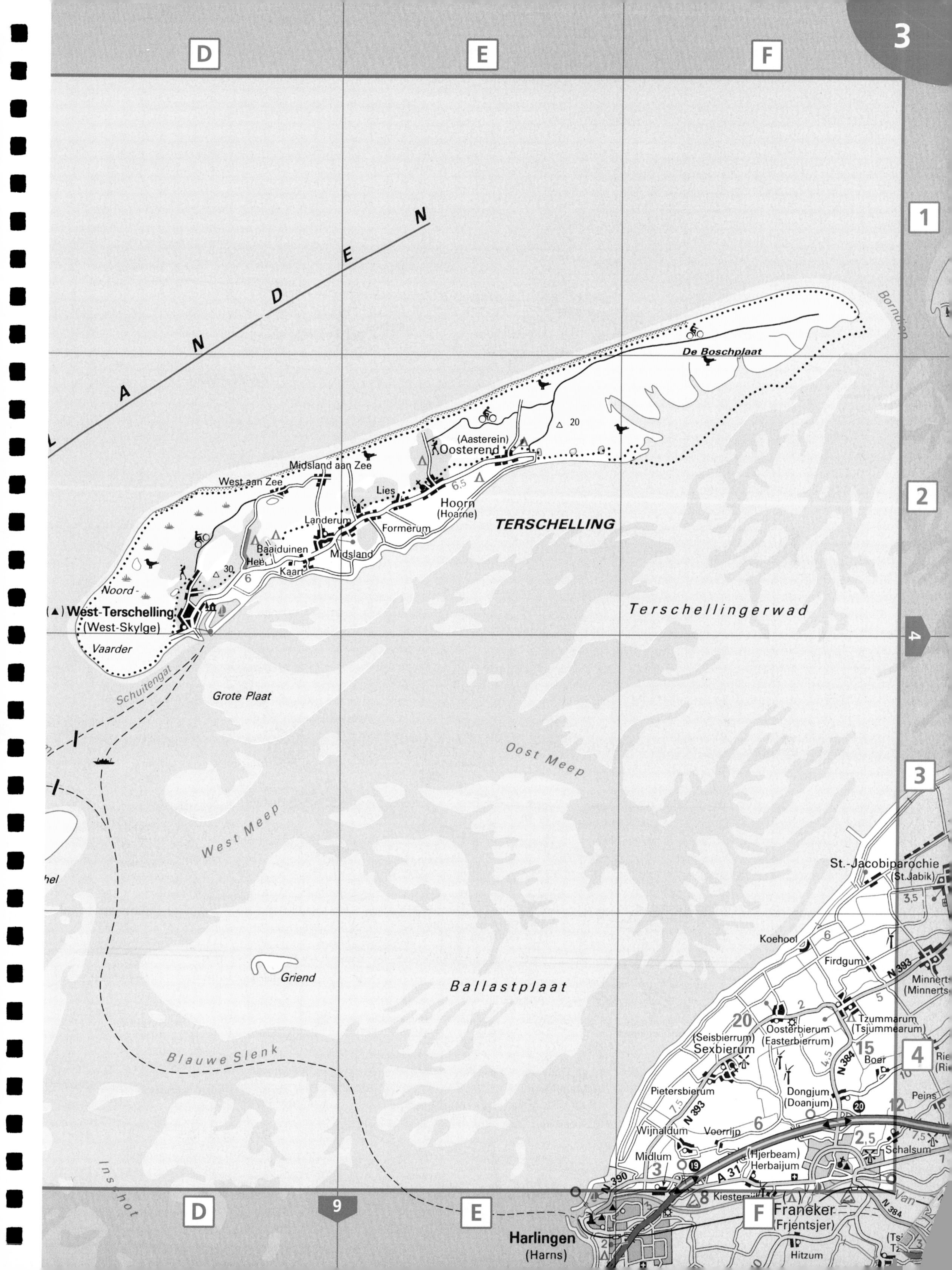
D
E
F
1
2
3
4
V L A N D E N
De Boschplaat
(Aasterein)
Oosterend
Midsland aan Zee
West aan Zee
Lies
Hoorn
(Hoarne)
TERSCHELLING
Landerum
Formerum
Baaiduinen
Midsland
Hee
Kaart
Noord-
(▲) West-Terschelling
(West-Skylge)
Vaarder
Terschellingerwad
Schuitengat
Grote Plaat
Oost Meep
West Meep
Griend
Ballastplaat
Blauwe Slenk
Inschot
St.-Jacobiparochie
(St.Jabik)
Koehool
Firdgum
N 393
Tzummarum
(Tsjummearum)
Oosterbierum
(Easterbierrum)
(Seisbierrum)
Sexbierum
Boer
Pietersbierum
Dongjum
(Doanjum)
Peins
Wijnaldum
Voorrijp
Schalsum
Midlum
(Hjerbeam)
Herbaijum
N 390
A 31
N 384
Kiesterzijl
Franeker
(Frjentsjer)
Harlingen
(Harns)
Hitzum

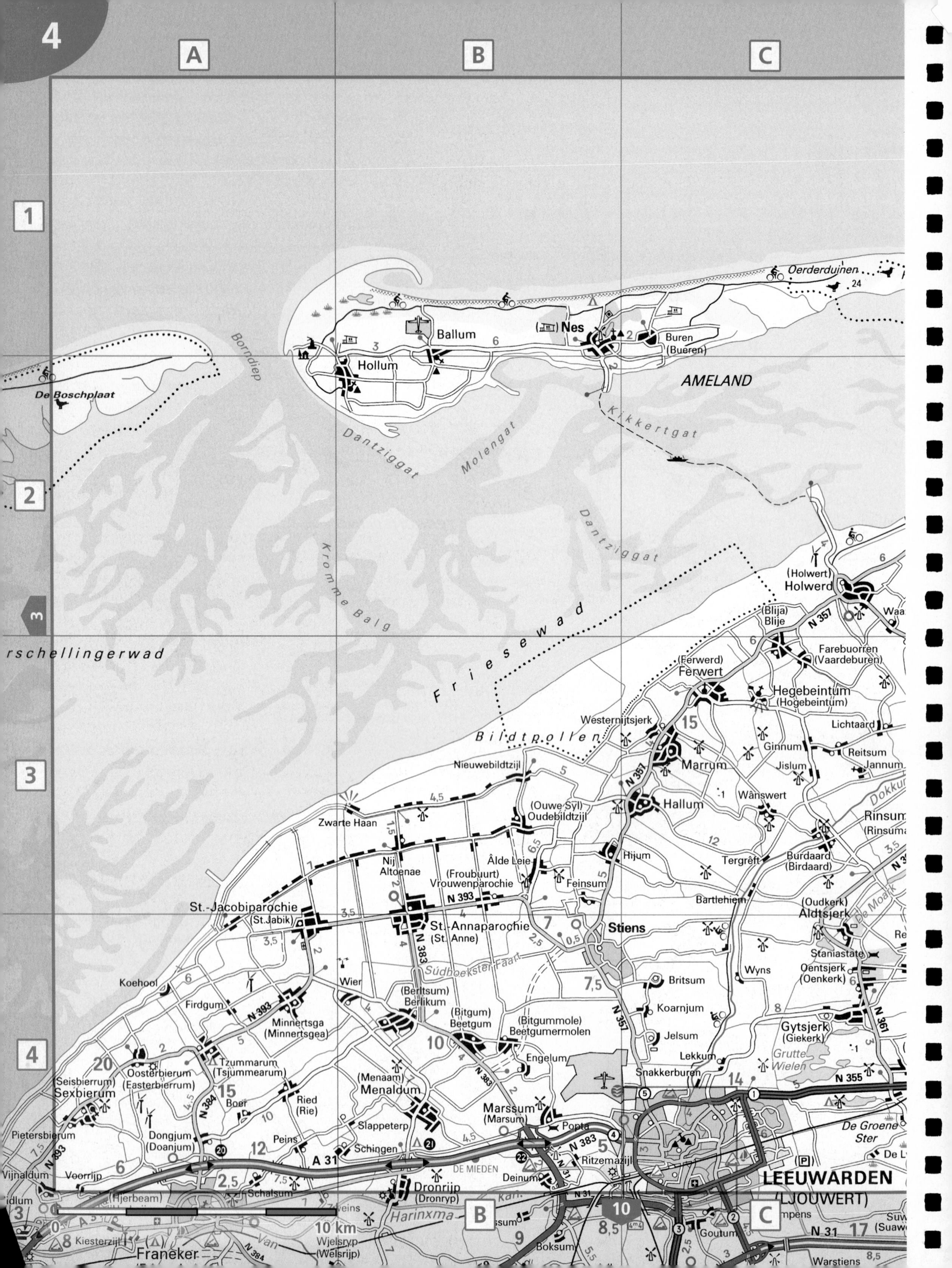
A
B
C
1
2
3
4
Oerderduinen
24
Borndiep
Ballum
Nes
Buren
(Bueren)
Hollum
AMELAND
De Boschplaat
Kikkertgat
Dantziggat
Molengat
Dantziggat
Kromme Balg
Friesewad
rschellingerwad
Bildtpollen
(Holwert)
Holwerd
(Blija)
Blije
N 357
Farebuorren
(Vaardeburen)
(Ferwerd)
Ferwert
Hegebeintum
(Hogebeintum)
Westernijtsjerk
Lichtaard
Ginnum
Reitsum
Jislum
Jannum
Marrum
Nieuwebildtzijl
Hallum
Wânswert
Rinsum
(Rinsuma
Zwarte Haan
(Ouwe Syl)
Oudebildtzijl
Hijum
Tergrêft
Burdaard
(Birdaard)
Nij
Altoenae
Âlde Leie
(Froubuurt)
Vrouwenparochie
Feinsum
N 393
Bartlehiem
(Oudkerk)
Aldtsjerk
St.-Jacobiparochie
(St.Jabik)
St.-Annaparochie
(St. Anne)
Stiens
Súdhoekster Faart
Staniastate
Oentsjerk
(Oenkerk)
Wyns
Koehool
Wier
Britsum
Firdgum
(Berltsum)
Berlikum
Koarnjum
Minnertsga
(Minnertsgea)
(Bitgum)
Beetgum
(Bitgummole)
Beetgumermolen
Jelsum
Gytsjerk
(Giekerk)
Grutte
Wielen
Tzummarum
(Tsjummearum)
Engelum
Lekkum
Snakkerburen
N 355
Oosterbierum
(Easterbierrum)
(Seisbierrum)
Sexbierum
(Menaam)
Menaldum
Ried
(Rie)
Boer
Marssum
(Marsum)
Pietersbierum
Dongjum
(Doanjum)
Slappeterp
Popta
Peins
Schingen
N 383
De Groene
Ster
Vijnaldum
Voorrijp
A 31
DE MIEDEN
Ritzemazijl
Deinum
LEEUWARDEN
(LJOUWERT)
Dronrijp
(Dronryp)
(Hjerbeam)
Schalsum
10 km
Wjelsryp
(Welsrijp)
Harinxma
Kiesterzijl
Franeker
Boksum
Goutum
N 31
Warstiens
10

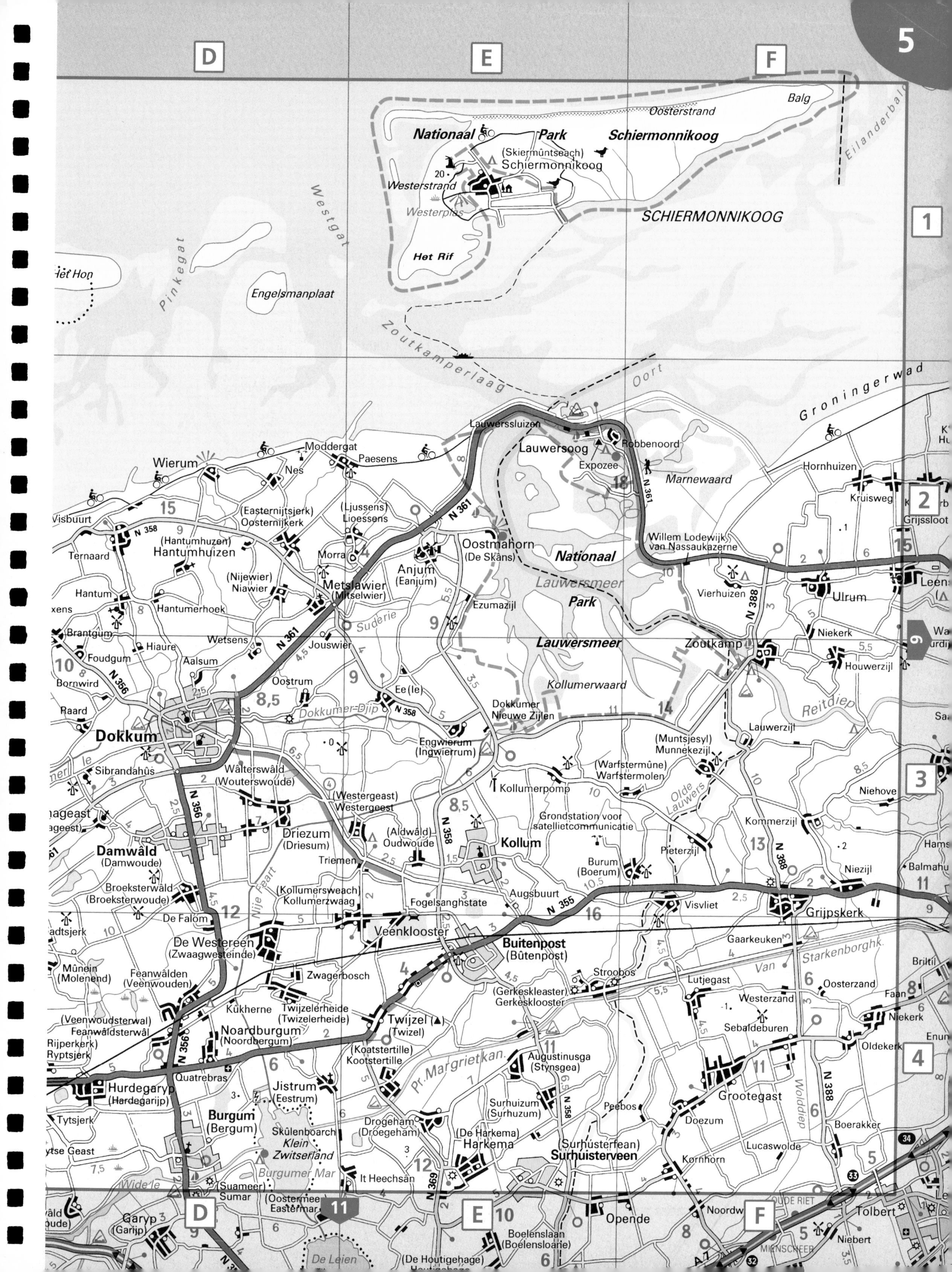
D
E
F
Balg
Oosterstrand
Nationaal
Park
Schiermonnikoog
(Skiermûntseach)
Schiermonnikoog
Eilanderbalg
Westerstrand
Westerplas
SCHIERMONNIKOOG
Westgat
Pinkegat
Het Rif
Het Hon
Engelsmanplaat
Zoutkamperlaag
Oort
Groningerwad
Lauwerssluizen
Lauwersoog
Robbenoord
Expozee
Marnewaard
N 361
Moddergat
Paesens
Wierum
Nes
Visbuurt
(Easternijtsjerk)
Oosternijkerk
(Ljussens)
Lioessens
Hornhuizen
Kruisweg
Grijssloot
Ternaard
(Hantumhuzen)
Hantumhuizen
Oostmahorn
(De Skâns)
Nationaal
Willem Lodewijk
van Nassaukazerne
Morra
Anjum
(Eanjum)
(Nijewier)
Niawier
Metslawier
(Mitselwier)
Lauwersmeer
Park
Vierhuizen
N 388
Ulrum
Hantum
Hantumerhoek
Ezumazijl
Suderie
Niekerk
Brantgum
Wetsens
Hiaure
Jouswier
Lauwersmeer
Zoutkamp
Houwerzijl
Foudgum
Aalsum
Bornwird
N 356
Oostrum
Ee (Ie)
Kollumerwaard
Reitdiep
Raard
Dokkumer Djip
N 358
Dokkumer
Nieuwe Zijlen
Lauwerzijl
Dokkum
Engwierum
(Ingwierrum)
(Muntsjesyl)
Munnekezijl
Sibrandahûs
Wâlterswâld
(Wouterswoude)
(Warfstermûne)
Warfstermolen
Kollumerpomp
Niehove
Olde Lauwers
(Westergeast)
Westergeest
Grondstation voor
satellietcommunicatie
Kommerzijl
Driezum
(Driesum)
(Aldwâld)
Oudwoude
Kollum
Damwâld
(Damwoude)
Triemen
Burum
(Boerum)
Pieterzijl
Niezijl
Broeksterwâld
(Broeksterwoude)
Nije Feart
(Kollumersweach)
Kollumerzwaag
Fogelsanghstate
Augsbuurt
N 355
Visvliet
Grijpskerk
De Falom
Veenklooster
De Westereen
(Zwaagwesteinde)
Buitenpost
(Bûtenpost)
Gaarkeuken
Van Starkenborghk.
Mûnein
(Molenend)
Feanwâlden
(Veenwouden)
Zwagerbosch
Stroobos
Lutjegast
Oosterzand
(Gerkeskleaster)
Gerkesklooster
Westerzand
Kûkherne
Twijzelerheide
(Twizelerheide)
Twijzel
(Twizel)
(Veenwoudsterwal)
Feanwâldsterwâl
Noardburgum
(Noordbergum)
Sebaldeburen
Niekerk
Rijperkerk)
Ryptsjerk
(Koatstertille)
Kootstertille
Augustinusga
(Stynsgea)
Oldekerk
Quatrebras
Pr. Margrietkan.
Hurdegaryp
(Hardegarijp)
Jistrum
(Eestrum)
Surhuizum
(Surhuzum)
Peebos
Grootegast
Wolddiep
Tytsjerk
Burgum
(Bergum)
Skûlenboarch
Klein
Zwitserland
Drogeham
(Droegeham)
Doezum
Boerakker
(De Harkema)
Harkema
(Surhústerfean)
Surhuisterveen
Lucaswolde
Kornhorn
Burgumer Mar
Wide Ie
(Suameer)
Sumar
It Heechsân
(Oostermeer)
Eastermar
Garyp
(Garijp)
Opende
Noordwijk
OUDE RIET
Tolbert
Boelenslaan
(Boelensloane)
Niebert
De Leien
(De Houtigehage)
1
2
3
4

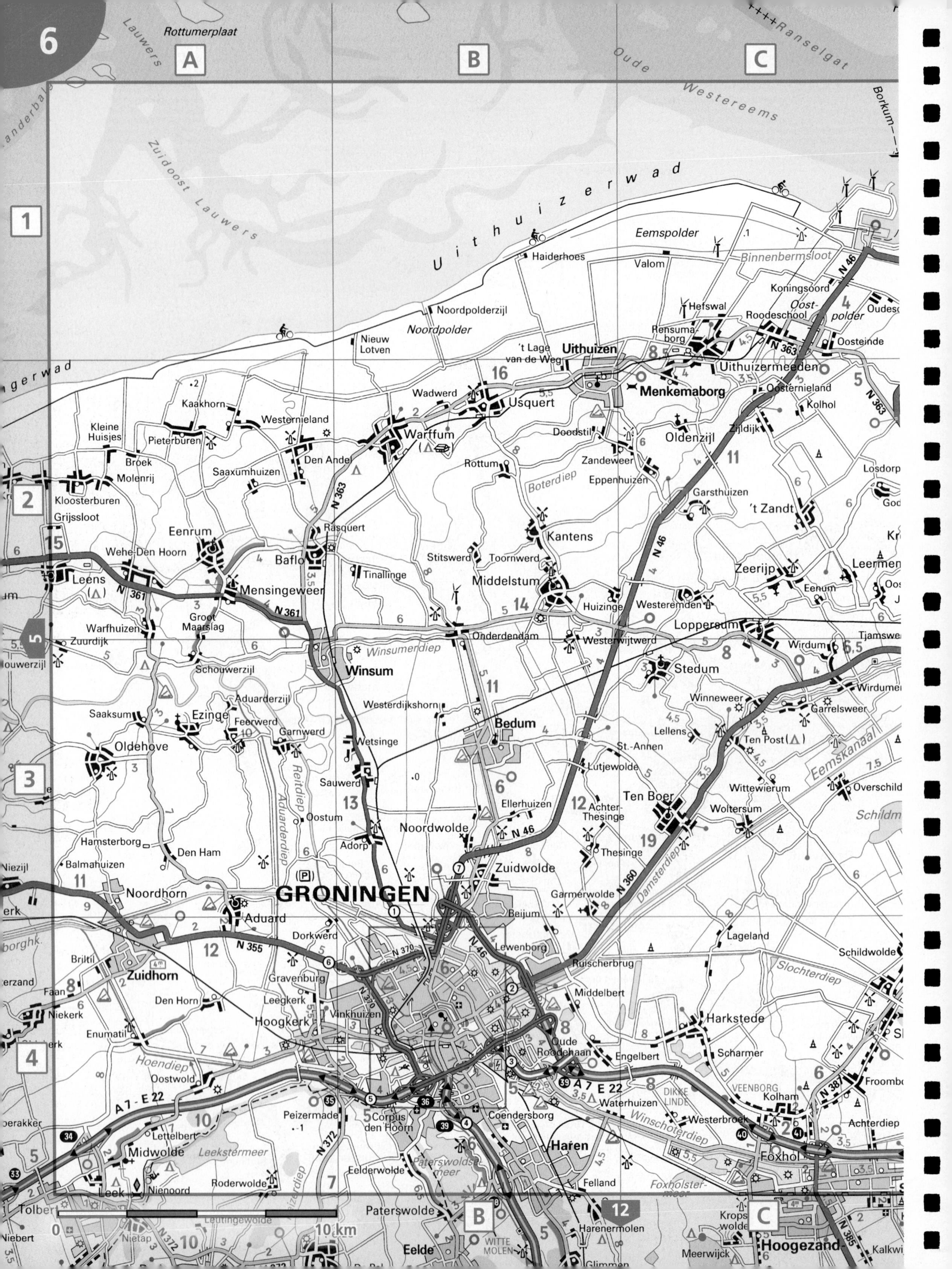
Rottumerplaat
Lauwers
Oude Westereems
Ranselgat
Borkum
A
B
C
1
2
3
4
5
Zuidoost Lauwers
Uithuizerwad
Eemspolder
Haiderhoes
Valom
Binnenbermsloot
Koningsoord
Oostpolder
Oudeschip
Hefswal
Roodeschool
Oosteinde
Rensumaborg
Uithuizen
Uithuizermeeden
Noordpolderzijl
Noordpolder
Nieuw Lotven
't Lage van de Weg
Menkemaborg
Oosternieland
Kolhol
Wadwerd
Usquert
Kaakhorn
Westernieland
Kleine Huisjes
Pieterburen
Warffum
Doodstil
Oldenzijl
Zijldijk
Broek
Molenrij
Den Andel
Saaxumhuizen
Rottum
Zandeweer
Eppenhuizen
Boterdiep
Losdorp
Kloosterburen
Grijssloot
Garsthuizen
't Zandt
Eenrum
Rasquert
Kantens
Wehe-Den Hoorn
Baflo
Stitswerd
Toornwerd
Zeerijp
Leermens
Leens
Mensingeweer
Tinallinge
Middelstum
Eenum
Groot Maarslag
Huizinge
Westeremden
Warfhuizen
Zuurdijk
Onderdendam
Westerwijtwerd
Loppersum
Wirdum
Tjamsweer
Winsumerdiep
Winsum
Schouwerzijl
Stedum
Wirdumer
Aduarderzijl
Saaksum
Ezinge
Feerwerd
Garnwerd
Westerdijkshorn
Bedum
Winneweer
Garrelsweer
Lellens
Ten Post
Oldehove
Wetsinge
St.-Annen
Eemskanaal
Lutjewolde
Overschild
Sauwerd
Reitdiep
Aduarderdiep
Ten Boer
Wittewierum
Schildmeer
Ellerhuizen
Achter-Thesinge
Oostum
Woltersum
Hamsterborg
Noordwolde
Adorp
Thesinge
Den Ham
Balmahuizen
Niezijl
Zuidwolde
Noordhorn
GRONINGEN
Garmerwolde
Damsterdiep
Aduard
Beijum
Dorkwerd
Lewenborg
Lageland
Schildwolde
Briltil
Zuidhorn
Ruischerbrug
Slochterdiep
Gravenburg
Faan
Den Horn
Leegkerk
Middelbert
Niekerk
Hoogkerk
Vinkhuizen
Harkstede
Enumatil
Oude Roodehaan
Engelbert
Scharmer
Hoendiep
Oostwold
Veenborg
Froombosch
A 7 E 22
Waterhuizen
Dikke Linde
Kolham
Peizermade
Corpus den Hoorn
Coendersborg
Winschoterdiep
Westerbroek
Achterdiep
Lettelbert
Midwolde
Leekstermeer
Eelderwolde
Paterswoldsemeer
Haren
Foxhol
Roderwolde
Nienoord
Leek
Felland
Foxholstermeer
Tolbert
Leutingewolde
Paterswolde
Niebert
Nietap
Eelde
Witte Molen
Harenermolen
Kropswolde
Meerwijck
Hoogezand
Kalkwijk
Glimmen
0
10 km
12
N 46
N 363
N 361
N 355
N 370
N 372
N 360
N 387
N 385

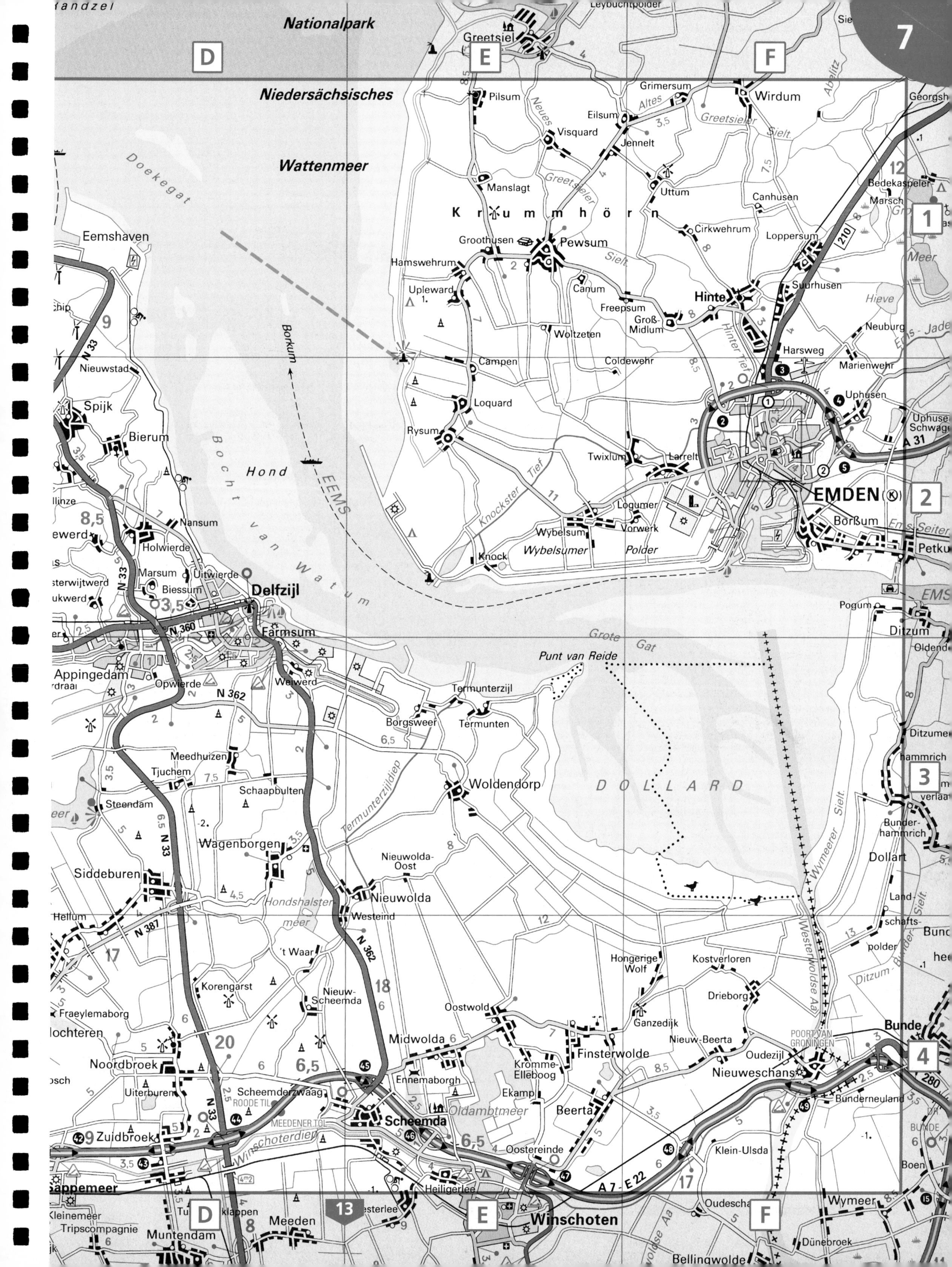
Nationalpark
Niedersächsisches
Wattenmeer
Doekegat
Eemshaven
Borkum
Hond
Bocht van Watum
EEMS
Greetsiel
Pilsum
Visquard
Grimersum
Wirdum
Eilsum
Jennelt
Manslagt
Uttum
Canhusen
Krummhörn
Groothusen
Pewsum
Cirkwehrum
Loppersum
Hamswehrum
Upleward
Canum
Freepsum
Groß-Midlum
Hinte
Suurhusen
Woltzeten
Campen
Coldewehr
Harsweg
Neuburg
Marienwehr
Loquard
Rysum
Uphusen
Twixlum
Larrelt
Logumer
Vorwerk
EMDEN
Borßum
Wybelsum
Wybelsumer Polder
Knock
Knockster Tief
Petkum
Pogum
Ditzum
Oldendorp
Bedekaspel
Marsch
Georgsheil
Nieuwstad
Spijk
Bierum
Nansum
Holwierde
Marsum
Biessum
Uitwierde
Delfzijl
Farmsum
Appingedam
Opwierde
Weiwerd
Grote Gat
Punt van Reide
Termunterzijl
Borgsweer
Termunten
Meedhuizen
Tjuchem
Schaapbulten
Woldendorp
DOLLARD
Steendam
Wagenborgen
Termunterzijldiep
Nieuwolda-Oost
Siddeburen
Nieuwolda
Westeind
Hondshalstermeer
Hellum
't Waar
Hongerige Wolf
Kostverloren
Korengarst
Nieuw-Scheemda
Drieborg
Fraeylemaborg
Oostwold
Ganzedijk
Slochteren
Midwolda
Finsterwolde
Nieuw-Beerta
Oudezijl
Noordbroek
Kromme-Elleboog
Nieuweschans
Uiterburen
Scheemderzwaag
Ennemaborgh
Ekamp
Beerta
Bunderneuland
Zuidbroek
Scheemda
Oldambtmeer
Oostereinde
Klein-Ulsda
Winschoterdiep
Sappemeer
Heiligerlee
Kleinemeer
Tripscompagnie
Muntendam
Meeden
Winschoten
Oudeschans
Wymeer
Dünebroek
Bellingwolde
Bunde
Dollart
Bunderhammrich
Landschaftspolder
Ditzumerhammrich
Westerwoldse Aa
Wymeerer Sielt.
A 31
A 7 - E 22
N 33
N 360
N 362
N 387
D
E
F
1
2
3
4
13

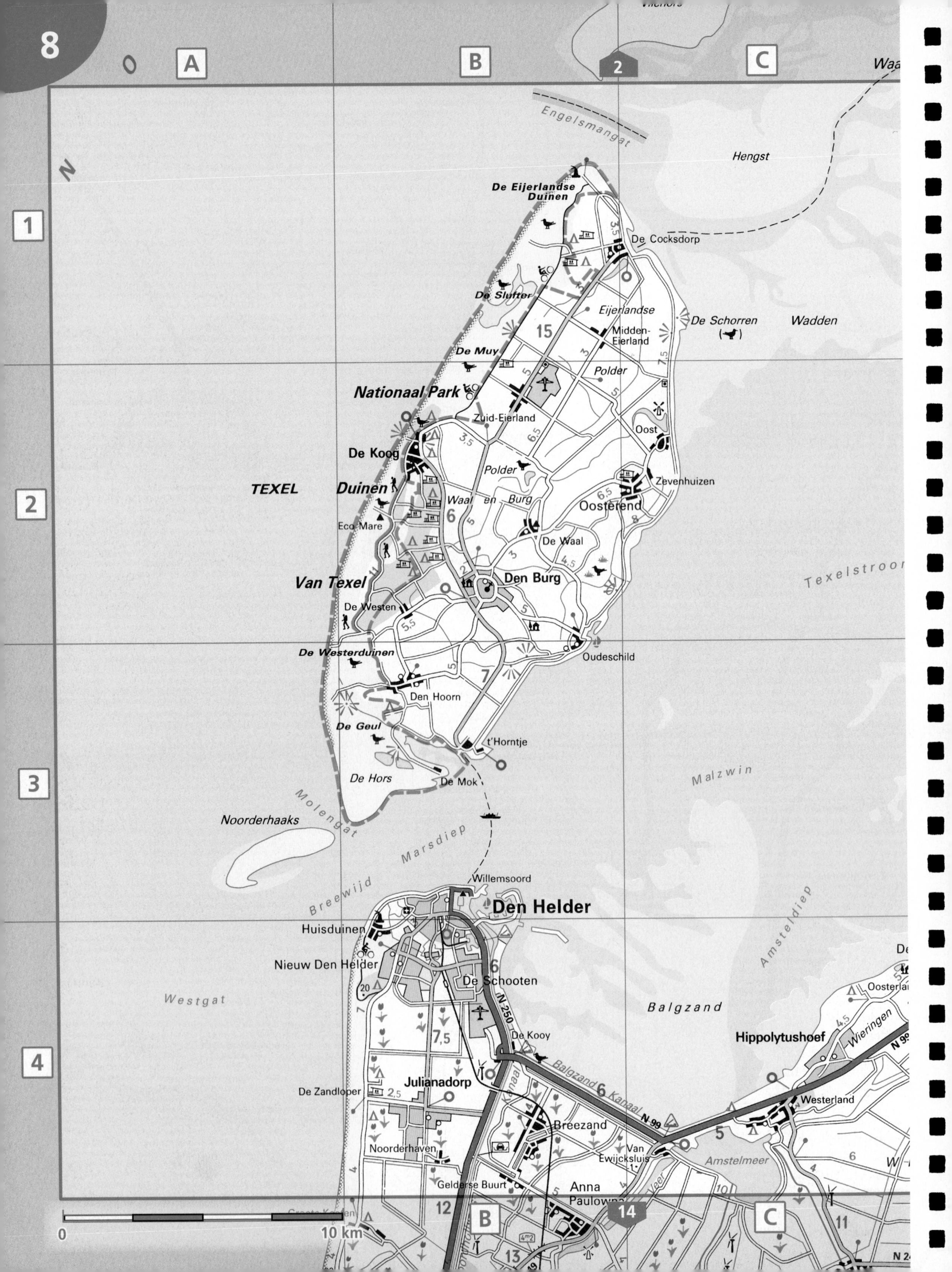
A
B
C
2
Engelsmangat
Hengst
De Eijerlandse Duinen
De Cocksdorp
De Slufter
Eijerlandse
De Schorren
Wadden
Midden-Eierland
15
De Muy
Polder
Nationaal Park
Zuid-Eierland
Oost
De Koog
Polder
TEXEL
Duinen
Zevenhuizen
Waal en Burg
Oosterend
Eco Mare
De Waal
Den Burg
Van Texel
Texelstroom
De Westen
De Westerduinen
Oudeschild
Den Hoorn
De Geul
t'Horntje
De Hors
De Mok
Malzwin
Molengat
Noorderhaaks
Marsdiep
Willemsoord
Breewijd
Den Helder
Huisduinen
Nieuw Den Helder
De Schooten
Amsteldiep
Westgat
N 250
Balgzand
De Kooy
Hippolytushoef
Wieringen
Oosterland
Julianadorp
Balgzand Kanaal
N 99
Westerland
De Zandloper
Breezand
Noorderhaven
Van Ewijcksluis
Amstelmeer
Gelderse Buurt
Anna Paulowna
14
0
10 km
1
2
3
4

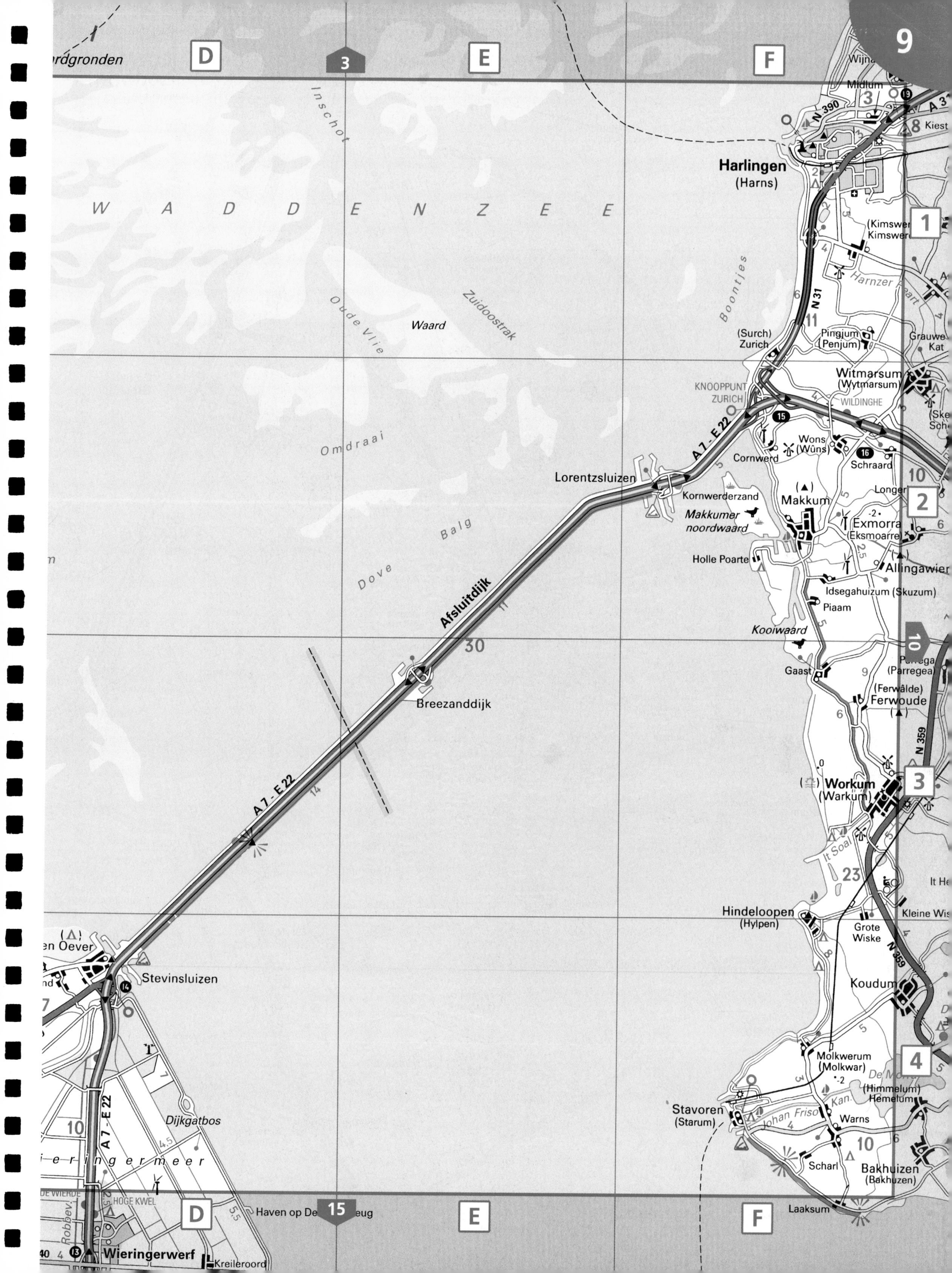
D
E
F
3
W A D D E N Z E E
Inschot
Oude Vlie
Waard
Zuidoostrak
Boontjes
Omdraai
Balg
Dove
Afsluitdijk
A 7 - E 22
30
Breezanddijk
Lorentzsluizen
Kornwerderzand
Makkumer noordwaard
Harlingen
(Harns)
Midlum
Kiest
(Kimswerd)
Kimswerd
Harnzer Feart
N 31
N 390
(Surch)
Zurich
Pingjum
(Penjum)
Grauwe Kat
Witmarsum
(Wytmarsum)
WILDINGHE
KNOOPPUNT ZURICH
Wons
(Wûns)
Cornwerd
Schraard
Makkum
Longerhouw
Exmorra
(Eksmoarre)
Holle Poarte
Allingawier
Idsegahuizum (Skuzum)
Piaam
Kooiwaard
Gaast
(Parregea)
(Ferwâlde)
Ferwoude
N 359
Workum
(Warkum)
It Soal
23
Hindeloopen
(Hylpen)
Grote Wiske
Kleine Wiske
Koudum
Molkwerum
(Molkwar)
De Morra
(Himmelum)
Hemelum
Stavoren
(Starum)
Johan Friso Kan.
Warns
Scharl
Bakhuizen
(Bakhuizen)
Laaksum
1
2
3
4
10
Stevinsluizen
Den Oever
Dijkgatbos
Wieringermeer
DE WIERDE
HOGE KWEL
Robbev.
Haven op Den Oever
15
Wieringerwerf
Kreileroord

10
Dongjum
(Doanjum)
Peins
Slappeterp
Schingen
Popta
Ritzemazijl
De Groene Ster
A 31
N 383
Deinum
Dronrijp
(Dronryp)
Schalsum
(Hjerbeam)
Herbaijum
Kiesterzijl
Franeker
(Frjentsjer)
Zweins
Harinxma
Blessum
Wjelsryp
(Welsrijp)
N 384
LEEUWARDEN
(LJOUWERT)
Hempens
N 31
Suwald
(Suawâld)
Goutum
Boksum
Jellum
Hilaard
Bears
Huns
Baaium
(Baijum)
N 359
(Tsjom)
Tzum
Hitzum
Winsum
Spannum
Achlum
Kimswerd
Leons
Jorwert
(Jorwerd)
Baard
Weidum
Wytgaard
De Swette
Swichum
Warstiens
(Wartena)
Warten
Wirdum
(Wurdum)
Wergea
(Warga)
Eagum
Domwier
MANDELÂN
Easterlittens
(Oosterlittens)
Mantgum
Arum
Lollum
Kûbaard
Feart
(Roordahuizum)
Reduzum
Idaerd
(Idaard)
Iens
Hinnaard
Britswert
(Wieuwerd)
Wiuwert
Grauwe Kat
Wommels
Waaksens
Easterwierrum
(Oosterwierrum)
Friens
A 32
Pikmar
Itens
Rien
Boazum
(Bozum)
N 354
Raerd
(Rauwerd)
(Grouw)
Grou
Goënga
Easterein
(Oosterend)
Lutkewierum
Frjentsjerter
(Skettens)
Schettens
Hichtum
Burgwerd
(Burchwert)
Hidaard
Dearsum
Poppenwier
(Irnsum)
Jirnsum
Wide Ie
Birstum
(Boalsert)
Bolsward
Hartwerd
de Kliuw
Reahûs
(Terzool)
Tersoal
(Skearnegoutum)
Scharnegoutum
(Sijbrandaburen)
Sibrandabuorren
Schraard
Exmorra
(Eksmoarre)
Tirns
(Nijlân)
Nijland
Gauw
(Oldeboorn)
Aldeboarn
A 7 - E 22
Allingawier
LAERD
Ysbrechtum
Goënga
(Snits)
Sneek
(Terhorne)
Terherne
Akkrum
(Tsjerkwert)
Tjerkwerd
Skuzum
Wolsum
Folsgare
(Folsgeare)
De Potten
Snitser Mar
Terkaplester Puollen
SMARPOT
Veenpolder de Deelen
Offingawier
(Blauhûs)
Blauhuis
(Easthim)
Oosthem
Terkaple
Parrega
(Parregea)
Dedgum
Abbega
Oppenhuizen
Swarte Brekken
Greonterp
Westhem
Goïngarijp
Akmarijp
(Ferwâlde)
Ferwoude
Hieslum
Idserdaburen
(Draaisterhûzen)
Draaisterhuizen
IJlst
(Drylts)
Uitwellingerga
Vegelinsoord
Haskerdijken
Nieuwebrug
Wide Wimerts
Jutrijp
(Aldegea)
Oudega
Aldegeaster Brekken
Sandfirden
Ringwiel
Lytshuzen
Aldhôf
BLOKSLOOT
Hommerts
(De Hommerts)
(De Jouwer)
Joure
KNOOPPUNT HEERENVEEN
Kleine Gaastmeer
Idzegeaster Poel
Heeg
(Heech)
Osingahuizen
Lippenwoude
Langwarder Wielen
KNOOPPUNT JOURE
Nijhuizum
Jeltesleat
(Langwar)
Langweer
Boornzwaag
(Boarnsweach)
DE HORNE
Oudehaske
(Aldehaske)
Gaastmeer
(De Gaastmar)
Grutte Gaastmar
Dijken
Haskerhorne
Hegemer Mar
De Kûfurd
(Legemar)
Legemeer
(Skarsterbrêge)
Scharsterbrug
Nannewiid
(St.-Jansgea)
Sintjohannesga
It Heidenskip
Woudsend
(Wâldsein)
(Jiskenhuizen)
Idskenhuizen
Ouwsterhaule
Kleine Wiske
Grote Wiske
De Fluezen
(St.-Nyk)
St.-Nicolaasga
Rotsterhaule
Elahuizen
(Ealahuzen)
Sleattemer Mar
Margriet
Finkeburen
Koudum
(Tsjerkgaast)
Tjerkgaast
Doniaga
Vierhuis
De Holken
Oudega
(Aldegea)
Harich
Spannenburg
Tsjûkemar
De Kuilart
Balk
Bargebek
Sloten
(Sleat)
Marlestate
De Morra
(Himmelum)
Hemelum
Westerein
Wijckel
(Wikel)
Grutte Brekken
Follega
(Ychten)
Echten
Delfstrahuizen
(Dolsterhuzen)
Warns
Sondel
Eesterga
Oosterzee
(Eastersee)
Echtenerbrug
(Ychtenbrêge)
Bakhuizen
(Bakhuzen)
Nij Amerika
Gaasterland
Rijs
(Riis)
Otterweg
Munnikeburen
(Munnekebuorren)
Nijemirdum
(Nijemardum)
Bantega
(Bantegea)
Langelille
Oudemirdum
(Aldemardum)
Lemsterhoek
Lemmer
(De Lemmer)
Scherpenzeel
(Skerpenseel)
Friese Hoek
0
10 km

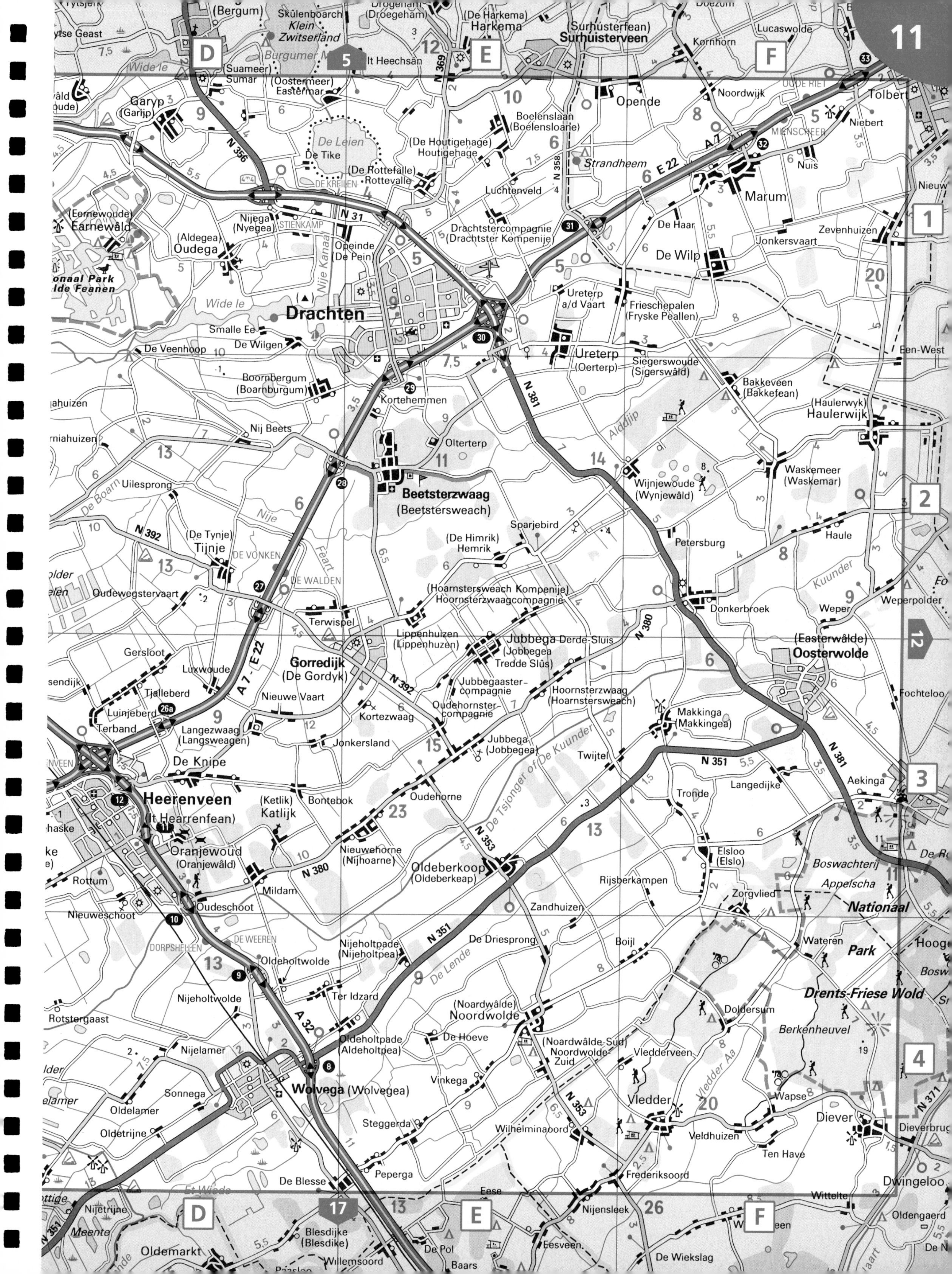
(Bergum)
Skûlenboarch
Klein
Zwitserland
(Droegeham)
(De Harkema)
Harkema
(Surhûsterfean)
Surhuisterveen
Lucaswolde
Kornhorn
D
E
F
5
12
Burgumer M
It Heechsân
Wide Ie
(Suameer)
Sumar
(Oostermeer)
Eastermar
Garyp
(Garijp)
9
N 356
De Leien
De Tike
10
Boelenslaan
(Boelensloane)
(De Houtigehage)
Houtigehage
(De Rottefalle)
Rottevalle
DE KREILEN
Opende
Noordwijk
OUDE RIET
Tolbert
Niebert
MIENSCHEER
Nuis
Marum
A 7
E 22
Strandheem
N 358
Luchtenveld
(Eernewoude)
Earnewâld
Nijega
(Nyegea)
STIENKAMP
N 31
Opeinde
(De Pein)
Nije Kanaal
(Aldegea)
Oudega
Drachtstercompagnie
(Drachtster Kompenije)
De Haar
De Wilp
Jonkersvaart
Zevenhuizen
1
onaal Park
lde Feanen
Wide Ie
Drachten
Ureterp
a/d Vaart
Friescheplalen
(Fryske Peallen)
20
Smalle Ee
De Wilgen
De Veenhoop
Boornbergum
(Boarnburgum)
Kortehemmen
Ureterp
(Oerterp)
Siegerswoude
(Sigerswâld)
Bakkeveen
(Bakkefean)
Een-West
(Haulerwyk)
Haulerwijk
Nij Beets
Olterterp
11
13
N 381
Alddjip
14
Wijnjewoude
(Wynjewâld)
Waskemeer
(Waskemar)
2
Uilesprong
De Boarn
Beetsterzwaag
(Beetstersweach)
Nije
6
10
N 392
(De Tynje)
Tijnje
DE VONKEN
Feart
Sparjebird
(De Himrik)
Hemrik
Petersburg
Haule
8
Kuunder
DE WALDEN
Oudewegstervaart
(Hoarnstersweach Kompenije)
Hoornsterzwaagcompagnie
Donkerbroek
Weper
Weperpolder
Terwispel
Lippenhuizen
(Lippenhuzen)
Jubbega Derde-Sluis
(Jobbegea
Tredde Slûs)
N 380
(Easterwâlde)
Oosterwolde
Gersloot
Luxwoude
Gorredijk
(De Gordyk)
Jubbegaaster-
compagnie
Hoornsterzwaag
(Hoarnstersweach)
Fochteloo
Tjalleberd
A 7 - E 22
Nieuwe Vaart
Kortezwaag
Oudehornster-
compagnie
Makkinga
(Makkingea)
Luinjeberd
Terband
Langezwaag
(Langsweagen)
Jonkersland
Jubbega
(Jobbegea)
15
Twijtel
De Tsjonger of De Kuunder
N 351
N 381
De Knipe
Tronde
Langedijke
Aekinga
3
Heerenveen
(It Hearrenfean)
(Ketlik)
Katlijk
Bontebok
Oudehorne
23
13
Oranjewoud
(Oranjewâld)
Nieuwehorne
(Nijhoarne)
N 380
Oldeberkoop
(Oldeberkeap)
N 353
Elsloo
(Elslo)
Boswachterij
Appelscha
Rottum
Mildam
Rijsberkampen
Zorgvlied
Nationaal
Oudeschoot
Nieuweschoot
Zandhuizen
DORPSHELLEN
DE WEEREN
Nijeholtpade
(Nijeholtpea)
De Driesprong
Boijl
Wateren
Park
Oldeholtwolde
De Lende
Drents-Friese Wold
Nijeholtwolde
Ter Idzard
(Noardwâlde)
Noordwolde
Doldersum
Berkenheuvel
Rotstergaast
A 32
De Hoeve
Oldeholtpade
(Aldeholtpea)
Nijelamer
(Noardwâlde-Sud)
Noordwolde-
Zuid
Vledderveen
4
Vledder Aa
Wolvega (Wolvegea)
Vinkega
Sonnega
Oldelamer
Vledder
Wapse
20
Diever
Dieverbrug
N 371
N 353
Oldetrijne
Steggerda
Wilhelminaoord
Veldhuizen
Ten Have
Peperga
Frederiksoord
Dwingeloo
De Blesse
Eese
Wittelte
Nijetrijne
17
13
Nijensleek
26
Meente
Blesdijke
(Blesdike)
Oldengaerd
Oldemarkt
De Pol
Eesveen
De Wiekslag
Willemsoord
Baars

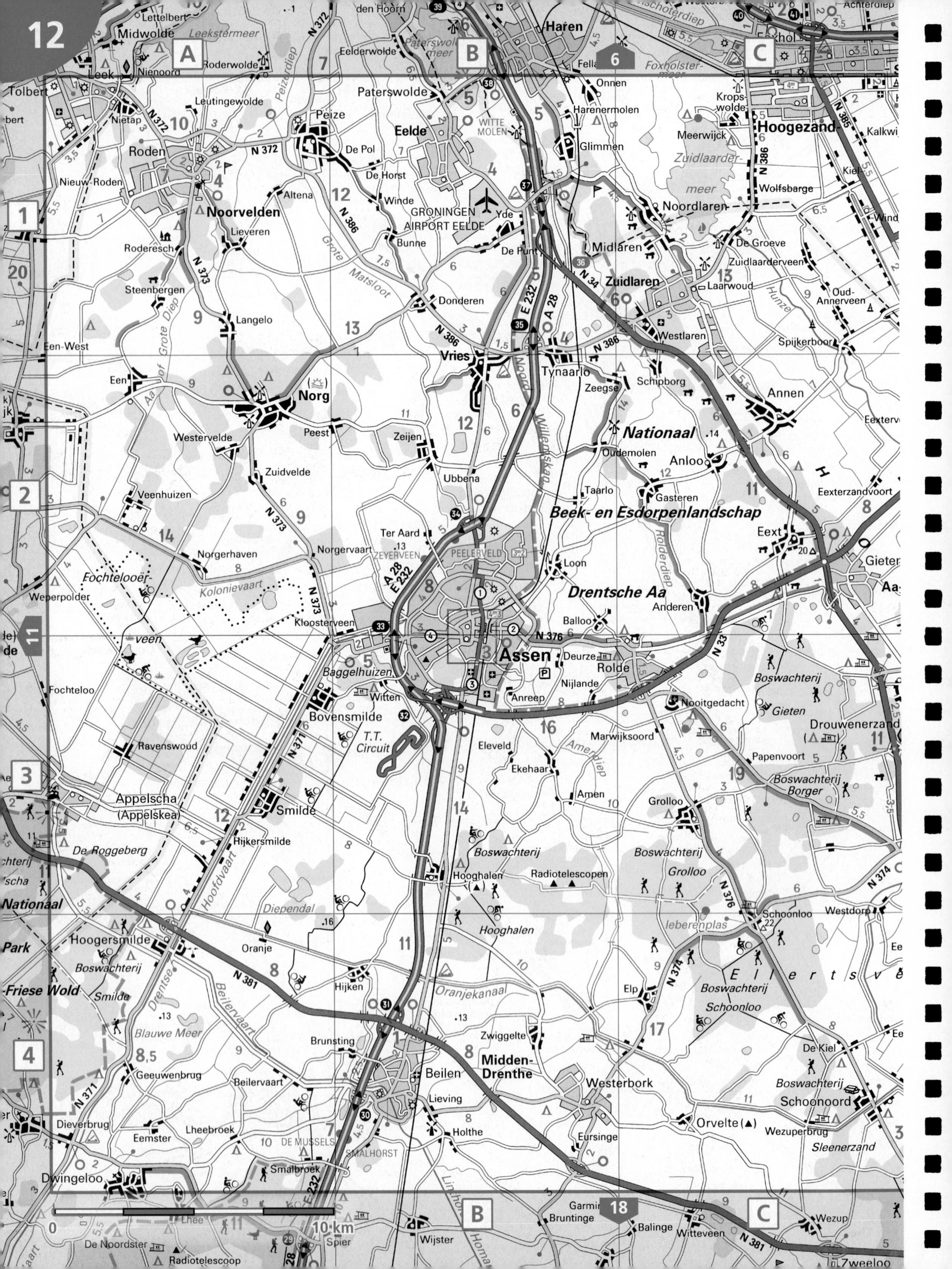
Haren
Midwolde
Leek
Tolbert
Roden
Peize
Paterswolde
Eelde
Noorvelden
GRONINGEN AIRPORT EELDE
Hoogezand-
Zuidlaarder-meer
Noordlaren
Midlaren
Zuidlaren
Vries
Tynaarlo
Norg
Annen
Nationaal
Beek- en Esdorpenlandschap
Drentsche Aa
Eext
Gieten
Assen
Rolde
Fochtelooër-veen
Bovensmilde
T.T. Circuit
Appelscha
Smilde
Hooghalen
Radiotelescopen
Grolloo
Schoonloo
Hoogersmilde
Beilen
Midden-Drenthe
Westerbork
Schoonoord
Dwingeloo
Orvelte
Wezup
Zweeloo
Wijster
Spier
10 km

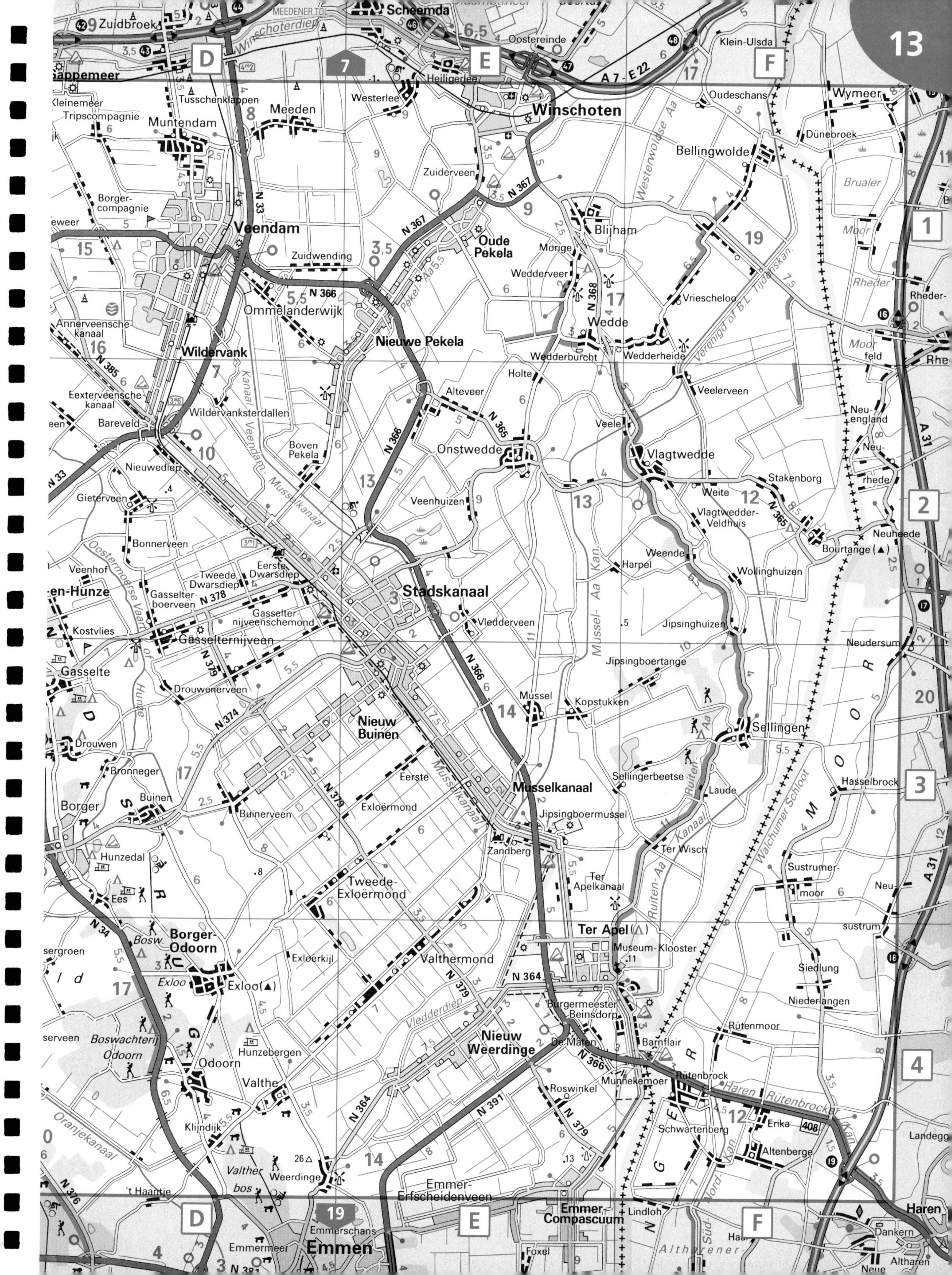
Zuidbroek
Scheemda
Meedener Tol
Winschoterdiep
Oostereinde
Klein-Ulsda
Sappemeer
Heiligerlee
Westerlee
A 7 - E 22
Oudeschans
Wymeer
Kleinemeer
Tripscompagnie
Tusschenklappen
Meeden
Muntendam
Winschoten
Dünebroek
Bellingwolde
Zuiderveen
N 367
Brualer
Borger-
compagnie
Veendam
Oude
Pekela
Blijham
Morige
Moor
Zuidwending
N 366
Wedderveer
Vriescheloo
Rheder
Rheder-
Ommelanderwijk
Pekel-Aa
N 368
Wedde
Annerveensche-
kanaal
Nieuwe Pekela
Wildervank
Wedderburcht
Wedderheide
Verenigd of B.L. Tijdenskan.
Westerwoldse Aa
Moor
feld
N 385
Holte
Veelerveen
Exterveensche-
kanaal
Alteveer
Bareveld
Wildervanksterdallen
Kanaal Veendam - Musselkanaal
N 365
Veele
Neu-
england
Boven
Pekela
Onstwedde
Vlagtwedde
A 31
N 33
Nieuwediep
Neu-
rhede
Stakenborg
Weite
Gieterveen
Veenhuizen
Vlagtwedder-
Veldhuis
Neuheede
Bonnerveen
Bourtange (▲)
Weende
Harpel
Veenhof
Eerste
Dwarsdiep
Tweede
Dwarsdiep
Wollinghuizen
Oostermoerse Vaart
Stadskanaal
en-Hunze
Gasselter-
boerveen
N 378
Gasselter-
nijveenschemond
Vledderveen
Mussel- Aa Kan.
Jipsinghuizen
Kostvlies
Gasselternijveen
Neudersum
Gasselte
N 379
Jipsingboertange
Drouwenerveen
Hunze
N 374
Mussel
Kopstukken
Nieuw
Buinen
Sellingen
Drouwen
Musselkanaal
Bronneger
Sellingerbeetse
Laude
Buinen
Eerste
Exloërmond
Hasselbrock
Borger
Buinerveen
Jipsingboermussel
Walchumer Schloot
Zandberg
Ter Wisch
Hunzedal
Sustrumer-
moor
Tweede-
Exloërmond
Ter
Apelkanaal
Ruiten-Aa Kanaal
Ees
Neu-
N 34
Borger-
Odoorn
Bosw.
sustrum
Ter Apel (△)
Museum- Klooster
sergroen
Exloërkijl
Valthermond
Siedlung
Exloo
Exloo (▲)
N 364
Niederlangen
Burgermeester
Beinsdorp
Vledderdiep
serveen
Boswachterij
Odoorn
Hunzebergen
Nieuw
Weerdinge
Rütenmoor
De Maten
Barnflair
Odoorn
Valthe
Roswinkel
Munnekemoer
Rütenbrock
Haren Rütenbrocker Kan.
Oranjekanaal
Klijndijk
N 391
Schwartenberg
Erika
Landegg
Valther
bos
Weerdinge
Altenberge
't Haantje
N 376
Emmer-
Erfscheidenveen
Emmer
Compascuum
Lindloh
Haren
Dankern
Emmerschans
Emmermeer
Emmen
Foxel
Altharener
Altharen
Neue

A
B
C
1
2
3
4
Breezand
Noorderhaven
Van Ewijcksluis
Amstelmeer
Anna Paulowna
Groote Keeten
't Zand
Callantsoog
Wieringerwaard
Slootdorp
Oudesluis
Zijpe- en
Middenmeer
't Zwanenwater
Stolpen
Keinsmerbrug
Kreil
Schagerbrug
Haze
De Goudvis
Schagen
Kolhorn
Westfriese Vaart
St.-Maartensvlotbrug
St.-Maartensbrug
E.C.N.-Euratom
St.-Maarten
Barsingerhorn
Haringhuizen
Lutjewinkel
Groetkanaal
Zeewering
Petten
Polder
Valkkoog
Groenveld
Winkel
N 239
Burgervlotbrug
Stroet
Burgerbrug
Dirkshorn
Zijdewind
't Veld
Langereis
Aartswoud
Hondsbosse
Eenigenburg
Kerkbuurt
Nieuwe-Niedorp
Tuitjenhorn
Krabbendam
Kalverdijk
Waarland
Gouwe
Hoogwoud
De Weere
Camperduin
Warmenhuizen
Groet
Oude-Niedorp
Catrijp
Oudkarspel
De Noord
Opmeer
Spanbroek
Schoorldam
Schoorl
Veenhuizen
Noord-Scharwoude
Zuid-Scharwoude
Langedijk
Geestmerambacht
Zandwerven
Aagtdorp
Broek op Langedijk
Obdam
Bergen
Zuidermeer
Koedijk
Heerhugowaard
Noordhollands
St. Pancras
Bergen aan Zee
Zee Aquarium
De Leyen
Hensbroek
Spierdijk
't Kruis
Duinreservaat
ALKMAAR
Oterleek
Rustenburg
De Goorn
Ringvaart
Ursemmerplas
Oudorp
Ursem
Egmond aan Zee
Omval
Stompetoren
Avenhorn
Egmond a/d Hoef
N 243
Rinnegom
Schermer
Schermerhorn
Oudendijk
Egmond-Binnen
Nijenburgh
Heiloo
Boekel
Beets
Kruisoord
Zuidschermer
Grootschermer
Noordbeemster
Limmen
Driehuizen
Noordeinde
Westbeemster
Noordhollands
Bakkum
Akersloot
Graft
De Rijp
West Graftdijk
Middenbeemster
Castricum aan Zee
Alkmaarder-meer
Castricum
De Woude
Oost Graftdijk
De Beemster
N 244
Markenbinnen
Halfweg
Uitgeest
Noordhollandsch Kanaal
Krommenie
Knollendam
Wormer en Jisperveld
Oostbeemster
Kruisberg
Heemskerk
Jisp
Neck
0
10 km

IJSSELMEER
MARKERMEER
Wieringerwerf
Kreileroord
Haven op De Oude Zeug
Polder
Hoekvaart
Westfriese V.
Medemblik
Opperdoes
Twisk
Abbekerk
Onderdijk
Kerkbuurt
Andijk
Oosterdijk
Wervershoof
Oostwoud
Midwoud
BROERDIJK
Het Streekbos
Zwaagdijk-Oost
Hauwert
Benningbroek
Wijzend
Grootebroek
Bovenkarspel
Hoogkarspel
Enkhuizen
Stede Broec
Nibbixwoud
Westwoud
Wognum
Zwaagdijk-West
De Streek
Venhuizen
Zwaag
Oosterblokker
Westerblokker
Hem
Wijdenes
Oosterleek
Hoorn
Schellinkhout
Scharwoude
Schardam
Etersheim
Oosthuizen
Warder
Middelie
Kwadijk
urmerend
Scharl
Laaksum
Markerwaarddijk
N 302
Houtribsluizen
Batavia Stad
Lelystad Haven

9
16
22
23

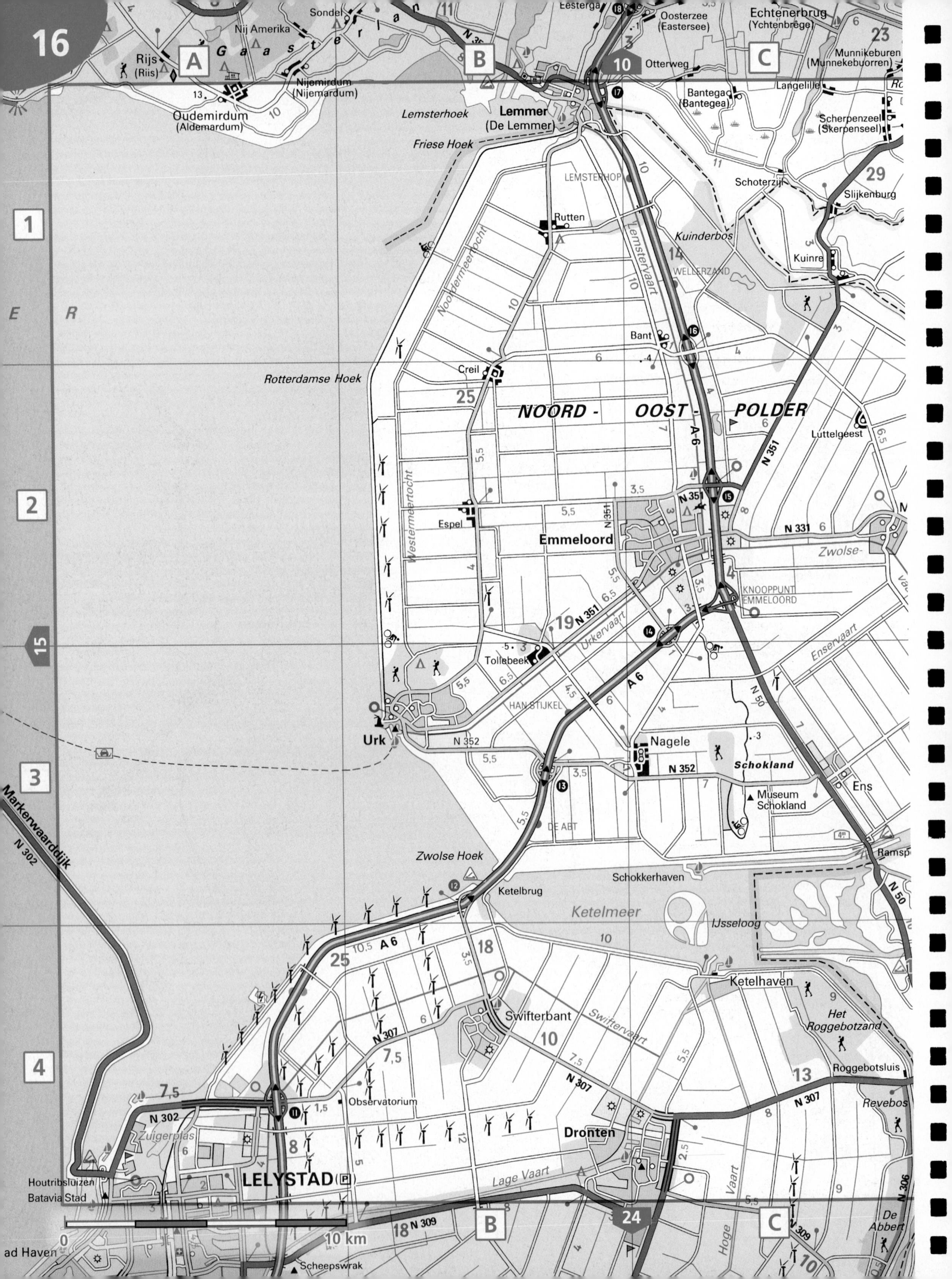

Sondel
Nij Amerika
Gaasterlân
Rijs (Riis)
Oudemirdum (Aldemardum)
Nijemirdum (Nijemardum)
Eesterga
Oosterzee (Eastersee)
Echtenerbrug (Ychtenbrêge)
Munnikeburen (Munnekebuorren)
Otterweg
Langelille
Bantega (Bantegea)
Scherpenzeel (Skerpenseel)
Lemsterhoek
Lemmer (De Lemmer)
Friese Hoek
LEMSTERHOP
Schoterzijl
Slijkenburg
Rutten
Kuinderbos
Kuinre
WELLERZAND
Noordermeertocht
Lemstervaart
Bant
Creil
Rotterdamse Hoek
NOORD - OOST - POLDER
Luttelgeest
Westermeertocht
Espel
Emmeloord
Zwolse-
KNOOPPUNT EMMELOORD
Urkervaart
Tollebeek
Enservaart
Urk
HAN STIJKEL
Nagele
Schokland
Museum Schokland
Ens
DE ABT
Markerwaarddijk
Zwolse Hoek
Ketelbrug
Schokkerhaven
Ketelmeer
IJsseloog
Ketelhaven
Het Roggebotzand
Swifterbant
Swiftervaart
Roggebotsluis
Observatorium
Revebos
Zuigerplas
Dronten
LELYSTAD
Houtribsluizen
Batavia Stad
Lage Vaart
Hoge Vaart
De Abbert
ad Haven
Scheepswrak
10 km

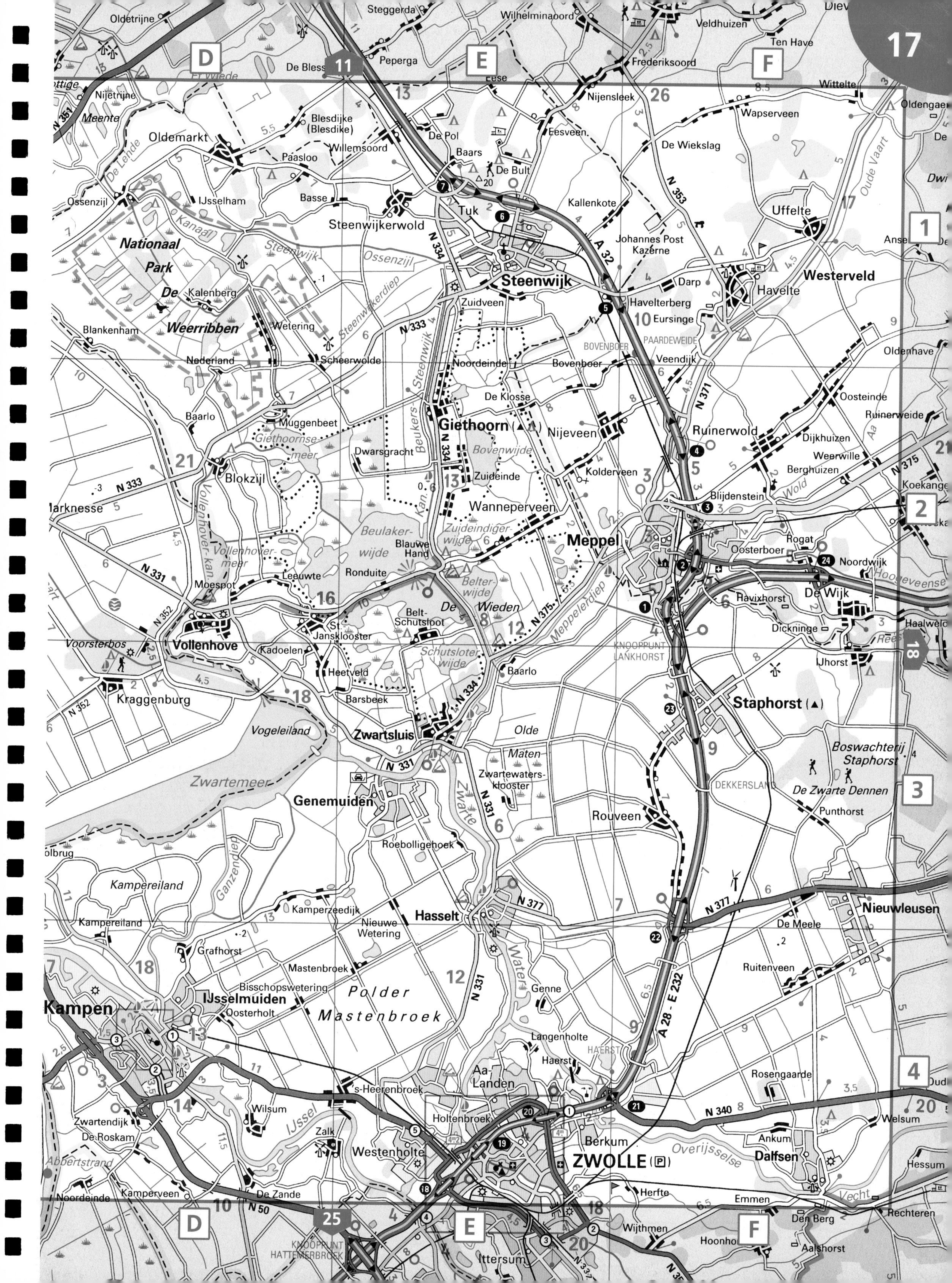
Oldetrijne
Steggerda
Wilhelminaoord
Veldhuizen
Ten Have
Frederiksoord
Peperga
De Blesse
Nijetrijne
Meente
Blesdijke
(Blesdike)
Willemsoord
De Pol
Nijensleek
Eesveen
Wapserveen
Wittelte
Oldengaeн
De Wiekslag
Oldemarkt
Paasloo
Baars
De Bult
Basse
Ossenzijl
IJsselham
Steenwijkerwold
Tuk
Kallenkote
Uffelte
Oude Vaart
Nationaal
Park
De
Weerribben
Kalenberg
Ossenzijl
Steenwijk
Johannes Post
Kazerne
Darp
Havelte
Westerveld
Havelterberg
Eursinge
Zuidveen
Blankenham
Wetering
Scheerwolde
Nederland
Noordeinde
Bovenboer
BOVENBOER
PAARDEWEIDE
Veendijk
Oldenhave
De Klosse
Oosteinde
Ruinerweide
Baarlo
Muggenbeet
Giethoorn
Nijeveen
Ruinerwold
Dijkhuizen
Giethoornse meer
Dwarsgracht
Bovenwijde
Weerwille
Berghuizen
Blokzijl
Zuideinde
Kolderveen
Koekange
Marknesse
Wanneperveen
Blijdenstein
Wold
Beulaker-wijde
Blauwe Hand
Zuideindiger-wijde
Meppel
Rogat
Vollenhover-meer
Vollenhover-kan.
Ronduite
Oosterboer
Noordwijk
Leeuwte
Belter-wijde
Moespot
De Wieden
Ravixhorst
De Wijk
Belt-Schutsloot
Hoogeveense
Vollenhove
St. Jansklooster
Dickninge
Halwelo
Voorsterbos
Kadoelen
Schutsloter wijde
Meppelerdiep
KNOOPPUNT LANKHORST
Reest
Heetveld
Baarlo
IJhorst
Kraggenburg
Barsbeek
Staphorst
Vogeleiland
Zwartsluis
Olde
Maten
Boswachterij Staphorst
Zwartemeer
Zwartewaters-klooster
DEKKERSLAND
De Zwarte Dennen
Genemuiden
Zwarte
Rouveen
Punthorst
Roebolligehoek
Kampereiland
Ganzendiep
Kamperzeedijk
Nieuwe Wetering
Hasselt
Nieuwleusen
Kampereiland
De Meele
Grafhorst
Mastenbroek
Water
Ruitenveen
Bisschopswetering
Polder Mastenbroek
Genne
Kampen
IJsselmuiden
Oosterholt
Langenholte
HAERST
Haerst
Aa-Landen
Rosengaarde
's-Heerenbroek
Wilsum
Zwartendijk
De Roskam
Holtenbroek
Welsum
Zalk
Berkum
Ankum
IJssel
Westenholte
ZWOLLE
Overijsselse
Dalfsen
Abbertstrand
Hessum
Noordeinde
Kamperveen
De Zande
Herfte
Emmen
Vecht
Rechteren
KNOOPPUNT HATTEMERBROEK
Wijthmen
Den Berg
Ittersum
Hoonhorst
Aalshorst
Wijthmen
Anserd
Wold
N 351
N 353
N 334
N 333
N 371
N 375
N 331
N 352
N 377
N 340
N 337
N 50
A 32
A 28 - E 232
11
25
D
E
F
1
2
3
4
18

Eemster
Lheebroek
DE MUSSELS
SMALHORST
Holthe
Orvelte
Eursinge
Wezuperbrug
Sleenerzand
Smalbroek
E 232
A 28
12
Oldengaerd
Lhee
Spier
Wijster
Linthorst - Homan Kan.
Garminge
Bruntinge
Balinge
Witteveen
Wezup
N 381
Zweeloo
De Noordster
Radiotelescoop
Dwingelose
Nationaal Park
Heide
Dwingelderveld
V.A.M.
Nuilerveld
Drijber
Mantinge
Meppen
Aalden
Nuil
Benneveld
De Wiltzangh
Kraloo
Ruiner Aa
Eursinge
Pesse
Oude Diep
Middenraai
Bosw.
Gees
De Klencke
Anholt
Leeuwte
Ruinen
N 375
Nieuw Balinge
Oosterhesselen
Gijsselte
Stuifzand
Tiendeveen
Gees
Het Zuiderveld
Oldenhave
Hees
Hoogeveen
N 374
Verlengde Hoogeveensche Vaart
Fluitenberg
Geesbrug
Zwinderen
Nieuweroord
Ruinerweide
Boswachterij Ruinen
Noordscheschut
ZWINDERSCHEVELD
Nieuw-Zwinderen
Marterhaar
Loodiep
N 375
A 37 - E 233
Echten
GROOTE VELDBLOKKEN
Koekangerveld
Westerbergen
Hollandscheveld
Coevorden-Zwinderen Kan.
Ten Arlo
KNOOPPUNT HOOGEVEEN
Koekange
Schoonhoven
Nieuwlande
Oshaar
A 28 - E 232
Zuideropgaande
PANJERD
De Wolden
Dalerpeel
Steenwijksmoer
Hoogeveensche Vaart
Zuidwolde
Elim
Alteveer
Nieuwe Krim
LAGEVEEN
Haalweide
Veeningen
Kerkenveld
N 48
De Stapel
Drogt
N 377
Kloosterveen
Schottershuizen
Schuinesloot
De Krim
Fort
Pieperij
Linde
De Belt
Anerveen
Nolde
Slagharen
Boswachterij Staphorst
Reest
Vuile Riete
Drogteropslagen
N 34
Laar
Attractiepark Slagharen
Ane
Holtheme
Oud-Avereest
Gramsbergen
Ommerk.
Den Velde
Sponturfwijk
Lutten
Balkbrug
Dedemsvaart
N 343
Collendoorn
Vecht
Overijssels Kan.
Het Stoetenslagh
Heemserveen
Hardenberg
Ommerschans
Radewijk
Nieuwleusen
Vinkenbuurt
Stegerveld
Heemse
Hoogenweg
Rheezerveen
Nieuwe Haven
Venebrugge
Witharen
Bruch
Wielen
Oldemeyer
Hoogengraven
Rheeze
Bruchterveld
Ebbenbroek
Bergentheim
Ommen
Oudleusen
Arriën
Stegeren
Diffelen
Balderhaar
Welsum
N 340
Varsen
Junne
Beerze
Mariënberg
Balderhaar-moor
Vilsteren
Hessum
Het Laar
De Heetdelle
Zeesserbos
Beerzerveld
Kloosterhaar
N 36
Rechteren
N 341
Striepe
N 348
Geerdijk
Sibculo
Nieuwebrug
Engbertsdijksvenen
Archemerberg
Den Ham
Vroomshoop
Westerhaar-Vriezenveensewijk
0
10 km
A
B
C
1
2
3
4
17
26

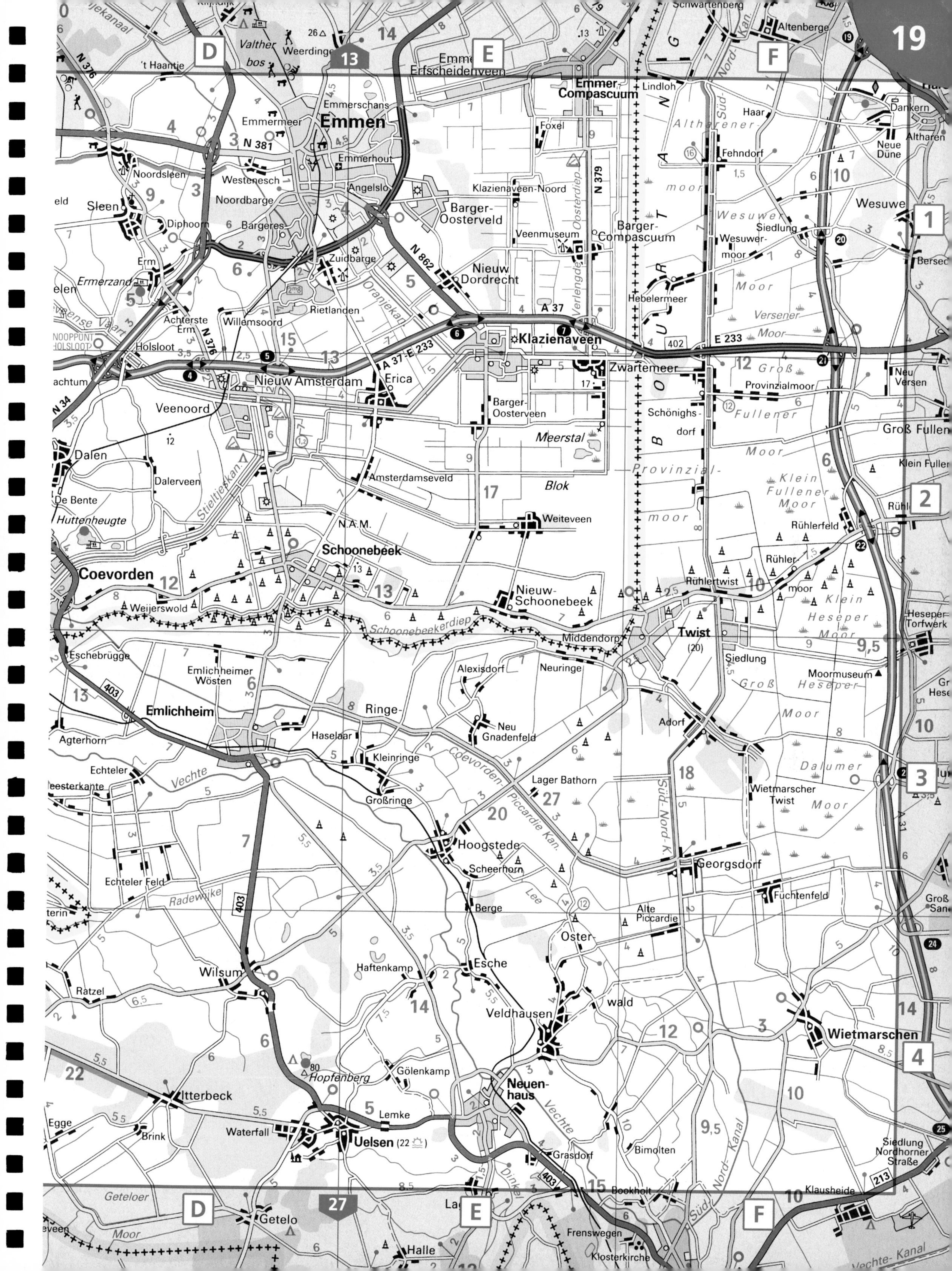
D
E
F
13
27
1
2
3
4
Emmen
Emmer-Compascuum
Emmer-Erfscheidenveen
Weerdinge
Valther bos
't Haantje
Emmerschans
Emmermeer
Emmerhout
Angelslo
Noordsleen
Westenesch
Noordbarge
Sleen
Diphoorn
Bargeres
Zuidbarge
Erm
Ermerzand
Rietlanden
Oranjekan.
Willemsoord
Achterste Erm
Holsloot
Nieuw Amsterdam
Erica
Veenoord
Dalen
Dalerveen
De Bente
Huttenheugte
Stieltjeskan.
Amsterdamseveld
N.A.M.
Schoonebeek
Coevorden
Weijerswold
Schoonebeekerdiep
Nieuw-Schoonebeek
Weiteveen
Klazienaveen
Klazienaveen-Noord
Barger-Oosterveld
Barger-Compascuum
Veenmuseum
Nieuw Dordrecht
Barger-Oosterveen
Meerstal
Blok
Foxel
Lindloh
Zwartemeer
Schönighsdorf
Provinzial-moor
Hebelermeer
Haar
Altharener-moor
Fehndorf
Wesuwer-moor
Wesuwe
Siedlung
Versener Moor
Groß Provinzialmoor
Fullener Moor
Groß Fullen
Klein Fullen
Klein Fullener Moor
Rühlerfeld
Rühler-moor
Rühlertwist
Klein Heseper Moor
Heseper Torfwerk
Twist
Middendorp
Siedlung
Moormuseum
Groß Heseper Moor
Dankern
Neue Düne
Altharen
Neu Versen
Altenberge
Schwartenberg
BOURTANGER MOOR
Eschebrügge
Emlichheimer Wösten
Emlichheim
Agterhorn
Echteler
Neesterkante
Vechte
Haselaar
Ringe-
Kleinringe
Großringe
Alexisdorf
Neuringe
Neu Gnadenfeld
Adorf
Lager Bathorn
Coevorden-Piccardie Kan.
Hoogstede
Scheerhorn
Berge
Lee
Alte Piccardie
Georgsdorf
Fuchtenfeld
Dalumer Moor
Wietmarscher Twist
Süd-Nord-K.
Echteler Feld
Radewijke
Wilsum
Ratzel
Haftenkamp
Esche
Oster-wald
Veldhausen
Wietmarschen
Hopfenberg
Gölenkamp
Itterbeck
Egge
Brink
Waterfall
Uelsen
Lemke
Neuenhaus
Vechte
Grasdorf
Bimolten
Süd-Nord-Kanal
Siedlung Nordhorner Straße
Klausheide
Bookholt
Geteloer Moor
Getelo
Halle
Frenswegen
Klosterkirche
Dinkel
Vechte-Kanal
A 37
E 233
N 381
N 376
N 34
N 862
N 379
403
402
213

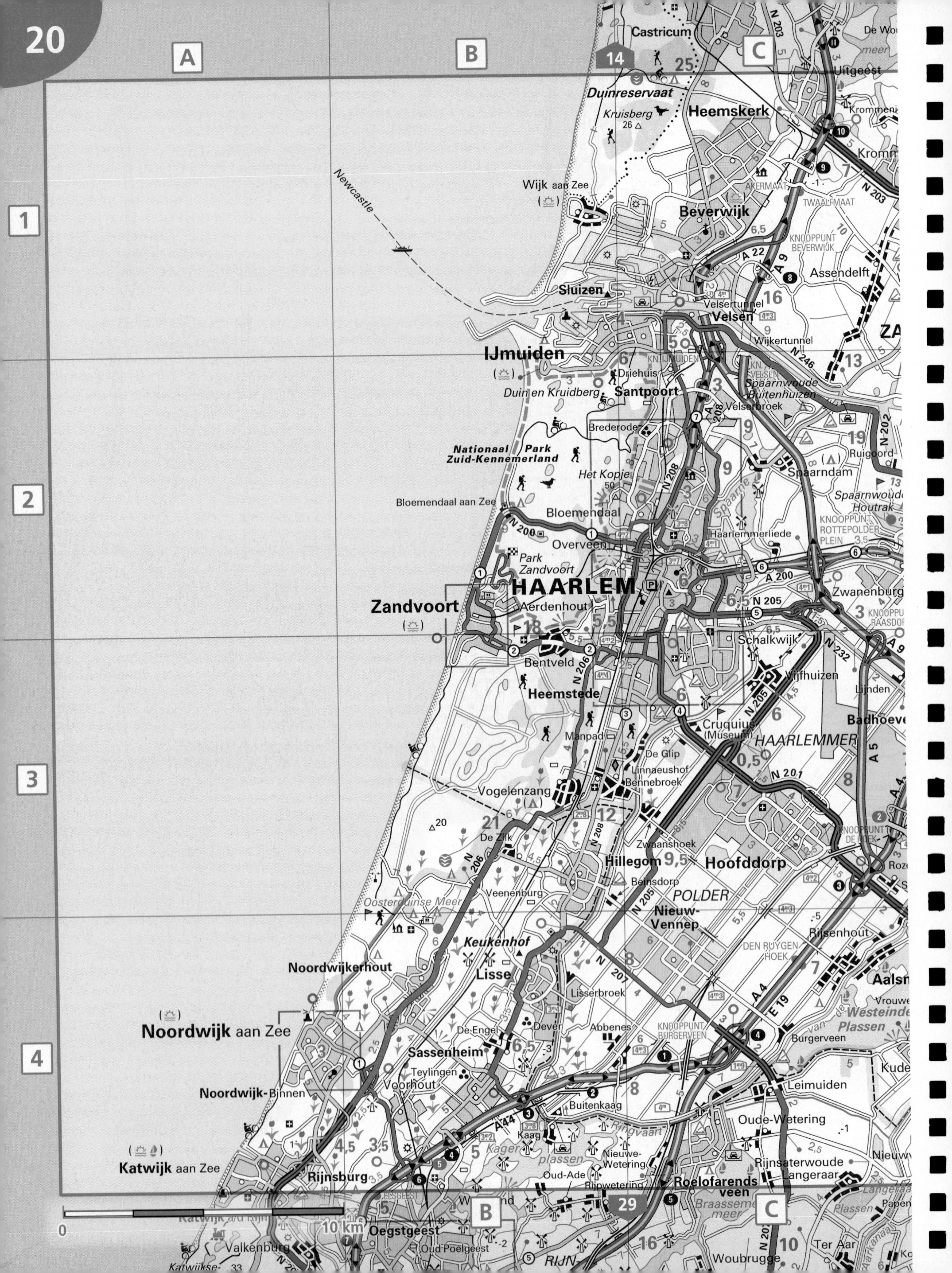
A
B
C
1
2
3
4
Castricum
Duinreservaat
Kruisberg
Heemskerk
Uitgeest
Newcastle
Wijk aan Zee
Beverwijk
AKERMAAT
TWAALFMAAT
KNOOPPUNT BEVERWIJK
Assendelft
Sluizen
Velsertunnel
Velsen
Wijkertunnel
IJmuiden
Driehuis
KN. IJMUIDEN
KN. VELSEN
Spaarnwoude Buitenhuizen
Velserbroek
Duin en Kruidberg
Santpoort
Brederode
Nationaal Park Zuid-Kennemerland
Het Kopje
Spaarndam
Ruigoord
Bloemendaal aan Zee
Bloemendaal
Overveen
Haarlemmerliede
KNOOPPUNT ROTTEPOLDER PLEIN
Park Zandvoort
HAARLEM
Zwanenburg
Zandvoort
Aerdenhout
KNOOPPUNT RAASDORP
Schalkwijk
Bentveld
Vijfhuizen
Lijnden
Heemstede
Badhoeve
Cruquius (Museum)
HAARLEMMER
Manpad
De Glip
Linnaeushof
Bennebroek
Vogelenzang
KNOOPPUNT DE HOEK
De Zilk
Zwaanshoek
Hillegom
Hoofddorp
Beinsdorp
POLDER
Veenenburg
Oosterduinse Meer
Nieuw-Vennep
Rijsenhout
Keukenhof
DEN RUYGEN HOEK
Noordwijkerhout
Lisse
Lisserbroek
Aalsmeer
Noordwijk aan Zee
De Engel
Dever
Abbenes
KNOOPPUNT BURGERVEEN
Westeinder Plassen
Burgerveen
Sassenheim
Teylingen
Voorhout
Leimuiden
Noordwijk-Binnen
Buitenkaag
Oude-Wetering
Ringvaart
Kaag
Kager plassen
Nieuwe-Wetering
Katwijk aan Zee
Rijnsburg
Oud-Ade
Rijpwetering
Rijnsaterwoude
Langeraar
Roelofarends veen
Braassemer meer
Oegstgeest
Oud Poelgeest
Valkenburg
Woubrugge
Ter Aar
0
10 km

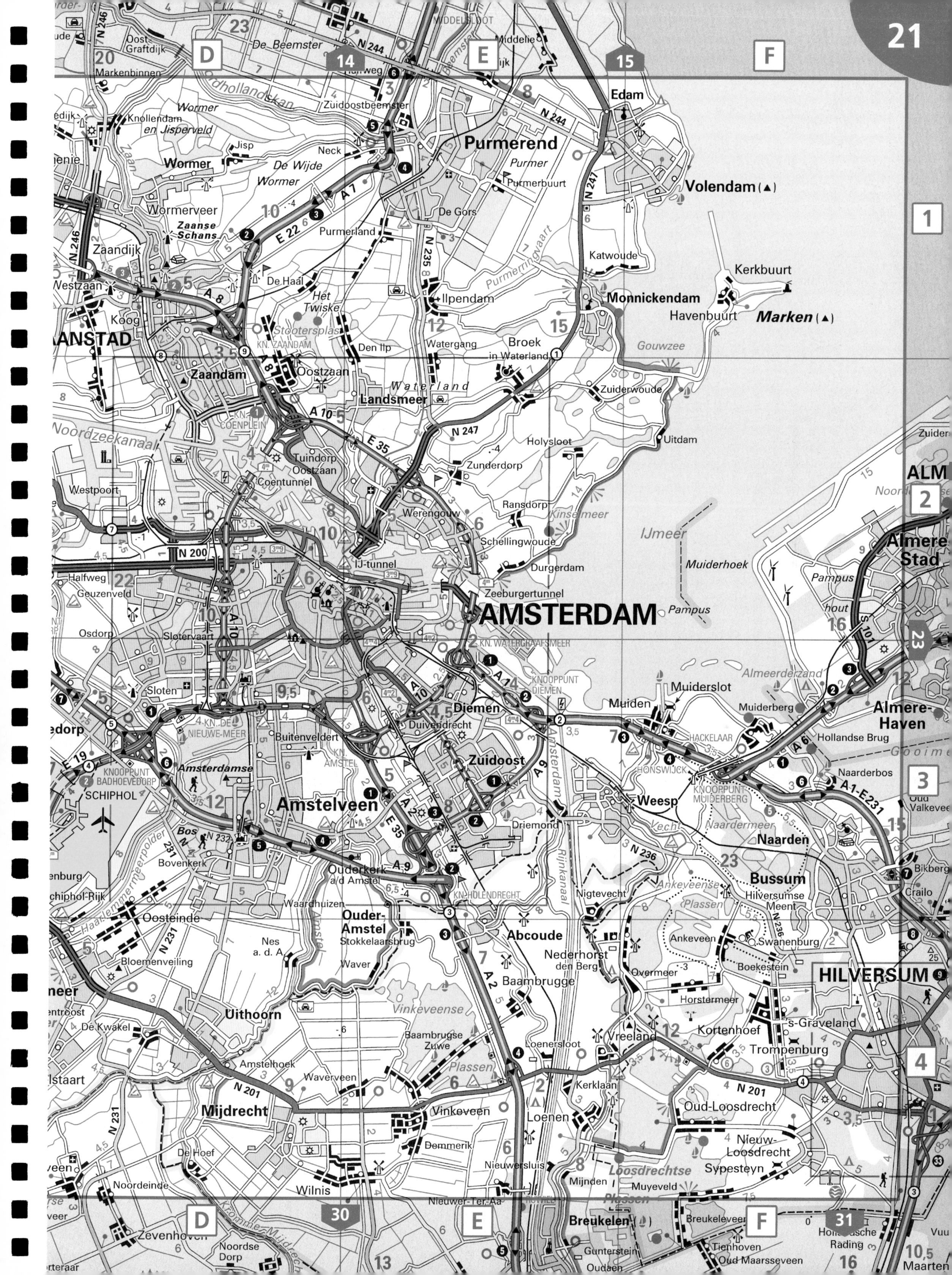
D
E
F
14
15
1
2
3
4
Middelie
De Beemster
Oost-Graftdijk
Markenbinnen
Zuidoostbeemster
Edam
Knollendam
en Jisperveld
Wormer
Jisp
Neck
Purmerend
De Wijde Wormer
Purmer
Purmerbuurt
Volendam (▲)
Wormerveer
Zaanse Schans
De Gors
Purmerland
Zaandijk
Westzaan
Katwoude
De Haal
Het Twiske
Ilpendam
Kerkbuurt
Monnickendam
Havenbuurt
Marken (▲)
Koog
Stootersplas
Watergang
Broek in Waterland
Gouwzee
Den Ilp
Oostzaan
Zaandam
Waterland
Landsmeer
Zuiderwoude
Noordzeekanaal
Uitdam
Holysloot
Tuindorp Oostzaan
Coentunnel
Zunderdorp
Westpoort
Ransdorp
Kinselmeer
Werengouw
IJmeer
Schellingwoude
Muiderhoek
Almere Stad
IJ-tunnel
Durgerdam
Halfweg
Geuzenveld
Pampus
Zeeburgertunnel
AMSTERDAM
Osdorp
Slotervaart
KN. WATERGRAAFSMEER
Almeerderzand
KNOOPPUNT DIEMEN
Muiderslot
Sloten
Diemen
Muiden
Muiderberg
Almere-Haven
KN. DE NIEUWE-MEER
Buitenveldert
Duivendrecht
HACKELAAR
Hollandse Brug
KNOOPPUNT BADHOEVEDORP
Amsterdamse Bos
Zuidoost
HONSWIJCK
Naarderbos
SCHIPHOL
KNOOPPUNT MUIDERBERG
Amstelveen
Weesp
Driemond
Naardermeer
Naarden
Vecht
Bovenkerk
Ouderkerk a/d Amstel
Bussum
Cralio
Schiphol-Rijk
Waardhuizen
KN. HOLENDRECHT
Nigtevecht
Ankeveensche Plassen
Hilversumse Meent
Oosteinde
Ouder-Amstel
Stokkelaarsbrug
Abcoude
Ankeveen
Swanenburg
Nes a. d. A.
Nederhorst den Berg
Boekestein
Bloemenveiling
Waver
Baambrugge
Overmeer
HILVERSUM
Horstermeer
Uithoorn
Vinkeveense Plassen
De Kwakel
Kortenhoef
's-Graveland
Baambrugse Zuwe
Loenersloot
Vreeland
Trompenburg
Amstelhoek
Waverveen
Kerklaan
Mijdrecht
Vinkeveen
Loenen
Oud-Loosdrecht
Demmerik
Nieuw-Loosdrecht
De Hoef
Nieuwersluis
Loosdrechtse Plassen
Sypesteyn
Noordeinde
Mijnden
Muyeveld
Wilnis
Nieuwer-Ter-Aa
Breukelen
Breukeleveen
Hollandsche Rading
Zevenhoven
Noordse Dorp
Gunterstein
Tienhoven
Oud Maarsseveen
Oudaen
30
31
13
16
A 1
A 2
A 6
A 7
A 8
A 9
A 10
E 19
E 22
E 35
E 231
N 200
N 201
N 231
N 232
N 235
N 236
N 244
N 246
N 247

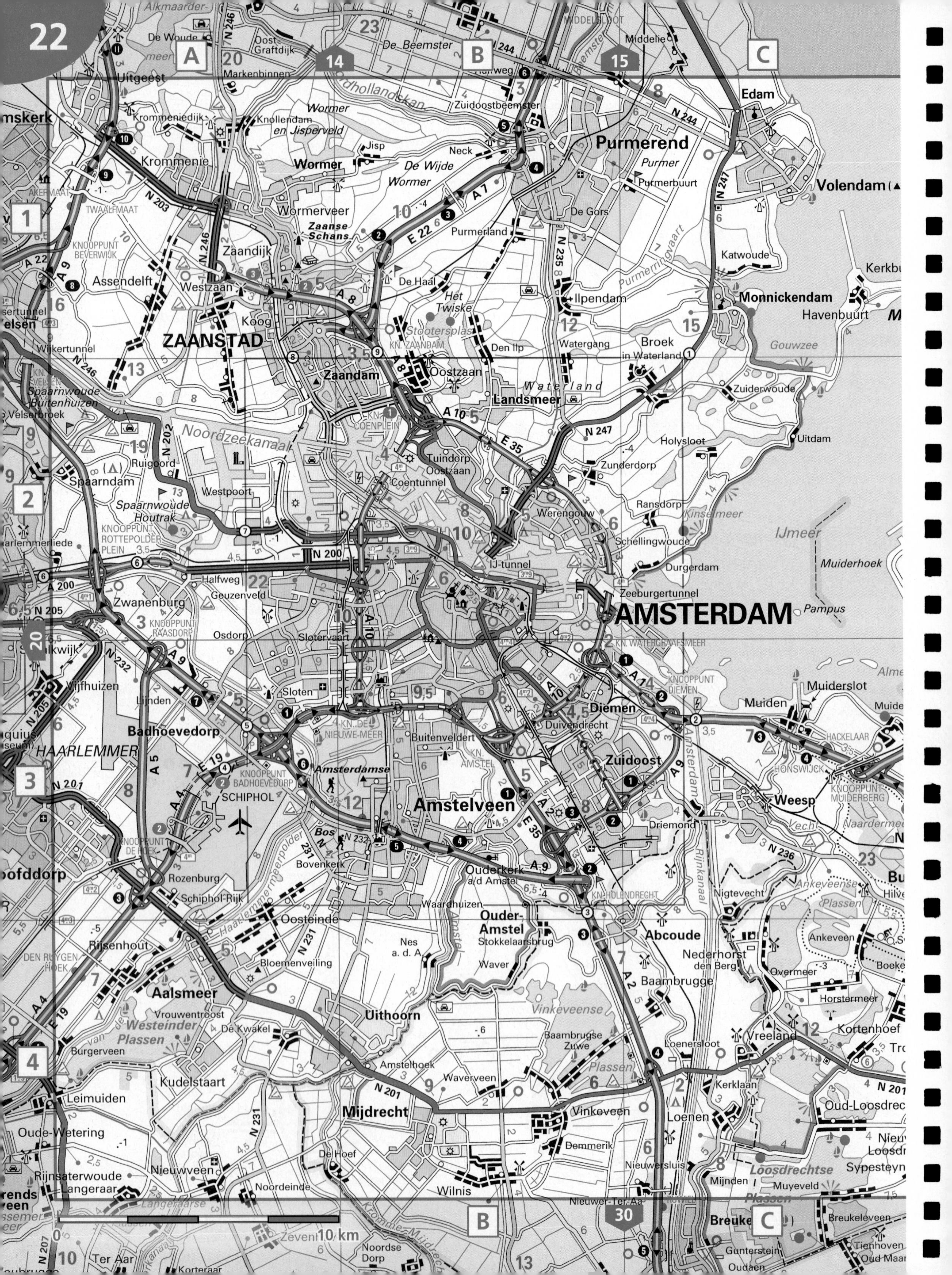
Uitgeest
De Woude
Markenbinnen
De Beemster
Middelie
Edam
Zuidoostbeemster
Purmerend
Volendam
Krommenie
Krommeniedijk
Knollendam
Wormer en Jisperveld
Jisp
Wormer
Neck
De Wijde Wormer
Purmer
Purmerbuurt
Wormerveer
Zaanse Schans
Purmerland
De Gors
Katwoude
Kerkbuurt
Zaandijk
Assendelft
Westzaan
De Haal
Het Twiske
Ilpendam
Monnickendam
Havenbuurt
Koog
ZAANSTAD
Stootersplas
Den Ilp
Watergang
Broek in Waterland
Gouwzee
Zaandam
Oostzaan
Waterland
Landsmeer
Zuiderwoude
Uitdam
Noordzeekanaal
Ruigoord
Spaarndam
Westpoort
Tuindorp Oostzaan
Coentunnel
Holysloot
Zunderdorp
Ransdorp
Kinselmeer
IJmeer
Spaarnwoude
Houtrak
Werengouw
Schellingwoude
Durgerdam
Muiderhoek
IJ-tunnel
Zeeburgertunnel
Halfweg
Geuzenveld
Zwanenburg
Osdorp
Slotervaart
AMSTERDAM
Pampus
Vijfhuizen
Lijnden
Sloten
Badhoevedorp
HAARLEMMER
Buitenveldert
Diemen
Duivendrecht
Muiderslot
Muiden
Zuidoost
Weesp
SCHIPHOL
Amsterdamse Bos
Amstelveen
Driemond
Bovenkerk
Ouderkerk a/d Amstel
Rozenburg
Schiphol-Rijk
Oosteinde
Waardhuizen
Ouder-Amstel
Stokkelaarsbrug
Nigtevecht
Abcoude
Nederhorst den Berg
Ankeveen
Rijsenhout
Bloemenveiling
Nes a. d. A.
Waver
Baambrugge
Overmeer
Aalsmeer
Vinkeveense Plassen
Horstermeer
Uithoorn
Vrouwentroost
Westeinder Plassen
De Kwakel
Baambrugse Zuwe
Loenersloot
Vreeland
Kortenhoef
Burgerveen
Amstelhoek
Kudelstaart
Waverveen
Kerklaan
Leimuiden
Mijdrecht
Vinkeveen
Loenen
Oud-Loosdrecht
Oude-Wetering
Demmerik
De Hoef
Nieuwersluis
Loosdrechtse Plassen
Sypesteyn
Rijnsaterwoude
Nieuwveen
Langeraar
Noordeinde
Wilnis
Mijnden
Muyeveld
Nieuwer-Ter-Aa
Breukeleveen
Ter Aar
Noordse Dorp
Gunterstein
Oudaen
Tienhoven
Zevenhoven
10 km

D
15
E
16
F
LELYSTAD
Zuigerplas
Houtribsluizen
Batavia Stad
Lelystad Haven
Scheepswrak
Natuurpark
OOS
FLEV
Lelystad
't Bovenwater
Hollandse Hout
Lage Vaart
Larser Vaart
N 302
Aviodrome
Larserbos
Oostvaardersdijk
Oostvaardersplassen
AALSCHOLVER
LEPELAAR
Knarbos
Knardijk
Hoge Vaart
Zuidersluis
De Vaart
ALMERE
Almere-Buiten
Noorderplassen
S 106
S 105
S 104
S 103
S 102
S 101
A 6
ZUIDELIJK-FLEVOLAND
Almere-Stad
Pampus
Weerwater
KNOOPPUNT ALMERE
A 27
Almere-Hout
Waterlandse Bos
Hoge Vaart
Trekkersveld
N 305
Dolfi
Zeewolde
DRIELAND
Almere-Haven
Hollandse Brug
Overgooi
Gooimeer
Naarderbos
A1-E231
Oud Valkeveen
Huizen
Stichtse Brug
Horsterwold
Strand Horst
Nuldernauw
A 28-E 232
N 301
Eemmeer
Bikbergen
Crailo
't Gooi
Blaricum
Hulkesteinse Bos
Strand Nulde
Vanenburg
Steenenkamer
Erkemederstrand
Eemstrand
Laakse Strand
Nijkerkernauw
VANENBURG
'T VEENTJE
EEMAKKER
Laren
Eemnes
Eemdijk
Spakenburg (▲)
Oldenaller
HILVERSUM
's-Graveland
KN. EEMNES
Bunschoten (▲)
Salentein
Nijkerk
Eembrugge
A 1-E 231
N 199
Holk
Groeneveld
Kasteel De Hooge Vuursche
Baarn
DE SLAAG
NEERDUIST
Driedorp
Nijkerkerveen
Zeldert
Hoogland
Kattenbroek
MARTENS
Hooglanderveen
Hoevelaken
Zwartebroek
Paleis Soestdijk
Soestdijk
N 221
N 234
31
Drakenstein
Lage-Vuursche
Hollandsche Rading
Maartensdijk
Pijnenburg
Soest
Terschuur
MIDDELAAR
KN. HOEVELAKEN
PALMPOL
Voorth
N 236
Voorthuizen

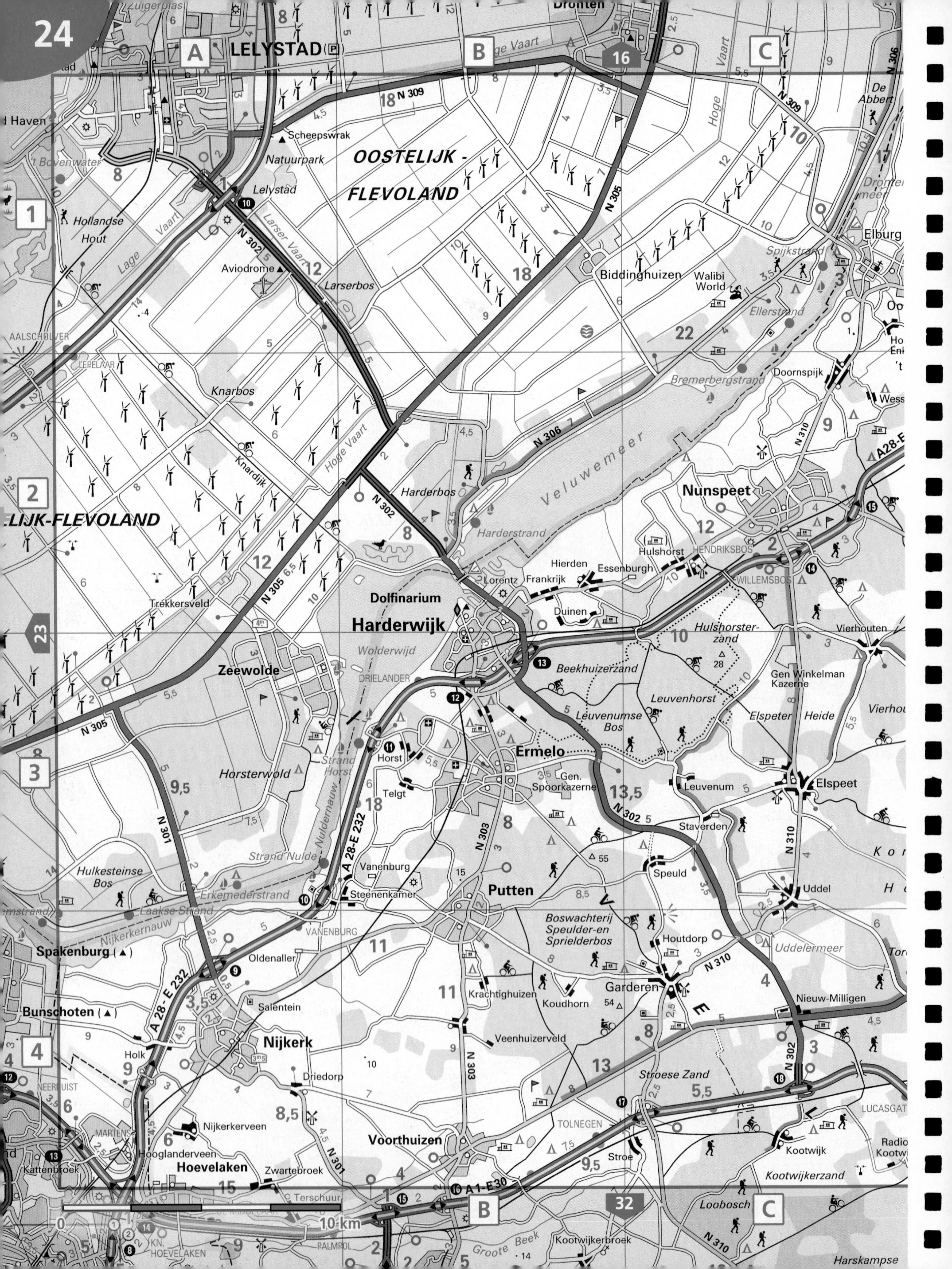
LELYSTAD
Dronten
OOSTELIJK - FLEVOLAND
Natuurpark Lelystad
Scheepswrak
Hollandse Hout
Lage Vaart
Larser Vaart
Aviodrome
Larserbos
Knarbos
Knardijk
Hoge Vaart
Harderbos
Harderstrand
Biddinghuizen
Walibi World
Spijkstrand
Ellerstrand
Bremerbergstrand
Elburg
Doornspijk
De Abbert
Veluwemeer
Nunspeet
Hulshorst
Hierden
Essenburgh
Frankrijk
Lorentz
Duinen
Dolfinarium
Harderwijk
Wolderwijd
Hulshorster-zand
Beekhuizerzand
Leuvenhorst
Leuvenumse Bos
Elspeter Heide
Vierhouten
Gen. Winkelman Kazerne
Zeewolde
Trekkersveld
ELIJK-FLEVOLAND
Horsterwold
Strand Horst
Horst
Telgt
Ermelo
Gen. Spoorkazerne
Leuvenum
Elspeet
Staverden
Speuld
Uddel
Uddelermeer
Nuldernauw
Strand Nulde
Hulkesteinse Bos
Erkemederstrand
Laakse Strand
Nijkerkernauw
Vanenburg
Steenenkamer
Putten
Boswachterij Speulder-en Sprielderbos
Houtdorp
Garderen
Nieuw-Milligen
Spakenburg
Bunschoten
Oldenaller
Salentein
Krachtighuizen
Koudhorn
Veenhuizerveld
Holk
Nijkerk
Driedorp
Stroese Zand
Nijkerkerveen
Hooglanderveen
Hoevelaken
Zwartebroek
Voorthuizen
Stroe
Kootwijk
Kootwijkerzand
Loobosch
Kootwijkerbroek
Terschuur
Groote Beek
Harskampse
10 km

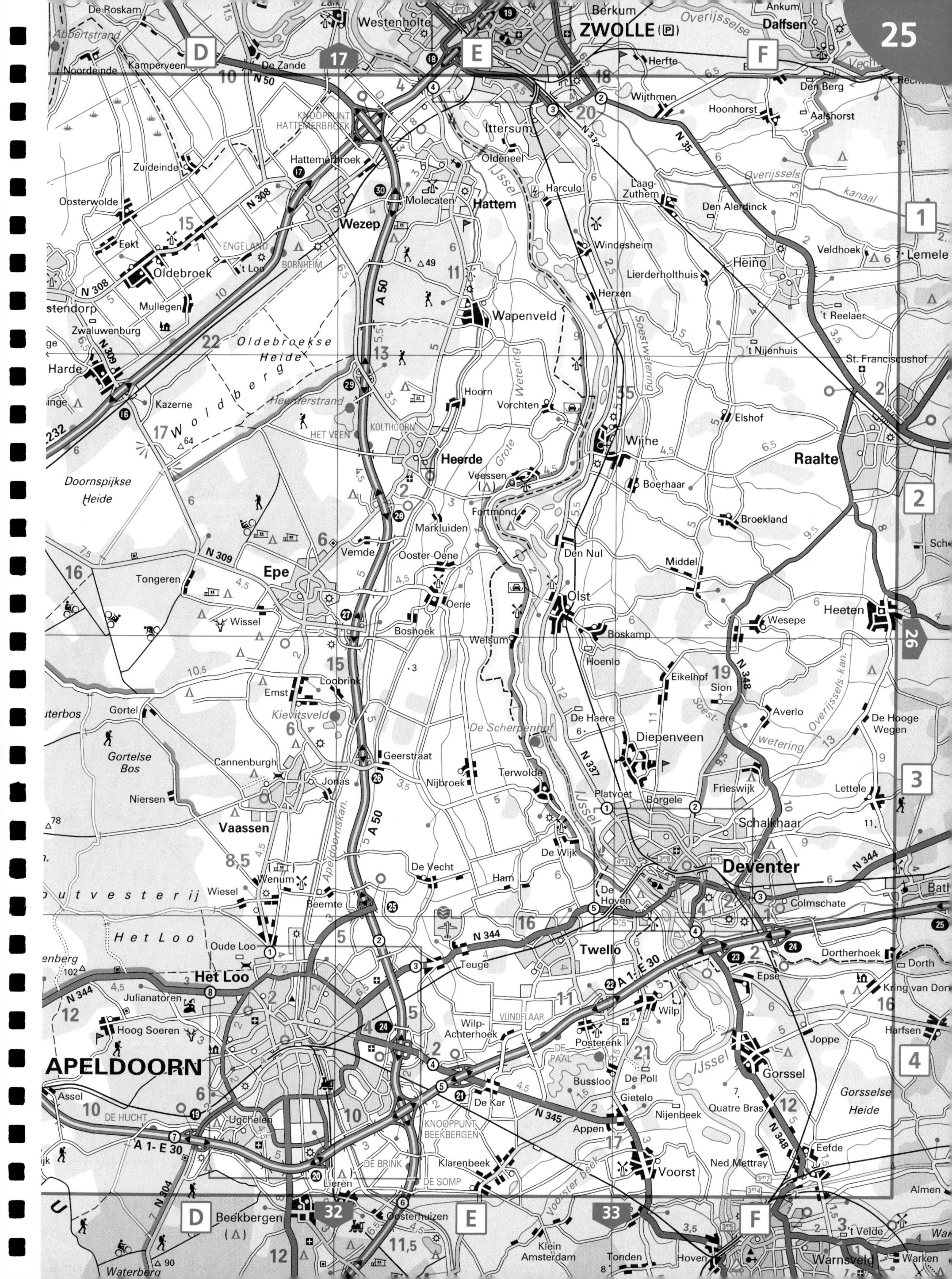
ZWOLLE
Berkum
Ankum
Dalfsen
Westenholte
De Roskam
Abbertstrand
Noordeinde
Kamperveen
De Zande
Herfte
Wijthmen
Den Berg
Hoonhorst
Aalshorst
Ittersum
Oldeneel
Hattemerbroek
Zuideinde
Oosterwolde
Molecaten
Hattem
Harculo
Laag-Zuthem
Den Alerdinck
Overijssels kanaal
Wezep
Eekt
Oldebroek
ENGELAND
BORNHEIM
't Loo
Windesheim
Veldhoek
Lemele
Heino
Lierderholthuis
Herxen
Mullegen
Zwaluwenburg
Wapenveld
't Reelaer
't Nijenhuis
Oldebroekse Heide
Harde
St. Franciscushof
Kazerne
Woldberg
Heerderstrand
Hoorn
Vorchten
HET VEEN
KOLTHOORN
Elshof
Wijhe
Raalte
Doornspijkse Heide
Heerde
Veessen
Boerhaar
Fortmond
Broekland
Markluiden
Vemde
Ooster-Oene
Den Nul
Middel
Tongeren
Epe
Oene
Olst
Heeten
Wesepe
Wissel
Boshoek
Welsum
Boskamp
Hoenlo
Eikelhof
Sion
Gortel
Emst
Loobrink
Kievitsveld
Averlo
De Hooge Wegen
De Haere
Diepenveen
De Scherpenhof
Gortelse Bos
Cannenburgh
Geerstraat
Nijbroek
Terwolde
Jonas
Niersen
Platvoet
Borgele
Frieswijk
Lettele
Schalkhaar
Vaassen
De Wijk
Deventer
Wiesel
Wenum
De Vecht
Ham
De Hoven
Colmschate
Beemte
Het Loo
Oude Loo
Twello
Teuge
Dortherhoek
Dorth
Epse
Kring van Dorth
Julianatoren
Hoog Soeren
VUNDELAAR
Wilp-Achterhoek
Wilp
Posterenk
DE PAAL
Joppe
Harfsen
APELDOORN
Bussloo
De Poll
Gorssel
Assel
DE HUCHT
De Kar
Gietelo
Nijenbeek
Quatre Bras
Gorsselse Heide
Ugchelen
KNOOPPUNT BEEKBERGEN
Appen
Eefde
DE BRINK
Klarenbeek
Voorst
Ned Mettray
Lieren
DE SOMP
Voorster beek
Almen
Beekbergen
Oosterhuizen
't Velde
Klein Amsterdam
Tonden
Hoven
Warnsveld
Warken
Waterberg
IJssel
Grote Wetering
Soestwetering
Overijssels-kan.
Apeldoornskan.
N 337
N 35
N 308
N 309
N 344
N 345
N 348
N 304
A 50
A 1- E 30
Het Loo
Soest-wetering
outvesterij
KNOOPPUNT HATTEMERBROEK
D
E
F
1
2
3
4
17
26
32
33

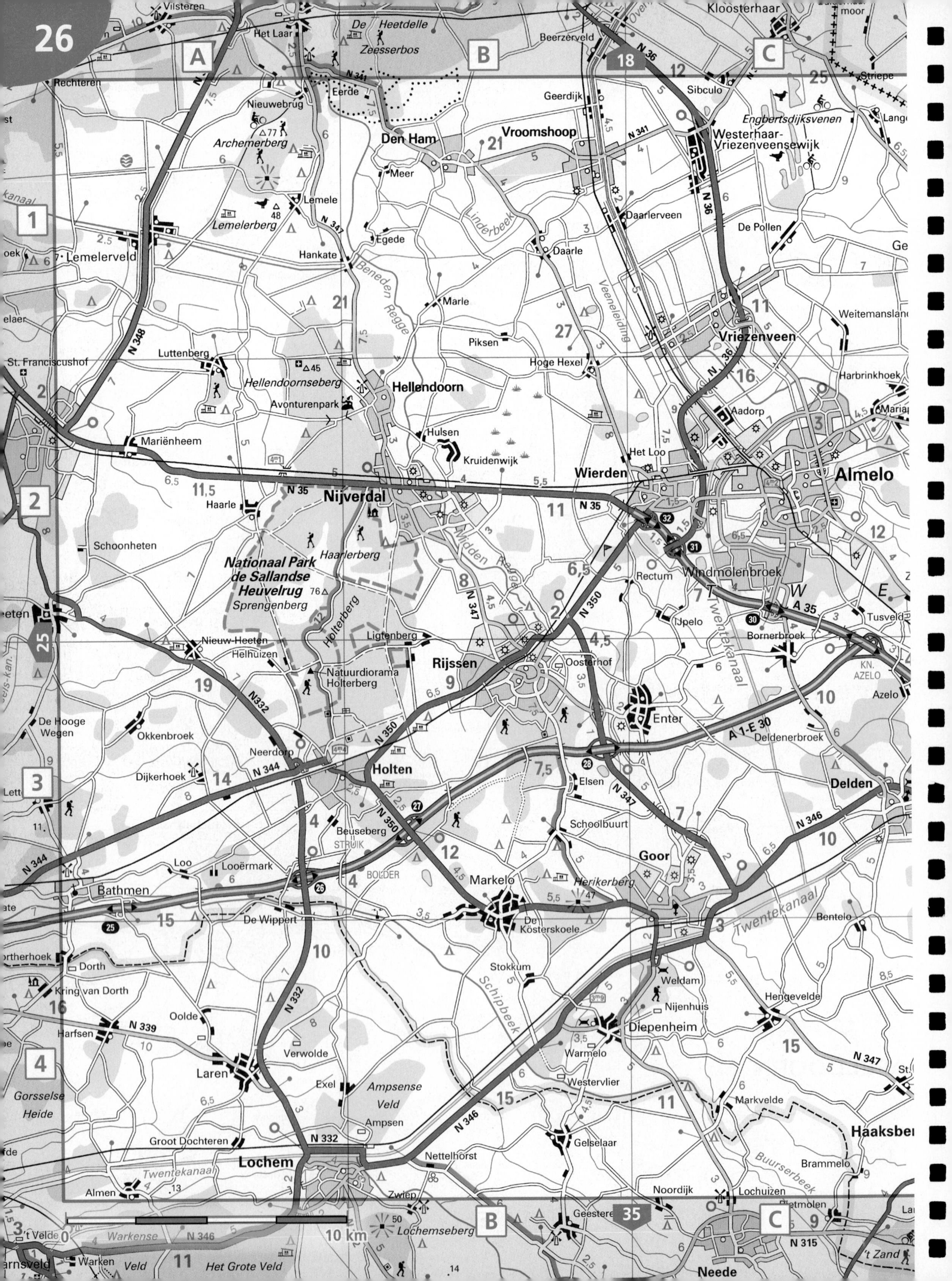
Vilsteren
Het Laar
De Heetdelle
Zeesserbos
Kloosterhaar
Beerzerveld
Rechteren
Eerde
Nieuwebrug
Archemerberg
Lemele
Lemelerberg
Lemelerveld
Den Ham
Vroomshoop
Meer
Egede
Hankate
Geerdijk
Sibculo
Striepe
Engbertsdijksvenen
Westerhaar-Vriezenveensewijk
Daarlerveen
De Pollen
Daarle
Linderbeek
Beneden Regge
Marle
Piksen
Veeneleiding
Vriezenveen
Weitemansland
Luttenberg
St. Franciscushof
Hellendoornseberg
Avonturenpark
Hellendoorn
Hoge Hexel
Harbrinkhoek
Aadorp
Mariënheem
Hulsen
Kruidenwijk
Het Loo
Wierden
Almelo
Haarle
Nijverdal
Schoonheten
Haarlerberg
Nationaal Park de Sallandse Heuvelrug
Sprengenberg
Midden Regge
Rectum
Windmolenbroek
Twentekanaal
Tusveld
IJpelo
Bornerbroek
Nieuw-Heeten
Helhuizen
Holterberg
Ligtenberg
Natuurdiorama Holterberg
Rijssen
Oosterhof
Enter
KN. AZELO
Azelo
De Hooge Wegen
Okkenbroek
Neerdorp
Holten
Deldenerbroek
Dijkerhoek
Elsen
Delden
Schoolbuurt
Beuseberg
STRUIK
Loo
Looërmark
BOLDER
Markelo
Goor
Herikerberg
Bathmen
De Wippert
De Kösterskoele
Bentelo
Twentekanaal
Dorth
Kring van Dorth
Stokkum
Schipbeek
Weldam
Nijenhuis
Hengevelde
Oolde
Harfsen
Diepenheim
Verwolde
Warmelo
Laren
Exel
Ampsense Veld
Westervlier
Markvelde
Gorsselse Heide
Ampsen
Gelselaar
Haaksbergen
Groot Dochteren
Lochem
Nettelhorst
Buurserbeek
Brammelo
Almen
Zwiep
Noordijk
Lochuizen
Lochemseberg
Geesteren
Neede
't Velde
Warkense
Warken
Veld
Het Grote Veld
't Zand
A 1-E 30
A 35
N 332
N 344
N 346
N 347
N 348
N 350
N 339
N 35
N 36
N 341
N 315
10 km

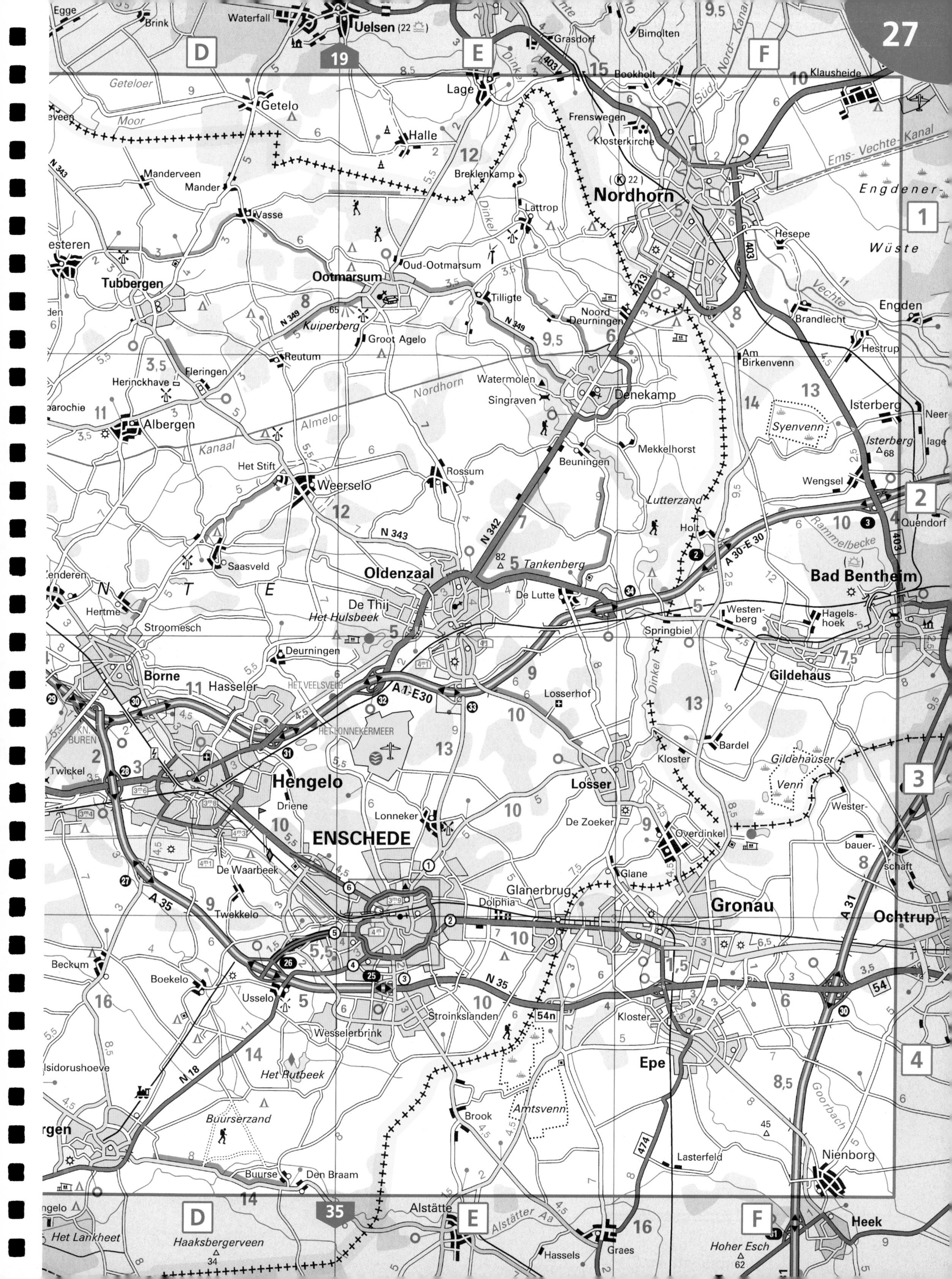
Uelsen
Nordhorn
Ootmarsum
Tubbergen
Albergen
Weerselo
Denekamp
Oldenzaal
Bad Bentheim
Gildehaus
Borne
Hengelo
ENSCHEDE
Losser
Gronau
Ochtrup
Epe
Nienborg
Heek
Lage
Getelo
Halle
Vasse
Tilligte
Lattrop
Breklenkamp
Frenswegen
Klosterkirche
Bookholt
Grasdorf
Bimolten
Klausheide
Hesepe
Engden
Brandlecht
Hestrup
Isterberg
Syenvenn
Mekkelhorst
Beuningen
Lutterzand
Holt
Quendorf
Tankenberg
De Lutte
Springbiel
Westenberg
Hagelshoek
Bardel
Kloster
Gildehauser Venn
Overdinkel
Glane
Glanerbrug
Dolphia
De Zoeker
Lonneker
Losserhof
Saasveld
Rossum
Reutum
Groot Agelo
Kuiperberg
Fleringen
Herinckhave
Manderveen
Mander
Hertme
Stroomesch
Deurningen
Hasseler
Twickel
Driene
De Waarbeek
Twekkelo
Beckum
Boekelo
Usselo
Wesselerbrink
Stroinkslanden
Het Rutbeek
Buurserzand
Buurse
Den Braam
Brook
Amtsvenn
Lasterfeld
Alstätte
Graes
Hassels
Hoher Esch
Haaksbergerveen
Het Lankheet
Isidorushoeve
Ems-Vechte-Kanal
Nordhorn-Almelo-Kanaal
Dinkel
Vechte
Rammelbecke
Goorbach
Alstätter Aa
Engdener Wüste
Watermolen
Singraven
Het Stift
De Thij
Het Hulsbeek
HET VEELSVELD
HET LONNEKERMEER
A 1-E 30
A 30-E 30
A 35
A 31
N 35
N 18
N 342
N 343
N 349
Geteloer Moor
Oud-Ootmarsum
Noord Deurningen
Am Birkenvenn
Wengsel
Westerbauerschaft
Kloster

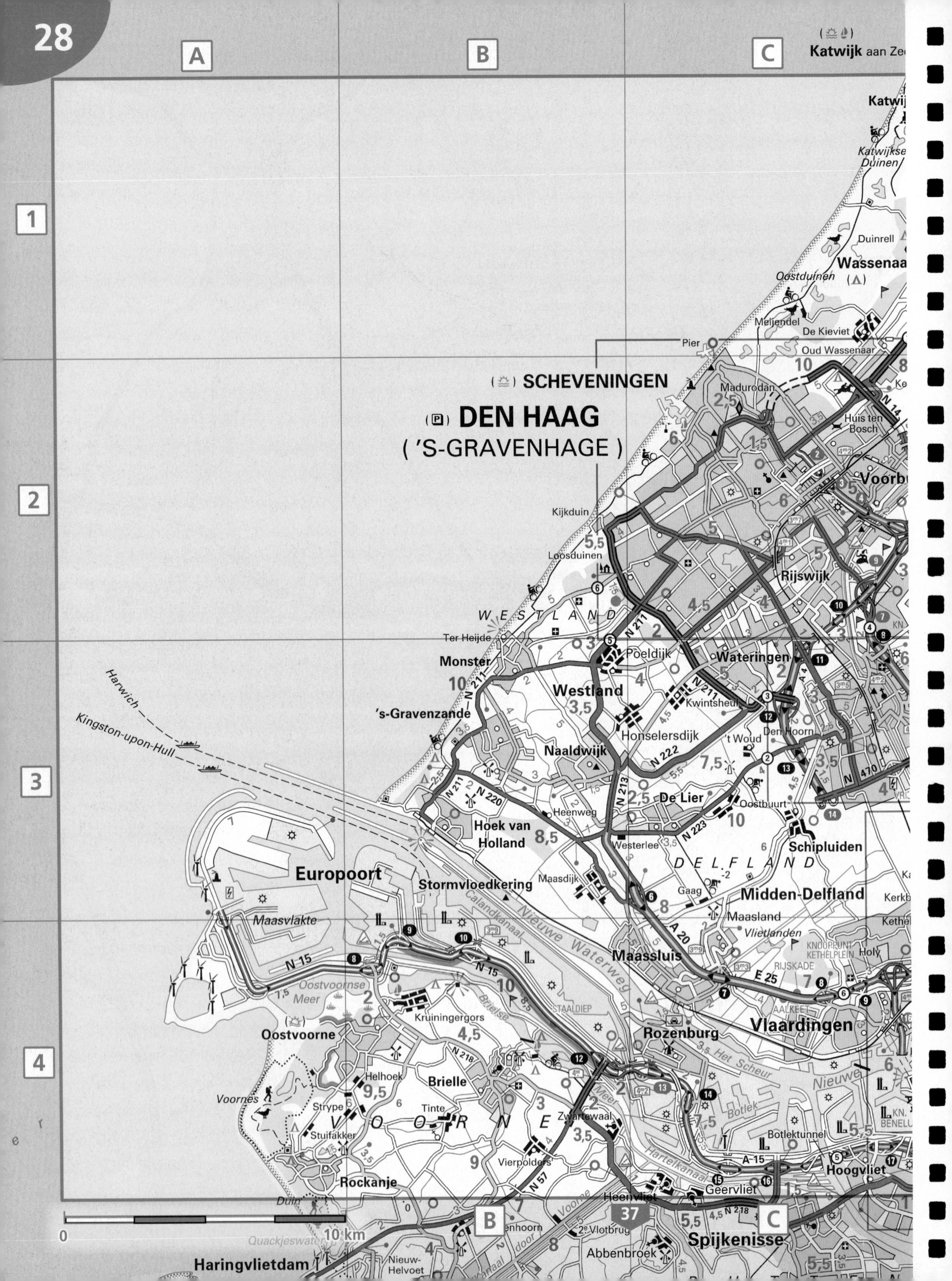
A
B
C
1
2
3
4
Katwijk aan Zee
Katwijk
Katwijkse Duinen
Duinrell
Wassenaar
Oostduinen
Meijendel
De Kieviet
Oud Wassenaar
Pier
SCHEVENINGEN
DEN HAAG
('S-GRAVENHAGE)
Madurodam
Huis ten Bosch
Voorburg
Kijkduin
Loosduinen
Rijswijk
WESTLAND
Ter Heijde
Monster
Poeldijk
Wateringen
Westland
Kwintsheul
'S-Gravenzande
Honselersdijk
Naaldwijk
't Woud
Den Hoorn
De Lier
Oostbuurt
Heenweg
Hoek van Holland
Westerlee
Schipluiden
DELFLAND
Harwich
Kingston-upon-Hull
Europoort
Stormvloedkering
Maasdijk
Gaag
Midden-Delfland
Maasland
Vlietlanden
Maasvlakte
Calandkanaal
Nieuwe Waterweg
KNOOPPUNT KETHELPLEIN
RIJSKADE
Maassluis
Oostvoornse Meer
Kruiningergors
Brielse Meer
STAALDIEP
Rozenburg
Het Scheur
AALKEET
Vlaardingen
Oostvoorne
Helhoek
Brielle
Botlek
Voornes
Strype
Tinte
VOORNE
Zwartewaal
Stuifakker
Botlektunnel
Hartelkanaal
Vierpolders
Hoogvliet
Rockanje
Heenvliet
Geervliet
Duin
Quackjeswater
0
10 km
Haringvlietdam
Nieuw-Helvoet
Abbenbroek
2e Vlotbrug
Spijkenisse
Voorne kanaal
N 15
N 57
N 211
N 213
N 218
N 220
N 222
N 223
N 470
A 4
A 15
A 20
E 25
37

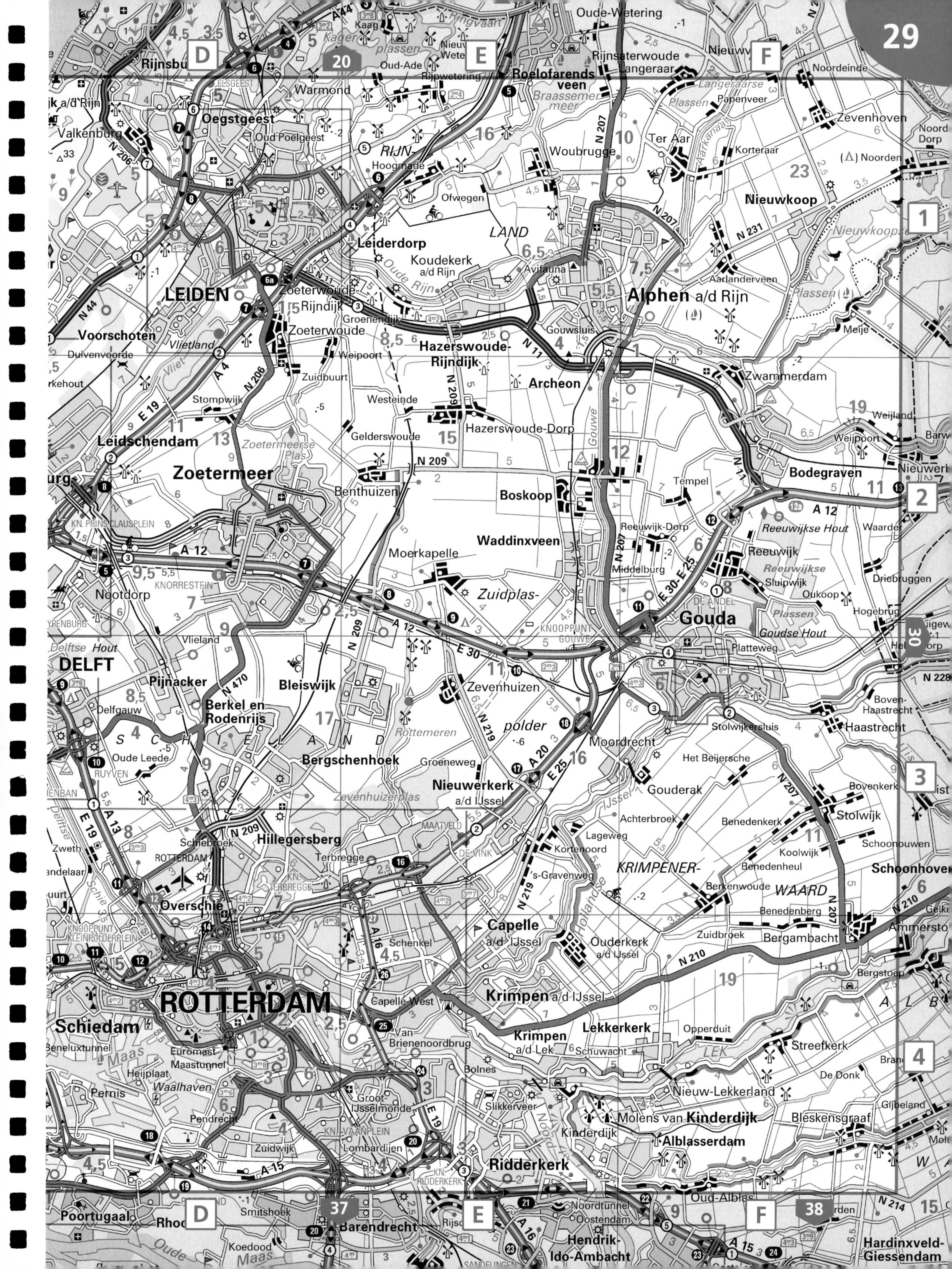
Oude-Wetering
Kaag
Kager plassen
Ringvaart
Rijnsburg
Oud-Ade
Rijpwetering
Roelofarendsveen
Braassemermeer
Rijnsaterwoude
Langeraar
Langeraarse Plassen
Papenveer
Noordeinde
Zevenhoven
Noorden
Warmond
Oegstgeest
Oud Poelgeest
Valkenburg
Rijn
Hoogmade
Woubrugge
Ter Aar
Korteraar
Nieuwkoop
Nieuwkoopse
Ofwegen
Leiderdorp
LAND
Koudekerk a/d Rijn
Oude Rijn
Avifauna
Alphen a/d Rijn
Aarlanderveen
Plassen
Meije
LEIDEN
Zoeterwoude-Rijndijk
Groenendijk
Zoeterwoude
Voorschoten
Vlietland
Duivenvoorde
Vliet
Weipoort
Zuidbuurt
Hazerswoude-Rijndijk
Gouwsluis
Archeon
Zwammerdam
Stompwijk
Westeinde
Hazerswoude-Dorp
Gouwe
Weijland
Weijpoort
Leidschendam
Zoetermeerse Plas
Gelderswoude
Zoetermeer
Benthuizen
Boskoop
Tempel
Bodegraven
Nieuwerbrug
KN. PRINS CLAUSPLEIN
Waddinxveen
Reeuwijk-Dorp
Reeuwijkse Hout
Waarder
Moerkapelle
Reeuwijk
Reeuwijkse
Middelburg
Sluipwijk
Driebruggen
Nootdorp
KNORRESTEIN
Zuidplas-
DE ANDEL
Oukoop
Hogebrug
Gouda
Plassen
Goudse Hout
KNOOPPUNT GOUWE
Platteweg
Vlieland
Delftse Hout
DELFT
Pijnacker
Bleiswijk
Zevenhuizen
Delfgauw
Berkel en Rodenrijs
Boven-Haastrecht
Haastrecht
Stolwijkersluis
S C H I E L A N D
Röttemeren
polder
Moordrecht
Oude Leede
Bergschenhoek
Groeneweg
Het Beijersche
RUYVEN
Nieuwerkerk a/d IJssel
Gouderak
Bovenkerk
Zevenhuizerplas
Achterbroek
Stolwijk
Benedenkerk
MAATVELD
Lageweg
Schiebroek
Hillegersberg
Kortenoord
Koolwijk
Schoonouwen
ROTTERDAM
Terbregge
DE VINK
KRIMPENER-
Benedenheul
Schoonhoven
KN. TERBREGGE
's-Gravenweg
Berkenwoude
WAARD
Overschie
Benedenberg
Capelle a/d IJssel
Hollandse IJssel
KNOOPPUNT KLEINPOLDERPLEIN
Schenkel
Ouderkerk a/d IJssel
Zuidbroek
Bergambacht
Ammerstol
ROTTERDAM
Capelle-West
Krimpen a/d IJssel
Bergstoep
Schiedam
A L B
Van Brienenoordbrug
Lekkerkerk
Opperduit
Euromast
Maastunnel
Krimpen a/d Lek
Schuwacht
Streefkerk
Beneluxtunnel
Maas
Heijplaat
Waalhaven
Bolnes
Lek
De Donk
Pernis
Groot-IJsselmonde
Slikkerveer
Nieuw-Lekkerland
Gijbeland
Pendrecht
Molens van Kinderdijk
Bleskensgraaf
Kinderdijk
KN. VAANPLEIN
Noord
Zuidwijk
Lombardijen
Alblasserdam
Ridderkerk
KN. RIDDERKERK
Oud-Alblas
Noordtunnel
Oostendam
Poortugaal
Smitshoek
Barendrecht
Rijsoord
Hendrik-Ido-Ambacht
Hardinxveld-Giessendam
Koedood
Oude Maas
SANDELINGEN
N 44
N 206
A 4
E 19
N 11
N 207
N 209
N 231
A 12
E 30
E 30 - E 25
N 470
N 219
A 20
E 25
A 13
A 16
A 15
N 210
N 214
N 228
D
E
F
1
2
3
4
20
30
37
38

A
B
C
21
Langeraarse Plassen
Papenveer
Zevenhoven
Noordeinde
De Hoef
Wilnis
Demmerik
Nieuwersluis
Mijnden
Loenderveen
Sypesteyn
Nieuwer-Ter-Aa
Breukelen
Breukeleveen
Tienhoven
Oud Maarsseveen
Gunterstein
Oudaen
Nijenrode
Maarssen
Maarsseveen
Ter Aar
Korteraar
Noordse Dorp
Noorden
Noordsebuurt
Portengense-brug
Nieuwkoop
Nieuwkoopse Plassen
Woerdense Verlaat
Kockengen
Haarrijn
Maarssenbroek
Haarzuilens
De Haar
Oud-Zuilen
UTRECHT
Aarlanderveen
Alphen a/d Rijn
Kanis
Zegveld
Meije
Kamerik
Gecht
Vleuten
Zwammerdam
Harmelen
Leidsche Rijn
De Meern
Hellevliet
Weijland
Weijpoort
Barwoutswaarder
Woerden
Bijleveld
Bodegraven
Nieuwerbrug
Tempel
Linschoten
Knooppunt Oudenrijn
Reeuwijk-Dorp
Reeuwijkse Hout
Waarder
Reeuwijk
Reeuwijkse Plassen
Papekop
Montfoort
Middelburg
Sluipwijk
Driebruggen
Tappersheul
Hollandse IJssel
Jutphaas
De Andel
Oukoop
Oudewater
Achtersloot
Gouda
Goudse Hout
Hogebrug
Ruigeweide
Snelrewaard
IJsselstein
Platteweg
Hekendorp
Willeskop
Benschop
Polsbroekerdam
Lopikerkapel
Stolwijkersluis
Boven-Haastrecht
Hoenkoop
Haastrecht
LOPIKER WAARD
Moordrecht
Graaf
Uitweg
Het Beijersche
Polsbroek
Vlist
Lopik
Gouderak
Bovenkerk
Jaarsveld
Achterbroek
Benedenkerk
Stolwijk
Tienhoven
Lexmond
Lageweg
Cabauw
Sluis
Kortenoord
Koolwijk
Schoonouwen
KRIMPENER-WAARD
Benedenheul
Schoonhoven
Ameide
Hei- en Boeicop
Berkenwoude
Willige Langerak
Benedenberg
Gelkenes
Broek
Ammerstol
Langerak
Ouderkerk a/d IJssel
Zuidbroek
Bergambacht
Nieuwpoort
Meerkerk
Ooievaarsdorp
Bergstoep
Groot Ammers
Weverwijk
Blommendaal
Leerbroek
ALBLASSERWAARD
Noordeloos
Lekkerkerk
Opperduit
Ottoland
Streefkerk
Goudriaan
Nieuwland
Brandwijk
Hoornaar
Achterdijk
De Donk
Nieuw-Lekkerland
Vuilendam
Slingeland
Oosterwijk
Gijbeland
Hoogblokland
Molens van Kinderdijk
Bleskensgraaf
Pinkenveer
Kinderdijk
Scheiwijk
Rietveld
Alblasserdam
Molenaarsgraaf
Kedichem
Knooppunt Gorinchem
Arkel
Giessen
Giessenburg
Spijk
Het Lingebos
Oud-Alblas
Noordtunnel
Oostendam
Giessen-Oudekerk
38
39
Schelluinen
Hendrik-Ido-Ambacht
10 km
Hardinxveld-Giessendam
Neder-Hardinxveld
De Bout
Gorinchem
Vuren
Merwedekanaal
LEK
A 12
A 27
A 2
A 15
E 30-E 25
E 311
N 207
N 231
N 212
N 198
N 11
N 228
N 204
N 210
N 216
N 214

D
E
F
Zeldert
Hoogland
Nijkerkerveen
Hooglanderveen
Zwartebroek
Terschuur
Soest
Drakensteyn
Lage-Vuursche
Hollandsche Rading
Pijnenburg
Maartensdijk
Westbroek
Achterwetering
Den Dolder
Soestduinen
AMERSFOORT
Hoevelaken
Stoutenburg
Barneveldse Beek
Achterveld
Snorrenhoef
De Glind
Leusden
Leusden Zuid
Bilthoven
Groenekan
Bosch en Duin
Soesterberg
Houdringe
De Bilt
Huis ter Heide
Militaire Luchtvaartmuseum
Piramide van Austerlitz
Leusder Heide
Den Treek
Geerestein
Voskuilen
Walderveen
Nederwoud
Zeist
Vollenhoven
Woudenberg
Henschotermeer
Landaas
Scherpenzeel
KN. RIJNSWEERD
De Uithof
Kasteel Rhijnauwen
Austerlitz
Kerckebosch
Maarn
Maarsbergen
Bunnik
Lunetten
A 12- E 35
SLAGMAAT
Odijk
Driebergen-Rijsenburg
OUDENHORST
Emminkhuizen
Overberg
Haspel
KNOOPPUNT LUNETTEN
Houten
Boswijk
Maarten Maartenshuis
De Ruiterberg
Nationaal Park Utrechtse Heuvelrug
Leersumse Plassen
Valkenheide
BLOEMHEUVEL
Ginkelduin
Veenendaal
Heemstede
Nieuwegein
Beverweerd
Moersbergen
Doorn
Werkhoven
Sterkenburg
Leeuwenburgh
Leersum
Prattenburg
Hardenbroek
Langbroek
Darthuizen
Amerongse Berg
Sandenburg
Broekhuizen
Amerongen
Wickenburg
Tull en 't Waal
't Goy
Zuylenstein
Cothen
Rhijnestein
Elst
Overlangbroek
Dwarsdijk
Everstein
Amsterdam-Rijnkanaal
Schalkwijk
Wijk bij Duurstede
Remmerden
Hagestein
KNOOPPUNT EVERDINGEN
Ganzert
Klinkenberg
Eck en Wiel
Eiland van Maurik
Kasteel
Culemborg
Ingen
Everdingen
Beusichem
Rijswijk
Maurik
Lienden
LEK
Ravenswaaij
Ommeren
De Meent
Zoelmond
Aalst
Zijderveld
Asch
Ommerenveld
't Liendebos
A 15 - E 31
N E D E R B E T U W E
De Wyenburg
Buren
Zoelen
LINGEHORST
Diefdijk
Kerk-Avezaath
Echteld
Ooij
Betuwestrand
Linge
Buurmalsen
Erichem
Drumpt
Tiel
Tricht
Mariënwaard
Tweesluizen
Wamel
Beesd
Rhenoy
Rumpt
Deil
Geldermalsen
Kapel-Avezaath
Beneden-Leeuwen
Enspijk
Asperen
Acquoy
Gellicum
Heukelum
Wadenoijen
Passewaaij
Land van Maas en Waal
Meteren
KNOOPPUNT DEIL
WAAL
T I E L E R W A A R D
EIGENBLOK
A 15 - E 31
Est
Ophemert
Dreumel
Grote Wetering
Nieuwe-Schans
Blauwesluis
Greffelkamp
De Gouden Ham
Klingel
Hellouw
Heerewaarden
Alphen
Maasbommel
Oijen
Varik
Tuil
Neerijnen
Moordhuizen

A
B
C
24
25
40
31
1
2
3
4
TOLNEGEN
Kootwijk
Radio Kootwijk
Kootwijkerzand
A 1 - E 30
Loobosch
Beekbergen
Kootwijkerbroek
Groote Beek
Essen
N 310
Harskampse Zand
Waterberg
Schaffelaar
Harskamp
Legerplaats
Barneveld
De Valk
Westeneng
Jachthuis St. Hubertus
N 304
Hoenderloo
Deelerwoud
Overwoud
Wekerom
Bezoekerscentrum Museonder
Woeste Hoeve
Glind
Walderveen
Meulunteren
A 30
Otterlo
Roekel
Nederwoud
Kröller-Müller Museum
Nationaal Park
De Hoge Veluwe
Deelerwoud
Lunteren
Galgenberg
N 224
Renswoude
Driesprong
Deelen
Doesburgerbuurt
Planken
Terlet
Ederveen
DE POEL
DE VEENEN
Roekelhof
Wambuis
Emminkhuizen
Oud-Reemst
N 311
De Klomp
Schaarsbergen
Oranjekazerne
KNOOPPUNT GRIJSOORD
A 12 - A 50
DE SCHAARS
KNOOPPUNT WATERBERG
Ede
A 12
E 35
De Kade
ARNHEM
Rosendaal
Hoekelum
BUUNDERKAMP
KNOOPPUNT MAANDERBROEK
Benedeneind
Wolfheze
DE SLENK
Sonsbeek Park
De Kraats
Bennekom
N 233
Heelsum
Wageningen-Hoog
N 225
Kievitsdel
Airborne Museum
Oosterbeek
Landbouwuniversiteit
Wageningen
Renkum
Rhenen
Remmerden
Achterberg
Doorwerth
Westerbouwing
Malburgen
N 325
Ouwehand
Jacht-Museum
Elderveld
Elden
Driel
Randwijk
Lienden
Koningstafel
NEDER RIJN
Heteren
De Laar
A 325
Huissen
Indoornik
OVERBETUWE
Hemmen
WEERBROEK
A 50
Kesteren
Aalst
Opheusden
Homoet
KEMPKE
HOGEWEI
Linge
Hoeve
N 320
KNOOPPUNT VALBURG
Zetten
Elst
A 15 - E 31
VARAKKER
OVERBROEK
Eldik
Hien
Noord
Herveld
Zuid
KNOOPPUNT RESSEN
De Wyenburg
Ochten
Dodewaard
Valburg
Merm
Angeren
Echteld
IJzendoorn
Andelst
A 15
Bemmel
Flieren
Druten
Strandpark
Slijk-Ewijk
Ressen
Haalderen
Boven-Leeuwen
Deest
WAAL
Winssen
Oosterhout-Nijmegen
Vossenpels
N 323
Doddendaal
Afferden
Ewijk
Groenlanden
Beneden-Leeuwen
Puiflijk
N 322
KNOOPPUNT EWIJK
Beuningen
Lent
Maas en Waal
N 329
A 73 - E 31
Weurt
NIJMEGEN
Bergharen
Altforst
Horssen
De Groene Heuvels
A 50 - E 31
KNOOPPUNT NEERBOSCH
Persingen
Ubbergen
Beek
Grote Wetering
Rijk
Hees
Blauwesluis
Appeltern
Hernen
Lindenholt
De Gouden Ham
Batenburg
Berg en Dal
Leur
Heilig Land Stichting
10 km
Osbommel
A 326
Dieden
KNOOPPUNT BANKHOEF
Woezik
Megen
Tivoli
Afrika Museum

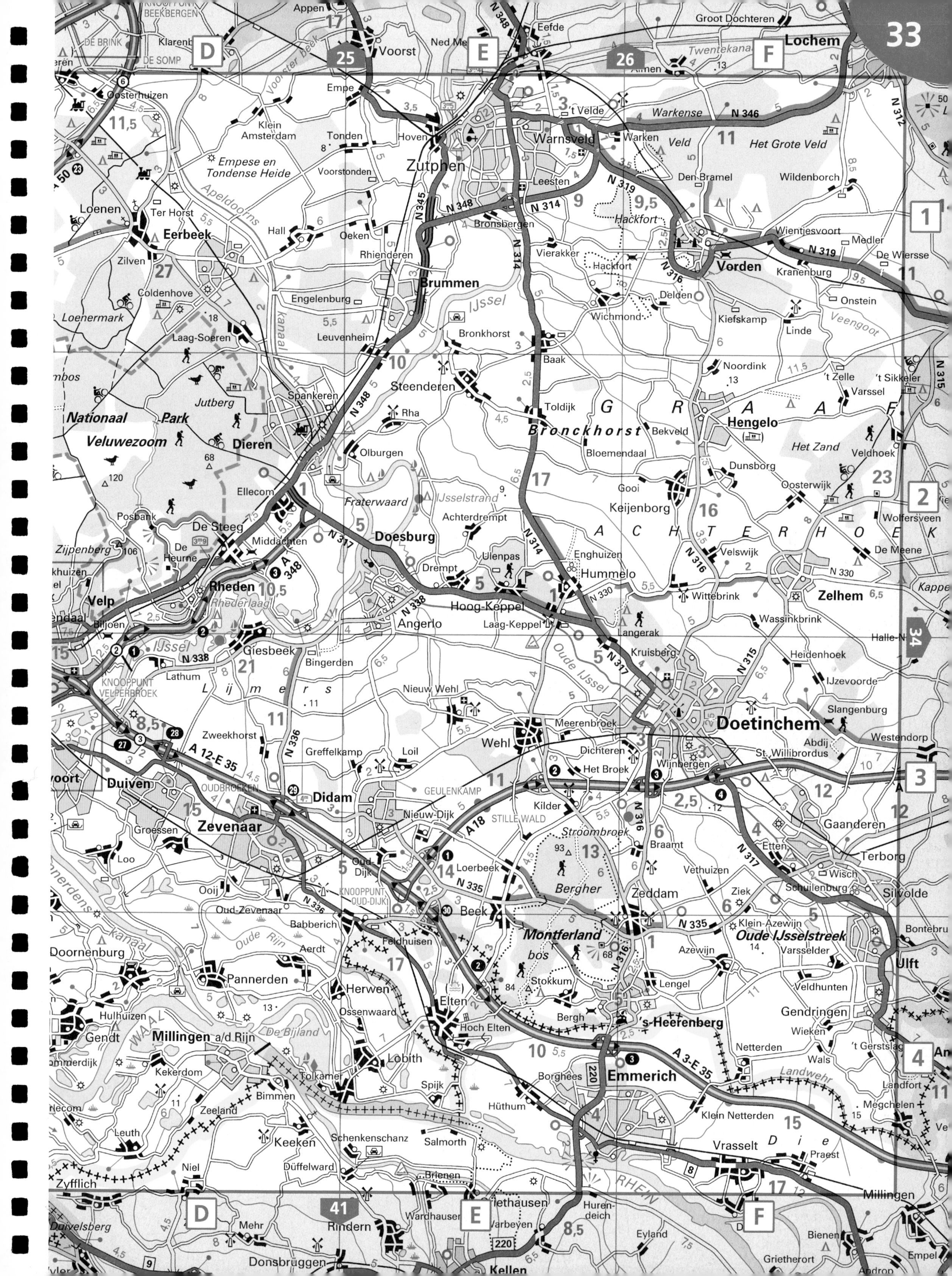

Appen
Voorst
Eefde
Groot Dochteren
Lochem
Twentekanaal
Almen
Oosterhuizen
Empe
Klein Amsterdam
Tonden
Hoven
Zutphen
Warnsveld
't Velde
Warken
Warkense Veld
Het Grote Veld
N 346
Empese en Tondense Heide
Voorstonden
Leesten
Den Bramel
Wildenborch
Apeldoorns kanaal
Loenen
Ter Horst
Eerbeek
Hall
Oeken
Rhienderen
N 345
N 348
N 314
N 319
Bronsbergen
Hackfort
Vierakker
Vorden
Wientjesvoort
Medler
De Wiersse
Kranenburg
Zilven
Coldenhove
Brummen
Engelenburg
Delden
Wichmond
Onstein
Kiefskamp
Linde
Veengoot
Loenermark
Laag-Soeren
Leuvenheim
IJssel
Bronkhorst
Baak
Noordink
't Zelle
't Sikkeler
Varssel
N 315
Nationaal Park Veluwezoom
Jutberg
Spankeren
Steenderen
Rha
Toldijk
Bronckhorst
Bekveld
Hengelo
Het Zand
Veldhoek
Dieren
Olburgen
Bloemendaal
Dunsborg
Oosterwijk
Ellecom
Fraterwaard
IJsselstrand
Gooi
Keijenborg
Achterdrempt
Posbank
De Steeg
Middachten
Doesburg
N 317
Zijpenberg
De Heurne
Drempt
Ulenpas
Enghuizen
Hummelo
Velswijk
De Meene
Wolfersveen
Zelhem
N 330
Velp
Rheden
Rhederlaag
Hoog-Keppel
Laag-Keppel
Wittebrink
Angerlo
Biljoen
Giesbeek
Langerak
Wassinkbrink
Halle-N
Lathum
Knooppunt Velperbroek
Bingerden
Kruisberg
Heidenhoek
N 338
Lijmers
Oude IJssel
Nieuw Wehl
IJzevoorde
Slangenburg
Doetinchem
Meerenbroek
Abdij St. Willibrordus
Zweekhorst
Wehl
Dichteren
Westendorp
A 12-E 35
Greffelkamp
Loil
Het Broek
Wijnbergen
Duiven
Oudbroeken
Didam
Geulenkamp
Kilder
Stille Wald
A 18
N 316
Gaanderen
Zevenaar
Groessen
Nieuw-Dijk
Stroombroek
Braamt
Etten
Terborg
Loo
Oud Dijk
Loerbeek
N 335
Bergher bos
Vethuizen
Wisch
Schuilenburg
Silvolde
Ooij
Knooppunt Oud-Dijk
Beek
Zeddam
Ziek
Oud-Zevenaar
Babberich
Montferland
Klein-Azewijn
Oude IJsselstreek
Bontebrug
Doornenburg
Oude Rijn
Aerdt
Feldhuisen
Azewijn
Varsselder
Ulft
Pannerden
Herwen
Stokkum
Lengel
Veldhunten
Hulhuizen
Ossenwaard
Elten
Bergh
's-Heerenberg
Gendringen
Gendt
Millingen a/d Rijn
De Bijland
Hoch Elten
Wieken
Netterden
't Gerstslag
Lobith
Emmerich
A 3-E 35
Wals
Kekerdom
Tolkamer
Borghees
Landwehr
Landfort
Spijk
Bimmen
Hüthum
Klein Netterden
Megchelen
Zeeland
Leuth
Keeken
Schenkenschanz
Salmorth
Vrasselt
Praest
Niel
Düffelward
Brienen
Rhein
Zyfflich
Millingen
Griethausen
Huren-deich
Duivelsberg
Mehr
Rindern
Wardhausen
Warbeyen
Eyland
Bienen
Donsbrüggen
Kellen
Empel
Grietherort

Appen
Voorst
Eefde
Ned Mettray
Groot Dochteren
Lochem
Nettelhorst
Almen
Twentekanaal
Zwiep
Lochemseberg
Empe
Klein
Amsterdam
Tonden
Hoven
Zutphen
Warnsveld
't Velde
Warken
Warkense
Veld
Het Grote Veld
Empese en
Tondense Heide
Voorstonden
Leesten
Den Bramel
Wildenborch
Barchem
Apeldoorns
Bronsbergen
Hackfort
Eerbeek
Hall
Oeken
Rhienderen
Vierakker
Vorden
Wientjesvoort
Medler
De Wiersse
Kranenburg
Boschheu
Ruurlo
Coldenhove
Brummen
Engelenburg
Delden
Wichmond
Kiefskamp
Onstein
Veengoot
Linde
IJssel
Laag-Soeren
Leuvenheim
Bronkhorst
Baak
Bruil
Noordink
't Zelle
Varssel
't Sikkeler
Jutberg
Spankeren
Steenderen
Toldijk
G R A A F S
Hengelo
Park
Dieren
Rha
Bronckhorst
Bekveld
Het Zand
Veldhoek
Olburgen
Bloemendaal
Dunsborg
Heurne
Oosterwijk
Ellecom
Fraterwaard
IJsselstrand
Gooi
Keijenborg
De Viersprong
Wolfersveen
De Steeg
Achterdrempt
A C H T E R H O E K
Middachten
Doesburg
Velswijk
De Meene
De Heurne
Ulenpas
Enghuizen
Hummelo
Halle-Heide
Drempt
Rheden
Rhederlaag
Zelhem
Kappenbutten
Hoog-Keppel
Wittebrink
Laag-Keppel
Angerlo
Wassinkbrink
Halle
Langerak
Halle-Nijman
Hallerd
Giesbeek
Bingerden
Kruisberg
Heidenhoek
Lathum
Oude IJssel
IJzevoorde
Heelweg-West
L ij m e r s
Nieuw Wehl
Slangenburg
Meerenbroek
Doetinchem
Zweekhorst
Wehl
Abdij
St. Willibrordus
Westendorp
Dichteren
Greffelkamp
Loil
Het Broek
Wijnbergen
A 12-E 35
Didam
Geulenkamp
Kilder
Stille Wald
Stroombroek
Gaanderen
Zevenaar
Oudbroeken
Nieuw-Dijk
Braamt
Idink
Terborg
Groessen
Etten
Wissink
Oud-Dijk
Loerbeek
Vethuizen
Wisch
Schuilenburg
Silvolde
Bergher
Knooppunt Oud-Dijk
Ooij
Zeddam
Sinderen
Oud-Zevenaar
Beek
Klein-Azewijn
Babberich
Montferland
Oude IJsselstreek
Bontebrug
Aerdt
Feldhuisen
bos
Azewijn
Varsselder
Oude Rijn
Ulft
Pannerden
Stokkum
Lengel
Veldhunten
Voorst
Herwen
Elten
Gendringen
Ossenwaard
Bergh
's-Heerenberg
Wieken
't Gerstslag
Anholt
Waal
De Bijland
Hoch Elten
Millingen a/d Rijn
Netterden
Regniet
Lobith
Wals
Kekerdom
Tolkamer
Emmerich
Borghees
Landweh
Landfort
Bimmen
Spijk
Klein Netterden
Megchelen
Zeeland
Hüthum
Vehlingen
Keeken
Schenkenschanz
Salmorth
Vrasselt
D i e
Praest
Düffelward
Niel
Brienen
Rhein
Millingen
Griethausen
Helder
Zelm
Mehr
Rindern
10 km
Warbeyen
Eyland
Dornick
Bienen
Donsbrüggen
Kellen
Griethertort
Empel
Androp
Im Lohr

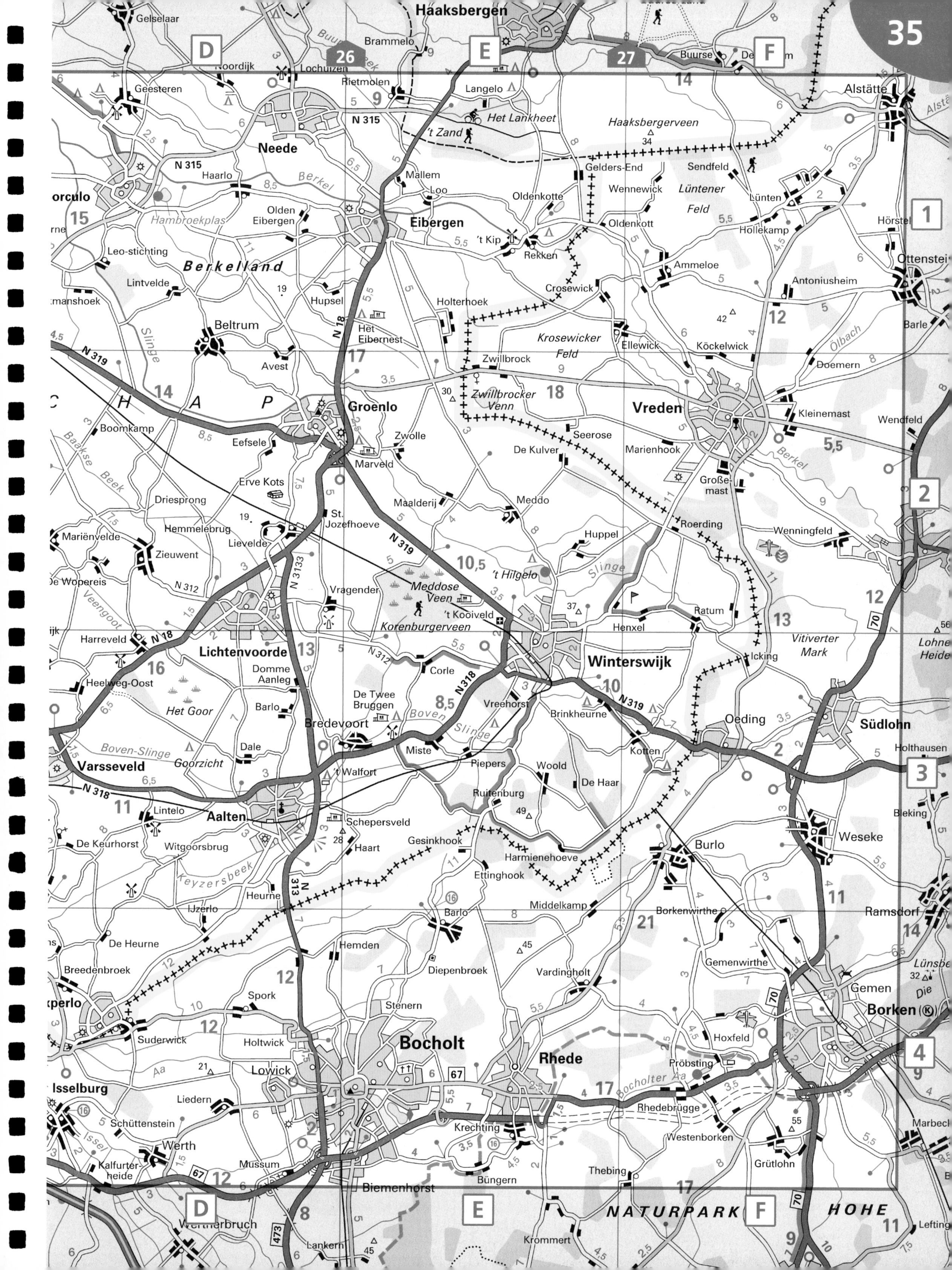
Haaksbergen
Gelselaar
Brammelo
Buurse
Noordijk
Lochuizen
Rietmolen
Langelo
Alstätte
Geesteren
N 315
Het Lankheet
't Zand
Haaksbergerveen
Neede
Haarlo
Berkel
Mallem
Loo
Gelders-End
Sendfeld
Wennewick
Lüntener Feld
Lünten
Oldenkotte
Olden Eibergen
Eibergen
Hambroekplas
Oldenkott
Hollekamp
Hörstel
Leo-stichting
't Kip
Rekken
Ammeloe
Ottenstein
Berkelland
Lintvelde
Crosewick
Antoniusheim
Hupsel
Holterhoek
Beltrum
Het Eibernest
Krosewicker Feld
Ellewick
Köckelwick
Barle
Slinge
N 319
Avest
Zwillbrock
Doemern
Ölbach
Zwillbrocker Venn
Groenlo
Vreden
Kleinemast
Wendfeld
Boomkamp
Eefsele
Zwolle
Seerose
De Kulver
Marienhook
Marveld
Baakse Beek
Erve Kots
Große-mast
Driesprong
Maalderij
Meddo
Hemmelebrug
St. Jozefhoeve
Roerding
Wenningfeld
Mariënvelde
Lievelde
Huppel
Zieuwent
N 319
't Hilgelo
De Wopereis
N 312
Vragender
Meddose Veen
't Kooiveld
Korenburgerveen
Henxel
Ratum
Harreveld
N 18
Lichtenvoorde
Winterswijk
Icking
Vitiverter Mark
Lohne Heide
Domme Aanleg
Corle
N 318
Heelweg-Oost
De Twee Bruggen
Vreehorst
Brinkheurne
Het Goor
Barlo
Bredevoort
Boven Slinge
Oeding
Südlohn
Boven-Slinge
Dale
Miste
Kotten
Holthausen
Varsseveld
Goorzicht
Piepers
Woold
De Haar
't Walfort
Ruitenburg
Lintelo
Aalten
Schepersveld
Bleking
Weseke
De Keurhorst
Witgoorsbrug
Haart
Gesinkhook
Burlo
Harmienehoeve
Keyzersbeek
Ettinghook
Heurne
IJzerlo
Middelkamp
Borkenwirthe
Barlo
Ramsdorf
De Heurne
Hemden
Gemenwirthe
Breedenbroek
Diepenbroek
Vardingholt
Lünsberg
Spork
Gemen
Stenern
Borken
Suderwick
Holtwick
Bocholt
Rhede
Hoxfeld
Pröbsting
Lowick
Isselburg
Bocholter Aa
Liedern
Rhedebrügge
Schüttenstein
Krechting
Westenborken
Marbeck
Werth
Issel
Kalfurter-heide
Mussum
Grütlohn
Thebing
Biemenhorst
Büngern
Wertherbruch
Naturpark Hohe
Lankern
Krommert
Lefting

A
B
28
C
1
2
3
4
Haringvlietdam
Kwade Hoek
Oostdijk
Havenhoofd
G O E R E E
Goedereede
Ouddorp
Duinhof
Stellendam
Hellevoets
De Quack
Quackjeswater
Stuifakker
Visschershoek
Springersdiep
Slikken van Flakkee
De Punt
Hompelvoet
Trammuseum
Brouwersdam
Melissant
Port Zélande
Kabbelaarsbank
Stampersplaat
Veermansplaat
Dirksland
Brouwershavense Gat
Den Osse
Renesse
Moermond
Scharendijke
Brouwershaven
Ellemeet
Looperskapelle
Elkerzee
Brijdorpe
Herkingen
Nieuw-Haamstede
Noordwelle
S C H O U W E N
Zonnemaire
GREVELINGENMEER
Serooskerke
Nieuwerkerke
Schutje
Noordgouwe
Haamstede
Toren
Burgh
Moriaanshoofd
Dreischor
Kerkwerve
Hammen
Sirjansland
Burghsluis
Westenschouwen
Schuddebeurs
Aquadelta
DUIVELAND
Roggenplaat
Zierikzee
Nieuwerkerk
Oosterland
NATIONAAL
Roompot
WaterLand
Neeltje Jans
Stormvloedkering Oosterschelde
Ouwerkerk
Neeltje Jans
Vuilbaard
Zeelandbrug
Keeten
Mastgat
Colijnsplaat
De Banjaard
De Roompot
Gatdam
Stavenisse
Wissenkerke
N O O R D B E V E L A N D
Kamperland
Kats
PARK
Galgenplaat
Ruiterplaat
Geersdijk
Stroodorp
Kortgene
St. Maartensdijk
Veere
Zandkreek
Middelplaten
Zandkreekdam
OOSTERSCHELDE
Goesse Sas
Veerse Meer
Wolphaartsdijk
Wilhelminadorp
Zanddijk
Goudplaat
Oud-Sabbinge
Roodewijk
Goese Meer
Wemeldinge
Het Zilveren Schor
Kleverskerke
's-Heer Hendrikskinderen
Monnikendijk
Goes
Walcheren
0
10 km
44
N 57
N 215
N 59
N 256
N 255
N 286

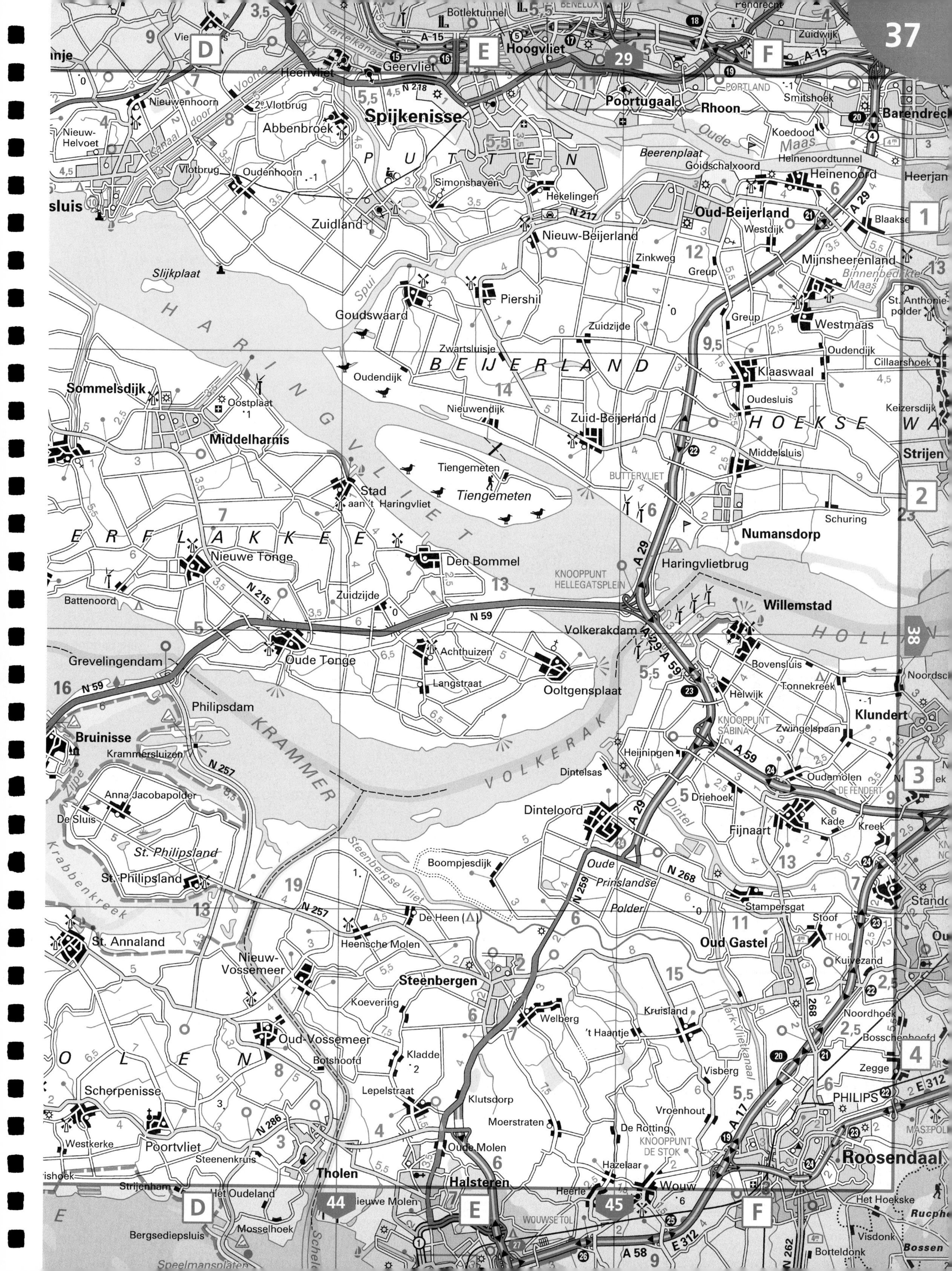
Botlektunnel
Hoogvliet
Pendrecht
Zuidwijk
Heenvliet
Geervliet
Hartelkanaal
Spijkenisse
Abbenbroek
Nieuwenhoorn
2e Vlotbrug
Voornes Kanaal
Nieuw-Helvoet
Vlotbrug
Oudenhoorn
PUTTEN
Simonshaven
Zuidland
Hekelingen
Poortugaal
Rhoon
Portland
Smitshoek
Barendrecht
Koedood
Oude Maas
Beerenplaat
Goidschalxoord
Heinenoordtunnel
Heinenoord
Heerjansdam
Oud-Beijerland
Westdijk
Blaakse
Nieuw-Beijerland
Zinkweg
Greup
Mijnsheerenland
Binnenbedijkte Maas
St. Anthoniepolder
Westmaas
Slijkplaat
HARINGVLIET
Spui
Goudswaard
Piershil
Zuidzijde
Zwartsluisje
BEIJERLAND
Oudendijk
Klaaswaal
Cillaarshoek
Oudesluis
Keizersdijk
Sommelsdijk
Oostplaat
Middelharnis
Nieuwendijk
Zuid-Beijerland
HOEKSE WAARD
Middelsluis
Strijen
Tiengemeten
Stad aan 't Haringvliet
Buttervliet
Numansdorp
Schuring
GOEREE-OVERFLAKKEE
Nieuwe Tonge
Den Bommel
Haringvlietbrug
Knooppunt Hellegatsplein
Battenoord
Zuidzijde
N 215
N 59
Willemstad
Volkerakdam
Grevelingendam
Oude Tonge
Achthuizen
Langstraat
Ooltgensplaat
Bovensluis
Tonnekreek
Noordschans
Helwijk
Klundert
Philipsdam
Knooppunt Sabina
Zwingelspaan
Bruinisse
Krammersluizen
KRAMMER
VOLKERAK
Heijningen
Dintelsas
Oudemolen
De Fendert
Anna Jacobapolder
De Sluis
Dinteloord
Driehoek
Fijnaart
Kade
Kreek
St. Philipsland
Steenbergse Vliet
Boompjesdijk
Oude Prinslandse Polder
Dintel
Krabbenkreek
N 257
N 268
N 259
De Heen
Stampersgat
Standdaarbuiten
Stoof
St. Annaland
Heensche Molen
Oud Gastel
Kuivezand
Nieuw-Vossemeer
Steenbergen
Koevering
Welberg
Kruisland
Noordhoek
Oud-Vossemeer
't Haantje
Bosschenhoofd
THOLEN
Kladde
Botshoofd
Visberg
Zegge
Scherpenisse
Lepelstraat
Klutsdorp
Vroenhout
Philips
Mark-Vlietkanaal
Moerstraten
De Rotting
Knooppunt De Stok
Westkerke
Poortvliet
N 286
Oude Molen
Roosendaal
Steenenkruis
Hazelaar
Strijenham
Tholen
Halsteren
Wouw
Heerle
Het Oudeland
Nieuwe Molen
Het Hoekske
Rucphen
Wouwse Tol
Bergsediepsluis
Mosselhoek
Visdonk
Borteldonk
Bossen
Speelmansplaten
A 15
A 29
A 59
A 17
A 58
E 312

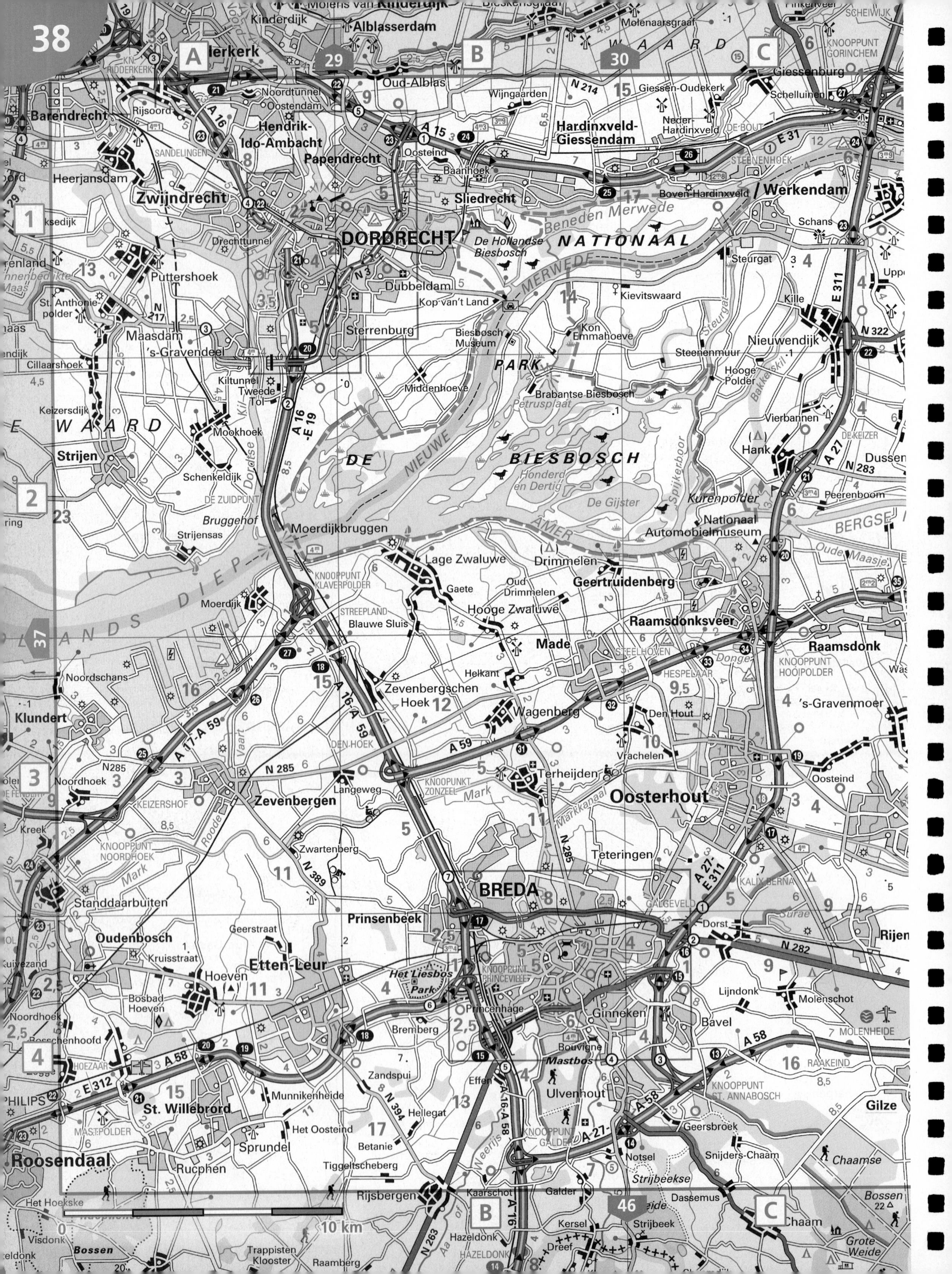

Kinderdijk
Alblasserdam
Ridderkerk
Oud-Alblas
Wijngaarden
Molenaarsgraaf
Giessenburg
Schelluinen
Knooppunt Gorinchem
Barendrecht
Rijsoord
Noordtunnel
Oostendam
Hendrik-Ido-Ambacht
Papendrecht
Hardinxveld-Giessendam
Giessen-Oudekerk
Neder-Hardinxveld
De Bout
Steenenhoek
Sandelingen
Heerjansdam
Oosteind
Baanhoek
Zwijndrecht
Sliedrecht
Boven-Hardinxveld
Werkendam
Beneden Merwede
Schans
Drechttunnel
Dordrecht
De Hollandse Biesbosch
Nationaal
Steurgat
Puttershoek
Dubbeldam
Merwede
Kievitswaard
Kille
St. Anthoniepolder
Kop van't Land
Maasdam
Sterrenburg
Biesbosch Museum
Kon Emmahoeve
Nieuwendijk
's-Gravendeel
Cillaarshoek
Steenenmuur
Park
Hooge Polder
Kiltunnel
Tweede Tol
Middenhoeve
Brabantse Biesbosch
Petrusplaat
Keizersdijk
Waard
Vierbannen
Mookhoek
De Keizer
Hank
Strijen
De
Nieuwe
Biesbosch
Dussen
Schenkeldijk
Honderd en Dertig
De Zuidpunt
De Gijster
Kurenpolder
Peerenboom
Bruggehof
Moerdijkbruggen
Nationaal Automobielmuseum
Bergse
Strijensas
Amer
Lage Zwaluwe
Drimmelen
Oude Maasje
Knooppunt Klaverpolder
Gaete
Oud Drimmelen
Geertruidenberg
Moerdijk
Hollands Diep
Streepland
Blauwe Sluis
Hooge Zwaluwe
Raamsdonksveer
Made
Raamsdonk
Steelhoven
Donge
Knooppunt Hooipolder
Noordschans
Helkant
Hespelaar
Zevenbergschen Hoek
Wagenberg
's-Gravenmoer
Klundert
Den Hout
Den Hoek
Vrachelen
N285
Noordhoek
N 285
Terheijden
Oosteind
Knooppunt Zonzeel
Mark
Keizershof
Zevenbergen
Langeweg
Oosterhout
Markkanaal
Kreek
Knooppunt Noordhoek
Zwartenberg
Teteringen
Kalix Berna
Standdaarbuiten
Breda
Galgeveld
Prinsenbeek
Dorst
Rijen
Surae
Oudenbosch
Geerstraat
Kruisstraat
Etten-Leur
Knooppunt Princeville
Hoeven
Het Liesbos Park
Lijndonk
Molenschot
Bosbad Hoeven
Princenhage
Ginneken
Bavel
Molenheide
Noordhoek
Bosschenhoofd
Bremberg
Bouvigne
Mastbos
Hoezaar
Raakeind
Zandspui
Effen
Ulvenhout
Knooppunt St. Annabosch
Philips
St. Willebrord
Munnikenheide
Hellegat
Gilze
Mastpolder
Het Oosteind
Betanie
Geersbroek
Roosendaal
Sprundel
Knooppunt Galder
Notsel
Snijders-Chaam
Chaamse
Rucphen
Tiggeltscheberg
Weerijs
Strijbeekse
Het Hoekske
Rijsbergen
Kaarschot
Galder
Dassemus
Bossen
Visdonk
Chaam
Eeldonk
Bossen
Hazeldonk
Kersel
Strijbeek
Grote Weide
Trappisten Klooster
Raamberg
Dreef
10 km

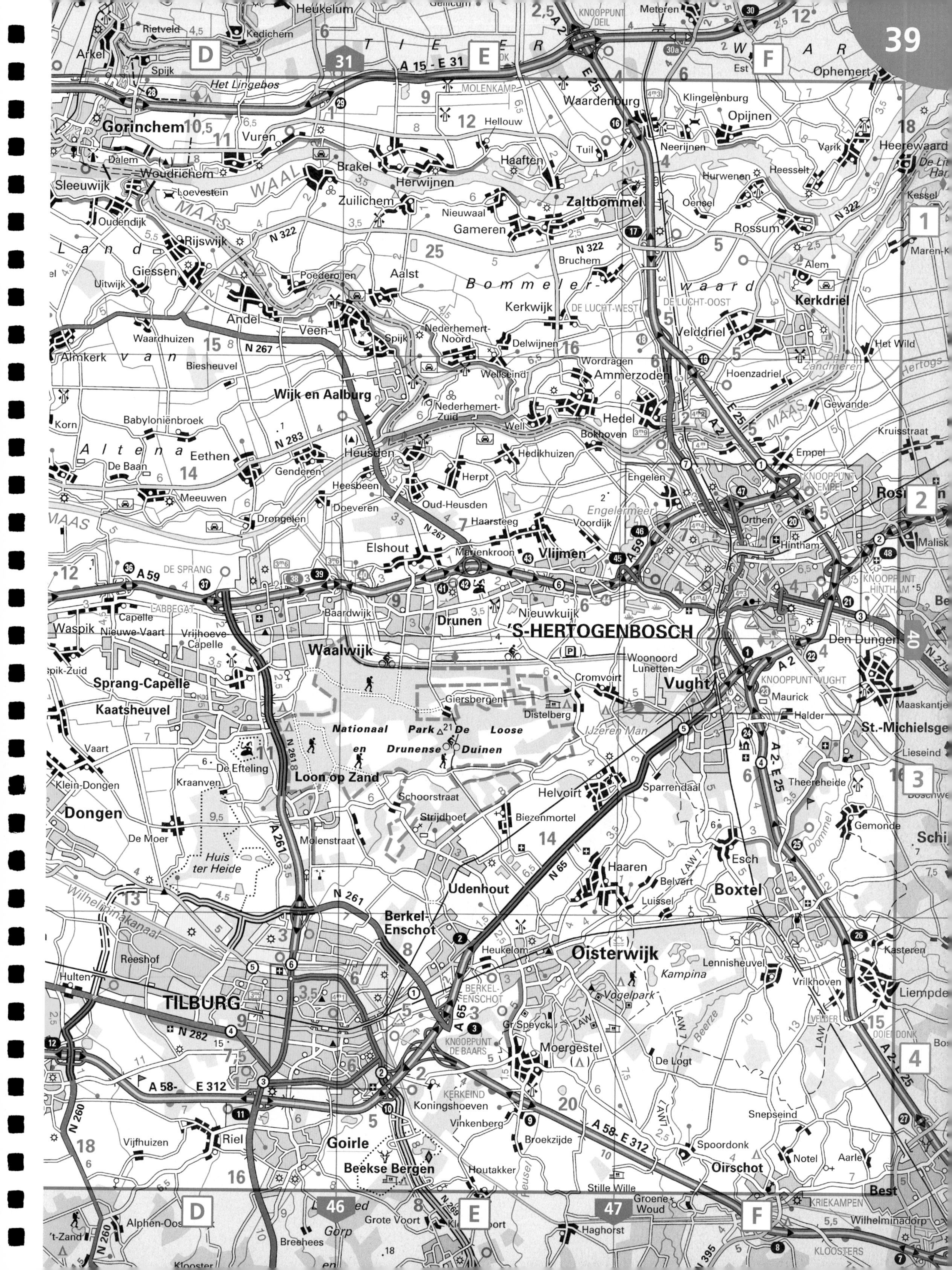

Heukelum
Rietveld
Kedichem
Arkel
Spijk
D
E
F
A 15 - E 31
31
Meteren
KNOOPPUNT DEIL
Est
Ophemert
Het Lingebos
MOLENKAMP
Waardenburg
Klingelenburg
Opijnen
Gorinchem
Vuren
Hellouw
Haaften
Tuil
Neerijnen
Varik
Heerewaard
Dalem
Woudrichem
Brakel
Heesselt
Hurwenen
Sleeuwijk
Loevestein
WAAL
Herwijnen
Zuilichem
Nieuwaal
Zaltbommel
Oensel
Rossum
Kessel
MAAS
Oudendijk
Gameren
N 322
Rijswijk
Bruchem
Maren-K
Alem
Giessen
Uitwijk
Poederoijen
Aalst
Bommeler-waard
Kerkdriel
Andel
Kerkwijk
DE LUCHT-WEST
DE LUCHT-OOST
Veen
Waardhuizen
Almkerk
Nederhemert-Noord
Spijk
Delwijnen
Velddriel
Het Wild
N 267
Biesheuvel
Wordragen
Ammerzoden
Wellseind
Hoenzadriel
Zandmeren
Wijk en Aalburg
Nederhemert-Zuid
Gewande
Korn
Babyloniënbroek
Altena
Well
Hedel
Bokhoven
Kruisstraat
N 283
Heusden
Hedikhuizen
Empel
De Baan
Eethen
Genderen
Herpt
Engelen
KNOOPPUNT EMPEL
Heesbeen
Meeuwen
Doeveren
Oud-Heusden
Engelermeer
Orthen
MAAS
Drongelen
Haarsteeg
Voordijk
Hintham
Malisk
Elshout
Marienkroon
Vlijmen
DE SPRANG
A 59
KNOOPPUNT HINTHAM
LABBEGAT
Capelle
Baardwijk
Drunen
Nieuwkuijk
Waspik
Nieuwe-Vaart
Vrijhoeve-Capelle
'S-HERTOGENBOSCH
Den Dungen
Waalwijk
Woonoord Lunetten
Cromvoirt
Vught
KNOOPPUNT VUGHT
Sprang-Capelle
Maurick
Maaskantje
Giersbergen
Distelberg
Halder
Kaatsheuvel
St.-Michielsgestel
Nationaal Park De Loose en Drunense Duinen
IJzeren Man
Lieseind
Vaart
De Efteling
Klein-Dongen
Kraanven
Loon op Zand
Sparrendaal
Theereheide
Helvoirt
Schoorstraat
Dongen
Strijdhoef
Biezenmortel
Gemonde
De Moer
Molenstraat
Dommel
Huis ter Heide
Haaren
Esch
Belvert
Boxtel
Wilhelminakanaal
Udenhout
Luissel
N 261
Berkel-Enschot
Reeshof
Heukelom
Oisterwijk
Kasteren
Hulten
Lennisheuvel
Kampina
Vrilkhoven
Liempde
Vogelpark
BERKEL-ENSCHOT
TILBURG
N 282
Gr.Speyck
KNOOPPUNT DE BAARS
Moergestel
Beerze
VELDER
OOIENDONK
De Logt
A 58 - E 312
KERKEIND
Koningshoeven
Vinkenberg
Snepseind
Vijfhuizen
Riel
Goirle
Broekzijde
Spoordonk
Notel
Aarle
Beekse Bergen
Houtakker
Oirschot
Stille Wille
Best
KRIEKAMPEN
46
47
Groene Woud
Wilhelminadorp
Alphen-Oost
Grote Voort
Gorp
Haghorst
't-Zand
Breehees
N 260
N 395
KLOOSTERS
A 2 - E 25
A 65
N 65
N 279
40
1
2
3
4

40
A
B
C
1
2
3
4
Dreumel
Nieuwe-Schans
Greffeling
Oude Maasdijk
Alphen
Heerewaarden
Moordhuizen
De Lithse Ham
Kessel
Lith
Lithoijen
Maren-Kessel
Oijen
Boveneind
Teeffelen
Altforst
Horssen
Blauwesluis
Appeltern
De Gouden Ham
Maasbommel
Megen
Macharen
Dieden
Batenburg
Demen
Deursen-Dennenburg
Haren
Ravenstein
Huisseling
Bergharen
De Groene Heuvels
Hernen
Leur
Knooppunt Bankhoef
Niftrik
Wijchen
Woezik
Neerloon
Balgoij
Keent
Overlangel
Kloosters
Velp
Grave
Lunen
Nederasselt
Nijmegen
Overasselt
Alverna
Dukenburg
Lindenholt
Knooppunt Neerbosch
Elzenburg
Berghem
Oss
Herpen
Grote Koolwijk
Schaijk
Reek
Gassel
Kraaijenbergse Plas
Het Wild
Maas
Land
Ganzenven
De Gagel
Knooppunt Paalgraven
Geffen
De Geffense Barrière
Heescheind
Kruisstraat
Nuland
Heesch
De Lucht
Rosmalen
Autotron
Maliskamp
Vinkel
Munnikens-Vinkel
Nistelrode
Maashorst
Nabbegat
Schaijkse Heide
Voederheil
Loo
Slabroek
Menzel
Zeeland
Langenboom
Generaal de Bonskazerne
Escharen
De Tongelaar
Bruggen
Mill
Aldendorp
Trent
Knooppunt Hintham
Berlicum
Loosbroek
Rakt
Uden
Oventje
Lankes
Wilbertoord
Wanroij
Middelrode
Heeswijk-Dinther
Heeswijk
Vorstenbosch
Bedaf
Dinthersehoek
Driehuisen
Duifhuis
Volkel
Oosterens
Odiliapeel
De Bergen
Hemelrijk
Kooldert
Wanrooijse peel
Maaskantje
St.-Michielsgestel
Lieseind
Houterd
Beugt
Veghel
Mariaheide
Leijgraaf
Zuid-Willemsvaart
Boschweg
Wijbosch
Molenwijk
Boekel
Venhorst
Landhorst
Gemonde
Schijndel
Eerde
Erp
Achterste Hermalen
Roder Heyde
Zijtaart
Keldonk
Hurkske
Esdonk
Huize-Padua
Handel
Elsendorp
De Rooije Plas
Doonheide
Olland
St-Oedenrode
Kasteren
Zondveld
Boerdonk
Gemert
Liempde
Lieshoutse Heide
Mariahout
Mortel
Stippelberg
Boskant
Het Schoor
Sonse Heide
Nijnsel
Testbaan
Beek en Donk
Tereyken
Vleut
Market Garden
Breugel
Ginderdoor
Broek
Lieshout
Klooster
De Peel
Son
Aarle-Rixtel
Bakel
Aarle
Olen
Wilhelminakanaal
Stadt van Gerwen
Croy
Helmond
Milheeze
Best
Nederwetten
Stiphout
Heidveld
Wilhelminadorp
Knooppunt Ekkersweijer
Roosdonck
Rijpelberg
10 km
A 50-E 31
A 326
A 73-E 31
A 50
A 59
A 2-E 25
A 58
N 329
N 324
N 277
N 321
N 279
N 264
N 272
N 270
Maas-Waalkanaal
Raam
Aa
Grote Wetering
Hertogswetering
32
39
48

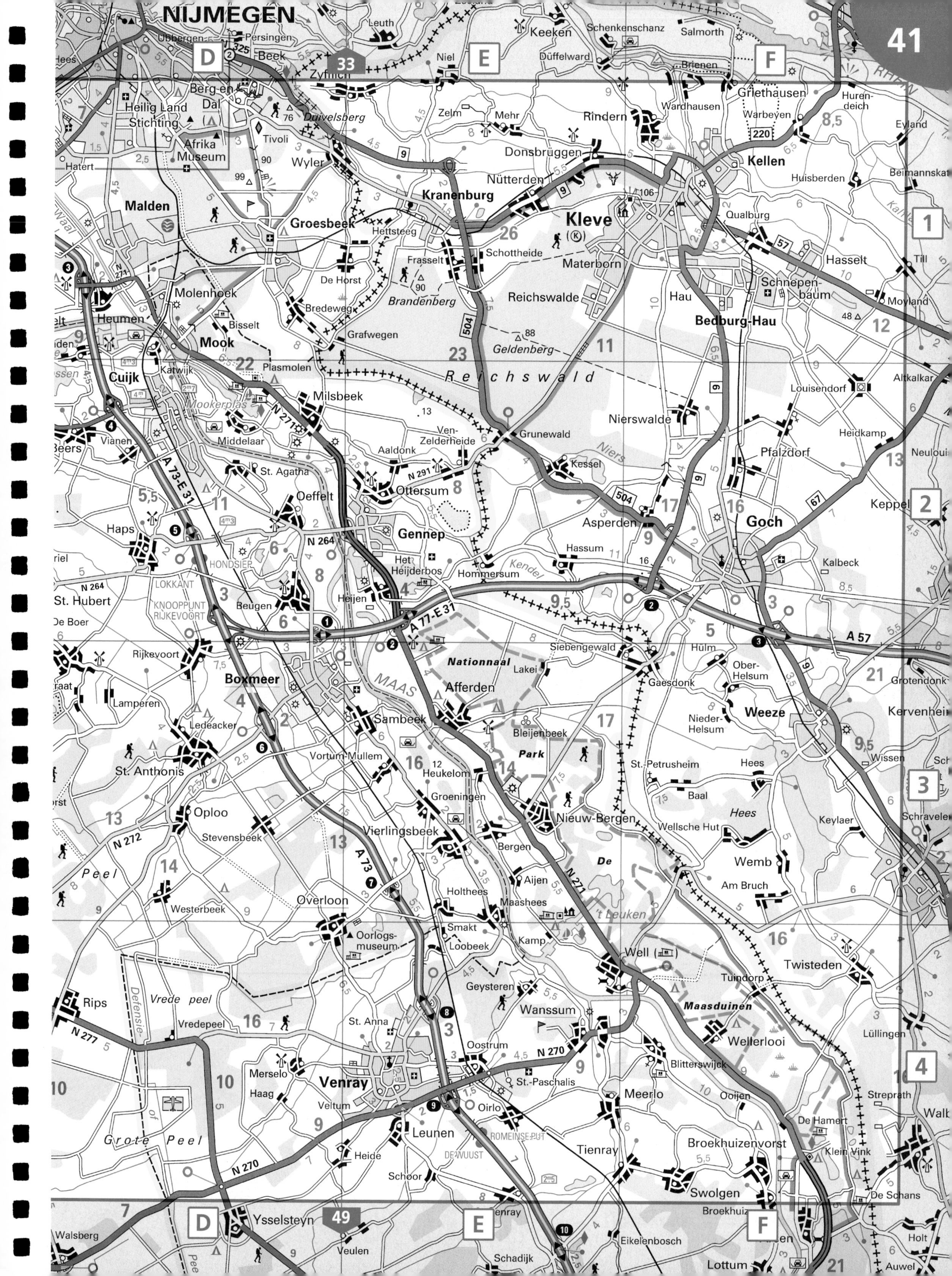
NIJMEGEN
Leuth
Persingen
Ubbergen
Beek
Zyfflich
Keeken
Schenkenschanz
Salmorth
Düffelward
Brienen
Niel
Berg-en-Dal
Heilig Land Stichting
Afrika Museum
Tivoli
Duivelsberg
Wyler
Zelm
Mehr
Rindern
Wardhausen
Griethausen
Warbeyen
Huren-deich
Eyland
Donsbrüggen
Kellen
Nütterden
Kranenburg
Huisberden
Hatert
Malden
Groesbeek
Hettsteeg
Kleve
Qualburg
Frasselt
Schottheide
Materborn
Hasselt
Till
De Horst
Brandenberg
Reichswalde
Hau
Schneppenbaum
Moyland
Molenhoek
Bredeweg
Bedburg-Hau
Heumen
Bisselt
Grafwegen
Geldenberg
Mook
Plasmolen
Reichswald
Cuijk
Katwijk
Mookerplas
Milsbeek
Louisendorf
Altkalkar
Beers
Vianen
Middelaar
Ven-Zelderheide
Grunewald
Nierswalde
Heidkamp
Aaldonk
Niers
St. Agatha
Ottersum
Kessel
Pfalzdorf
Oeffelt
Gennep
Asperden
Goch
Keppel
Haps
HONDSIER
Hassum
Kendel
Kalbeck
St. Hubert
LOKKANT
KNOOPPUNT RIJKEVOORT
Beugen
Het Heijderbos
Hommersum
Heijen
De Boer
Rijkevoort
Boxmeer
Nationnaal
Lakei
Siebengewald
Hülm
Ober-Helsum
Grotendonk
Lamperen
MAAS
Afferden
Gaesdonk
Weeze
Kervenheim
Ledeacker
Sambeek
Bleijenbeek
Nieder-Helsum
St. Anthonis
Vortum-Mullem
Park
Heukelom
St.-Petrusheim
Hees
Wissen
Oploo
Groeningen
Baal
Schravelen
Stevensbeek
Vierlingsbeek
Nieuw-Bergen
Wellsche Hut
Keylaer
Peel
Bergen
De
Wemb
Westerbeek
Aijen
Am Bruch
Overloon
Holthees
Maashees
't Leuken
Oorlogs-museum
Smakt
Loobeek
Kamp
Well
Twisteden
Rips
Defensie-
Vrede peel
Geysteren
Tuindorp
Maasduinen
Vredepeel
Wanssum
Wellerlooi
Lüllingen
St. Anna
Oostrum
Merselo
Blitterswijck
Haag
Venray
St.-Paschalis
Meerlo
Ooijen
Veltum
Oirlo
Streprath
Walbeck
Grote Peel
Leunen
ROMEINSE PUT
De Hamert
Heide
DE WUUST
Tienray
Broekhuizenvorst
Klein Vink
Schoor
Swolgen
De Schans
Ysselsteyn
Broekhuizen
Walsberg
Eikelenbosch
Holt
Veulen
Schadijk
Lottum
Auwel
A 73-E 31
A 77-E 31
A 73
A 57
N 271
N 264
N 272
N 277
N 270
N 291
504
RHEIN

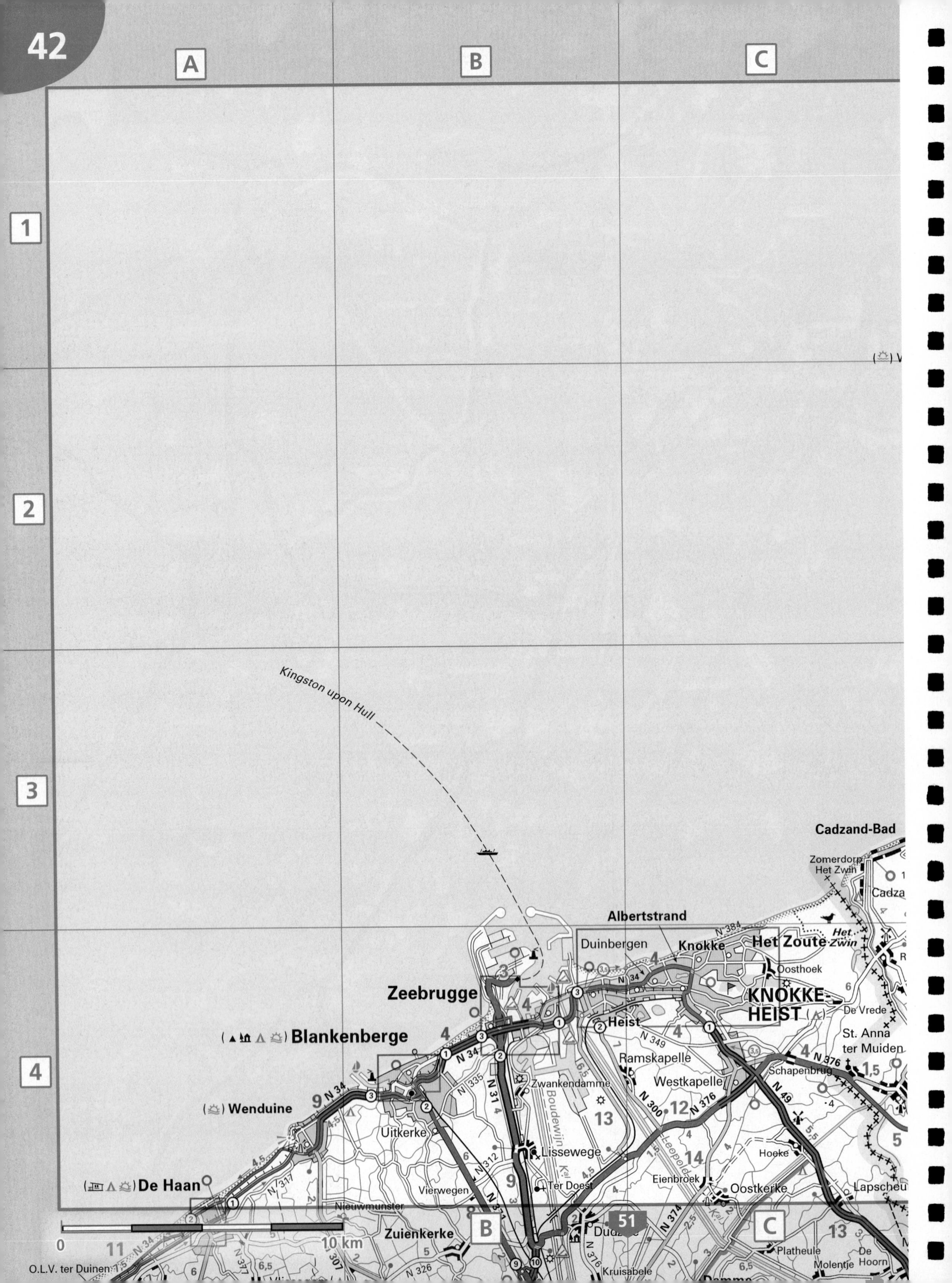
A
B
C
1
2
3
4
Kingston upon Hull
Cadzand-Bad
Zomerdorp Het Zwin
Albertstrand
Duinbergen
Knokke
Het Zoute
Het Zwin
Oosthoek
KNOKKE-HEIST
De Vrede
St. Anna ter Muiden
Zeebrugge
Heist
Blankenberge
Wenduine
De Haan
Ramskapelle
Westkapelle
Schapenbrug
Zwankendamme
Uitkerke
Lissewege
Ter Doest
Eienbroek
Oostkerke
Hoeke
Vierwegen
Nieuwmunster
Zuienkerke
Dudzele
Kruisabele
Platheule
Molentje
De Hoorn
Lapscheure
Boudewijn Kanaal
Leopold Kanaal
N 34
N 31
N 349
N 300
N 376
N 374
N 49
N 384
N 335
N 312
N 317
N 326
N 307
51
0
10 km
O.L.V. ter Duinen

Middelburg
Vlissingen
Domburg
Westkapelle
Zoutelande
Veere
Oostkapelle
Arnemuiden
Kamperland
Wissenkerke
Kortgene
Breskens
Groede
Schoondijke
Oostburg
IJzendijke
Biervliet
Hoek
Sluis
Aardenburg
Philippine
Borssele
Heinkenszand
Noord Beveland
Walcheren
Zeeuws Vlaanderen
Westerschelde
Veerse Meer
Oosterschelde
Wielingen
Hooge Platen
Neeltje Jans
A-58-E-312
N 57
N 287
N 288
N 254
N 62
N 61
N 58
N 253
N 251
N 255
N 675
N 456
D
E
F
36
44
52
1
2
3
4

St. Philipsland
Ouwerkerk
Zeelandbrug
Keeten
Colijnsplaat
Kats
Galgenplaat
PARK
OOSTERSCHELDE
Zandkreekdam
Goesse Sas
Wolphaartsdijk
Wilhelminadorp
Roodewijk
Goese Meer
Kattendijke
Monnikendijk
Wemeldinge
's-Heer Hendrikskinderen
Wissekerke
Goes
Kloetinge
's-Heer Arendskerke
KN. DE POEL
De Groe
Kapelle
Biezelinge
Vlake
Baarsdorp
VLIEDBERG
Sinoutskerke
's-Heer Abtskerke
Eversdijk
N 289
A 58
E 312
Schore
Kruiningen
Schorebrug
Reimerswaal
Nisse
's-Gravenpolder
Hansweert
Oostdijk
Krabbendijke
Roelshoek
Middenhof
Langeweegje
Kwadendamme
Overzande
Hoedekenskerke
Hellenburg
Oudelande
Baarland
Bakendorp
Scheldeoord
Ellewoutsdijk
Middelgat
Den Inkel
Schaar van Waarde
Platen van Ossenisse
VOETROMP
VLIETE
Waarde
Gawege
Frederika polder
Rilland
A 58-E 312
Bath
Stavenisse
St. Annaland
Nieuw-Vossemeer
THOLEN
Oud-Vossemeer
Botshoofd
Scherpenisse
St. Maartensdijk
Westkerke
Poortvliet
Steenenkruis
Tholen
Gorishoek
Strijenham
Het Oudeland
Mosselhoek
Bergsediepsluis
Speelmansplaten
Yerseke
Bergen op Zo
Verdronken Land van Zuidbeveland
Osterdam
Rijnverbinding
Schelde
Kreekraksluizen
Heensche
Koeveri
Lepe
Nieuwe
Bergs
Kreverhille
Perkpolder
Ossenisse
Zeedorp
Noordstraat
Walsoorden
Platen van Valkenisse
Nauw van Bath
Zuidergat
Gat van Ossenisse
Groenendijk
Kloosterzande
Kruisdorp
Baalhoek
Kruispolderhaven
Verdronken Land van Saeftinge
Westerscheldetunnel
SCHELDE
Everingen
Terneuzen
Griete
Kampen
Oude Stoof
Tasdijk
Hengstdijk
Kuitaart
Kamperhoek
Poonhaven
Kwakkel
Val
Othene
Reuzenhoek
Schapershoek
Vogelfort
Paal
Roverberg
Lamswaarde
Graauw
Emmadorp
Pauluspolder
Scheldevaartshoek
Prosper
Vogelwaarde
Wulpenbek
N 290
Molenhoek
Zandberg
Saftingen
Zaamslag
Zaamslagveer
Ter Hole
Schuddebeurs
N 451
Steenovens
Spui
Luntershoek
Groot Eiland
Nieuw-Namen
't Jagertje
Kieldrecht
N 252
N 62
N 61
Magrette
Sluiskil
Schapenbout
Kijkuit
Hulst
Halfeind
Grote Geule
Stroodorpe
Axelsche Sassing
Zandstraat
Axel
Absdale
N 258
Clinge
Kronenhoek
Bloemp
St.-Ja
10 km
Heikant
Driewegen
Kapellebrug
De Klinge
Meerdonk
Verrebroek
Driescbouwen
N 257
N 286
N 256
N 60
A 256

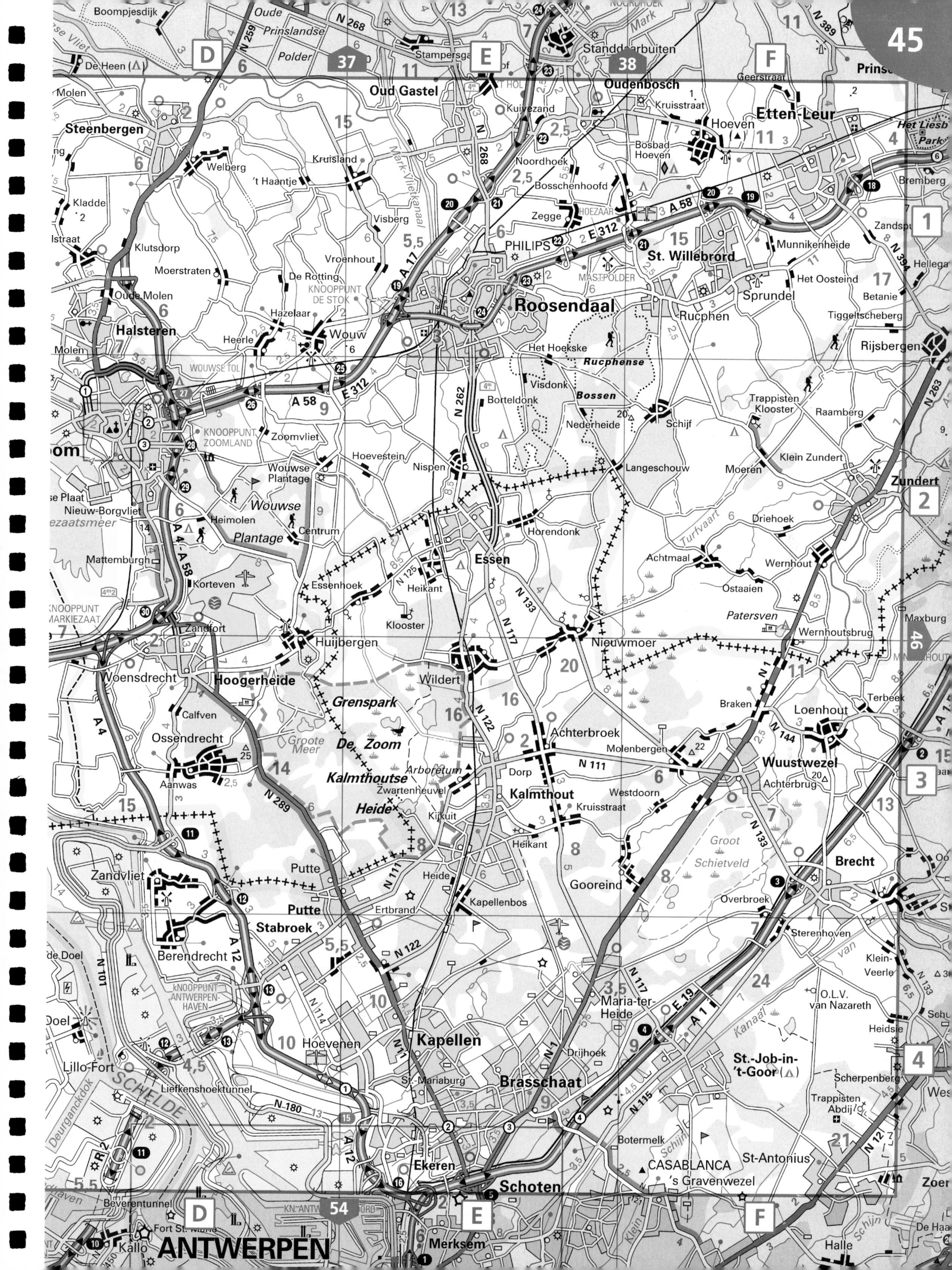

Boompjesdijk
Oude
Prinslandse
Polder
N 268
De Heen
Molen
Steenbergen
Welberg
't Haantje
Kruisland
Oud Gastel
Stampersgat
Kuivezand
Oudenbosch
Standdaarbuiten
Kruisstraat
Hoeven
Bosbad Hoeven
Etten-Leur
Geerstraat
Prinse
Het Liesbos Park
Bremberg
Noordhoek
Bosschenhoofd
Zegge
HOEZAAR
Kladde
Istraat
Klutsdorp
Moerstraten
Visberg
Mark-Vlietkanaal
Vroenhout
De Rotting
KNOOPPUNT DE STOK
PHILIPS
E 312
A 58
St. Willebrord
Munnikenheide
Zandspui
Hellegat
MASTPOLDER
Roosendaal
Het Oosteind
Sprundel
Betanie
Oude Molen
Hazelaar
Halsteren
Heerle
Wouw
Rucphen
Tiggeltscheberg
Molen
WOUWSE TOL
Het Hoekske
Rucphense
Rijsbergen
Visdonk
Bossen
A 17
N 262
Borteldonk
Trappisten Klooster
Raamberg
Schijf
Nederheide
KNOOPPUNT ZOOMLAND
Zoomvliet
Hoevestein
Nispen
Langeschouw
Moeren
Klein Zundert
Zundert
Wouwse Plantage
Wouwse
Plantage
Centrum
Heimolen
Nieuw-Borgvliet
Mattemburgh
Horendonk
Driehoek
Turfvaart
Essen
Achtmaal
Wernhout
Korteven
Essenhoek
Heikant
N 125
Ostaaien
KNOOPPUNT MARKIEZAAT
Zandfort
Klooster
N 133
Patersven
Maxburg
Huijbergen
N 117
Nieuwmoer
Wernhoutsbrug
Woensdrecht
Hoogerheide
Wildert
Grenspark
Terbeek
Braken
Calfven
A 4
Ossendrecht
Groote Meer
De Zoom
N 122
Achterbroek
Loenhout
N 144
Molenbergen
Kalmthoutse
Arboretum
Dorp
N 111
Wuustwezel
Aanwas
N 289
Zwartenheuvel
Heide
Kalmthout
Westdoorn
Achterbrug
Kijkuit
Kruisstraat
Heikant
Groot
Schietveld
Brecht
Zandvliet
Putte
Heide
Gooreind
Overbroek
Kapellenbos
Putte
Ertbrand
Sterenhoven
Stabroek
de Doel
N 101
Berendrecht
A 12
N 122
Klein-Veerle
KNOOPPUNT ANTWERPEN-HAVEN
N 114
Maria-ter-Heide
O.L.V. van Nazareth
Doel
Hoevenen
Kapellen
E 19
A 1
Kanaal
Heidsie
Drijhoek
St.-Job-in-'t-Goor
Lillo-Fort
SCHELDE
Liefkenshoekstunnel
St.-Mariaburg
Brasschaat
N 115
Scherpenberg
Deurganckdok
N 180
Trappisten Abdij
Botermelk
Schijn
Ekeren
CASABLANCA
's Gravenwezel
St-Antonius
N 12
Schoten
Beverentunnel
Fort St. Marie
Kallo
ANTWERPEN
Merksem
Halle
De Haan

BREDA
Teteringen
Dorst
Rijen
Hulten
Reeshof
TILBURG
Het Liesbos Park
Princenhage
KNOOPPUNT PRINCEVILLE
Ginneken
Bavel
Lijndonk
Molenschot
MOLENHEIDE
Bremberg
Bouvigne
Mastbos
Ulvenhout
Effen
RAAKEIND
KNOOPPUNT ST. ANNABOSCH
Gilze
Hellegat
Betanie
KNOOPPUNT GALDER
Geersbroek
Notsel
Snijders-Chaam
Chaamse
Vijfhuizen
Riel
Goirle
Rijsbergen
Kaarschot
Galder
Strijbeekse Heide
Dassemus
Bossen
Chaam
Alphen-Oosterwijk
Landgoed Gorp en Rovert
Kersel
Strijbeek
Hazeldonk
HAZELDONK
Dreef
Grote Weide
't-Zand
Breehees
Klooster
Chaamdijk
Houtgoor
De Flaasbloem
Alphen
Oekel
Meersel
Klein Eyssel
Aarle
Maarle
Hulsel
Zundert
Meerle
Oosteinde
Terover
Huisvenner
Boshoven
Overbroek
Ipenrooi
Voort
Maaijkant
Ulicoten
Baarle-Nassau
Voske
Groot-Bedaf
Schrieken
Poppel
Tulderheyde
Meer
Heerle
Oude Strumpt
Heikant
Nijhoven
Baarle-Hertog
Noordheikant
Bergen
Maxburg
Hal
Eikelenbosch
Hegge
St-Isidorushoeve
MINDERHOUT
Castelre
Gorpeind
Schaluinen
Heibraak
Minderhout
Baarle-Nassau-grens
Weelde
Zuidheikant
Terbeek
Hoogstraten
Zondereigen
Wortel
Rijksweldadigheids-kolonie
Weelde Station
Eel
Hooge
Heibaart
Achtel
Het Geheul
Staats-bossen
Bolk
Ravels
Gammel
Koekhoven
Hoge Vijvers
Oostbrecht
Kolonie
Merksplas
Rijkevorsel
Leest
Oosthoven
Lieremen
St-Lenaarts
Heizijde
Turnhout
St-Jozef
Antwerpen naar Turnhout
Klein-Veerle
Oud-Turnhout
Zwaneven
Schotelven
Schuurhoven
Oostmalle
Beerse
Schorvoort
Heidsie
Malle
Vosselaar
Broekkant
Vlimmeren
GIERLE
Hoge Darisdonk
Schoonbroek
Westmalle
De Lilse Bergen
Gierle Bos
Zeverdonk
Obroek
Korsendonk
Leiseinde
Zalfen
Hemeldonk
Rooien
Groot-Rees
Looieind
Levenslust
Klein-
Wechelderzande
Gierle
Mazel
Retie
Zoersel
Einhoven
Kasterlee
Opstal
Hoge Rielen
Tielen
Brasel
De Haan
Lille
Heiend
Terlo
Witte Nete
Prinsenpark
Kleine
10 km
A
B
C
1
2
3
4
38
39
45
55
A 27-E 311
N 282
A 58
A 58- E 312
N 260
N 263
A 16
N 138
N 128
N 14
N 146
N 135
N 12
A 1-E 19
N 144
N 124
N 132
N 118
N 137
N 115
N 119
N 131
N 133
N 153
N 104
N 179
N 140
N 123
R 13
N 261
N 19

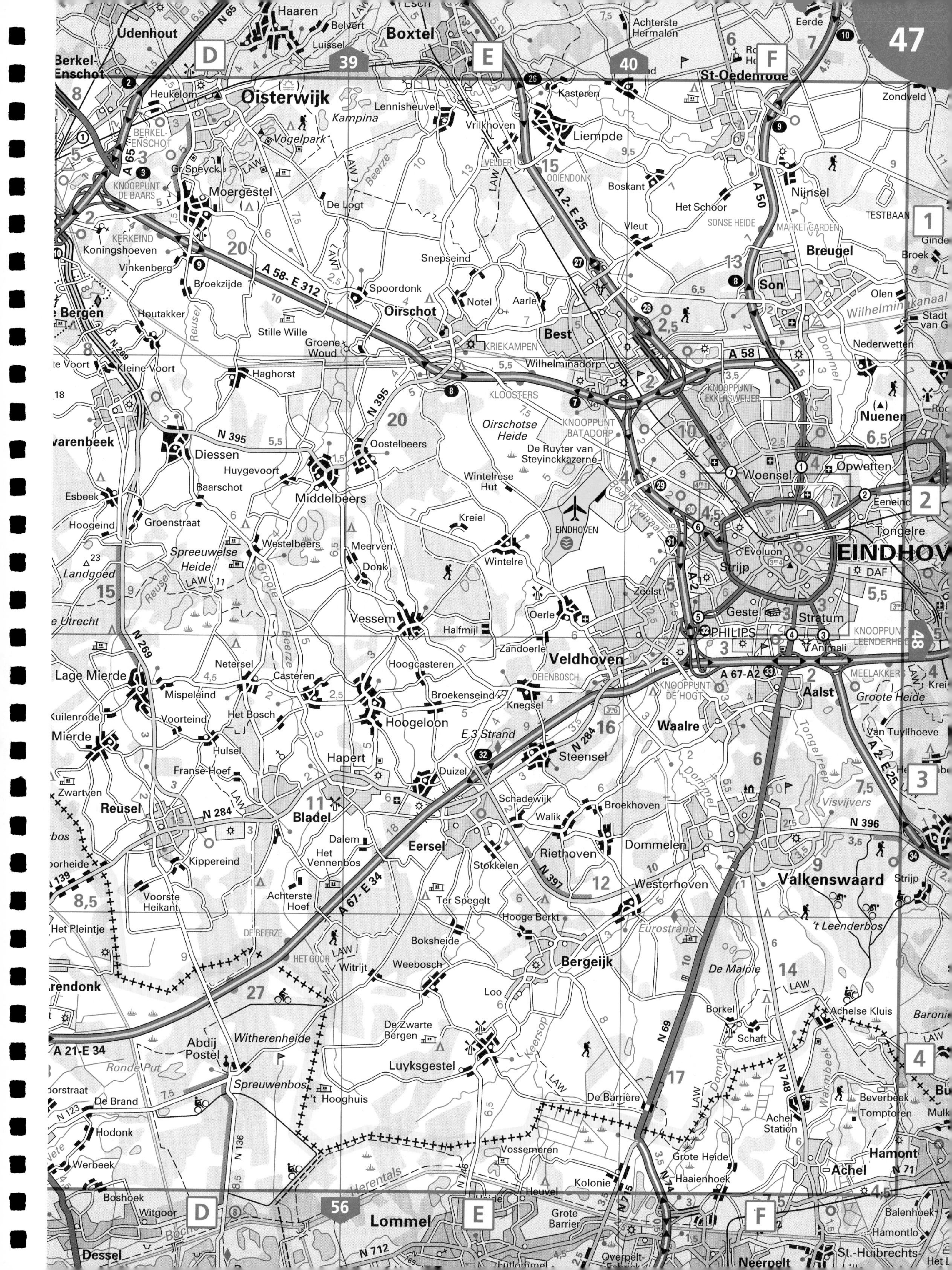
Udenhout
Haaren
Belvert
Luissel
Boxtel
Achterste Hermalen
Eerde
St-Oedenrode
Berkel-Enschot
Heukelom
Oisterwijk
Lennisheuvel
Kampina
Vogelpark
Kasteren
Vrilkhoven
Liempde
Zondveld
Gr.Speyck
Knooppunt De Baars
Moergestel
De Logt
Boskant
Het Schoor
Sonse Heide
Nijnsel
Testbaan
Kerkeind
Koningshoeven
Vinkenberg
Broekzijde
A 58- E 312
Snepseind
Vleut
Market Garden
Breugel
Bergen
Houtakker
Spoordonk
Oirschot
Notel
Aarle
Son
Olen
Wilhelminakanaal
Stille Wille
Groene Woud
Kriekampen
Best
Nederwetten
Kleine Voort
Haghorst
Wilhelminadorp
A 58
Knooppunt Ekkersweijer
Kloosters
Nuenen
N 395
Oirschotse Heide
Knooppunt Batadorp
Diessen
Oostelbeers
De Ruyter van Steyinckkazerne
Opwetten
Huygevoort
Baarschot
Middelbeers
Wintelrese Hut
Woensel
Esbeek
Eeneind
Groenstraat
Hoogeind
Kreiel
Eindhoven
Tongelre
Westelbeers
Meerven
Spreeuwelse Heide
Landgoed
Wintelre
Evoluon
Strijp
DAF
Donk
Zeelst
Oerle
Vessem
Halfmijl
Gestel
Stratum
Philips
Knooppunt Leenderheide
Zandoerle
Animali
Veldhoven
Netersel
Hoogcasteren
A 67-A2
Meelakkers
Lage Mierde
Casteren
Oeienbosch
Knooppunt De Hogt
Aalst
Mispeleind
Broekenseind
Knegsel
Groote Heide
Het Bosch
Voorteind
Hoogeloon
Waalre
Van Tuyllhoeve
Mierde
E 3 Strand
Hulsel
Steensel
Hapert
Franse Hoef
Duizel
Zwartven
Schadewijk
Broekhoven
Visvijvers
Reusel
N 284
Bladel
Walik
N 396
Dalem
Eersel
Riethoven
Dommelen
Het Vennenbos
Stokkelen
Kippereind
Valkenswaard
Westerhoven
N 397
Voorste Heikant
Achterste Hoef
Ter Spegelt
A 67- E 34
Het Pleintje
Hooge Berkt
Eurostrand
't Leenderbos
De Beerze
Boksheide
Het Goor
Witrijt
Weebosch
Bergeijk
De Malpie
Loo
Borkel
Achelse Kluis
Schaft
De Zwarte Bergen
Abdij Postel
Witherenheide
A 21-E 34
Ronde Put
Luyksgestel
Spreeuwenbos
De Brand
't Hooghuis
De Barrière
Beverbeek
Hodonk
Achel Station
Tomptoren
Vossemeren
Werbeek
Grote Heide
Hamont
Achel
Haaienhoek
Kolonie
N 71
Boshoek
Herentals
Heuvel
Witgoor
Lommel
Grote Barrier
Balenhoek
Hamontlo
Dessel
N 712
Neerpelt
St.-Huibrechts-

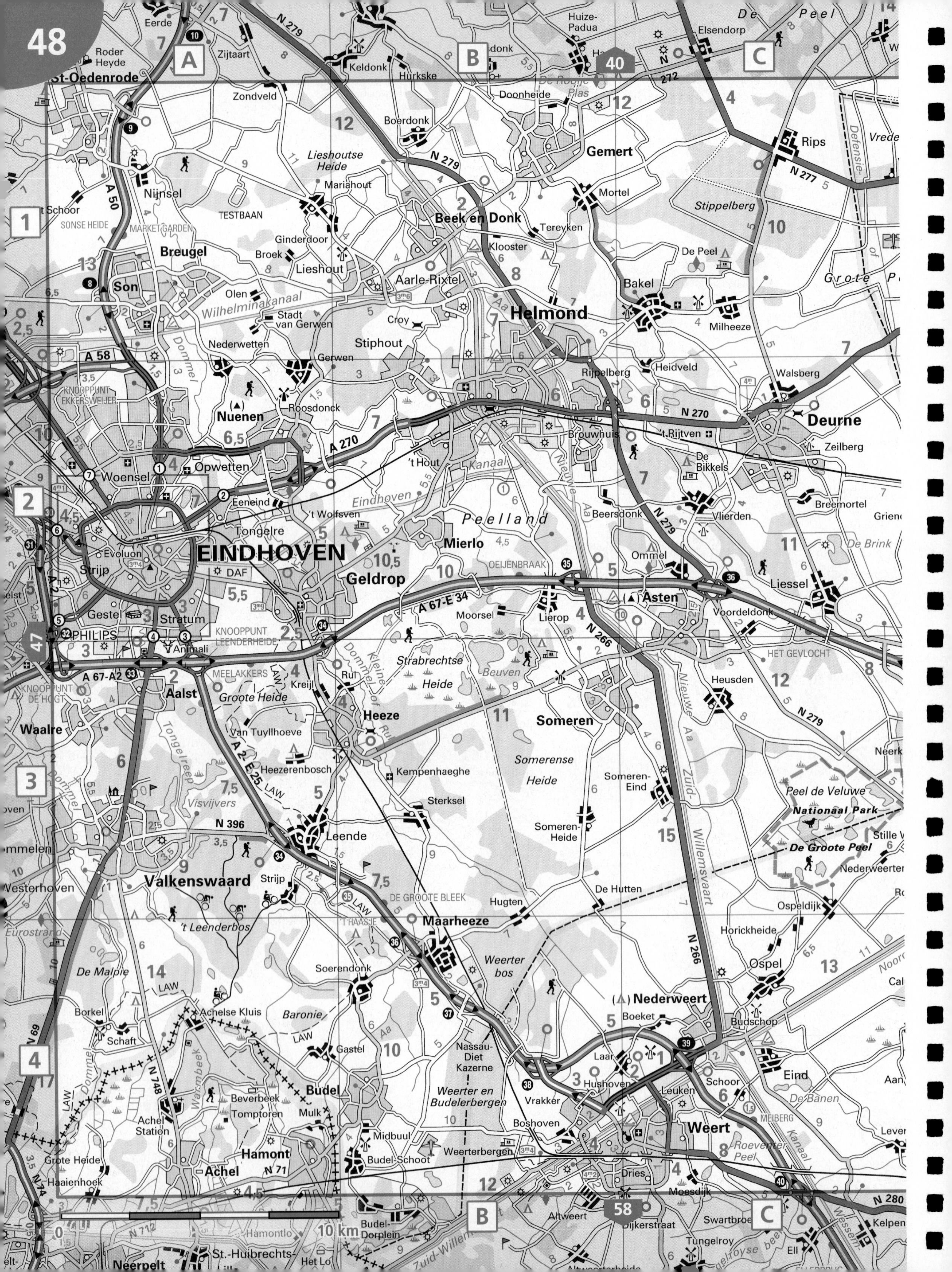
A
B
C
1
2
3
4
47
40
58
St-Oedenrode
Eerde
Roder Heyde
Zijtaart
Keldonk
Hurkske
Huize-Padua
Elsendorp
De Peel
De Rooije Plas
Doonheide
Zondveld
Boerdonk
Gemert
Rips
Vrede
Defensie-
N 279
N 277
N 272
Lieshoutse Heide
Mariahout
Nijnsel
TESTBAAN
SONSE HEIDE
MARKET GARDEN
t Schoor
A 50
Beek en Donk
Tereyken
Mortel
Stippelberg
Ginderdoor
Broek
Lieshout
Klooster
Aarle-Rixtel
De Peel
Breugel
Son
Olen
Wilhelminakanaal
Stadt van Gerwen
Croy
Helmond
Bakel
Milheeze
Grote P
Nederwetten
Gerwen
Stiphout
A 58
KNOOPPUNT EKKERSWEIJER
Dommel
Nuenen
Roosdonck
Rijpelberg
Heidveld
Walsberg
Deurne
Zeilberg
N 270
A 270
Brouwhuis
't Rijtven
Opwetten
Woensel
't Hout
Kanaal
Eindhoven
De Bikkels
Breemortel
Eeneind
't Wolfsven
Tongelre
Peelland
Beersdonk
Vlierden
Griend
EINDHOVEN
Evoluon
Strijp
DAF
Geldrop
Mierlo
OEIJENBRAAK
Ommel
De Brink
Liessel
A 67-E 34
Asten
Voordeldonk
Moorsel
Lierop
Gestel
Stratum
PHILIPS
KNOOPPUNT LEENDERHEIDE
Animali
A 67-A2
KNOOPPUNT DE HOGT
N 266
HET GEVLOCHT
Strabrechtse Heide
Beuven
Rul
Kreijl
MEELAKKERS
Aalst
Groote Heide
Heusden
N 279
Waalre
Heeze
Someren
Van Tuyllhoeve
Heezerenbosch
Kempenhaeghe
Somerense Heide
Someren-Eind
Zuid-Willemsvaart
Nieuwe Aa
Neerk
Peel de Veluwe
Nationaal Park
De Groote Peel
Stille W
Nederweerten
Tongelreep
Visvijvers
A 2 E 25
Sterksel
Leende
Someren-Heide
N 396
Valkenswaard
Strijp
Westerhoven
DE GROOTE BLEEK
De Hutten
Hugten
Ospeldijk
Maarheeze
T HAASJE
't Leenderbos
Eurostrand
Horickheide
Weerter bos
Ospel
De Malpie
Soerendonk
Nederweert
Boeket
Budschop
Borkel
Achelse Kluis
Baronie
Schaft
Gastel
Nassau-Diet Kazerne
Laar
Eind
Hushoven
Leuken
Schoor
N 69
N 748
Warmbeek
Budel
Beverbeek
Tomptoren
Mulk
Weerter en Budelerbergen
Vrakker
Achel Station
Boshoven
Weert
MEIBERG
De Banen
Roeventer Peel
Midbuul
Hamont
Budel-Schoot
Weerterbergen
Grote Heide
Achel
N 71
Haaienhoek
Dries
Moesdijk
N 74
Altweert
Dijkerstraat
Swartbroek
Tungelroy
N 280
Kelpen
Budel-Dorplein
Hamontlo
Neerpelt
St.-Huibrechts-Lille
Het Lo
N 712
10 km
0

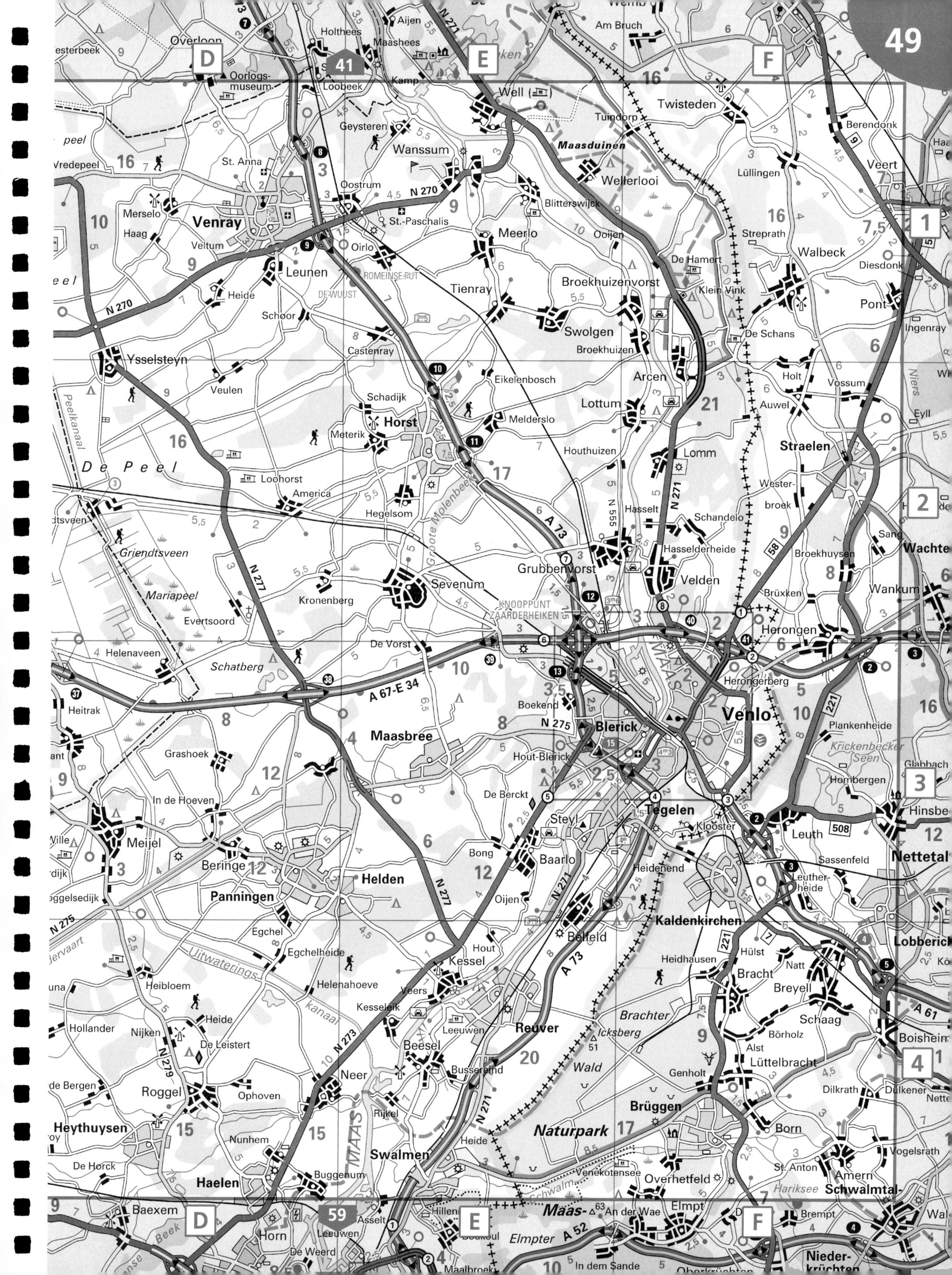
Overloon
Holthees
Aijen
Maashees
Am Bruch
Oorlogs-museum
Loobeek
Kamp
Well
Twisteden
Tuindorp
Berendonk
Geysteren
Wanssum
Maasduinen
Wellerlooi
Veert
Vredepeel
St. Anna
Oostrum
N 270
Lüllingen
Merselo
Venray
St.-Paschalis
Blitterswijck
Haag
Veltum
Oirlo
Meerlo
Ooijen
Streprath
Walbeck
Leunen
ROMEINSE PUT
DE WUUST
Tienray
De Hamert
Klein Vink
Diesdonk
Heide
Broekhuizenvorst
Pont
Schoor
Swolgen
De Schans
Ingenray
Castenray
Broekhuizen
Ysselsteyn
Eikelenbosch
Arcen
Holt
Vossum
Veulen
Schadijk
Lottum
Auwel
Peelkanaal
Horst
Melderslo
Eyll
Meterik
Straelen
Houthuizen
Lomm
De Peel
Loohorst
America
Hegelsom
Groote Molenbeek
Hasselt
N 271
N 555
Wester-broek
Schandelo
A 73
Griendtsveen
Hasselderheide
Broekhuysen
Wachtendonk
Grubbenvorst
Sevenum
Velden
Wankum
N 277
Mariapeel
Kronenberg
Brüxken
KNOOPPUNT ZAARDERHEIKEN
Evertsoord
Herongen
Helenaveen
De Vorst
Schatberg
MAAS
Herongerberg
Heitrak
A 67-E 34
Boekend
Venlo
N 275
Blerick
Plankenheide
Maasbree
Grashoek
Hout-Blerick
Krickenbecker Seen
Glabbach
Hombergen
De Berckt
In de Hoeven
Tegelen
Hinsbeck
Steyl
Klooster
Leuth
508
Meijel
Bong
Baarlo
Sassenfeld
Nettetal
Beringe
Heidenend
Helden
Leuther-heide
Panningen
Oijen
Kaldenkirchen
Egchel
Belfeld
Lobberich
Egchelheide
Hout
Hülst
Heibloem
Kessel
Heidhausen
Bracht
Natt
Uitwaterings kanaal
Helenahoeve
Veers
Breyell
Kesseleik
Hollander
Leeuwen
Brachter
Schaag
A 61
Nijken
Heide
Reuver
Icksberg
Börholz
Boisheim
De Leistert
Beesel
Alst
Wald
Lüttelbracht
N 279
Bussereind
Genholt
Dilkrath
Dülkener Nette
de Bergen
Roggel
Ophoven
Neer
N 273
Brüggen
Born
Heythuysen
Rijkel
Naturpark
Nunhem
Heide
Swalmen
Vogelsrath
De Horck
Venekotensee
St. Anton
Amern
Haelen
Buggenum
Overhetfeld
Hariksee
Schwalmtal-
Schwalm
Baexem
Asselt
Hillen
Maas-
An der Wae
Elmpt
Brempt
Elmpter
A 52
Horn
Leeuwen
Beek
De Weerd
Maalbroek
In dem Sande
Nieder-krüchten
D
E
F
1
2
3
4
41
59

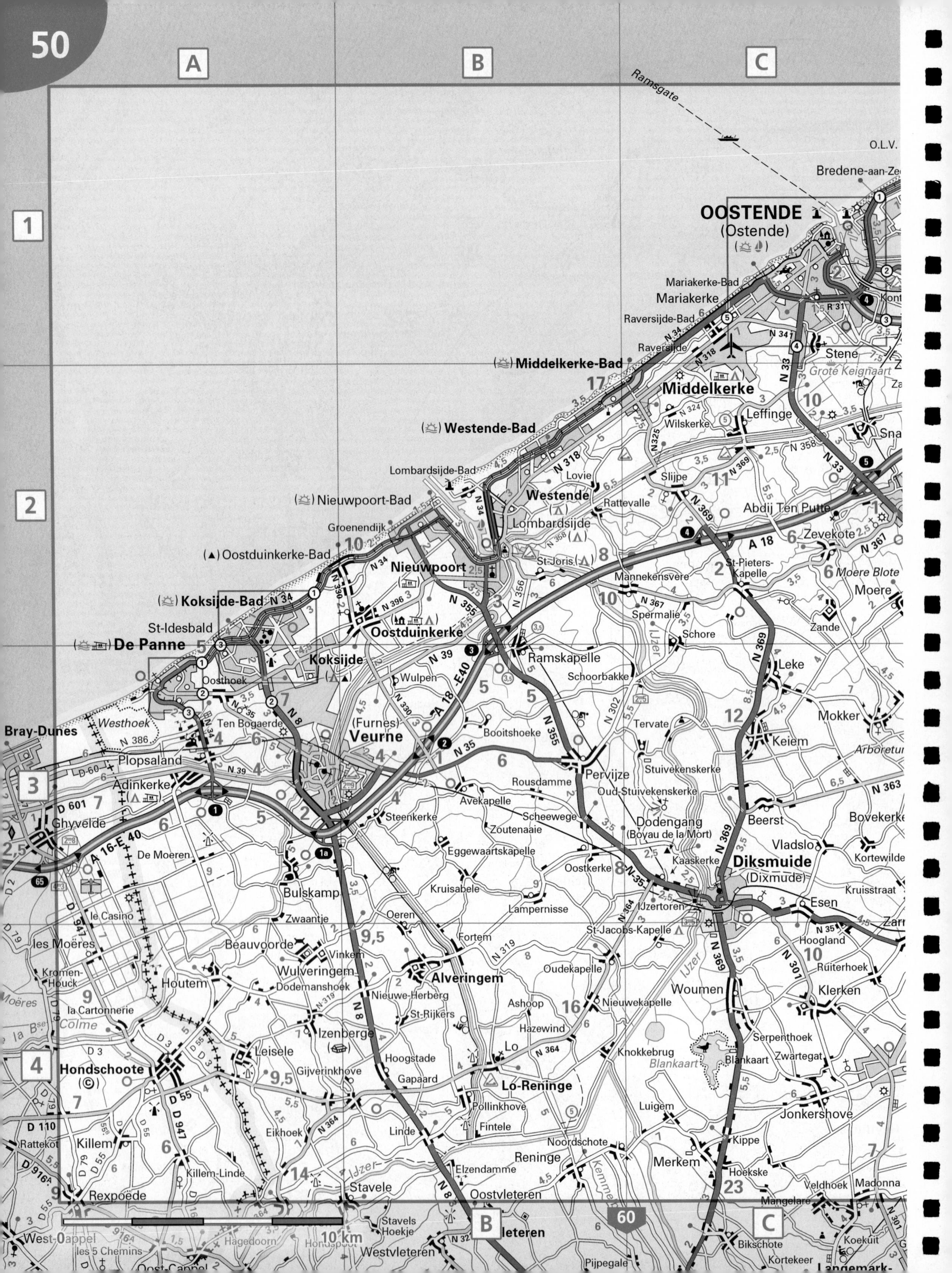
50
A
B
C
1
2
3
4
Ramsgate
O.L.V.
Bredene-aan-Zee
OOSTENDE
(Ostende)
Mariakerke-Bad
Mariakerke
Raversijde-Bad
Raversijde
Stene
Grote Keignaart
Middelkerke-Bad
Middelkerke
Leffinge
Wilskerke
Westende-Bad
Lombardsijde-Bad
Lovie
Slijpe
Westende
Rattevalle
Abdij Ten Putte
Nieuwpoort-Bad
Groenendijk
Lombardsijde
Zevekote
Oostduinkerke-Bad
Nieuwpoort
St-Joris
Mannekensvere
St-Pieters-Kapelle
Moere Blote
Moere
Koksijde-Bad
Spermalie
Zande
St-Idesbald
Oostduinkerke
Schore
De Panne
Koksijde
Ramskapelle
Leke
Oosthoek
Wulpen
Schoorbakke
Westhoek
Ten Bogaerde
(Furnes)
Veurne
Booitshoeke
Tervate
Keiem
Mokker
Bray-Dunes
Plopsaland
Pervijze
Stuivekenskerke
Arboretum
Adinkerke
Rousdamme
Oud-Stuivekenskerke
Ghyvelde
Avekapelle
Steenkerke
Scheewege
Dodengang
(Boyau de la Mort)
Beerst
Bovekerke
Zoutenaaie
Vladslo
Kortewilde
De Moeren
Eggewaartskapelle
Oostkerke
Kaaskerke
Diksmuide
(Dixmude)
Kruisstraat
Bulskamp
Kruisabele
IJzertoren
Esen
le Casino
Lampernisse
Zwaantje
Oeren
St-Jacobs-Kapelle
Hoogland
les Moëres
Fortem
Beauvoorde
Vinkem
Ruiterhoek
Kromen-Houck
Houtem
Wulveringem
Alveringem
Oudekapelle
Dodemanshoek
Woumen
Klerken
la Cartonnerie
Nieuwe-Herberg
Ashoop
Nieuwekapelle
Colme
St-Rijkers
Hazewind
Izenberge
Serpenthoek
Leisele
Lo
Knokkebrug
Blankaart
Zwartegat
Hondschoote
Hoogstade
Gijverinkhove
Gapaard
Lo-Reninge
Pollinkhove
Luigem
Jonkershove
Eikhoek
Linde
Fintele
Killem
Rattekot
Noordschote
Kippe
Reninge
Merkem
Killem-Linde
Elzendamme
Hoekske
Stavele
Veldhoek
Madonna
Rexpoede
Oostvleteren
Mangelare
Stavels Hoekje
West-Oappel
les 5 Chemins
Hagedoorn
10 km
Westvleteren
Bikschote
Koekuit
Kortekeer
Pijpegale
IJzer
Kemmel
A 18
E 40
A 16-E 40
N 34
N 318
N 33
N 369
N 355
N 356
N 35
N 39
N 8
N 364
N 319
N 367
N 363
N 301
N 302
D 601
D 947
D 55
D 3
D 110
60

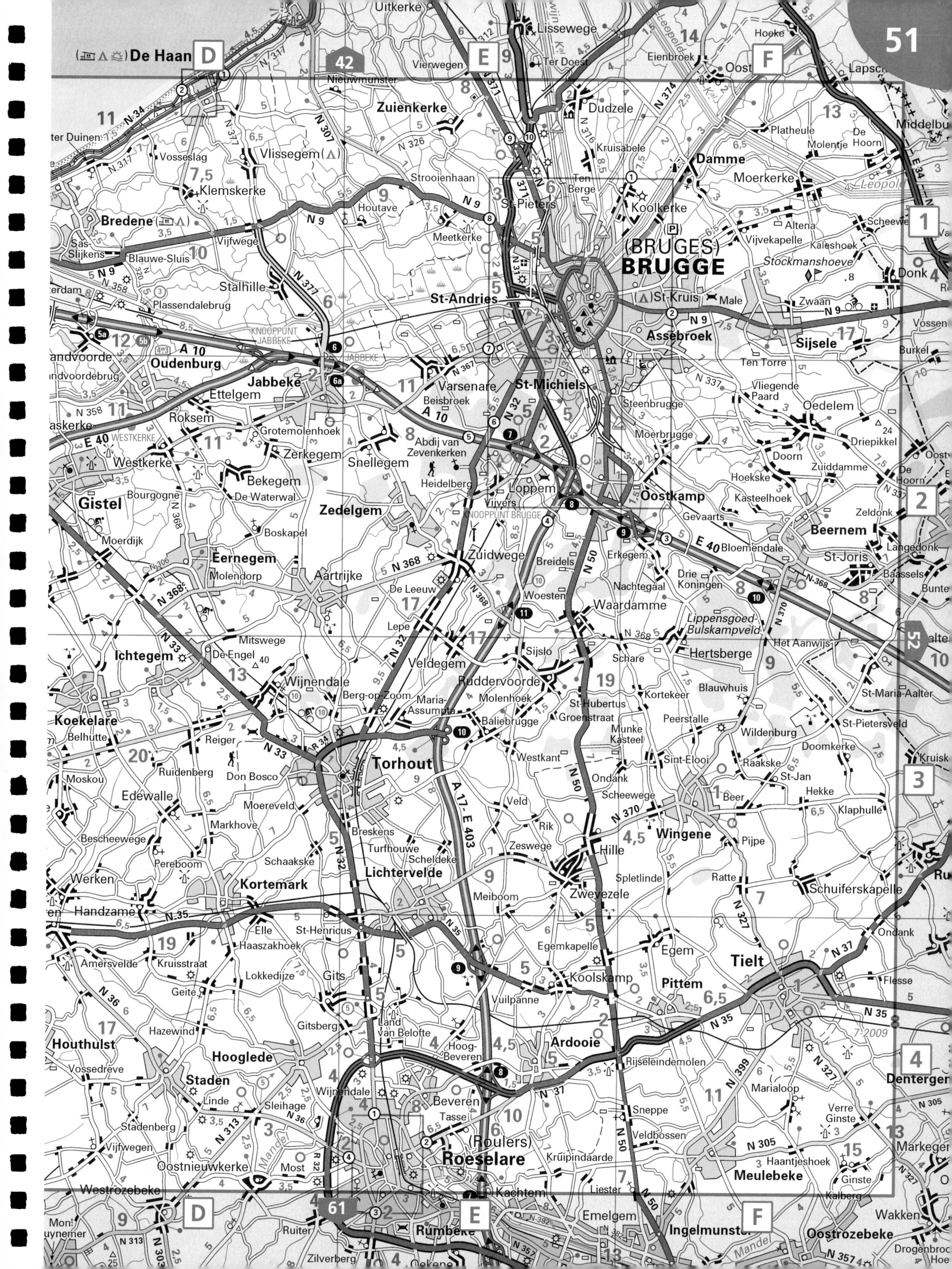
De Haan
Uitkerke
Lissewege
Ter Doest
Vierwegen
Nieuwmunster
Eienbroek
Oost
Hoeke
Lapsch
Zuienkerke
Dudzele
Middelbu
Ter Duinen
Vosselag
Vlissegem
Kruisabele
Damme
Platheule
Molentje
De Hoorn
Klemskerke
Strooienhaan
Ten Berge
Koolkerke
Moerkerke
Bredene
Houtave
St-Pieters
Altena
Vijvekapelle
Kaleshoek
Sas-Slijkens
Vijfwege
Meetkerke
(BRUGES)
BRUGGE
Stockmanshoeve
Donk
Blauwe-Sluis
Stalhille
Plassendalebrug
St-Andries
St-Kruis
Male
Zwaan
Assebroek
Sijsele
Vossen
KNOOPPUNT JABBEKE
Oudenburg
Jabbeke
Varsenare
St-Michiels
Ten Torre
Burkel
andvoorde
andvoordebrug
Ettelgem
Beisbroek
Vliegende Paard
Oedelem
Roksem
Steenbrugge
askerke
Grotemolenhoek
Moerbrugge
Driepikkel
WESTKERKE
Abdij van Zevenkerken
Zerkegem
Snellegem
Westkerke
Heidelberg
Doorn
Zuiddamme
Bekegem
Loppem
Hoekske
Gistel
Bourgogne
De Waterwal
Vijvers
Oostkamp
Kasteelhoek
Zedelgem
KNOOPPUNT BRUGGE
Gevaarts
Zeldonk
Beernem
Boskapel
Moerdijk
Zuidwege
Erkegem
Bloemendale
Langedonk
St-Joris
Eernegem
Breidels
Drie Koningen
Baassels
Molendorp
Aartrijke
De Leeuw
Nachtegaal
Bunte
Woesten
Waardamme
Lippensgoed-Bulskampveld
Lepe
Mitswege
Het Aanwijs
Ichtegem
De Engel
Sijslo
Schare
Hertsberge
Veldegem
Wijnendale
Ruddervoorde
Blauwhuis
Berg-op-Zoom
Maria-Assumpta
Molenhoek
St-Hubertus
Kortekeer
St-Maria-Aalter
Koekelare
Belhutte
Baliebrugge
Groenstraat
Peerstalle
St-Pietersveld
Reiger
Munke Kasteel
Wildenburg
Doomkerke
Torhout
Westkant
Sint-Elooi
Raakske
Kruisk
Moskou
Ruidenberg
Don Bosco
Ondank
St-Jan
Edewalle
Scheewege
Beer
Hekke
Moereveld
Veld
Klaphulle
Markhove
Rik
Wingene
Bescheewege
Breskens
Zeswege
Pijpe
Turfhouwe
Hille
Pereboom
Schaakske
Scheldeke
Werken
Kortemark
Lichtervelde
Spletlinde
Ratte
Schuiferskapelle
Meiboom
Zwevezele
Handzame
Elle
St-Henricus
Ondank
Haaszakhoek
Egemkapelle
Egem
Amersvelde
Kruisstraat
Tielt
Lokkedijze
Gits
Koolskamp
Pittem
Flesse
Geite
Vuilpanne
Houthulst
Hazewind
Gitsberg
Land van Beloofte
Hoog-Beveren
Ardooie
Hooglede
Rijseleindemolen
Vossedreve
Staden
Dentergem
Wijnendale
Marialoop
Linde
Sleihage
Beveren
Sneppe
Verre Ginste
Tasse
Stadenberg
Veldbossen
Vijfwegen
(Roulers)
Roeselare
Kruipindaarde
Markegem
Oostnieuwkerke
Most
Haantjeshoek
Meulebeke
Ginste
Westrozebeke
Kachtem
Liester
Kalberg
Emelgem
Wakken
Rumbeke
Ingelmunster
Oostrozebeke
Ruiter
Zilverberg
Drogenbroc
A 10
E 40
A 17 - E 403
N 9
N 32
N 50
N 33
N 35
N 37
N 368
N 370
N 327
N 305
N 399
N 36
N 313
42
52
61

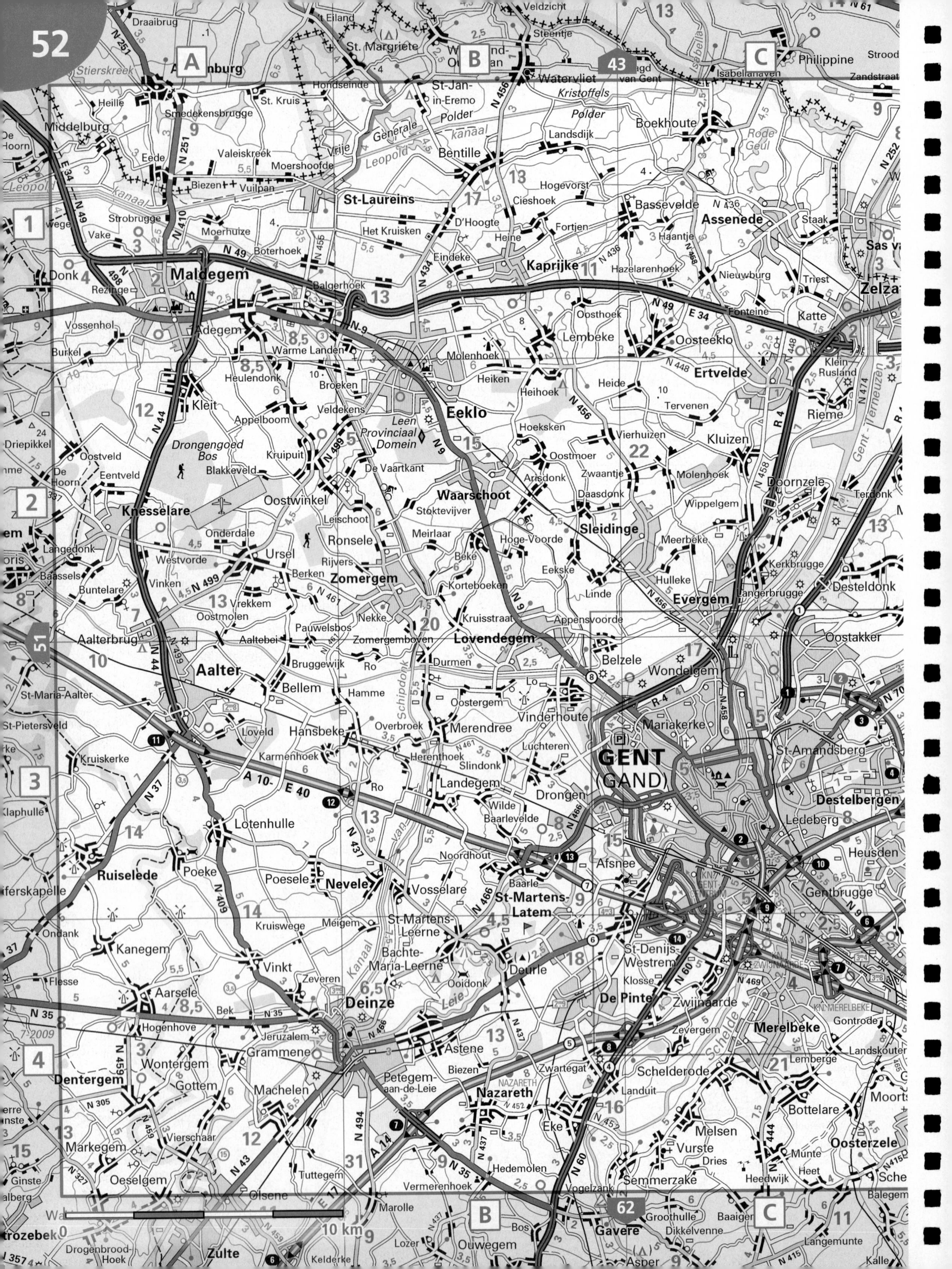
A
B
C
1
2
3
4
43
51
62
Draaibrug
't Eiland
St. Margriete
Veldzicht
Steentje
Watervliet
Philippine
Strood
Zandstraat
Stierskreek
Isabellahaven
Hondseinde
St-Jan-in-Eremo
Kristoffels Polder
Heille
St. Kruis
Smedekensbrugge
Middelburg
Generale Polder
Vrije
Boekhoute
Rode Geul
Landsdijk
Eede
Valeiskreek
Moershoofde
Leopold kanaal
Bentille
Biezen
Vuilpan
St-Laureins
Hogevorst
Cieshoek
Bassevelde
Assenede
Staak
Strobrugge
Wege
Vake
Moerhuize
Het Kruisken
D'Hoogte
Heine
Fortjen
Haantje
Sas van Gent
Boterhoek
Eindeke
Kaprijke
Hazelarenhoek
Nieuwburg
Triest
Zelzate
Donk
Maldegem
Rezinge
Balgerhoek
Oosthoek
Fonteine
Katte
Vossenhol
Adegem
Warme Landen
Lembeke
Oosteeklo
Burkel
Molenhoek
Heiken
Ertvelde
Klein-Rusland
Heulendonk
Broeken
Heihoek
Heide
Tervenen
Kleit
Veldekens
Eeklo
Rieme
Appelboom
Leen Provinciaal Domein
Hoeksken
Vierhuizen
Kluizen
Driepikkel
Drongengoed Bos
Kruipuit
Oostveld
Oostmoer
Eentveld
Blakkeveld
De Vaartkant
Arisdonk
Zwaantje
Molenhoek
Doornzele
Terdonk
Oostwinkel
Waarschoot
Daasdonk
Wippelgem
Knesselare
Stoktevijver
Leischoot
Onderdale
Ronsele
Meirlaar
Hoge-Voorde
Sleidinge
Meerbeke
Langedonk
Westvorde
Ursel
Rijvers
Beke
Eekske
Kerkbrugge
Baassels
Berken
Zomergem
Hulleke
Buntelare
Vinken
Korteboeken
Linde
Evergem
Langerbrugge
Desteldonk
Vrekkem
Nekke
Oostmolen
Pauwelsbos
Kruisstraat
Appensvoorde
Aalterbrug
Aaltebei
Zomergemboven
Lovendegem
Oostakker
Bruggewijk
Ro
Durmen
Belzele
Wondelgem
Aalter
Bellem
St-Maria-Aalter
Hamme
Oostergem
Vinderhoute
Mariakerke
St-Pietersveld
Loveld
Hansbeke
Overbroek
Merendree
Luchteren
Kruiskerke
Karmenhoek
Herenthoek
Slindonk
GENT (GAND)
St-Amandsberg
Landegem
Drongen
Destelbergen
Klaphulle
A 10 - E 40
Wilde
Baarlevelde
Ledeberg
Lotenhulle
Heusden
Noordhout
Afsnee
Ruiselede
Poeke
Poesele
Nevele
Vosselare
Baarle
St-Martens-Latem
Gentbrugge
Ifferskapelle
Kruiswege
Meigem
St-Martens-Leerne
Ondank
Kanegem
Vinkt
Bachte-Maria-Leerne
Ooidonk
Deurle
St-Denijs-Westrem
Klosse
Flesse
Zeveren
Aarsele
Deinze
Leie
De Pinte
Zwijnaarde
Bek
Hogenhove
Jeruzalem
Astene
Zevergem
Merelbeke
Gontrode
Grammene
Landskouter
Dentergem
Wontergem
Gottem
Biezen
Zwartegat
Scheldeborde
Lemberge
Machelen
Petegem-aan-de-Leie
Nazareth
Landuit
Moorts
Bottelare
Vierschaar
Eke
Melsen
Markegem
Vurste
Dries
Munte
Oosterzele
Heet
Ginste
Oeselgem
Tuttegem
Hedemolen
Semmerzake
Heedwijk
Vermerenhoek
Vogelzang
Balegem
Olsene
Marolle
Groothulle
Baaiger
Dikkelvenne
Gavere
Bos
Lozer
Ouwegem
Langemunte
Drogenbrood-Hoek
Zulte
Kelderke
Asper
Kalle
Kanaal van Schipdonk
Gent - Terneuzen
Schelde
10 km

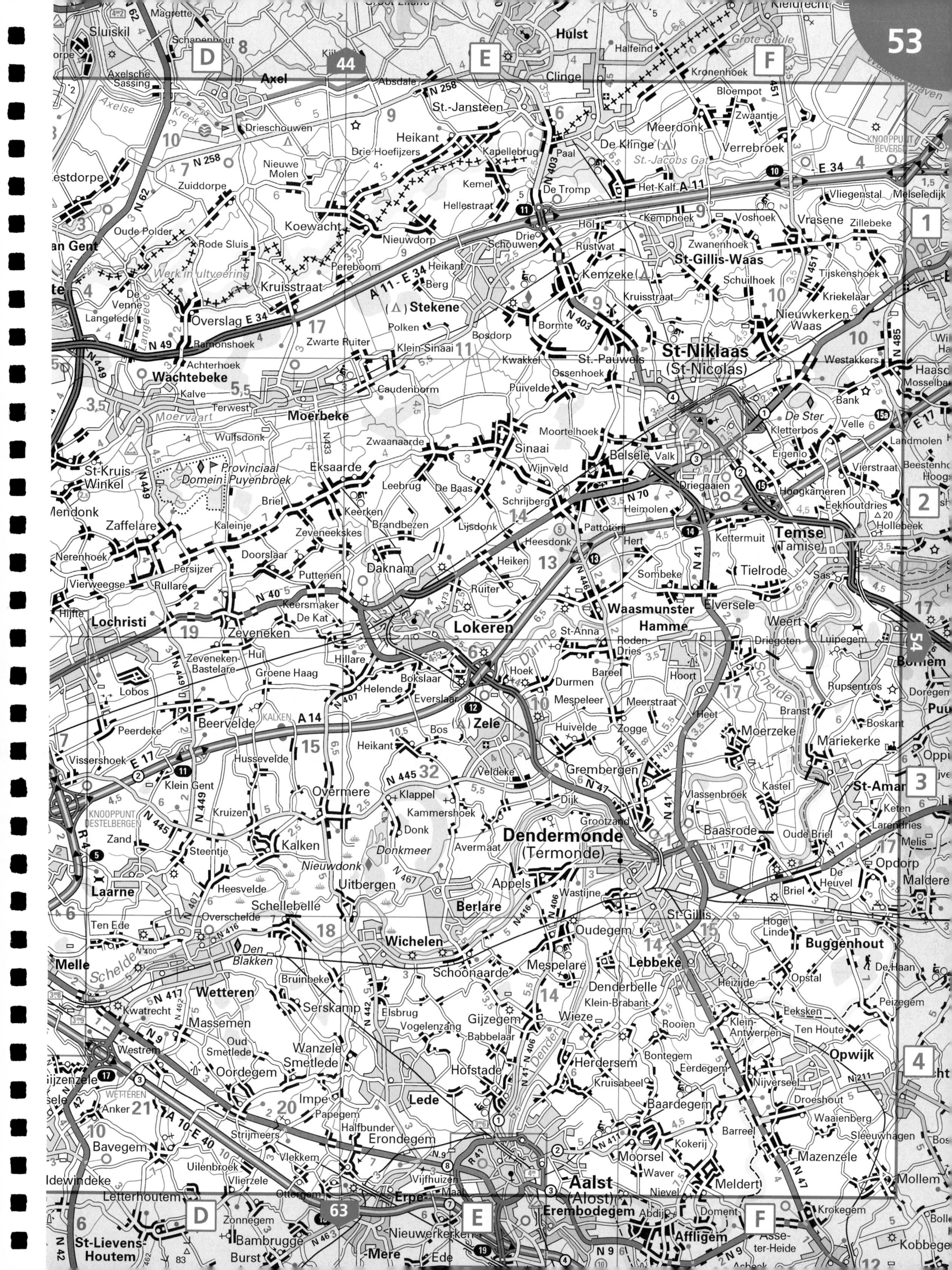
53
Sluiskil
Magrette
Schapenhout
Hulst
Halfeind
Grote Geule
Kieldrecht
Axelsche Sassing
Axel
Absdale
Clinge
Kronenhoek
Axelse Kreek
Drieschouwen
St.-Jansteen
Bloempot
Zwaantje
Meerdonk
Verrebroek
Heikant
Drie Hoefijzers
Kapellebrug
Paal
De Klinge
St.-Jacobs Gat
Knooppunt Beveren
Westdorpe
Nieuwe Molen
Zuiddorpe
De Tromp
Kemel
Het-Kalf
Vliegenstal
Melseledijk
Koewacht
Hellestraat
Oude Polder
Rode Sluis
Nieuwdorp
Drie Schouwen
Hol
Kemphoek
Voshoek
Vrasene
Zillebeke
Rustwat
Zwanenhoek
St-Gillis-Waas
Werk in uitvoering
Pereboom
Heikant
Berg
Kruisstraat
Kemzeke
Schuilhoek
Tijskenshoek
De Venne
Langelede
Overslag
Stekene
Kruisstraat
Kriekelaar
Nieuwkerken-Waas
Polken
Bormte
Bosdorp
Zwarte Ruiter
Klein-Sinaai
Ramonshoek
Achterhoek
Kwakkel
St.-Pauwels
St-Niklaas
(St-Nicolas)
Westakkers
Wachtebeke
Ossenhoek
Kalve
Caudenborm
Puivelde
Bank
De Ster
Terwest
Moervaart
Moerbeke
Kletterbos
Velle
Landmolen
Wulfsdonk
Zwaanaarde
Moortelhoek
Sinaai
Belsele
Valk
Eigenlo
Vierstraat
St-Kruis-Winkel
Provinciaal Domein Puyenbroek
Eksaarde
Wijnveld
Leebrug
De Baas
Driegaaien
Hoogkameren
Mendonk
Briel
Schrijberg
Heimolen
Eekhoutdries
Hollebeek
Zaffelare
Kaleinje
Keerken
Brandbezen
Lijsdonk
Pattoterij
Temse
(Tamise)
Zeveneekskes
Heesdonk
Hert
Kettermuit
Nerenhoek
Doorslaar
Persijzer
Heiken
Sombeke
Tielrode
Vierweegse
Rullare
Puttenen
Daknam
Ruiter
Sas
Hijfte
Keersmaker
De Kat
Waasmunster
Elversele
Lochristi
Lokeren
Hamme
Weert
Zeveneken
St-Anna
Roden-Dries
Driegoten
Luipegem
Bornem
Hul
Zeveneken-Bastelare
Groene Haag
Hillare
Durme
Hoek
Bareel
Hoort
Schelde
Lobos
Bokslaar
Helende
Durmen
Mespeleer
Meerstraat
Rupsentros
Doregem
Everslaar
Heet
Branst
Beervelde
Kalken
Zele
Huivelde
Zogge
Peerdeke
Bos
Heikant
Moerzeke
Boskant
Mariekerke
Vissershoek
Hussevelde
Veldeke
Grembergen
Klein Gent
Overmere
Klappel
Dijk
Vlassenbroek
Kastel
St-Amands
Kammershoek
Grootzand
Keten
Knooppunt Destelbergen
Kruizen
Donk
Dendermonde
(Termonde)
Baasrode
Oude Briel
Larendries
Zand
Steentje
Avermaat
Melis
Kalken
Donkmeer
Opdorp
Nieuwdonk
Laarne
Uitbergen
Appels
De Heuvel
Malderen
Heesvelde
Wastijne
Briel
Schellebelle
Berlare
Overschelde
St-Gillis
Hoge Linde
Ten Ede
Oudegem
Wichelen
Lebbeke
Buggenhout
Den Blakken
Melle
Schelde
Mespelare
De Haan
Schoonaarde
Bruinbeke
Opstal
Wetteren
Heizijde
Denderbelle
Kwatrecht
Serskamp
Klein-Brabant
Peizegem
Elsbrug
Eeksken
Massemen
Vogelenzang
Gijzegem
Wieze
Rooien
Klein-Antwerpen
Ten Houte
Babbelaar
Oud Smetlede
Westrem
Wanzele
Dender
Bontegem
Opwijk
Smetlede
Oordegem
Herdersem
Eerdegem
Gijzenzele
Hofstade
Nijverseel
Kruisabeel
Wetteren
Anker
Impe
Lede
Baardegem
Droeshout
Papegem
Halfbunder
Waaienberg
Bavegem
Strijmeers
Barreel
Kokerij
Erondegem
Sleeuwhagen
Uilenbroek
Vlekkem
Moorsel
Mazenzele
Waver
Ldewindeke
Vlierzele
Vijfhuizen
Aalst
(Alost)
Nievel
Meldert
Mollem
Letterhoutem
Ottergem
Erpe
Maal
Erembodegem
Abdij
Doment
Krokegem
Zonnegem
Bambrugge
Nieuwerkerken
Affligem
Asse-ter-Heide
Kobbegem
St-Lievens-Houtem
Burst
Mere
Ede
D
E
F
1
2
3
4
44
63
54

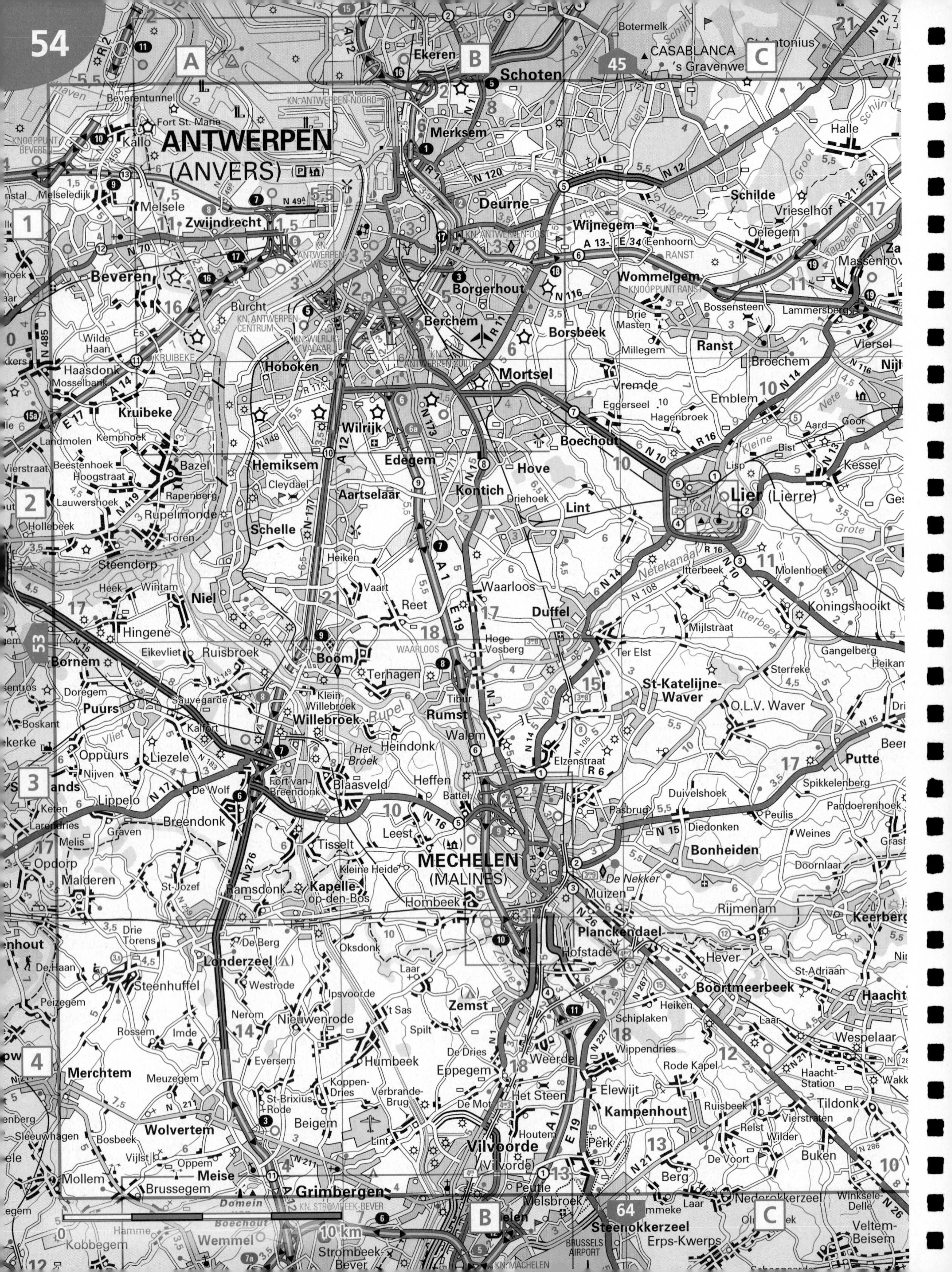

54
A
B
C
1
2
3
4
45
53
64
ANTWERPEN
(ANVERS)
Ekeren
Schoten
Botermelk
CASABLANCA
St-Antonius
's Gravenwezel
Halle
Beverentunnel
Fort St. Marie
KN. ANTWERPEN-NOORD
Merksem
Kallo
KNOOPPUNT BEVEREN
Melseledijk
Melsele
Zwijndrecht
Deurne
Schilde
Vrieselhof
Oelegem
Wijnegem
Eenhoorn
RANST
Massenhoven
KN. ANTWERPEN-OOST
KN. ANTWERPEN-WEST
Beveren
Borgerhout
Wommelgem
KNOOPPUNT RANST
Bossenstein
Lammersberg
Burcht
KN. ANTWERPEN-CENTRUM
Berchem
Borsbeek
Drie Masten
Millegem
Ranst
Broechem
Viersel
Wilde Haan
Es
KRUIBEKE
Haasdonk
Mosselbank
KN. WILRIJK VALAAR
KN. ANTWERPEN-ZUID
Hoboken
Mortsel
Vremde
Emblem
Kruibeke
Wilrijk
Eggerseel
Hagenbroek
Aard
Goor
Landmolen
Kemphoek
Boechout
Bist
Kessel
Vierstraat
Beestenhoek
Hoogstraat
Bazel
Hemiksem
Edegem
Hove
Lisp
Lauwershoek
Rapenberg
Cleydael
Aartselaar
Kontich
Driehoek
Lint
Lier
(Lierre)
Hollebeek
Rupelmonde
Toren
Schelle
Grote Nete
Steendorp
Heiken
Netekanaal
Itterbeek
Molenhoek
Heek
Wintam
Niel
Vaart
Waarloos
Reet
Duffel
Koningshooikt
Hingene
Mijlstraat
Itterbeek
Eikevliet
Ruisbroek
Bornem
WAARLOOS
Hoge Vosberg
Ter Elst
Gangelberg
Heikant
Boom
Terhagen
Sterreke
Doregem
Sauvegarde
Klein-Willebroek
Tibur
St-Katelijne-Waver
O.L.V. Waver
Puurs
Willebroek
Rupel
Rumst
Boskant
Kalfort
Walem
Vliet
Heindonk
Het Broek
Elzenstraat
Oppuurs
Liezele
Nijven
Fort van Breendonk
Blaasveld
Heffen
Putte
Spikkelenberg
De Wolf
Battel
Duivelshoek
Lippelo
Pasbrug
Pandoerenhoek
Peulis
Keten
Breendonk
Leest
Diedonken
Weines
Larendries
Graven
Melis
Tisselt
MECHELEN
(MALINES)
Bonheiden
Opdorp
Kleine Heide
De Nekker
Doornlaar
Malderen
St-Jozef
Ramsdonk
Kapelle-op-den-Bos
Hombeek
Muizen
Rijmenam
Keerbergen
Drie Torens
De Berg
Oksdonk
Planckendael
Hofstade
Hever
Londerzeel
De Haan
Steenhuffel
Westrode
Laar
Ipsvoorde
St-Adriaan
Boortmeerbeek
Haacht
Peizegem
't Sas
Zemst
Heiken
Nerom
Nieuwenrode
Spilt
Schiplaken
Rossem
Imde
Laar
Wespelaar
Eversem
Humbeek
De Dries
Wippendries
Rode Kapel
Merchtem
Meuzegem
Eppegem
Weerde
Haacht-Station
Koppen-Dries
Verbrande-Brug
Elewijt
Het Steen
Tildonk
St-Brixius-Rode
De Mot
Kampenhout
Ruisbeek
Relst
Vierstraten
Wolvertem
Beigem
Houtem
Wilder
Sleeuwhagen
Bosbeek
Lint
Vilvoorde
(Vilvorde)
Perk
De Voort
Buken
Vijlst
Oppem
Meise
Mollem
Brussegem
Grimbergen
Peutie
Berg
Nederokkerzeel
Winksele-Delle
Domein Boechout
KN. STROMBEEK-BEVER
Melsbroek
Steenokkerzeel
Erps-Kwerps
Veltem-Beisem
Hamme
Kobbegem
Wemmel
10 km
Strombeek-Bever
BRUSSELS AIRPORT
KN. MACHELEN

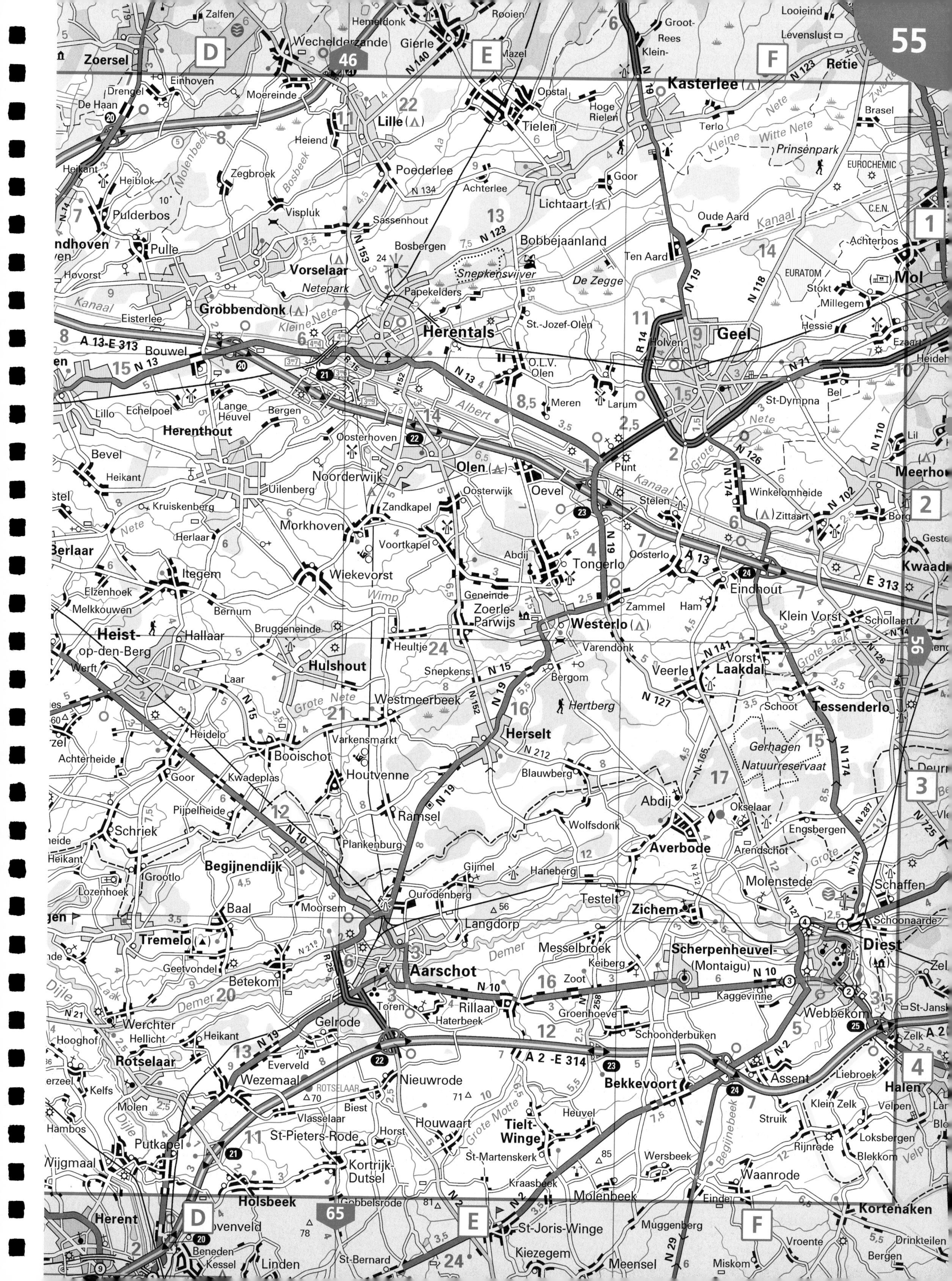
D
E
F
46
Zoersel
Zalfen
Hemeldonk
Wechelderzande
Gierle
Rooien
Mazel
Groot-Rees
Klein-
Looieind
Levenslust
Retie
Kasterlee
Drengel
Einhoven
Moereinde
De Haan
Lille
Opstal
Tielen
Hoge Rielen
Terlo
Brasel
Heiend
Kleine Nete
Witte Nete
Prinsenpark
Eurochemic
Heikant
Heiblok
Zegbroek
Bosbeek
Poederlee
Goor
Achterlee
Molenbeek
Pulderbos
Vispluk
Lichtaart
Sassenhout
Oude Aard
C.E.N.
Bobbejaanland
Achterbos
Pulle
Vorselaar
Bosbergen
Snepkensvijver
Ten Aard
Euratom
Mol
Hovorst
De Zegge
Stokt
Netepark
Papekelders
Millegem
Kanaal
Grobbendonk
Eisterlee
St.-Jozef-Olen
Geel
Hessie
Herentals
Holven
Ezaart
Bouwel
A 13-E 313
N 13
O.L.V. Olen
Heidehuizen
St-Dympna
Bel
Lange Heuvel
Lillo
Echelpoel
Bergen
Meren
Larum
Herenthout
Albert
Oosterhoven
Lil
Bevel
Punt
Olen
Meerhout
Heikant
Noorderwijk
Oevel
Uilenberg
Oosterwijk
Winkelomheide
Kruiskenberg
Zandkapel
Stelen
Zittaart
Borg
Morkhoven
Herlaar
Nete
Voortkapel
Abdij
Tongerlo
Oosterlo
Geste
Berlaar
Itegem
Wiekevorst
Eindhout
Kwaadmechelen
E 313
Elzenhoek
Geneinde
Melkkouwen
Wimp
Zoerle-Parwijs
Zammel
Ham
Bernum
Westerlo
Klein Vorst
Schollaert
Bruggeneinde
Heist-op-den-Berg
Hallaar
Varendonk
Heultje
Vorst
Laakdal
Grote Laak
Werft
Hulshout
Snepkens
Bergom
Veerle
Laar
Westmeerbeek
Hertberg
Grote Nete
Schoot
Tessenderlo
Heidelo
Varkensmarkt
Herselt
Achterheide
Booischot
Gerhagen Natuurreservaat
Goor
Kwadeplas
Houtvenne
Blauwberg
Pijpelheide
Ramsel
Abdij
Okselaar
Schriek
Wolfsdonk
Engsbergen
Plankenburg
Averbode
Arendschot
Heikant
Begijnendijk
Gijmel
Haneberg
Grotlo
Lozenhoek
Molenstede
Schaffen
Ourodenberg
Testelt
Baal
Moorsem
Zichem
Langdorp
Schoonaarde
Tremelo
Messelbroek
Diest
Demer
Keiberg
Scherpenheuvel-(Montaigu)
Geetvondel
Betekom
Aarschot
Zoot
Kaggevinne
Dijle
Laak
Rillaar
Werchter
Toren
Haterbeek
Groenhoeve
Webbekom
St-Jansberg
Hooghof
Hellicht
Gelrode
Heikant
Schoonderbuken
Zelk
Rotselaar
Everveld
A 2-E 314
Assent
Liebroek
Wezemaal
Nieuwrode
Bekkevoort
Halen
Kelfs
Rotselaar
Klein Zelk
Velpen
Molen
Biest
Heuvel
Struik
Hambos
Vlasselaar
Houwaart
Tielt-Winge
Grote Motte
Begijnebeek
Loksbergen
Putkapel
St-Pieters-Rode
Horst
Rijnrode
Wijgmaal
St-Martenskerk
Wersbeek
Blekkom
Velp
Kortrijk-Dutsel
Waanrode
Kraasbeek
Molenbeek
Holsbeek
Gobbelsrode
Einde
Kortenaken
Herent
Vovenveld
St-Joris-Winge
Muggenberg
65
Beneden-Kessel
Linden
St-Bernard
Kiezegem
Meensel
Miskom
Vroente
Bergen
Drinkteilen
56

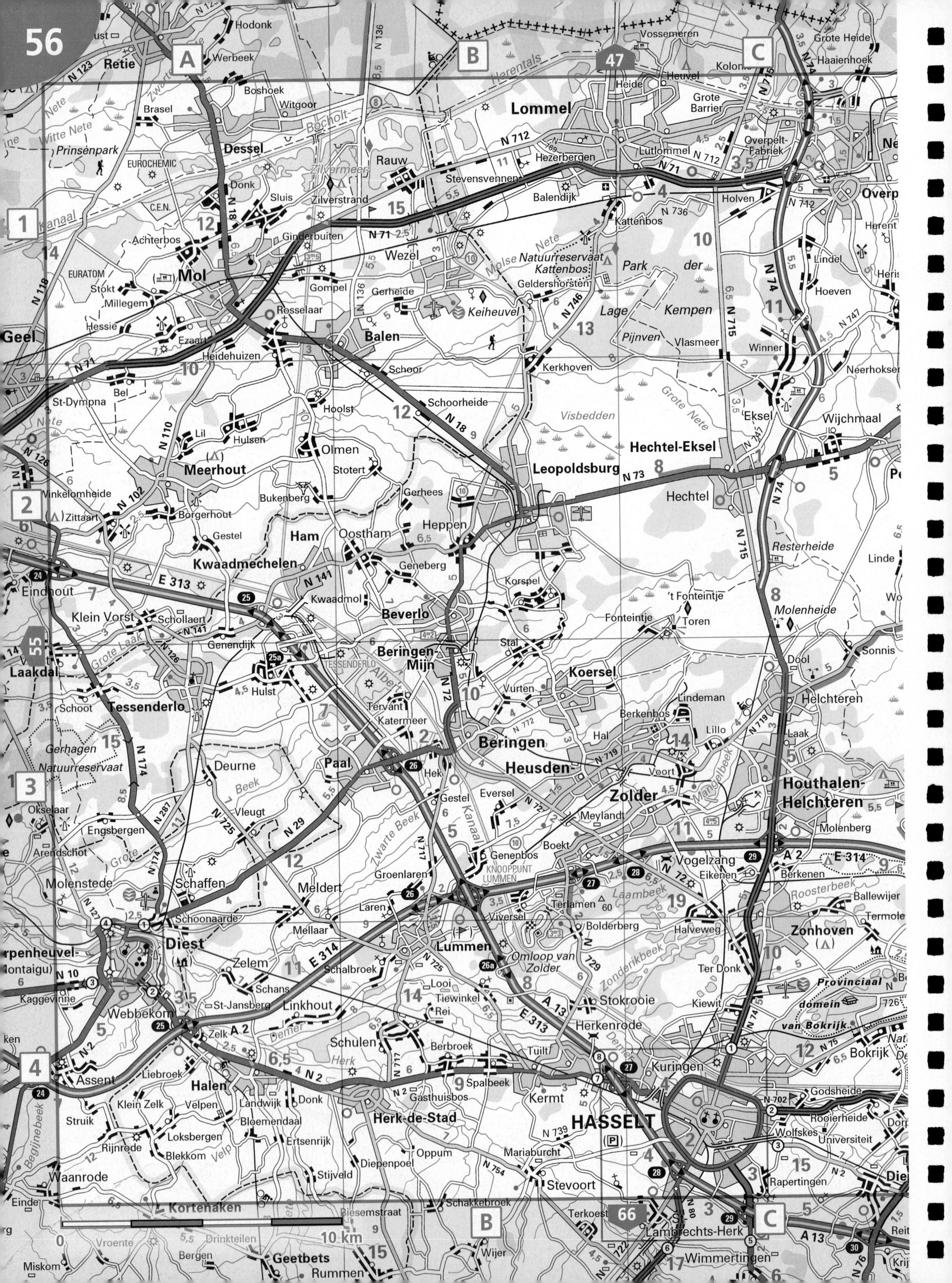

Retie
Hodonk
Werbeek
Boshoek
Witgoor
Brasel
Witte Nete
Prinsenpark
Dessel
EUROCHEMIC
Donk
Sluis
C.E.N.
Zilvermeer
Zilverstrand
Rauw
Lommel
Heide
Heuvel
Vossemeren
Kolonie
Grote Heide
Haaienhoek
Grote Barrier
Lutlommel
Overpelt-Fabriek
Hezerbergen
Stevensvennen
Balendijk
Holven
Overpelt
Kattenbos
Herent
Lindel
Hoeven
Achterbos
Ginderbuiten
Wezel
Molse Nete
Natuurreservaat Kattenbos
Park der Lage Kempen
EURATOM
Mol
Stokt
Millegem
Gompel
Gerheide
Keiheuvel
Geldershorsten
Pijnven
Vlasmeer
Winner
Neerhoksent
Geel
Hessie
Rosselaar
Ezaart
Balen
Heidehuizen
Schoor
Kerkhoven
St-Dympna
Bel
Hoolst
Schoorheide
Visbedden
Grote Nete
Eksel
Wijchmaal
Lil
Hulsen
Olmen
Meerhout
Stotert
Hechtel-Eksel
Leopoldsburg
Hechtel
Winkelomheide
Zittaart
Borgerhout
Bukenberg
Gerhees
Gestel
Ham
Oostham
Heppen
Kwaadmechelen
Geneberg
Resterheide
Linde
Eindhout
E 313
Kwaadmol
Korspel
't Fonteintje
Molenheide
Klein Vorst
Schollaert
Beverlo
Fonteintje
Toren
Laakdal
Grote Laak
Genendijk
Beringen-Mijn
TESSENDERLO
Stal
Dool
Sonnis
Hulst
Koersel
Tessenderlo
Schoot
Vurten
Lindeman
Helchteren
Tervant
Katermeer
Berkenbos
Lillo
Gerhagen
Natuurreservaat
Paal
Beringen
Hal
Laak
Deurne
Heusden-Zolder
Voort
Houthalen-Helchteren
Okselaar
Vleugt
Gestel
Eversel
Meylandt
Engsbergen
Arendschot
Zwarte Beek
Kanaal
Boekt
Molenberg
Vogelzang
E 314
Genenbos
KNOOPPUNT LUMMEN
Eikenen
Berkenen
Molenstede
Schaffen
Meldert
Groenlaren
Laambeek
Terlamen
Rooisterbeek
Ballewijer
Laren
Viversel
Halveweg
Schoonaarde
Mellaar
Bolderberg
Zonhoven
Scherpenheuvel-Montaigu
Diest
Zelem
Lummen
Omloop van Zolder
Zonderikbeek
Ter Donk
Schalbroek
Kaggevinne
Schans
Looi
Tiewinkel
Stokrooie
Kiewit
Provinciaal domein van Bokrijk
Webbekom
St-Jansberg
Linkhout
Rei
A 13
Herkenrode
Zelk
Demer
Schulen
Berbroek
Tuilt
Bokrijk
Assent
Liebroek
Halen
Herk
Spalbeek
Kuringen
Godsheide
Klein Zelk
Velpen
Landwijk
Donk
Gasthuisbos
Kermt
Struik
Bloemendaal
Herk-de-Stad
HASSELT
Rooierheide
Loksbergen
Ertsenrijk
Wolfskes
Universiteit
Rijnrode
Blekkom
Oppum
Mariaburcht
Beginebeek
Velp
Waanrode
Diepenpoel
Stijveld
Stevoort
Rapertingen
Einde
Kortenaken
Schakkebroek
Biesemstraat
Terkoest
St-Lambrechts-Herk
Vroente
Drinkteilen
Bergen
Geetbets
Wijer
Miskom
Rummen
Wimmertingen
10 km

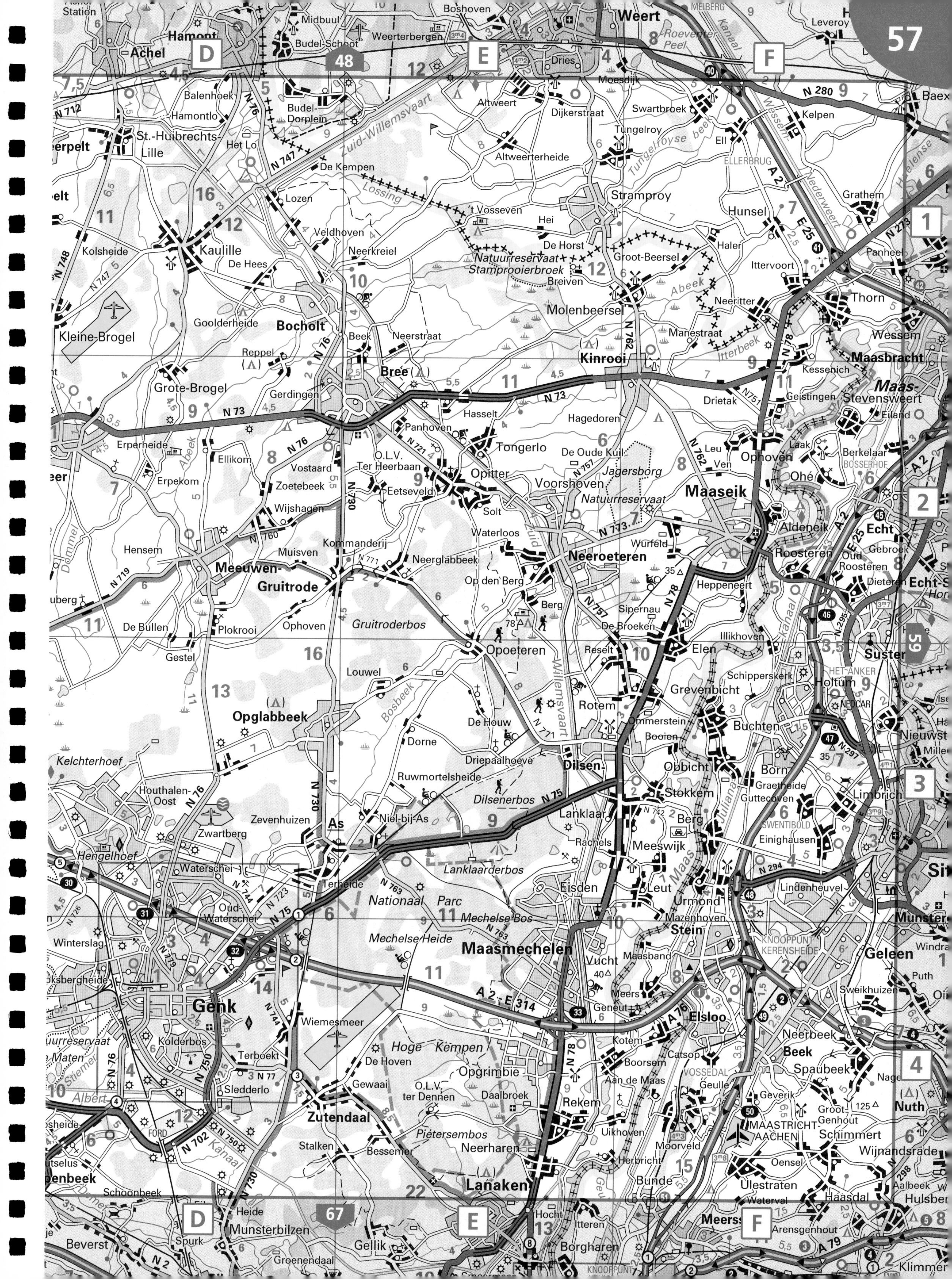
Hamont
Achel
Midbuul
Budel-Schoot
Weerterbergen
Boshoven
Weert
Roeventer Peel
Leveroy
D
E
F
48
Dries
Moesdijk
Balenhoek
Hamontlo
Budel-Dorplein
Zuid-Willemsvaart
Altweert
Dijkerstraat
Swartbroek
Kelpen
Baex
St.-Huibrechts-Lille
Het Lo
Tungelroy
Ell
Altweerterheide
Tungelroyse beek
ELLERBRUG
De Kempen
Lossing
Lozen
Stramproy
Grathem
Kaulille
Veldhoven
't Vosseven
Hei
Hunsel
De Horst
Haler
Kolsheide
Neerkreiel
Natuurreservaat Stamprooierbroek
Groot-Beersel
Panheel
De Hees
Breiven
Ittervoort
Abeek
Thorn
Neeritter
Kleine-Brogel
Goolderheide
Bocholt
Molenbeersel
Wessem
Beek
Neerstraat
Manestraat
Reppel
Kinrooi
Itterbeek
Maasbracht
Kessenich
Grote-Brogel
Bree
Gerdingen
Hasselt
Drietak
Geistingen
Maas-Stevensweert
Eiland
Erperheide
Panhoven
Hagedoren
Leu
Ophoven
Berkelaar
Tongerlo
De Oude Kuil
Ellikom
O.L.V. Ter Heerbaan
Vostaard
Jagersborg
Ven
Laak
BOSSERHOF
Erpekom
Opitter
Voorshoven
Maaseik
Ohé
Zoetebeek
Eetseveld
Natuurreservaat
Wijshagen
Solt
Aldeneik
Echt
Waterloos
Wurfeld
Hensem
Kommanderij
Roosteren
Gebroek
Meeuwen-Gruitrode
Muisven
Neerglabbeek
Neeroeteren
Oud Roosteren
Dieteren
Op den Berg
Heppeneert
Berg
Sipernau
De Bullen
Plokrooi
Ophoven
Gruitroderbos
De Broeken
Illikhoven
Gestel
Opoeteren
Reselt
Elen
Suster
HET ANKER
Louwel
Schipperskerk
Holtum
Opglabbeek
Bosbeek
Grevenbicht
Rotem
NEDCAR
De Houw
Ommerstein
Buchten
Nieuwstadt
Booien
Kelchterhoef
Dorne
Driepaalhoeve
Dilsen
Obbicht
Born
Ruwmortelsheide
Graetheide
Limbricht
Houthalen-Oost
Stokkem
Guttecoven
Dilsenerbos
Zevenhuizen
As
Niel-bij-As
Lanklaar
Berg
SWENTIBOLD
Zwartberg
Julianakanaal
Einighausen
Hengelhoef
Rachels
Meeswijk
Lanklaarderbos
Waterschei
Terheide
Leut
Lindenheuvel
Oud-Waterschei
Nationaal Parc
Mechelse Bos
Eisden
Urmond
Mazenhoven
Munstergeleen
Winterslag
Mechelse Heide
Stein
KNOOPPUNT KERENSHEIDE
Maasmechelen
Vucht
Maasband
Geleen
Windraak
Genk
Wiemesmeer
Meers
Geneut
Elsloo
Puth
Sweikhuizen
A 2 - E 314
Natuurreservaat De Maten
Kolderbos
Hoge Kempen
De Hoven
Kotem
Boorsem
Catsop
Neerbeek
Beek
Spaubeek
Terboekt
Opgrimbie
Aan de Maas
VOSSEDAL
Geulle
Nagel
Gewaai
O.L.V. ter Dennen
Daalbroek
Sledderlo
Albert
Zutendaal
Rekem
Geverik
Groot-Genhout
Nuth
Pietersembos
MAASTRICHT-AACHEN
Uikhoven
Schimmert
Stalken
Bessemer
Neerharen
Moorveld
Wijnandsrade
Kanaal
Herbricht
Oensel
Lanaken
Bunde
Schoonbeek
Ulestraten
Haasdal
Aalbeek
Hulsberg
Heide
67
Hocht
Itteren
Meerssen
Waterval
Arensgenhout
Munsterbilzen
Spurk
Beverst
Gellik
Borgharen
Groenendaal
KNOOPPUNT
Klimmen
N 73
N 76
N 78
N 75
N 730
N 762
A 2
E 25
A 76
A 79
N 280
N 712
N 747
N 748
N 719
N 760
N 771
N 721
N 757
N 773
N 751
N 742
N 294
N 295
N 297
N 723
N 744
N 763
N 750
N 702
N 77
N 2
N 298

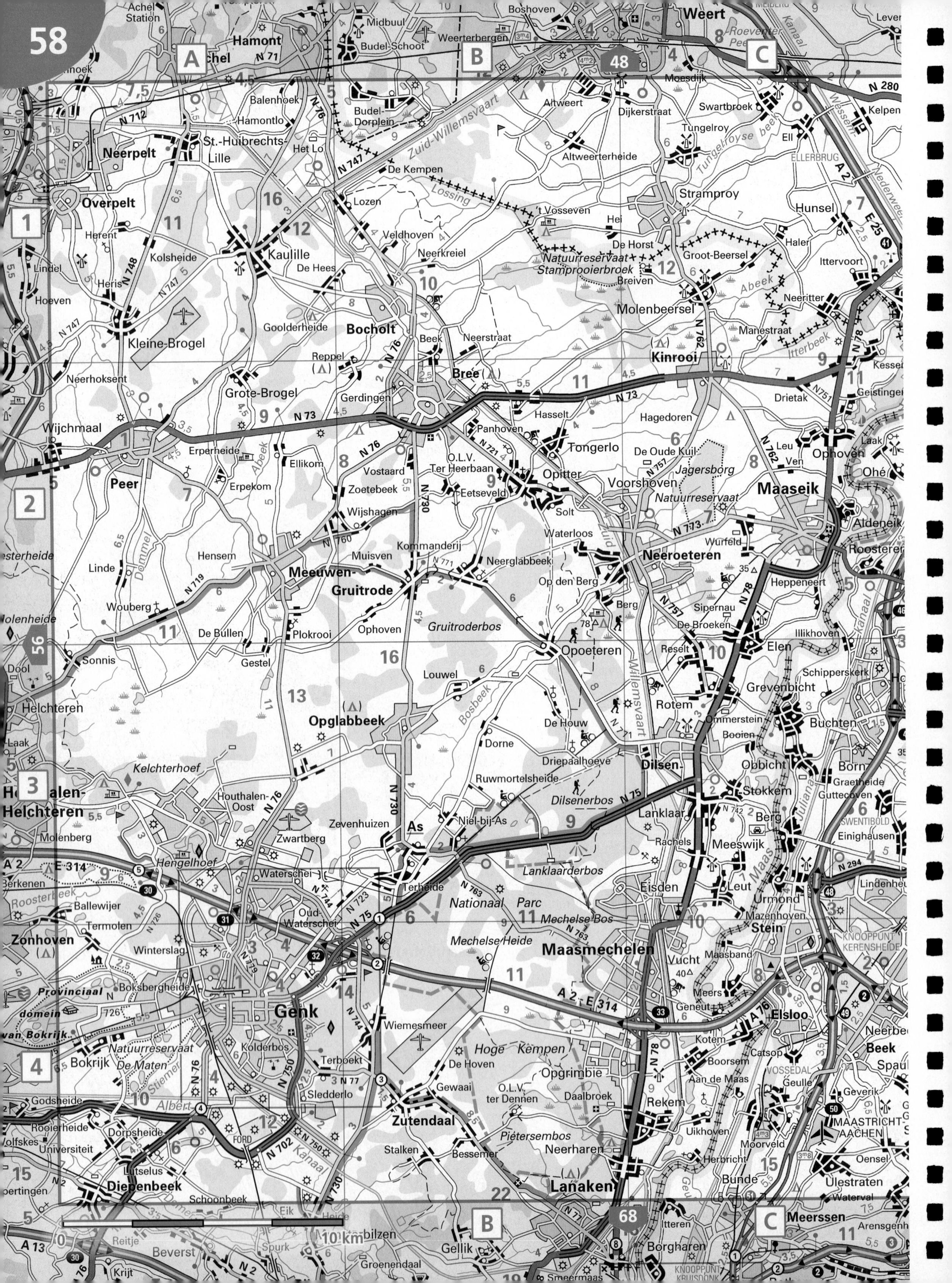
Achel Station
Hamont
Achel
Midbuul
Budel-Schoot
Weerterbergen
Boshoven
Weert
Roeventer Peel
Moesdijk
Balenhoek
Hamontlo
Budel-Dorplein
Neerpelt
St.-Huibrechts-Lille
Het Lo
Zuid-Willemsvaart
De Kempen
Altweert
Dijkerstraat
Swartbroek
Tungelroy
Tungelroyse beek
Kelpen
Ell
Altweerterheide
ELLERBRUG
Overpelt
Lozen
Lossing
't Vosseven
Hei
Stramproy
Hunsel
Herent
Kolsheide
Kaulille
Veldhoven
Neerkreiel
De Horst
Natuurreservaat Stamprooierbroek
Groot-Beersel
Haler
Ittervoort
Lindel
Heris
Hoeven
De Hees
Breiven
Abeek
Molenbeersel
Neeritter
Goolderheide
Bocholt
Kleine-Brogel
Beek
Neerstraat
Manestraat
Itterbeek
Reppel
Kinrooi
Kessel
Neerhoksent
Grote-Brogel
Gerdingen
Bree
Drietak
Geistingen
Wijchmaal
Erperheide
Ellikom
Hasselt
Hagedoren
Panhoven
Tongerlo
De Oude Kuil
Jagersborg
Leu
Ven
Ophoven
Laak
Ohé
Peer
Erpekom
Vostaard
O.L.V. Ter Heerbaan
Eetsveld
Opitter
Voorshoven
Natuurreservaat
Maaseik
Zoetebeek
Wijshagen
Solt
Aldeneik
Dommel
Waterloos
Wurfeld
Roosteren
Hensem
Kommanderij
Neerglabbeek
Neeroeteren
Linde
Meeuwen-Gruitrode
Muisven
Op den Berg
Heppeneert
Wouberg
Berg
Sipernau
Molenheide
De Broeken
De Bullen
Plokrooi
Ophoven
Gruitroderbos
Illikhoven
Elen
Reselt
Sonnis
Dool
Gestel
Opoeteren
Louwel
Schipperskerk
Helchteren
Grevenbicht
Bosbeek
Rotem
Opglabbeek
De Houw
Ommerstein
Buchten
Booien
Laak
Dorne
Kelchterhoef
Driepaalhoeve
Dilsen
Obbicht
Born
Ruwmortelsheide
Graetheide
Houthalen-Helchteren
Houthalen-Oost
Dilsenerbos
Stokkem
Guttecoven
Lanklaar
Berg
SWENTIBOLD
Molenberg
Zwartberg
Zevenhuizen
As
Niel-bij-As
Rachels
Meeswijk
Einighausen
Hengelhoef
Berkenen
Waterschei
Lanklaarderbos
Leut
Lindenheuvel
Roosterbeek
Ballewijer
Terheide
Nationaal Parc
Eisden
Urmond
Termolen
Oud-Waterschei
Mechelse Bos
Mazenhoven
Zonhoven
Winterslag
Mechelse Heide
Maasmechelen
Stein
KNOOPPUNT KERENSHEIDE
Vucht
Maasband
Provinciaal domein
Boksbergheide
Meers
Genk
Geneut
Elsloo
Wiemesmeer
Neerbeek
Natuurreservaat De Maten
Kolderbos
Hoge Kempen
Kotem
Beek
Bokrijk
Terboekt
De Hoven
Boorsem
Catsop
Spaubeek
Opgrimbie
VOSSEDAL
Geulle
Sledderlo
Gewaai
O.L.V. ter Dennen
Daalbroek
Aan de Maas
Geverik
Godsheide
Albert
Zutendaal
Rekem
Stiemer
Rooierheide
Dorpsheide
Uikhoven
MAASTRICHT-AACHEN
Universiteit
FORD
Kanaal
Pietersembos
Moorveld
Stalken
Bessemer
Neerharen
Herbricht
Oensel
Lutselus
Bunde
Diepenbeek
Lanaken
Ulestraten
Schoonbeek
Eik
Waterval
Meerssen
Itteren
Arensgenhout
10 km
Reitje
Beverst
Spurk
Bilzen
Gellik
Borgharen
Krijt
Groenendaal
Smeermaas
KNOOPPUNT KRUISDONK

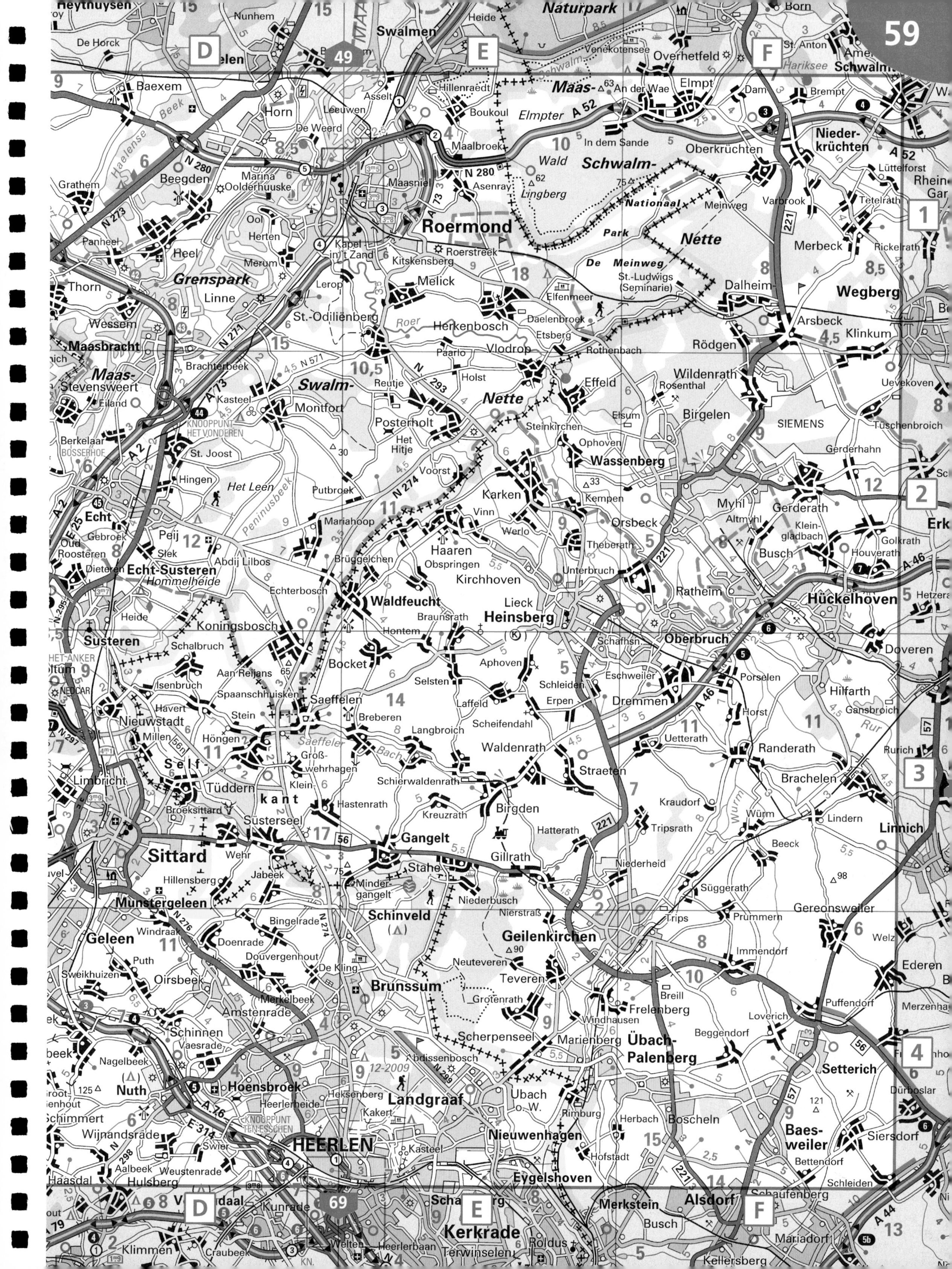
Heythuysen
Nunhem
Swalmen
Naturpark
Born
De Horck
Heide
Venekotensee
Overhetfeld
St. Anton
Hariksee
Schwalm
Baexem
Horn
Leeuwen
Asselt
Hillenraedt
Maas-
An der Wae
Elmpt
Dam
Brempt
De Weerd
Boukoul
Elmpter
A 52
Niederkrüchten
Maalbroek
Wald
In dem Sande
Oberkrüchten
Grathem
Beegden
Marina
Oolderhuuske
N 280
Maasniel
Asenray
Lingberg
Schwalm-
Lüttelforst
Nationaal
Meinweg
Varbrook
Tetelrath
Panheel
Ool
Herten
Roermond
Park
Nette
Merbeck
Rickelrath
Heel
Merum
Kapel in 't Zand
Roerstreek
Kitskensberg
De Meinweg
St.-Ludwigs (Seminarie)
Dalheim-
Wegberg
Thorn
Grenspark
Linne
Lerop
Melick
Elfenmeer
Wessem
St.-Odiliënberg
Roer
Herkenbosch
Daelenbroek
Etsberg
Arsbeck
Klinkum
Maasbracht
Paarlo
Vlodrop
Rothenbach
Rödgen
Brachterbeek
N 571
Swalm-
Reutje
Holst
Effeld
Wildenrath
Rosenthal
Maas-
Stevensweert
Eiland
Kasteel
Montfort
Nette
Elsum
Birgelen
SIEMENS
Uevekoven
Tüschenbroich
KNOOPPUNT HET VONDEREN
Posterholt
Het Hitje
Steinkirchen
Ophoven
Gerderhahn
Berkelaar
BOSSERHOF
St. Joost
Wassenberg
Hingen
Het Leen
Voorst
Putbroek
Karken
Kempen
Myhl
Gerderath
Echt
Peij
Mariahoop
Vinn
Werlo
Orsbeck
Altmyhl
Klein-gladbach
Golkrath
Gebroek
Slek
Haaren
Theberath
Busch
Houverath
Oud Roosteren
Dieteren
Echt-Susteren
Hommelheide
Abdij Lilbos
Brüggelchen
Obspringen
Kirchhoven
Unterbruch
Ratheim
Hückelhoven
Hetzerath
Heide
Koningsbosch
Echterbosch
Waldfeucht
Lieck
Braunsrath
Heinsberg
Susteren
Schalbruch
Hontem
Schafhsn.
Oberbruch
Doveren
HET ANKER
Bocket
Aphoven
Aan Reijans
Eschweiler
Porselen
Hilfarth
NEDCAR
Isenbruch
Spaanschhuisken
Selsten
Schleiden
Havert
Saeffelen
Laffeld
Erpen
Dremmen
Gansbroich
Nieuwstadt
Stein
Breberen
Horst
Millen
Höngen
Langbroich
Scheifendahl
Uetterath
Rur
Randerath
Rurich
Selfkant
Groß-wehrhagen
Waldenrath
Straeten
Limbricht
Tüddern
Klein-
Schierwaldenrath
Brachelen
Broeksittard
Hastenrath
Kraudorf
Wurm
Süsterseel
Kreuzrath
Birgden
Würm
Lindern
Tripsrath
Linnich
Hatterath
Sittard
Gangelt
Beeck
Wehr
Stahe
Gillrath
Niederheid
Hillensberg
Jabeek
Minder-gangelt
Süggerath
Munstergeleen
Niederbusch
Nierstraß
Gereonsweiler
Schinveld
Trips
Prummern
Geleen
Windraak
Bingelrade
Doenrade
Geilenkirchen
Welz
Immendorf
Puth
Douvergenhout
Neuteveren
Sweikhuizen
De Kling
Oirsbeck
Teveren
Ederen
Brunssum
Breill
Merkelbeek
Grotenrath
Puffendorf
Frelenberg
Merzenhausen
Amstenrade
Windhausen
Loverich
Schinnen
Scherpenseel
Vaesrade
Marienberg
Übach-Palenberg
Beggendorf
Nagelbeek
Abdissenbosch
Nuth
Hoensbroek
Setterich
Dürboslar
Heerlerheide
Heksenberg
Landgraaf
Ubach o. W.
Rimburg
Herbach
Boscheln
Schimmert
KNOOPPUNT TEN ESSCHEN
Kakert
Wijnandsrade
Nieuwenhagen
Baesweiler
Siersdorf
Swier
HEERLEN
Kasteel
Hofstadt
Bettendorf
Aalbeek
Weustenrade
Hulsberg
Eygelshoven
Schleiden
Haasdal
Voerendaal
Kunrade
Schaesberg
Merkstein
Alsdorf
Schaufenberg
Kerkrade
Busch
Mariadorf
Klimmen
Craubeek
Welten
Heerlerbaan
Terwinselen
Rolduc
Kellersberg

A
B
C
50
70
1
2
3
4
Rexpoëde
West-Cappel
Oost-Cappel
Hagedoorn
Beveren
Stavele
Stavels Hoekje
Hondspoot
Westvleteren
Vleteren
Oostvleteren
Reninge
Noordschote
Merkem
Kippe
Hoek
Veldhoek
Madonna
Mangelare
Bikschote
Koekuit
Kortekeer
Langemark-
Steenstraat
Lizerne
Zuidschote
Pijpegale
Eikhoek
Linde
Roesbrugge -Haringe
Waaienburg
Krombeke
St.-Sixtus (Abdij)
Woesten
Boezinge
Pilkem
St.-Juliaan
Wippe
Elverdinge
Proven
Herzeele
Houtkerque
Watou
Poperinge
Kruisstraat
Vlamertinge
Brielen
St-Jan
Wieltje
Frezenb
Potijze
Ieper (Ypres)
Zillebeke
Kruisstraat
Verbrande-Molen
Zwarte
Voormezele
Palingbeek
Dikkebus
Dikkebusse Vijver
Ouderdom
Hallebast
St-Eloi
Hollebeke
Brandhoek
Busseboom
Lijsenthoek
Reningelst
Abele
Helhoek
Rattekot
St. Laurent
Droogland
St-Jan ter-Biezen
Kruysweg
Winnezeele
le Temple
le Riveld
Steenvoorde
Calicanes
Terdeghem
Mont des Recollets
Godewaersvelde
Boeschepe
Mont des Cats
Berthen
Hekskn
Westouter
Scherpenberg
Klijte
Millekruis
Vierstraat
Kemmel
Heuvelland
Wijtschate
Oosttaverne
Loker
Polka
Rodeberg
Mont Noir
Ossuaire
Kemmelberg
Mesen (Messines)
Gapaard
Comine
Wulvergem
Warneton (Waasten)
Douvebeek
Dranouter
Le Rossignol
Nieuwkerke (Neuve-Eglise)
Korte Pijp
Ploegsteert
Pont-Rouge
le Gheer
le Touquet
Freling
St Sylvestre-Cappel
Ste Marie-Cappel
Eecke
l'Hazewinde
Hondeghem
le Peuplier
le Thieushouck
Flêtre
Caëstre
St Jans-Cappel
la Brearde
la Creule
Rouge Croix
Pradelles
Méteren
Bailleul
Borre
Strazeele
Hazebrouck
Sec-Bois
Merris
Outtersteene
Steent'je
la Crèche
De Seule
le Romarin
Nieppe
les Prés du Hem
le Bizet
Houplines
Croix
Morbecque
la Rue-du-Bois
Vx Berquin
Steenwerck
Armentières
Funquere
la Motte-au-Bois
la Caudescure
le Doulieu
Croix-du-Bac
Erquinghem-Lys
la Chapelle-d'Armentières
le Préavin
le Parc
Forêt de Nieppe
Neuf-Berquin
Bac-St Maur
Sailly-s-la-Lys
Bois-Grenier
Wez Macquart
Pérenchies
Prémesques
Merville
Estaires
Fleurbaix
Nouveau Monde
le Sart
la Gorgue
Haverskerque
Bas-Hamel
St Venant
St Floris
Calonne-s-la-Lys
Pont-Riqueul
Lestrem
Laventie
Pétillon
la Boutillerie
Ennetières-en-Weppes
Escobecques
Englos
Radinghem-en-W.
Capinghem
les Amuzoires
Paradis
Bout-Delville
la Fosse
Fauquissart
le Maisnil
Erquinghem-le-Sec
Fromelles
Aubers
Beaucamps-Ligny
Robecq
la Pierrière
Busnes
l'Eclème
le Cornet-Malo
Mont-Bernanchon
Vieille-Chapelle
la Couture
Rouge-Cr.
Neuve-Chapelle
Herlies
la Joirie
Fournes-en-Weppes
Grd Riez
10 km
A 25
E 42
N 38
N 8
D 916
D 947
D 948
D 933
D 642

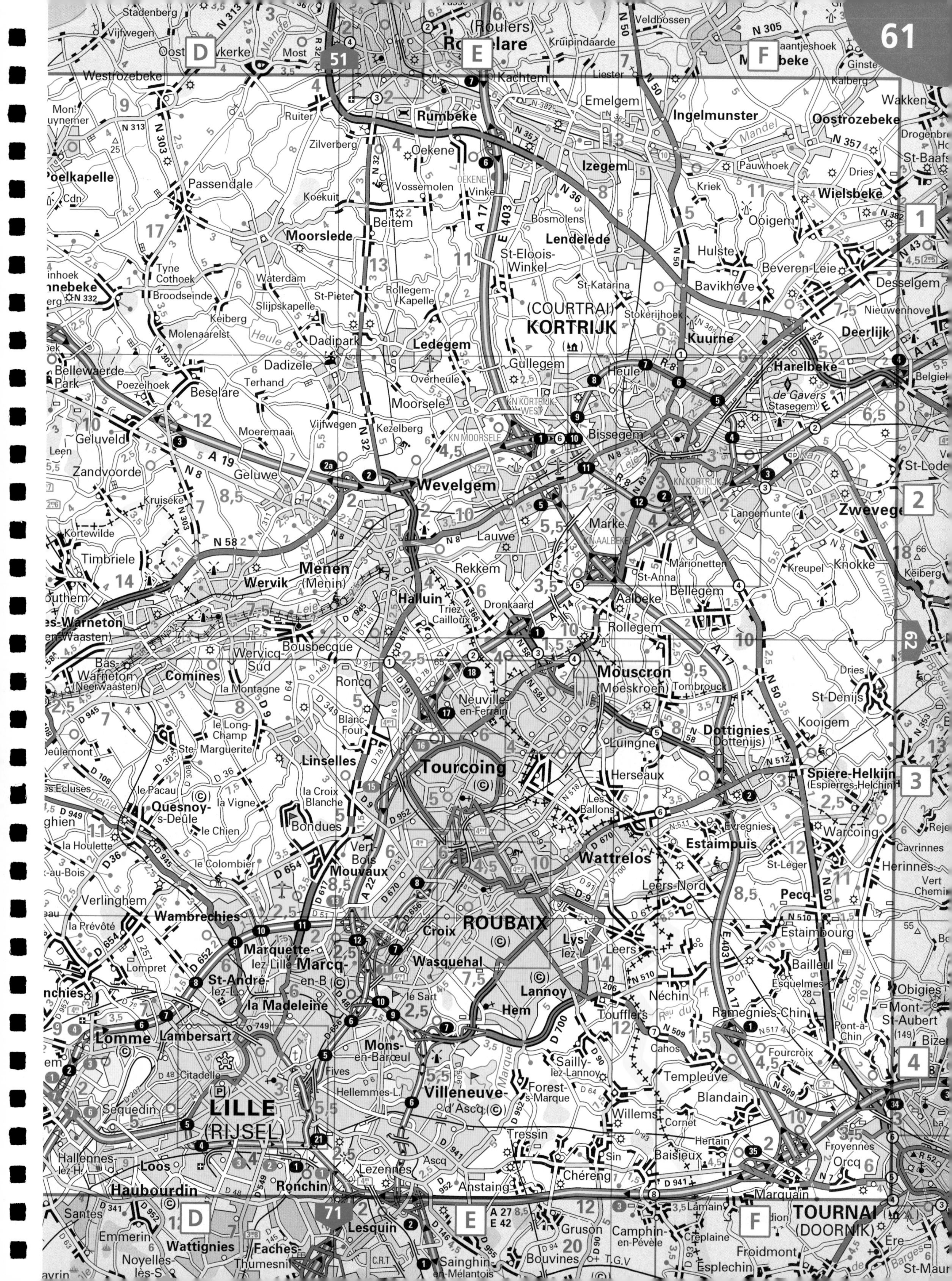
Roeselare
(Roulers)
Stadenberg
Vijfwegen
Oostnieuwkerke
Westrozebeke
Veldbossen
Kruipindaarde
Kachtem
Emelgem
Ingelmunster
Oostrozebeke
Wakken
Rumbeke
Ruiter
Zilverberg
Oekene
Izegem
Pauwhoek
Wielsbeke
Poelkapelle
Passendale
Koekuit
Vossemolen
Vinke
Kriek
Ooigem
Moorslede
Beitem
Bosmolens
Lendelede
St-Eloois-Winkel
Hulste
Beveren-Leie
Desselgem
Tyne Cothoek
Waterdam
Broodseinde
Slijpskapelle
St-Pieter
Rollegem-Kapelle
St-Katarina
Bavikhove
Keiberg
Molenaarelst
Dadipark
Ledegem
(COURTRAI)
KORTRIJK
Stokerijhoek
Kuurne
Nieuwenhove
Deerlijk
Bellewaerde Park
Dadizele
Gullegem
Heule
Harelbeke
Poezelhoek
Terhand
Overheule
de Gavers
Stasegem
Beselare
Moorsele
Geluveld
Moeremaai
Vijfwegen
Kezelberg
Bissegem
Zandvoorde
Geluwe
Wevelgem
St-Lodewijk
Kruiseke
Langemunte
Zwevegem
Kortewilde
Lauwe
Marke
Timbriele
Menen
(Menin)
Wervik
Rekkem
Marionetten
St-Anna
Kreupel
Knokke
Halluin
Triez-Cailloux
Dronkaard
Aalbeke
Bellegem
Rollegem
Bas-Warneton
(Neerwaasten)
Comines
Wervicq-Sud
Bousbecque
la Montagne
Roncq
Mouscron
(Moeskroen)
Tombrouck
Dries
St-Denijs
Neuville-en-Ferrain
Blanc-Four
le Long-Champ
Ste-Marguerite
Dottignies
(Dottenijs)
Luingne
Kooigem
Linselles
Tourcoing
Herseaux
Spiere-Helkijn
(Espierres-Helchin)
le Pacau
Quesnoy-s-Deûle
la Vigne
la Croix Blanche
Les Ballons
Bondues
le Chien
la Houlette
Evregnies
Estaimpuis
Warcoing
Vert-Bois
Mouvaux
Wattrelos
St-Léger
Herinnes
le Colombier
Leers-Nord
Pecq
Verlinghem
la Prévôté
Wambrechies
ROUBAIX
Estaimbourg
Croix
Lys-lez-Lannoy
Leers
Marquette-lez-Lille
Marcq-en-B
Lompret
Wasquehal
Bailleul
Esquelmes
Obigies
St-André-lez-Lille
la Madeleine
le Sart
Lannoy
Hem
Néchin
Ramegnies-Chin
Mont-St-Aubert
Lomme
Lambersart
Toufflers
Cahos
Pont-à-Chin
Mons-en-Barœul
Sailly-lez-Lannoy
Fourcroix
Citadelle
Fives
Hellemmes-L.
Villeneuve-d'Ascq
Forest-s-Marque
Templeuve
LILLE
(RIJSEL)
Sequedin
Willems
Blandain
Cornet
Tressin
Hertain
Froyennes
Hallennes-lez-H.
Loos
Ascq
Sin
Baisieux
Orcq
Haubourdin
Ronchin
Lezennes
Anstaing
Chéreng
Marquain
Santes
Emmerin
Wattignies
Faches-Thumesnil
Lesquin
Sainghin-en-Mélantois
Gruson
Bouvines
Camphin-en-Pévèle
Creplaine
Esplechin
Froidmont
TOURNAI
(DOORNIK)
Lamain
Ere
St-Maur
Noyelles-lès-S

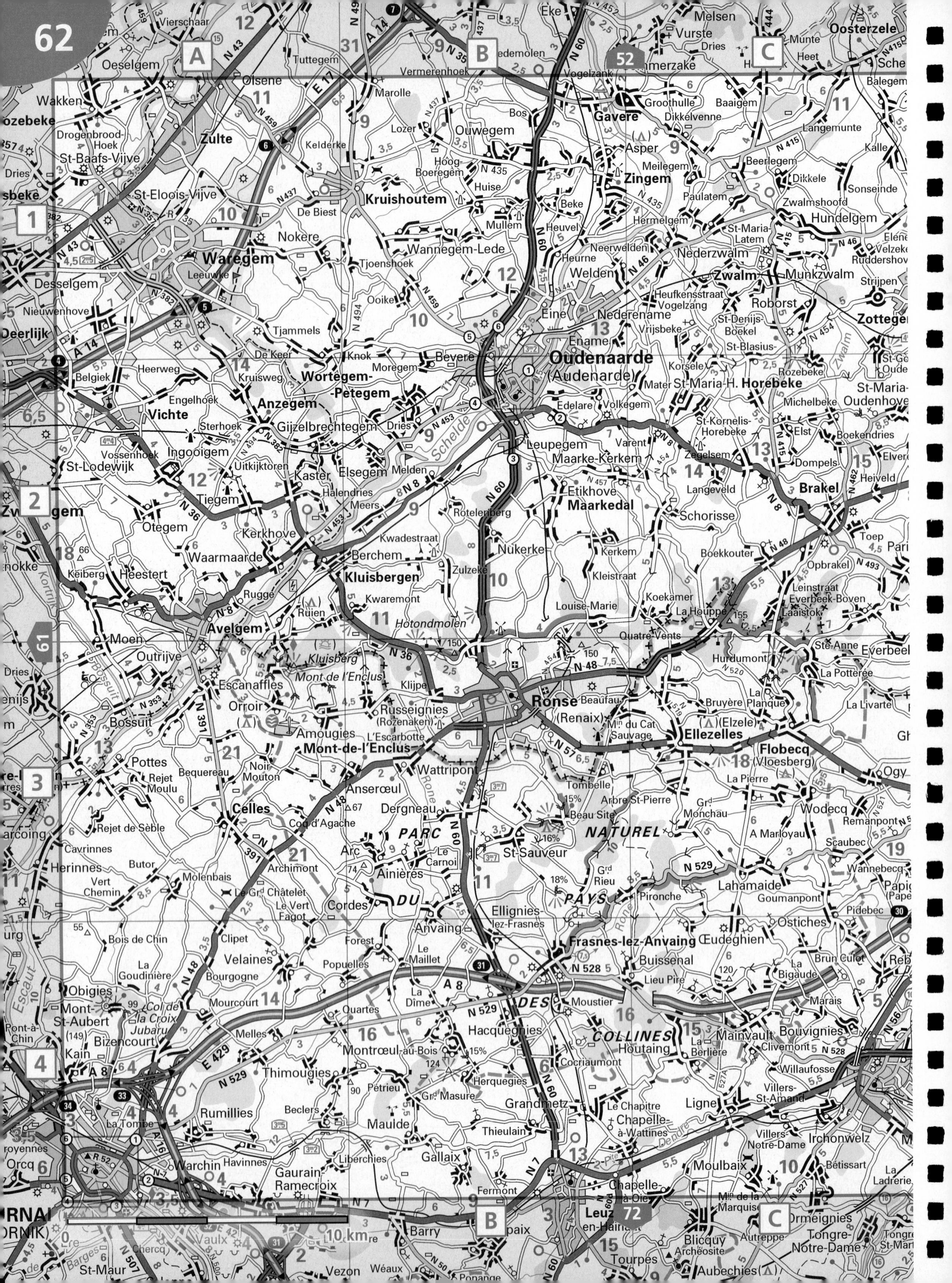
Vierschaar
Oeselgem
Tuttegem
Vermerenhoek
Eke
Melsen
Vurste
Dries
Oosterzele
Munte
Heet
Vogelzank
Olsene
Marolle
Wakken
Zulte
Drogenbrood-Hoek
St-Baafs-Vijve
Kelderke
Lozer
Ouwegem
Bos
Gavere
Groothulle
Baaigem
Dikkelvenne
Balegem
Langemunte
Asper
Meilegem
Zingem
Beerlegem
Dikkele
Kalle
Sonseinde
Hoog-Boeregem
Huise
Kruishoutem
St-Eloois-Vijve
De Biest
Beke
Paulatem
Zwalmshoofd
Hundelgem
Mullem
Heuvel
Hermelgem
St-Maria-Latem
Nokere
Wannegem-Lede
Neerwelden
Nederzwalm
Elene
Velzeke
Ruddershove
Waregem
Leeuwke
Tjoenshoek
Heurne
Welden
Zwalm
Munkzwalm
Desselgem
Ooike
Heufkensstraat
Vogelzang
Roborst
Strijpen
Nieuwenhove
Deerlijk
Tjammels
Eine
Nederename
Vrijsbeke
St-Denijs-Boekel
Zottegem
Ename
St-Blasius-Boekel
De Keer
Knok
Bevere
Oudenaarde
(Audenarde)
Korsele
Mater
St-Maria-H.
Horebeke
Rozebeke
Heerweg
Kruisweg
Moregem
Belgiek
Wortegem-Petegem
Michelbeke
St-Maria-Oudenhove
Engelhoek
Anzegem
Edelare
Volkegem
Vichte
Sterhoek
Gijzelbrechtegem
Dries
St-Kornelis-Horebeke
Elst
Boekendries
Vossenhoek
Ingooigem
Scheldе
Leupegem
Varent
Zegelsem
St-Lodewijk
Uitkijktoren
Kaster
Elsegem
Melden
Maarke-Kerkem
Dompels
Elverd
Halendries
Etikhove
Langeveld
Heiveld
Tiegem
Meers
Maarkedal
Brakel
Otegem
Rotelenberg
Schorisse
Kerkhove
Kwadestraat
Toep
Nukerke
Kerkem
Boekkouter
Waarmaarde
Berchem
Opbrakel
Keiberg
Heestert
Kluisbergen
Zulzeke
Kleistraat
Leinstraat
Everbeek-Boven
Rugge
Kwaremont
Koekamer
Laaistok
Louise-Marie
La Houppe
Ruien
Hotondmolen
Avelgem
Quatre-Vents
Moen
Kluisberg
Mont de l'Enclus
Hurdumont
Ste-Anne
Everbeek
Outrijve
La Potterée
Dries
Escanaffles
Klijpe
Ronse
(Renaix)
Beaufau
Bruyère
La Planque
La Livarte
Orroir
Russeignies
(Rozenaken)
Mln du Cat Sauvage
(Elzele)
Bossuit
Amougies
L'Escarbotte
Ellezelles
Flobecq
(Vloesberg)
Mont-de-l'Enclus
Pottes
Rejet Moulu
Bequereau
Noir Mouton
Wattripont
Tombelle
La Pierre
Ogy
Anserœul
Arbre St-Pierre
Grd Monchau
Wodecq
Celles
Dergneau
Beau Site
Remanpont
Rejet de Sèble
Coq d'Agache
PARC
NATUREL
A Marloyau
Scaubec
Cavrinnes
Herinnes
Butor
Arc
Le Carnoi
St-Sauveur
Archimont
Wannebecq
Vert Chemin
Molenbais
Ainières
Grd Rieu
Lahamaide
Le Grd Châtelet
Le Vert Fagot
Cordes
DU
PAYS
Pironche
Goumanpont
Pidebec
Ellignies lez-Frasnes
Anvaing
Ostiches
Bois de Chin
Clipet
Forest
Frasnes-lez-Anvaing
Œudeghien
Le Maillet
Buissenal
Brun Culot
Velaines
Popuelles
La Goudinière
Bourgogne
Lieu Pire
La Bigaude
Obigies
Mont-St-Aubert
Col de la Croix Jubaru
Mourcourt
Quartes
La Dîme
DES
Moustier
Marais
Pont-à-Chin
Bizencourt
Melles
Hacquegnies
COLLINES
Houtaing
La Berlière
Mainvault
Bouvignies
Clivemont
Kain
Montrœul-au-Bois
Cocriaumont
Willaufosse
Thimougies
Herquegies
Villers-St-Amand
Pétrieu
Grd Masure
Rumillies
Beclers
Grandmetz
Le Chapitre
Chapelle-à-Wattines
Ligne
La Tombe
Maulde
Thieulain
Villers-Notre-Dame
Irchonwelz
Orcq
Warchin
Havinnes
Liberchies
Gallaix
Dendre
Moulbaix
Bétissart
Gaurain-Ramecroix
Fermont
Chapelle-à-Oie
Mln de la Marquise
Ladrerie
Leuze-en-Hainaut
Ormeignies
Barry
Blicquy
Autreppe
Tongre-Notre-Dame
Tongre-St-Martin
Vaulx
Chercq
Vezon
Wéaux
Ponange
Tourpes
Archéosite
Aubechies
St-Maur
Barges
10 km

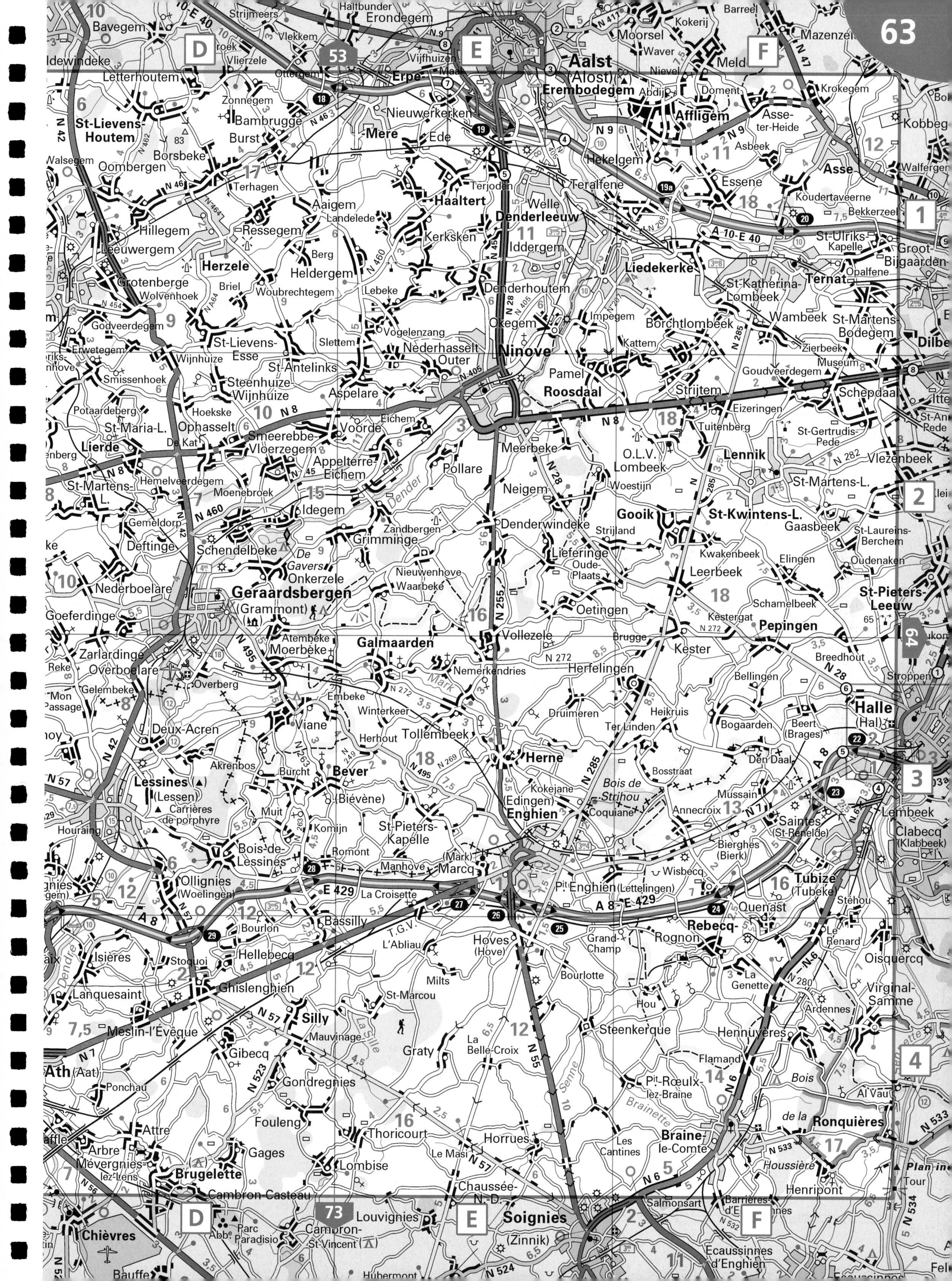
D
E
F
53
73
64
Bavegem
Strijmeers
Haltbunder
Erondegem
Vlekkem
Vlierzele
Ottergem
Erpe
Vijfhuizen
Aalst
(Alost)
Moorsel
Kokerij
Barreel
Mazenzele
Waver
Meldert
Nievel
Erembodegem
Abdij
Doment
Krokegem
Ldewindeke
Letterhoutem
Zonnegem
Bambrugge
Nieuwerkerken
Affligem
Asse-
ter-Heide
Kobbegem
St-Lievens-
Houtem
Burst
Mere
Ede
Hekelgem
Asbeek
Asse
Walsegem
Oombergen
Borsbeke
Terhagen
Terjoden
Teralfene
Essene
Walfergem
Koudertaveerne
Bekkerzeel
Aaigem
Landelede
Haaltert
Welle
Denderleeuw
Hillegem
Ressegem
Kerksken
Iddergem
Liedekerke
St-Ulriks-
Kapelle
Groot-
Bijgaarden
Leeuwergem
Berg
Heldergem
Herzele
Lebeke
Ternat
Opalfene
Grotenberge
Wolvenhoek
Briel
Woubrechtegem
Denderhoutem
St-Katherina-
Lombeek
Godveerdegem
Vogelenzang
Okegem
Impegem
Borchtlombeek
Wambeek
St-Martens-
Bodegem
Erwetegem
Slettem
St-Lievens-
Esse
Nederhasselt
Outer
Ninove
Kattem
Zierbeek
Dilbeek
Smissenhoek
Wijnhuize
St-Antelinks
Pamel
Goudveerdegem
Museum
Steenhuize-
Wijnhuize
Aspelare
Roosdaal
Strijtem
Schepdaal
Potaardeberg
Hoekske
Eizeringen
St-Maria-L.
Ophasselt
Smeerebbe-
Vloerzegem
Voorde
Eichem
Tuitenberg
St-Gertrudis-
Pede
Lierde
De Kat
Meerbeke
O.L.V.
Lombeek
Lennik
Vlezenbeek
St-Martens-
L.
Hemelveerdegem
Appelterre-
Eichem
Pollare
Woestijn
St-Martens-L.
Moenebroek
Neigem
Dender
Idegem
Gooik
St-Kwintens-L.
Gaasbeek
Gemeldorp
Zandbergen
Denderwindeke
Strijland
St-Laureins-
Berchem
Deftinge
Schendelbeke
Grimminge
Lieferinge
Oude-
Plaats
Kwakenbeek
Elingen
Oudenaken
De
Gavers
Onkerzele
Nieuwenhove
Leerbeek
St-Pieters-
Leeuw
Nederboelare
Geraardsbergen
(Grammont)
Waarbeke
Oetingen
Schamelbeek
Goeferdinge
Kestergat
Pepingen
Zarlardinge
Atembeke
Moerbeke
Galmaarden
Vollezele
Brugge
Kester
Breedhout
Overboelare
Overberg
Nemerkendries
Herfelingen
Bellingen
Stroppen
Gelembeke
Mon
Passage
Embeke
Mark
Winterkeer
Druimeren
Heikruis
Halle
(Hal)
Deux-Acren
Viane
Herhout
Tollembeek
Ter Linden
Bogaarden
Beert
(Brages)
Akrenbos
Burcht
Bever
Herne
Bosstraat
Den Daal
Lessines
(Lessen)
Carrières
de porphyre
(Biévène)
Kokejane
Bois de
Strihou
Mussain
(Edingen)
Enghien
Coquiane
Annecroix
Saintes
(St-Renelde)
Lembeek
Houraing
Muit
Komijn
St-Pieters-
Kapelle
Clabecq
(Klabbeek)
Bois-de-
Lessines
Romont
Bierghes
(Bierk)
Ollignies
(Woelingen)
(Mark)
Manhove
Marcq
Wisbecq
Pt Enghien (Lettelingen)
Tubize
(Tubeke)
La Croisette
E 429
A 8
Quenast
Stéhou
Bourlon
Bassilly
Rebecq-
Le
Renard
T.G.V.
Hoves
(Hove)
Grand-
Champ
Rognon
Isières
Stoquoi
Hellebecq
L'Abliau
Oisquercq
La
Genette
Bourlotte
Ghislenghien
Milts
Virginal-
Samme
Lanquesaint
St-Marcou
Hou
Ardennes
Meslin-l'Évêque
Silly
Steenkerque
Mauvinage
La Sille
Hennuyères
La
Belle-Croix
Gibecq
Graty
Flamand
Ath (Aat)
Gondregnies
Pt-Rœulx-
lez-Braine
Bois
Al Vau
Ponchau
Senne
Brainette
Fouleng
Thoricourt
de la Ronquières
Attre
Horrues
Les
Cantines
Braine-
le-Comte
Arbre
Le Masi
Houssière
Mévergnies-
lez-Lens
Gages
Lombise
Henripont
Plan in
Tour
Brugelette
Chaussée-
N.-D.
Cambron-Casteau
Salmonsart
Barrières
d'E
Louvignies
Soignies
(Zinnik)
Parc
Paradisio
Abbe
Cambron-
St-Vincent
Chièvres
Ecaussinnes
d'Enghien
Bauffe
Hubermont
Feluy

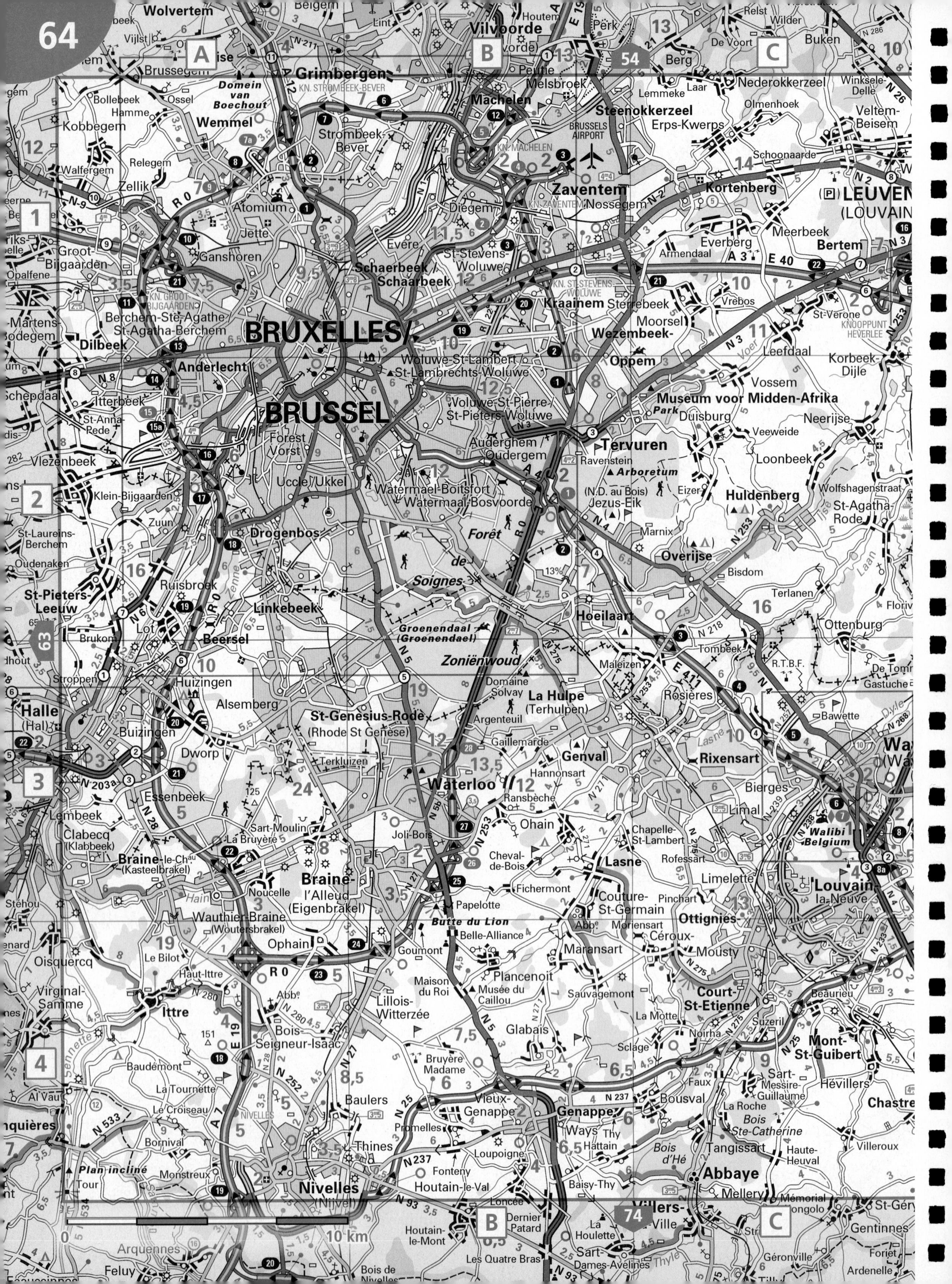
A
B
C
1
2
3
4
54
63
74
Wolvertem
Vilvoorde
Grimbergen
Brussegem
Domein van Boechout
Bollebeek
Hamme
Ossel
Kobbegem
Wemmel
Strombeek-Bever
Machelen
Melsbroek
Peutie
Perk
Steenokkerzeel
Brussels Airport
Relst
Wilder
De Voort
Buken
Berg
Lemmeke
Laar
Nederokkerzeel
Winksele-Delle
Olmenhoek
Erps-Kwerps
Veltem-Beisem
Relegem
Walfergem
Zellik
Atomium
Diegem
Zaventem
Nossegem
Kortenberg
Schoonaarde
LEUVEN
(LOUVAIN)
Jette
Ganshoren
Groot-Bijgaarden
Opalfene
Evere
Schaerbeek / Schaarbeek
St-Stevens-Woluwe
Everberg
Armendaal
Meerbeek
Bertem
Kraainem
Sterrebeek
Vrebos
St-Verone
Berchem-Ste-Agathe / St-Agatha-Berchem
St-Martens-Bodegem
Dilbeek
BRUXELLES /
BRUSSEL
Woluwe-St-Lambert / St-Lambrechts-Woluwe
Wezembeek-Oppem
Moorsel
Leefdaal
Korbeek-Dijle
Anderlecht
Itterbeek
Schepdaal
St-Anna-Pede
Vossem
Museum voor Midden-Afrika
Park
Duisburg
Neerijse
Woluwe-St-Pierre / St-Pieters-Woluwe
Forest
Vorst
Auderghem / Oudergem
Tervuren
Ravenstein
Arboretum
Veeweide
Loonbeek
Vlezenbeek
Klein-Bijgaarden
Uccle / Ukkel
Watermael-Boitsfort / Watermaal-Bosvoorde
(N.D. au Bois)
Jezus-Eik
Eizer
Huldenberg
Wolfshagenstraat
St-Agatha-Rode
Zuun
Drogenbos
Forêt
de
Soignes
Marnix
Overijse
St-Laureins-Berchem
Oudenaken
Ruisbroek
Bisdom
St-Pieters-Leeuw
Linkebeek
Terlanen
Hoeilaart
Ottenburg
Brukom
Lot
Beersel
Groenendaal
(Groenendael)
Zoniënwoud
Tombeek
R.T.B.F.
Stroppen
Huizingen
Maleizen
De Tomme
Gastuche
Halle
(Hal)
Alsemberg
Domaine Solvay
La Hulpe
(Terhulpen)
Rosières
Bawette
Buizingen
St-Genesius-Rode
(Rhode St Genèse)
Argenteuil
Gaillemarde
Dworp
Genval
Rixensart
Terkluizen
Hannonsart
Waterloo
Bierges
Essenbeek
Ransbèche
Limal
Lembeek
Sart-Moulin
Ohain
Chapelle-St-Lambert
Walibi Belgium
Clabecq
(Klabbeek)
La Bruyère
Joli-Bois
Braine-le-Château
(Kasteelbrakel)
Cheval-de-Bois
Lasne
Rofessart
Limelette
Louvain-la-Neuve
Noucelle
Braine-l'Alleud
(Eigenbrakel)
Fichermont
Papelotte
Couture-St-Germain
Pinchart
Ottignies
Wauthier-Braine
(Woutersbrakel)
Butte du Lion
Belle-Alliance
Moriensart
Céroux-Mousty
Ophain
Goumont
Maransart
Le Bilot
Oisquercq
Plancenoit
Haut-Ittre
Maison du Roi
Musée du Caillou
Sauvagemont
Court-St-Etienne
Beaurieu
Virginal-Samme
Ittre
Lillois-Witterzée
La Motte
Suzeril
Bois-Seigneur-Isaac
Glabais
Noirha
Mont-St-Guibert
Sclage
Baudémont
Bruyère Madame
La Tournette
Vieux-Genappe
Genappe
Sart-Messire-Guillaume
Hévillers
Al Vaux
Baulers
Bousval
Faux
Chastre
Le Croiseau
Ways
Thy
La Roche
Bois Ste-Catherine
Bornival
Promelles
Hattain
Tangissart
Haute-Heuval
Villeroux
Thines
Loupoigne
Bois d'Hé
Plan incliné
Tour
Monstreux
Nivelles
(Nijvel)
Fonteny
Houtain-le-Val
Baisy-Thy
Abbaye
Mellery
Mémorial Kongolo
St-Géry
Gentinnes
Loncée
Dernier Patard
Villers-la-Ville
La Houlette
Houtain-le-Mont
Arquennes
Les Quatre Bras
Sart-Dames-Avelines
Géronville
Feluy
Bois de Nivelles
Ardenelle
Thyle
Dyle
Lasne
Senne
Zenne
Hain
Voer
Ijse
Laan
Sennette
10 km
0
5

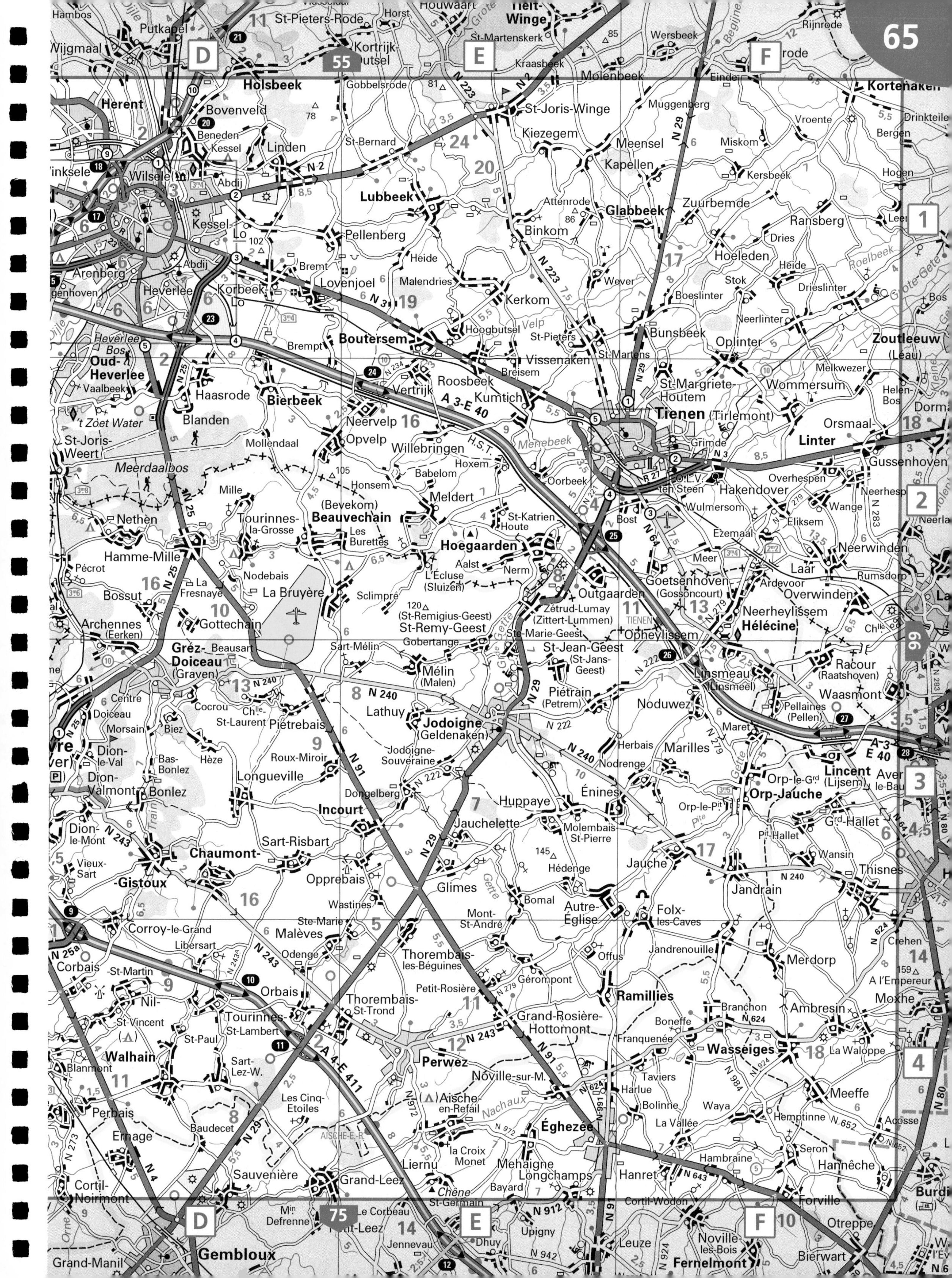
Hambos
Putkapel
St-Pieters-Rode
Horst
Houwaart
Tielt-Winge
Rijnrode
Wijgmaal
Kortrijk-Dutsel
St-Martenskerk
Wersbeek
Kraasbeek
Molenbeek
Holsbeek
Gobbelsrode
St-Joris-Winge
Muggenberg
Kortenaken
Herent
Bovenveld
Kiezegem
Vroente
Drinkteile
Beneden
Kessel
Linden
St-Bernard
Meensel
Miskom
Bergen
Wilsele
Abdij
Kapellen
Kersbeek
Hogen
Lubbeek
Attenrode
Glabbeek
Zuurbemde
Ransberg
Kessel-Lo
Pellenberg
Binkom
Dries
Arenberg
Heverlee
Bremt
Heide
Hoeleden
Lovenjoel
Malendries
Wever
Stok
Drieslinter
Korbeek-Lo
Kerkom
Boeslinter
Bos
Heverlee Bos
Boutersem
Hoogbutsel
Velp
St-Pieters
Bunsbeek
Neerlinter
Brempt
Oplinter
Zoutleeuw
(Léau)
Oud-Heverlee
Vissenaken
St-Martens
Melkwezer
Vaalbeek
Haasrode
Bierbeek
Vertrijk
Roosbeek
Breisem
St-Margriete-Houtem
Wommersum
Helen-Bos
Kumtich
A 3-E 40
Tienen (Tirlemont)
Orsmaal-
't Zoet Water
Blanden
Neervelp
Linter
St-Joris-Weert
Mollendaal
Opvelp
Willebringen
H.S.T.
Merebeek
Grimde
Gussenhoven
Meerdaalbos
Hoxem
Babelom
Oorbeek
O.L.V.-ten Steen
Overhespen
Honsem
Meldert
Hakendover
Neerhesp
Mille
(Bevekom)
Beauvechain
St-Katrien Houte
Bost
Wulmersom
Wange
Nethen
Tourinnes-la-Grosse
Les Burettes
Hoegaarden
Eliksem
Neerla
Ezemaal
Hamme-Mille
Aalst
Meer
Neerwinden
Pécrot
Nodebais
L'Écluse
(Sluizen)
Nerm
Laar
Rumsdorp
La Fresnaye
La Bruyère
Outgaarden
Goetsenhoven
(Gossoncourt)
Ardevoor
Bossut
Sclimpré
Overwinden
Zétrud-Lumay
(Zittert-Lummen)
Neerheylissem
Gottechain
(St-Remigius-Geest)
St-Remy-Geest
Hélécine
Archennes
(Eerken)
Opheylissem
Grez-Doiceau
(Graven)
Beausart
Sart-Mélin
Gobertange
Ste-Marie-Geest
St-Jean-Geest
(St-Jans-Geest)
Racour
(Raatshoven)
Linsmeau
(Linsmeel)
Mélin
(Malen)
Waasmont
Centre
Doiceau
Cocrou
Chlle-St-Laurent
Lathuy
Piétrain
(Petrem)
Noduwez
Pellaines
(Pellen)
Morsain
Biez
Piétrebais
Jodoigne
(Geldenaken)
Maret
Herbais
Marilles
Dion-le-Val
Hèze
Bas-Bonlez
Roux-Miroir
Jodoigne-Souveraine
Nodrenge
Lincent
(Lijsem)
Dion-Valmont
Bonlez
Longueville
Dongelberg
Orp-le-Grd
Orp-Jauche
Huppaye
Énines
Orp-le-Pit
Incourt
Jauchelette
Molembais-St-Pierre
Grd-Hallet
Pt-Hallet
Dion-le-Mont
Sart-Risbart
Chaumont-Gistoux
Hédenge
Jauche
Wansin
Thisnes
Vieux-Sart
Opprebais
Glimes
Jandrain
Bomal
Autre-Église
Folx-les-Caves
Wastines
Mont-St-André
Corroy-le-Grand
Ste-Marie
Malèves
Crehen
Libersart
Odenge
Thorembais-les-Béguines
Offus
Jandrenouille
Merdorp
Corbais
St-Martin
Gérompont
A l'Empereur
Orbais
Petit-Rosière
Ramillies
Moxhe
Nil-St-Vincent
Thorembais-St-Trond
Branchon
Ambresin
Tourinnes-St-Lambert
Grand-Rosière-Hottomont
Boneffe
St-Paul
Franquenée
Wasseiges
La Waloppe
Walhain
Sart-Lez-W.
Perwez
Blanmont
A 4-E 411
Noville-sur-M.
Taviers
Harlue
Meeffe
Perbais
Les Cinq-Etoiles
Aische-en-Refail
Nachaux
Bolinne
Waya
Hemptinne
Acosse
Ernage
Baudecet
AISCHE-E-R.
Éghezée
La Vallée
Seron
Liernu
la Croix Monet
Mehaigne
Hambraine
Hannêche
Sauvenière
Grand-Leez
Longchamps
Hanret
Cortil-Noirmont
Chêne
Bayard
Forville
Burdi
St-Germain
Cortil-Wodon
Mn Defrenne
Le Corbeau
Petit-Leez
Upigny
Otreppe
Jennevau
Dhuy
Leuze
Noville-les-Bois
Gembloux
Fernelmont
Bierwart
Grand-Manil

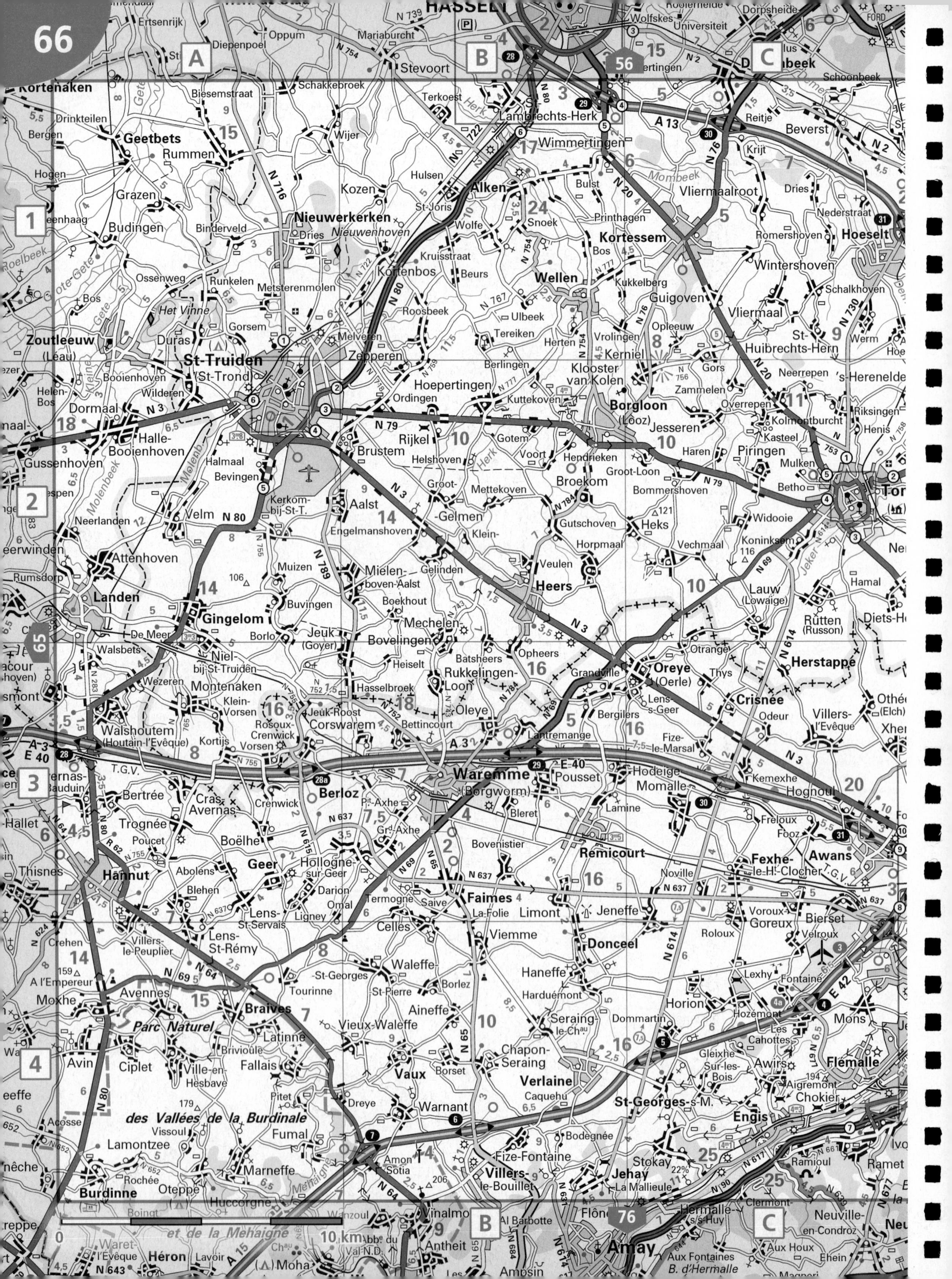
Hasselt
Ertsenrijk
Oppum
Diepenpoel
Mariaburcht
Stevoort
Wolfskes
Universiteit
Dorpsheide
Schoonbeek
Kortenaken
Biesemstraat
Schakkebroek
Terkoest
St-Lambrechts-Herk
Wimmertingen
A 13
Reitje
Beverst
Drinkteilen
Bergen
Geetbets
Rummen
Wijer
Hogen
Grazen
Kozen
Hulsen
Alken
Bulst
Mombeek
Vliermaalroot
Dries
St-Joris
Budingen
Binderveld
Nieuwerkerken
Nieuwenhoven
Wolfe
Snoek
Printhagen
Kortessem
Nederstraat
Romershoven
Hoeselt
Kruisstraat
Beurs
Bos
Kortenbos
Wellen
Kukkelberg
Wintershoven
Ossenweg
Runkelen
Metsterenmolen
Guigoven
Schalkhoven
Bos
Het Vinne
Roosbeek
Ulbeek
Vliermaal
Gorsem
Melveren
Tereiken
Herten
Vrolingen
Opleeuw
Zoutleeuw
(Léau)
Duras
Zepperen
Kerniel
St-Huibrechts-Hern
Werm
St-Truiden
(St-Trond)
Berlingen
Klooster van Kolen
Gors
Booienhoven
Wilderen
Hoepertingen
Zammelen
Neerrepen
's-Herenelderen
Helen-Bos
Ordingen
Kuttekoven
Borgloon
(Looz)
Overrepen
Kolmontburcht
Riksingen
Dormaal
Halle-Booienhoven
Brustem
Rijkel
Gotem
Jesseren
Kasteel
Henis
Gussenhoven
Halmaal
Helshoven
Voort
Hendrieken
Haren
Piringen
Mulken
Bevingen
Broekom
Groot-Loon
Bommershoven
Betho
Tongeren
Kerkom-bij-St-T.
Aalst
Groot-Gelmen
Mettekoven
Neerlanden
Velm
Engelmanshoven
Klein-Gelmen
Gutschoven
Heks
Widooie
Horpmaal
Vechmaal
Koninksem
Attenhoven
Muizen
Mielen-boven-Aalst
Gelinden
Veulen
Rumsdorp
Landen
Heers
Lauw
(Lowaige)
Hamal
Gingelom
Buvingen
Boekhout
Mechelen
Jeuk
(Goyer)
Bovelingen
Rutten
(Russon)
Diets-Heur
De Meer
Borlo
Walsbets
Niel-bij-St-Truiden
Heiselt
Batsheers
Opheers
Rukkelingen-Loon
Otrange
Grandville
Oreye
(Oerle)
Thys
Herstappe
Wezeren
Montenaken
Hasselbroek
Crisnée
Klein-Vorsen
Jeuk-Roost
Corswarem
Bettincourt
Oleye
Lens-s-Geer
Bergilers
Odeur
Villers-l'Evêque
Othée
(Elch)
Walshoutem
(Houtain-l'Evêque)
Rosoux-Crenwick
Kortijs
Vorsen
Lantremange
Fize-le-Marsal
A 3
E 40
T.G.V.
Waremme
(Borgworm)
Pousset
Hodeige
Momalle
Kemexhe
Hognoul
Bertrée
Cras-Avernas
Crenwick
Berloz
Pt-Axhe
Bleret
Lamine
Freloux
Fooz
Trognée
Poucet
Boëlhe
Grd-Axhe
Bovenistier
Remicourt
Awans
Fexhe-le-Ht-Clocher
Thisnes
Hannut
Abolens
Geer
Hollogne-sur-Geer
Darion
Omal
Noville
Blehen
Termogne
Saive
Faimes
La Folie
Limont
Jeneffe
Voroux-Goreux
Bierset
Velroux
Lens-St-Servais
Ligney
Celles
Viemme
Roloux
Crehen
Villers-le-Peuplier
Lens-St-Rémy
Donceel
Waleffe-St-Georges
Haneffe
Lexhy
Fontaine
A l'Empereur
Moxhe
Avennes
Tourinne
St-Pierre
Borlez
Harduémont
E 42
Braives
Aineffe
Horion
Hozémont
Parc Naturel
Vieux-Waleffe
Seraing-le-Chau
Dommartin
Mons
Latinne
Les Cahottes
Avin
Ciplet
Briviouile
Fallais
Chapon-Seraing
Gleixhe
Awirs
Flémalle
Ville-en-Hesbaye
Vaux
Borset
Verlaine
Sur-les-Bois
Aigremont
Chokier
Pitet
Dreye
Warnant
Caquehu
St-Georges-s-M.
Engis
Acosse
des Vallées de la Burdinale
Vissoul
Fumal
Bodegnée
Ivoz
Lamontzee
Stokay
Ramioul
Ramet
Marneffe
Amon
Sotia
Fize-Fontaine
Jehay
Burdinne
Rochée
Oteppe
Villers-le-Bouillet
La Mallieule
Huccorgne
Flône
Clermont
Neuville-en-Condroz
Vinalmont
Al Barbotte
Hermalle-s-Huy
et de la Mehaigne
Wanzoul
Waret-l'Evêque
Héron
Lavoir
Moha
Antheit
Abbe du Val N.D.
Amay
Aux Fontaines
B. d'Hermalle
Aux Houx
Ehein
Ampsin
0
10 km

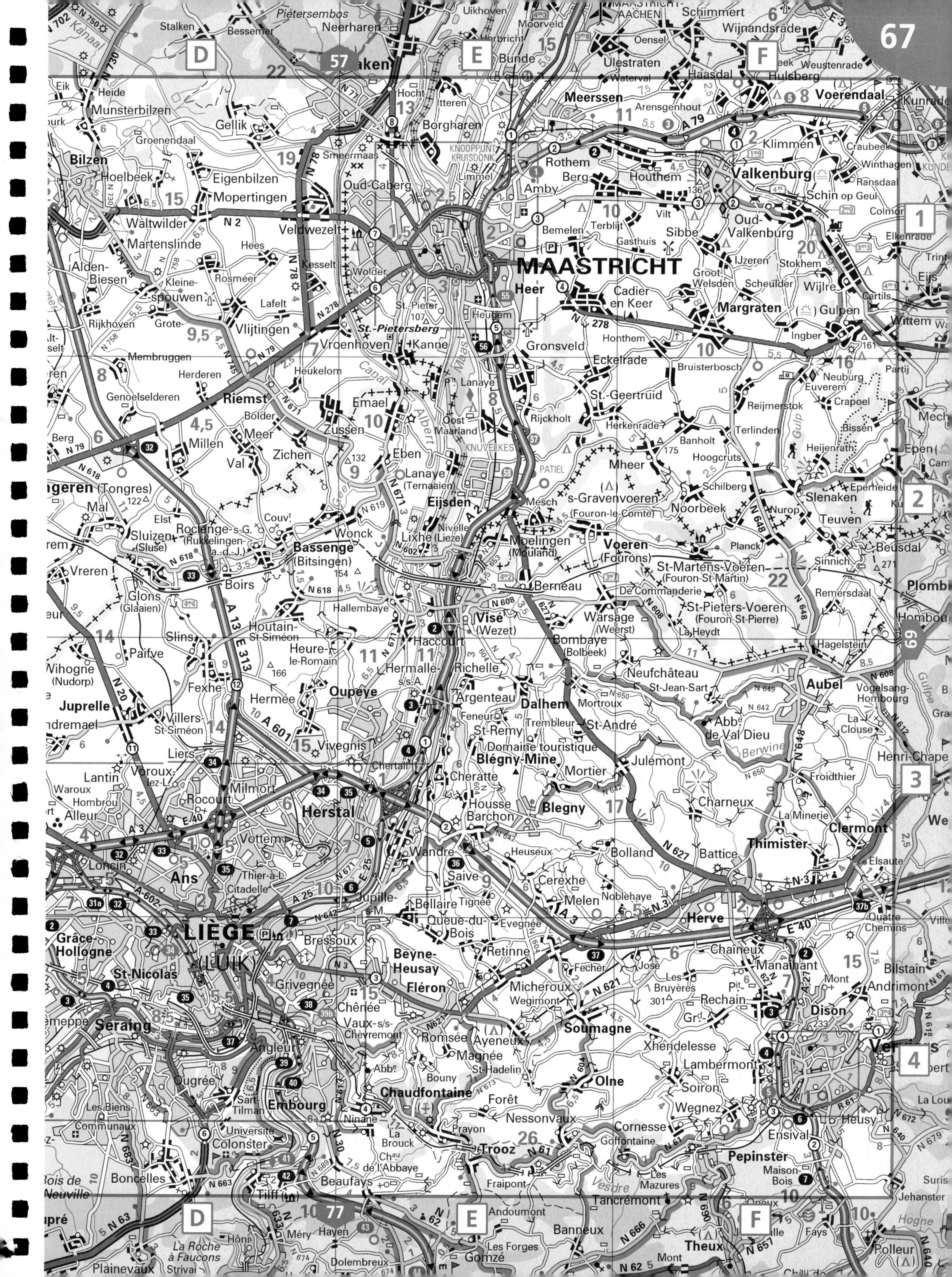
D
E
F
1
2
3
4
Neerharen
Uikhoven
Moorveld
Schimmert
Wijnandsrade
Stalken
Bessemer
Pietersembos
Bunde
Ulestraten
Hulsberg
Weustenrade
Waterval
Haasdal
Meerssen
Voerendaal
Heide
Hocht
Itteren
Munsterbilzen
Arensgenhout
Gellik
Borgharen
Klimmen
Groenendaal
Craubeek
Bilzen
Smeermaas
Knooppunt Kruisdonk
Rothem
Berg
Houthem
Valkenburg
Winthagen
Hoelbeek
Eigenbilzen
Limmel
Ransdaal
Mopertingen
Oud-Caberg
Amby
Schin op Geul
Colmont
Waltwilder
Veldwezelt
Bemelen
Terblijt
Vilt
Sibbe
Oud-Valkenburg
Martenslinde
Hees
Gasthuis
Elkenrade
Alden-Biesen
Kesselt
Wolder
Maastricht
IJzeren
Stokhem
Kleine-spouwen
Rosmeer
Heer
Cadier en Keer
Groot-Welsden
Scheulder
Wijlre
Eys
Cartils
Lafelt
St.-Pieter
Heugem
Margraten
Gulpen
Rijkhoven
Grote-
Vlijtingen
St.-Pietersberg
Honthem
Wittem
Vroenhoven
Kanne
Gronsveld
Ingber
Membruggen
Eckelrade
Bruisterbosch
Neubourg
Partij
Herderen
Heukelom
Canal Albert
Lanaye
Euverem
Crapoel
Genoelselderen
Riemst
St.-Geertruid
Bolder
Emael
Reijmerstok
Rijckholt
Herkenrade
Terlinden
Bissen
Berg
Meer
Zussen
Oost Maarland
Banholt
Millen
Heijenrath
Epen
Val
Zichen
Eben
Knuvelkes
Hoogcruts
Mheer
Patiel
Lanaye (Ternaaien)
Tongeren (Tongres)
Mal
Eijsden
Mesch
's-Gravenvoeren
Schilberg
Slenaken
Eperheide
Elst
Couvi
Sluizen (Sluse)
Roclenge-s-G. (Rukkelingen-a.-d.-J.)
Wonck
Nivelle
Lixhe (Lieze)
Moelingen (Mouland)
Fouron-le-Comte
Noorbeek
Nurop
Teuven
Bassenge (Bitsingen)
Voeren (Fourons)
Planck
Beusdal
Vreren
Glons (Glaaien)
Boirs
Hallembaye
St-Martens-Voeren (Fouron-St-Martin)
Sinnich
Berneau
De Commanderie
Remersdaal
Houtain-St-Siméon
Visé (Wezet)
Warsage (Weerst)
St-Pieters-Voeren (Fouron-St-Pierre)
Slins
Haccourt
La Heydt
Paifve
Heure-le-Romain
Bombaye (Bolbeek)
Hagelstein
Wihogne (Nudorp)
Hermalle-s/s-A.
Richelle
Neufchâteau
Juprelle
Fexhe
Oupeye
St-Jean-Sart
Aubel
Vogelsang-Hombourg
Argenteau
Dalhem
Mortroux
Villers-St-Siméon
Hermée
Feneur
Trembleur
St-André
Abbaye de Val Dieu
La Clouse
St-Remy
Domaine touristique
Vivegnis
Blégny-Mine
Julémont
Berwine
Liers
Mortier
Henri-Chapelle
Lantin
Voroux-lez-L.
Cheratte
Froidthier
Milmort
Waroux
Hombroux
Herstal
Housse
Barchon
Blegny
Charneux
Alleur
Rocourt
La Minerie
Clermont
Vottem
Thimister-
Wandre
Heuseux
Bolland
Battice
Loncin
Ans
Thier-à-L.
Saive
Citadelle
Cerexhe
Elsaute
Jupille-s-M.
Melen
Noblehaye
Bellaire
Tignée
Herve
Grâce-Hollogne
Liège (Luik)
Queue-du-Bois
Evegnée
Quatre Chemins
Bressoux
Retinne
Chaineux
Beyne-Heusay
Fécher
José
Manaihant
Bilstain
St-Nicolas
Grivegnée
Fléron
Les Bruyères
Mont
Andrimont
Chênée
Micheroux
Wegimont
Rechain
Dison
Seraing
Vaux-s/s-Chèvremont
Romsée
Ayeneux
Soumagne
Grand-Rechain
Verviers
Angleur
Magnée
Xhendelesse
Lambermont
Ougrée
Abbaye
St-Hadelin
Olne
Bouny
Chaudfontaine
Soiron
Les Biens-Communaux
Sart-Tilman
Embourg
Forêt
Wegnez
Heusy
Ninane
Nessonvaux
Cornesse
Ensival
Université
Colonster
La Brouck
Prayon
Goffontaine
Boncelles
Trooz
Pepinster
Bois de Neuville
Chaudfontaine de l'Abbaye
Beaufays
Maison-Bois
Fraipont
Les Mazures
Tilff
Vesdre
Tancrémont
Jehanster
Andoumont
Hogne
Banneux
Theux
Fays
Méry
Hayen
Hôni
La Roche à Faucons
Les Forges
Polleur
Plainevaux
Strivai
Dolembreux
Gomzé
Mont
Juslenville

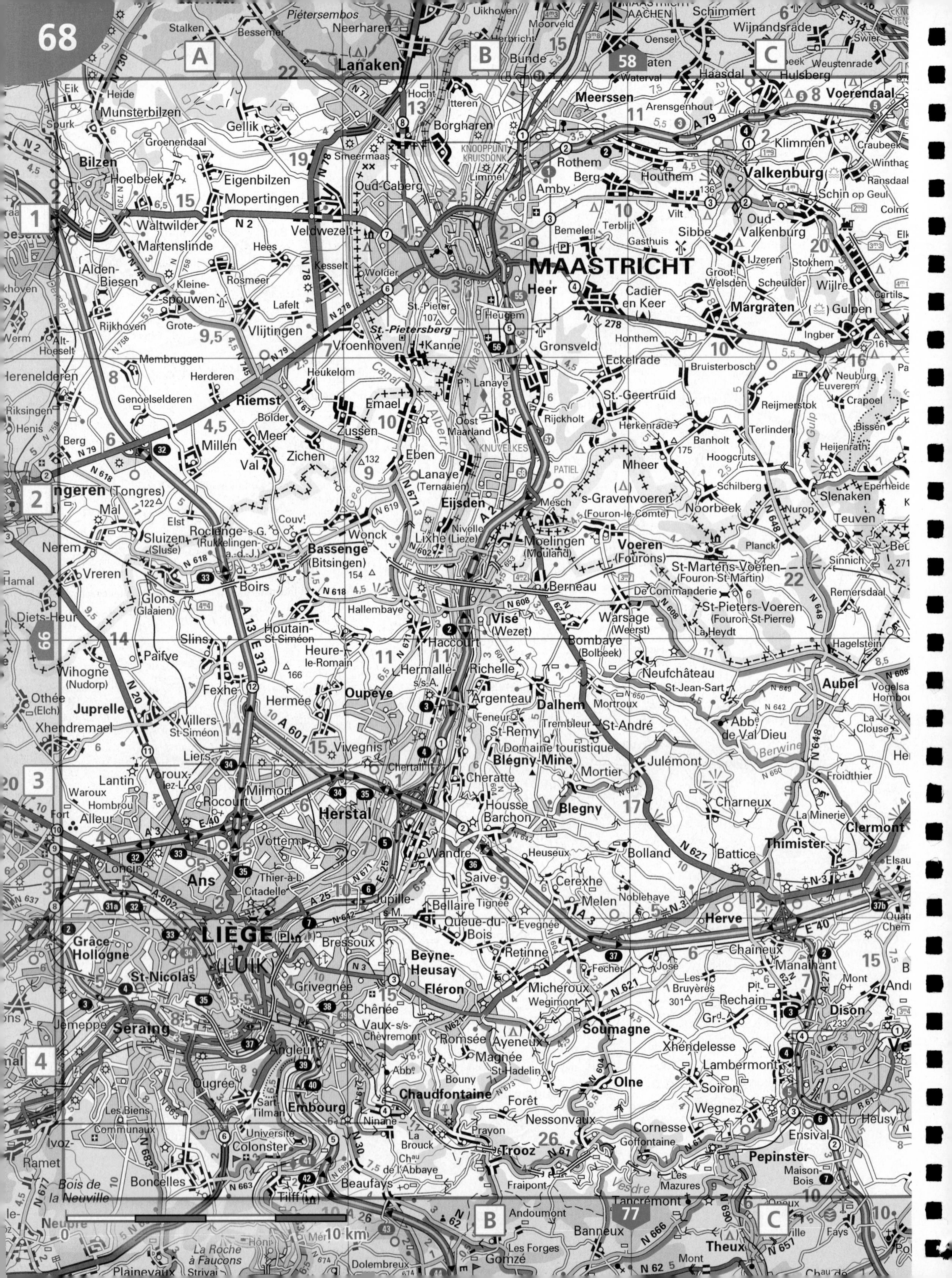
A
B
C
1
2
3
4
Pietersembos
Stalken
Bessemer
Neerharen
Lanaken
Uikhoven
Moorveld
Herbricht
Bunde
MAASTRICHT AACHEN
Schimmert
Wijnandsrade
Oensel
Haasdal
Hulsberg
Weustenrade
Swier
58
Waterval
Meerssen
Arensgenhout
Voerendaal
Klimmen
Craubeek
Winthag
Ransdaal
Eik
Heide
Munsterbilzen
Spurk
Gellik
Hocht
Itteren
Borgharen
Groenendaal
Smeermaas
KNOOPPUNT KRUISDONK
Limmel
Rothem
Berg
Houthem
Valkenburg
Bilzen
Hoelbeek
Eigenbilzen
Mopertingen
Oud-Caberg
Amby
Schin op Geul
Colmo
Waltwilder
N 2
Veldwezelt
Bemelen
Terblijt
Vilt
Gasthuis
Sibbe
Oud-Valkenburg
Martenslinde
Hees
Alden-Biesen
Rosmeer
Kesselt
Wolder
MAASTRICHT
Heer
IJzeren
Stokhem
Kleine-Spouwen
Groot-Welsden
Scheulder
Wijlre
Lafelt
St.-Pieter
Cadier en Keer
Margraten
Gulpen
Rijkhoven
Grote-Spouwen
Vlijtingen
St.-Pietersberg
Heugem
Cartils
Werm
Alt-Hoeselt
Vroenhoven
Kanne
Gronsveld
Honthem
Ingber
Membruggen
Eckelrade
Bruisterbosch
Neuburg
Euverem
Herenelderen
Herderen
Heukelom
Canal
Lanaye
St.-Geertruid
Crapoel
Genoelselderen
Riemst
Emael
Reijmerstok
Riksingen
Henis
Bolder
Meer
Zussen
Oost
Maarland
Rijckholt
Herkenrade
Banholt
Terlinden
Bissen
Berg
Millen
Albert
KNUVELKES
Heijenrath
Val
Zichen
Eben
Hoogcruts
Gulp
PATIEL
Mheer
Schilberg
Lanaye (Ternaaien)
Tongeren (Tongres)
Eijsden
's-Gravenvoeren (Fouron-le-Comte)
Noorbeek
Slenaken
Eperheide
Mal
Elst
Couvi
Mesch
Nurop
Teuven
Sluizen (Sluse)
Roclenge-s-G. (Rukkelingen-a.d.-J.)
Wonck
Nivelle
Lixhe (Lieze)
Moelingen (Mouland)
Voeren (Fourons)
Planck
Nerem
Bassenge (Bitsingen)
Sinnich
Vreren
Hamal
St-Martens-Voeren (Fouron-St-Martin)
Glons (Glaaien)
Boirs
Berneau
De Commanderie
Remersdaal
Diets-Heur
Hallembaye
Visé (Wezet)
Warsage (Weerst)
St-Pieters-Voeren (Fouron-St-Pierre)
Houtain-St-Siméon
Haccourt
Bombaye (Bolbeek)
La Heydt
Hagelstein
Slins
Paifve
Heure-le-Romain
Hermalle-s/s-A.
Richelle
Neufchâteau
St-Jean-Sart
Aubel
Vogelsang
Wihogne (Nudorp)
Othée (Elch)
Juprelle
Fexhe
Hermée
Oupeye
Argenteau
Dalhem
Mortroux
Abbe de Val Dieu
Berwine
Xhendremael
Villers-St-Siméon
Feneur
Trembleur
St-André
La Clouse
Vivegnis
St-Remy
Domaine touristique
Liers
Chertal
Blégny-Mine
Julémont
Lantin
Voroux-lez-L.
Milmort
Mortier
Froidthier
Waroux
Hombroux
Rocourt
Cheratte
Alleur
Fort
Herstal
Housse
Barchon
Blegny
Charneux
La Minerie
Clermont
Vottem
Thimister
Loncin
Wandre
Heuseux
Bolland
Battice
Ans
Saive
Thier-à-L.
Citadelle
Jupille-s-M.
Cerexhe
Melen
Noblehaye
Herve
Bellaire
Tignée
LIÈGE (LUIK)
Queue-du-Bois
Evegnée
Grâce-Hollogne
Bressoux
Beyne-Heusay
Retinne
Chaineux
Manaihant
Fécher
José
St-Nicolas
Les Bruyères
Rechain
Mont
Grivegnée
Fléron
Micheroux
Wegimont
Dison
Chênée
Jemeppe
Seraing
Vaux-s/s-Chèvremont
Romsée
Ayeneux
Soumagne
Grd-Rechain
Angleur
Magnée
Xhendelesse
St-Hadelin
Lambermont
Bouny
Ougrée
Olne
Soiron
Chaudfontaine
Forêt
Les Biens-Communaux
Sart-Tilman
Embourg
Wegnez
Nessonvaux
Heusy
Ninane
La Brouck
Prayon
Cornesse
Goffontaine
Ensival
Ivoz-Ramet
Université
Colonster
Trooz
Pepinster
Chau de l'Abbaye
Boncelles
Beaufays
Fraipont
Les Mazures
Maison-Bois
Bois de la Neuville
Tilff
Vesdre
Tancrémont
Andoumont
Neupre
Banneux
Theux
La Roche à Faucons
Gomzé
Les Forges
Plainevaux
Strivay
Dolembreux
Mont
10 km
0
66
77

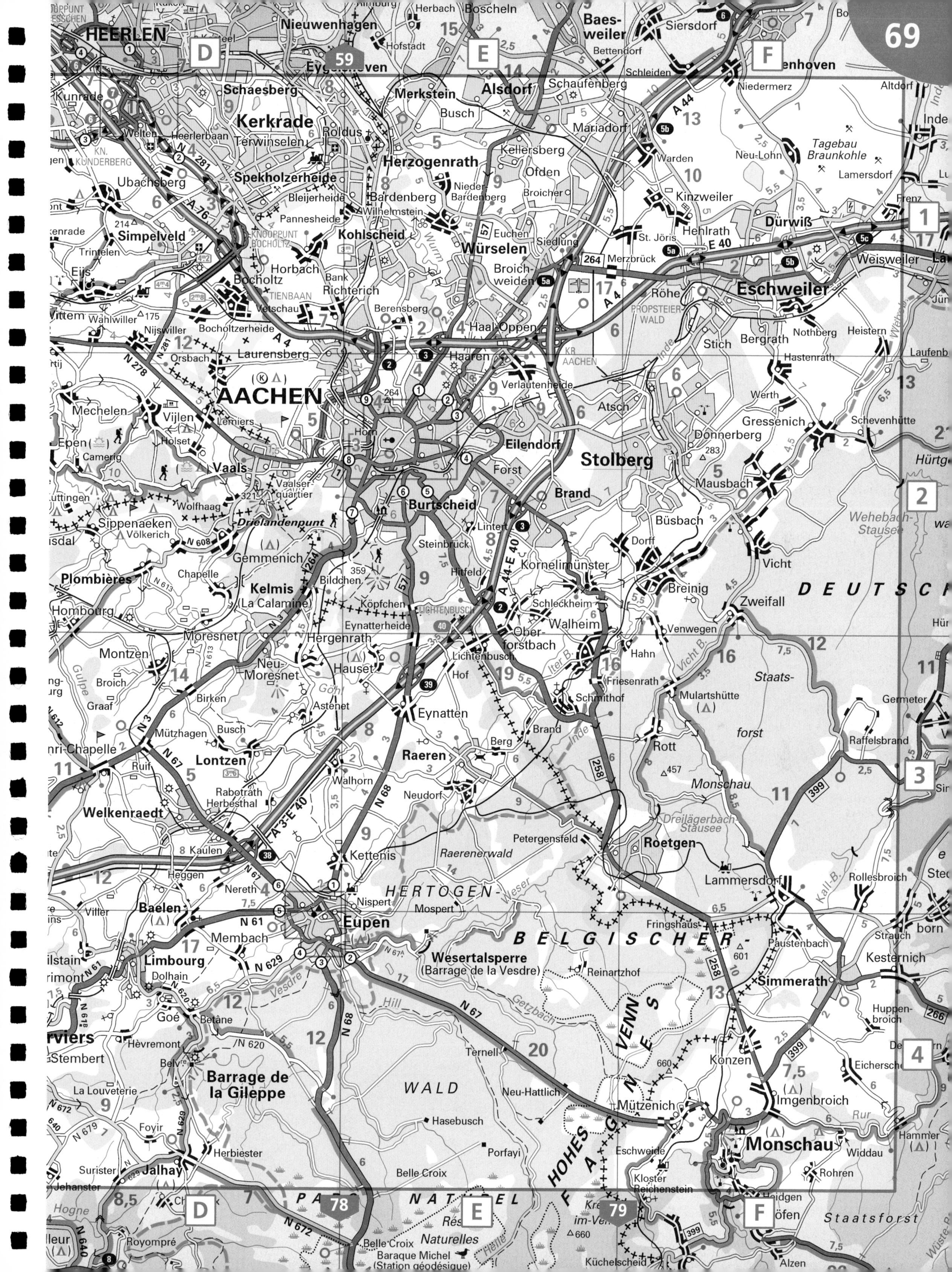
HEERLEN
Nieuwenhagen
Eygelshoven
Herbach
Boscheln
Hofstadt
Baesweiler
Siersdorf
Bettendorf
Schleiden
Schaesberg
Merkstein
Alsdorf
Schaufenberg
Niedermerz
Altdorf
Kunrade
Kerkrade
Busch
Mariadorf
Roldus
Terwinselen
Heerlerbaan
Welten
Kellersberg
Warden
Neu-Lohn
Tagebau Braunkohle
Lamersdorf
Herzogenrath
Ofden
Spekholzerheide
Ubachsberg
Bleijerheide
Bardenberg
Nieder-Bardenberg
Broicher
Kinzweiler
Pannesheide
Wilhelmstein
Simpelveld
Kohlscheid
Euchen
St. Jöris
Hehlrath
Dürwiß
Trintelen
Würselen
Siedlung
Merzbrück
Weisweiler
Horbach
Bank
Broichweiden
Eijs
Bocholtz
Richterich
Eschweiler
Röhe
Vetschau
Wahlwiller
Berensberg
Haal-Oppen
Propsteier Wald
Nijswiller
Bocholtzerheide
Nothberg
Heistern
Bergrath
Stich
Laurensberg
Orsbach
Haaren
Hastenrath
Laufenburg
AACHEN
Verlautenheide
Werth
Mechelen
Vijlen
Atsch
Gressenich
Schevenhütte
Lemiers
Holset
Epen
Camerig
Vaals
Horn
Eilendorf
Donnerberg
Stolberg
Forst
Mausbach
Vaalserquartier
Burtscheid
Brand
Wolfhaag
Drielandenpunt
Sippenaeken
Völkerich
Lintert
Büsbach
Wehebach-Stausee
Gemmenich
Steinbrück
Dorff
Vicht
Chapelle
Bildchen
Hitfeld
Kornelimünster
Plombières
Kelmis
(La Calamine)
Breinig
Zweifall
DEUTSCH
Hombourg
Köpfchen
Schleckheim
Eynatterheide
Walheim
Moresnet
Hergenrath
Oberforstbach
Venwegen
Montzen
Neu-Moresnet
Hauset
Lichtenbusch
Hahn
Hof
Friesenrath
Broich
Graaf
Birken
Astenet
Schmithof
Mulartshütte
Staatsforst
Germeter
Eynatten
Mützhagen
Busch
Brand
Berg
Rott
Raffelsbrand
Lontzen
Raeren
Ruif
Walhorn
Monschau
Rabotrath
Herbesthal
Neudorf
Welkenraedt
Dreilägerbach-Stausee
Petergensfeld
Kaulen
Kettenis
Raerenerwald
Roetgen
Heggen
Lammersdorf
Rollesbroich
Nereth
HERTOGENWALD
Nispert
Villers
Baelen
Mospert
Eupen
Fringshaus
Membach
BELGISCHER
Paustenbach
Strauch
Limbourg
Dolhain
Wesertalsperre
(Barrage de la Vesdre)
Reinartzhof
Simmerath
Kesternich
Goé
Bètane
Verviers
Hèvremont
Stembert
Belvaux
Ternell
VENN
Huppenbroich
Barrage de la Gileppe
Konzen
Eicherscheid
La Louveterie
WALD
Neu-Hattlich
Imgenbroich
Mützenich
Foyir
Hasebusch
Herbiester
Porfayi
Eschweide
Monschau
Widdau
Hammer
Suristet
Jalhay
Belle Croix
HOHES
Kloster Reichenstein
Rohren
Höfen
Staatsforst
Hogne
Baraque Michel
(Station géodésique)
Küchelscheid
Alzen
Royompré

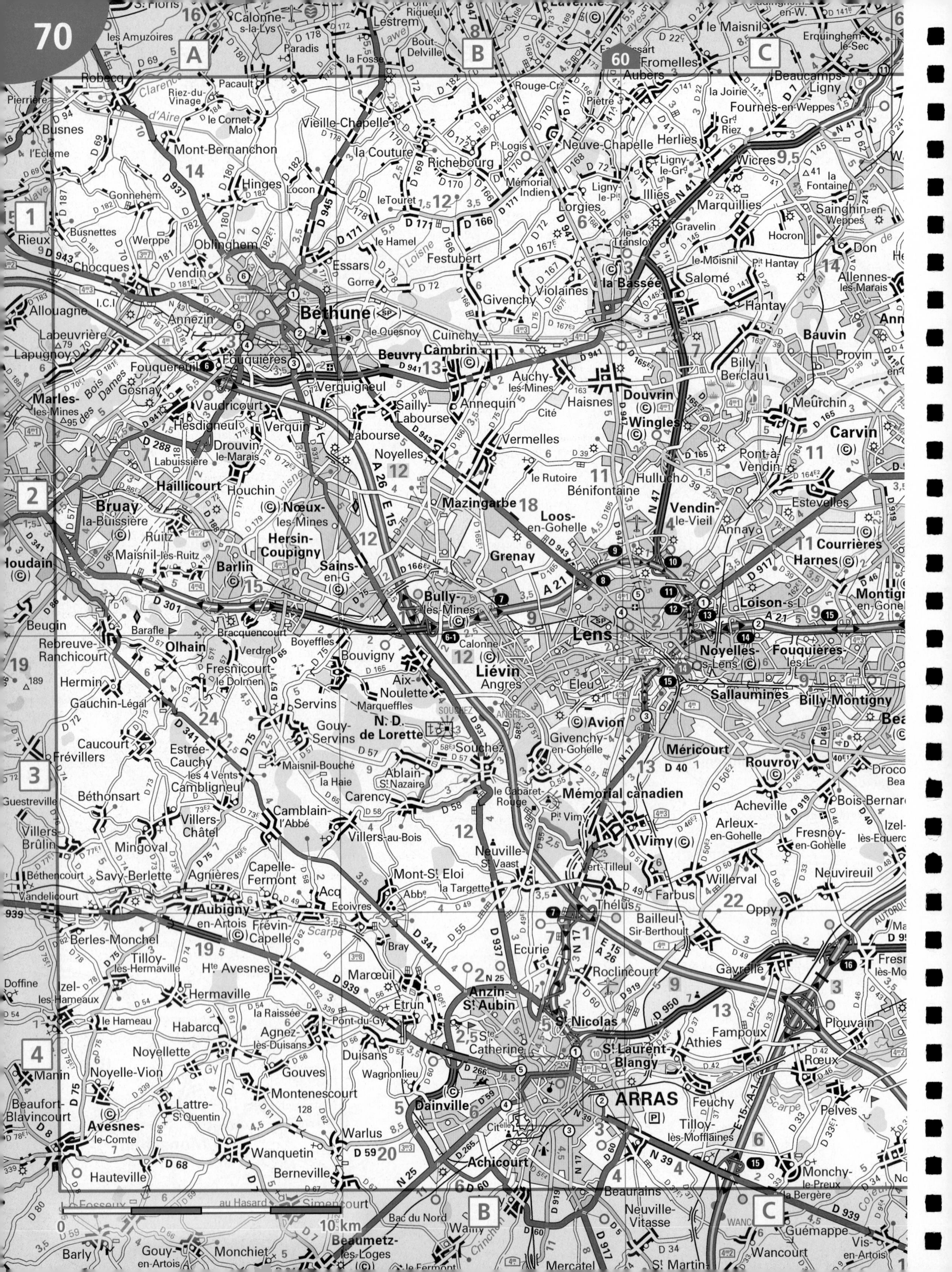

Béthune
Lens
ARRAS
Liévin
Bruay la-Buissière
Carvin
Hénin
Noyelles-Godault
Avion
Vimy
Mémorial canadien
N. D. de Lorette
Souchez
Bully-les-Mines
Grenay
Mazingarbe
Noeux-les-Mines
Hersin-Coupigny
Barlin
Houdain
Haillicourt
Marles-les-Mines
Auchel
Lillers
Chocques
Annezin
Fouquières
Beuvry
Cambrin
Cuinchy
Vermelles
Loos-en-Gohelle
Hulluch
Wingles
Douvrin
Haisnes
la Bassée
Violaines
Givenchy
Festubert
Richebourg
Neuve-Chapelle
Herlies
Fromelles
Aubers
Lestrem
Calonne-s-la-Lys
Robecq
Busnes
Mont-Bernanchon
Hinges
Locon
Vieille-Chapelle
la Couture
Oblinghem
Vendin
Essars
Verquigneul
Labourse
Sailly-Labourse
Annequin
Auchy-les-Mines
Noyelles
Sains-en-G
Aix-Noulette
Bouvigny
Servins
Gouy-Servins
Carency
Ablain-St Nazaire
Villers-au-Bois
Mont-St Eloi
Neuville-St Vaast
Givenchy-en-Gohelle
Thélus
Farbus
Willerval
Oppy
Bailleul-Sir-Berthoult
Gavrelle
Roclincourt
Ecurie
St Nicolas
St Laurent-Blangy
Athies
Fampoux
Roeux
Plouvain
Feuchy
Tilloy-lès-Mofflaines
Achicourt
Dainville
Ste Catherine
Anzin-St Aubin
Etrun
Marœuil
Duisans
Wagnonlieu
Warlus
Berneville
Wanquetin
Avesnes-le-Comte
Hermaville
Aubigny-en-Artois
Savy-Berlette
Camblain-l'Abbé
Villers-Châtel
Estrée-Cauchy
Olhain
Fresnicourt-le-Dolmen
Rebreuve-Ranchicourt
Hermin
Gauchin-Légal
Caucourt
Frévillers
Béthonsart
Mingoval
Villers-Brûlin
Izel-les-Hameaux
Habarcq
Agnez-lès-Duisans
Gouves
Montenescourt
Noyellette
Noyelle-Vion
Manin
Beaufort-Blavincourt
Hauteville
Beaurains
Neuville-Vitasse
Wancourt
Guémappe
Monchy-le-Preux
Pelves
Fresnes-lès-Montauban
Izel-lès-Equerchin
Neuvireuil
Fresnoy-en-Gohelle
Arleux-en-Gohelle
Acheville
Méricourt
Rouvroy
Drocourt
Bois-Bernard
Billy-Montigny
Sallaumines
Fouquières-lès-Lens
Loison-s-Lens
Harnes
Courrières
Montigny-en-Gohelle
Estevelles
Pont-à-Vendin
Vendin-le-Vieil
Annay
Meurchin
Bauvin
Provin
Billy-Berclau
Hantay
Salomé
Marquillies
Sainghin-en-Weppes
Illies
Wicres
Fournes-en-Weppes
Beaucamps-Ligny
Erquinghem-le-Sec
le Maisnil
Allennes-les-Marais
Don
Hocron
Bénifontaine
Eleu
Angres
Calonne
Boyeffles
Bracquencourt
Verdrel
Maisnil-Bouché
Acq
Ecoivres
Capelle-Fermont
Agnières
Frévin-Capelle
Tilloy-lès-Hermaville
Berles-Monchel
Hte Avesnes
Lattre-St Quentin
Simencourt
Beaumetz-lès-Loges
Monchiet
Gouy-en-Artois
Barly
Wailly
Bac du Nord
St Martin
Mercatel
Vis-en-Artois
la Bergère
A 26
E 15
A 21
A 1
N 17
N 25
N 39
N 41
N 47
D 937
D 941
D 943
D 939
D 341
D 301
0
10 km
A
B
C
1
2
3
4
60

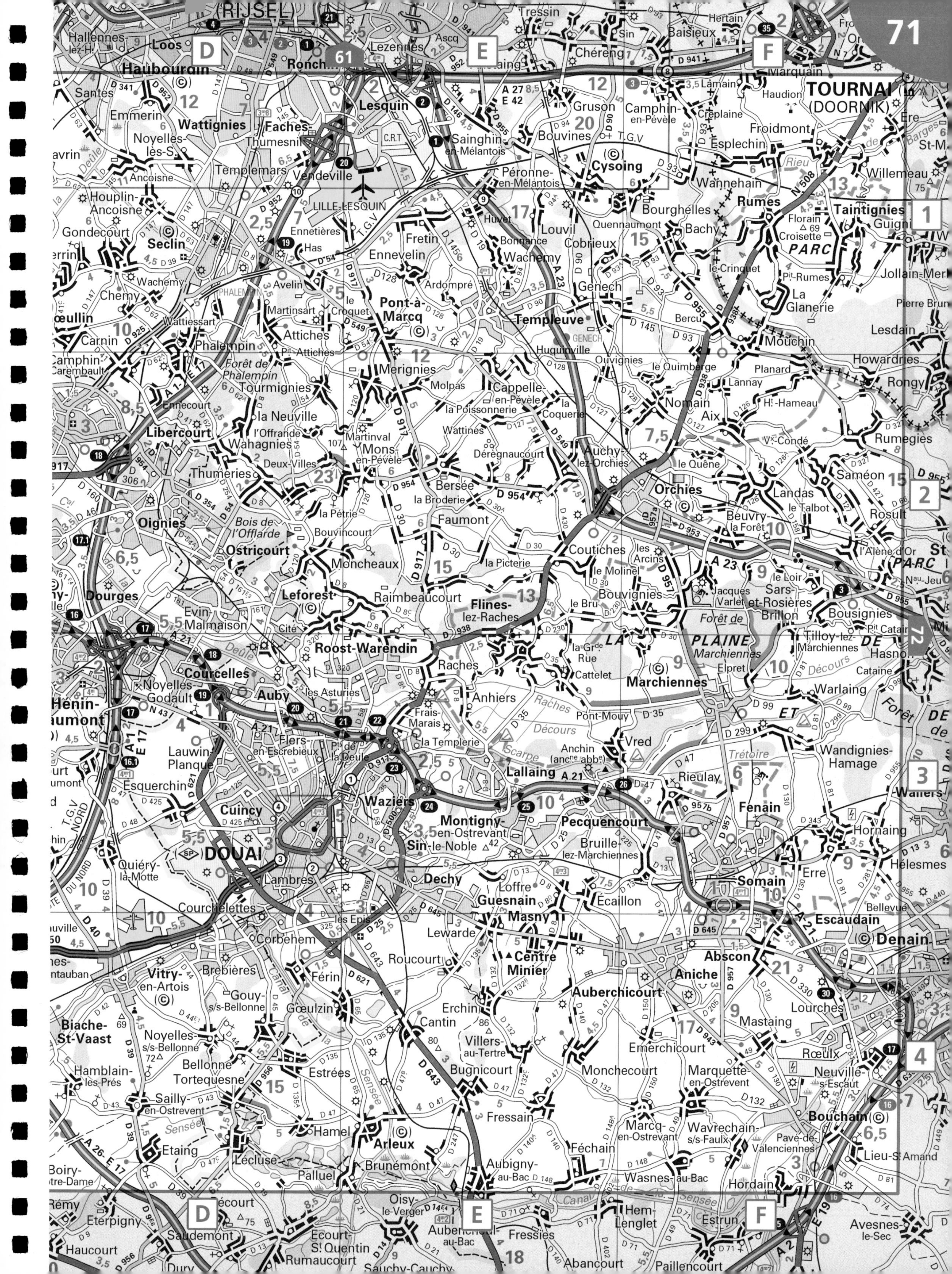
(RIJSEL)
Hallennes-lez-H.
Loos
Haubourdin
Ronchin
Lezennes
Ascq
Tressin
Chéreng
Sin
Baisieux
Hertain
Marquain
Lamain
TOURNAI
(DOORNIK)
Santes
Emmerin
Wattignies
Faches-Thumesnil
Lesquin
Gruson
Camphin-en-Pévèle
Créplaine
Froidmont
Esplechin
Noyelles-lès-S.
Templemars
Vendeville
Sainghin-en-Mélantois
Bouvines
Cysoing
Péronne-en-Mélantois
Wannehain
Willemeau
Ancoisne
Houplin-Ancoisne
LILLE-LESQUIN
Bourghelles
Rumes
Taintignies
Gondecourt
Seclin
Ennetières
Has
Fretin
Louvil
Cobrieux
Quennaumont
Bachy
PARC
Ennevelin
Bonnance
Wachemy
le-Cringuet
Chemy
Avelin
Ardompré
Genech
La Glanerie
Wattiessart
Martinsart
le Croquet
Pont-à-Marcq
Templeuve
Bercu
Carnin
Attiches
Phalempin
Huquinville
Mouchin
Lesdain
Camphin-en-Carembault
Forêt de Phalempin
Merignies
Ouvignies
le Quimberge
Planard
Howardries
Tourmignies
Molpas
Cappelle-en-Pévèle
Lannay
Rongy
Ennecourt
la Neuville
la Poissonnerie
la Coquerie
Nomain
Aix
H.t-Hameau
Libercourt
l'Offrande
Martinval
Wattines
Wahagnies
Mons-en-Pévèle
Deregnaucourt
Auchy-lez-Orchies
le Quêne
V.x-Condé
Rumegies
Thumeries
Deux-Villes
Bersée
Orchies
Landas
Saméon
la Broderie
Beuvry-la-Forêt
le Talbot
Rosult
Oignies
la Pétrie
Faumont
Bois de l'Offlarde
Bouvincourt
Coutiches
les Arcins
l'Alène d'Or
Ostricourt
Moncheaux
la Picterie
le Molinel
le Loir
Dourges
Leforest
Raimbeaucourt
Flines-lez-Raches
Bouvignies
Jacques Varlet
Sars-et-Rosières
Brillon
Bousignies
Evin-Malmaison
le Bru
Forêt de
PLAINE
Marchiennes
Tilloy-lez-Marchiennes
Roost-Warendin
Cité
Raches
la Gr.de Rue
Cattelet
Marchiennes
Elpret
Hasnon
Cataine
Courcelles
Noyelles-Godault
Hénin-Beaumont
Auby
les Asturies
Anhiers
Frais-Marais
Warlaing
Pont-Mouy
Vred
Flers-en-Escrebieux
la Templerie
Anchin
Tretoire
Wandignies-Hamage
Lauwin-Planque
P.t de la Deûle
Lallaing
Rieulay
Esquerchin
Waziers
Montigny-en-Ostrevant
Pecquencourt
Fenain
Cuincy
Sin-le-Noble
Bruille-lez-Marchiennes
Hornaing
DOUAI
Quiéry-la-Motte
Lambres
Dechy
Loffre
Guesnain
Écaillon
Somain
Erre
Hélesmes
Courchelettes
Masny
Escaudain
Bellevue
Denain
Corbehem
les Epis
Lewarde
Abscon
Vitry-en-Artois
Brebières
Roucourt
Férin
Centre Minier
Aniche
Auberchicourt
Gouy-s/s-Bellonne
Gœulzin
Erchin
Cantin
Lourches
Mastaing
Biache-St-Vaast
Noyelles-s/s-Bellonne
Bellonne
Villers-au-Tertre
Emerchicourt
Rœulx
Tortequesne
Estrées
Bugnicourt
Monchecourt
Marquette-en-Ostrevant
Neuville-s-Escaut
Hamblain-les-Prés
Sailly-en-Ostrevent
Fressain
Bouchain
Hamel
Arleux
Marcq-en-Ostrevant
Wavrechain-s/s-Faulx
Pavé-de-Valenciennes
Etaing
Lécluse
Féchain
Lieu-S.t Amand
Boiry-Notre-Dame
Palluel
Brunémont
Aubigny-au-Bac
Wasnes-au-Bac
Hordain
Rémy
Écourt
Oisy-le-Verger
Hem-Lenglet
Estrun
Avesnes-le-Sec
Eterpigny
Saudemont
Aubencheul-au-Bac
Fressies
Haucourt
Écourt-S.t Quentin
Rumaucourt
Sauchy-Cauchy
Abancourt
Paillencourt

72
A
B
C
1
2
3
4
62
71
Havinnes
Gaurain-Ramecroix
Liberchies
Gallaix
Thieulain
Villers-Notre-Dame
Irchonwelz
Moulbaix
Bétissart
Ladrerie
Vaulx
Barry
Pipaix
Leuze-en-Hainaut
Mon de la Marquise
Ormeignies
Tongre-Notre-Dame
Tongre-St-Martin
St-Maur
Ere
Chercq
La Louvière
Vezon
Wéaux
Tourpes
Blicquy
Archéosite
Aubechies
Autreppe
Calonne
Antoing
Willemeau
Fontenoy
Bourgeon
Bertincroix
Wasmes-Audemez
Ponange
Baugnies
Willaupuis
Coron
Ellignies-Ste-Anne
Huissignies
Ladeuze
Bruyelle
Merlin
Wez-Velvain
Couvent
Péronnes
Maubray
Brasmenil
Briffœil
Bury
Braffe
Courrière
Thumaide
Ramegnies
Belœil
Grosage
Morlies
NATUREL
DES
PLAINES
Audemez
Roucourt
Wadelincourt
Jollain-Merlin
Hollain
Le Sart Colin
Basècles
Les Ecacheries
Pierre Brunehault
Brunehault
F. de Flines
Callenelle
Gros Mont
Quevaucamps
Lesdain
DE
Laplaigne
Les Quatre Chemins
L'ESCAUT
Stambruges
Rœux
Legis
Wiers
Péruwelz
Blaton
Grandglise
Howardries
Bléharies
Mortagne-du-Nord
Rouillon
la Grivardrie
Ringies
La Bruyère
Mer de Sable
Rongy
Flines-lès-Mortagne
Rivage
Hergnies
Bon-Secours
Villerot
Maulde
Vergne
Mont de Péruwelz
Harchies
Rond-du-Bois-de-Ville
Hautrage
Rumegies
Chau-l'Abbaye
le Rieu
l'Hermitage
la Solitude
F. de Bonsecours
le Coq
Margelle
l'Ecarlate
Thun-St Amand
Lecelles
Préau
Lorette
Ville-Pommerœul
Bernissart
Pommerœul
Rosult
Nivelle
Hergnies
Bruille-St Amand
Vieux-Condé
Macou
Hautrage-Etat
Hauterive
Les Sartis
St-Aybert
l'Alène d'Or
PARC
St Amand-les-Eaux
Cubray
REGIONAL
Odomez
DE
Thivencelle
Montrœul-sur-Haine
Haine
Nau-Jeu
le Moulin Blanc
St. Amand-Thermal
le Trieu de-Fresnes
Condé-s-l'Escaut
Hainin
Boussu
la Croisette
Millonfosse
Mt des Bruyères
Fresnes-s-Escaut
Thulin
Hensies
LA
SCARPE
Wallers
les Trieux d'Escautpont
Escautpont
La Croix
Cataine
St Amand
Thiers
Vicq
Crespin
Bois-St-Antoine
Forêt
DE
de
Raismes
Gd Bray
Vicoigne
L'ESCAUT
Bruay-s-l'Escaut
Quiévrain
Elouges
Monceau
Beuvrages
Onnaing
Blanc-Misseron
Quarouble
Baisieux
Quiévrechain
Raismes
Arenberg
Wallers
Anzin
Aubry-du-Hainaut
Pte Forêt
St-Saulve
Rombies-et-Marchipont
Marchipont
Audregnies
Parc
Naturel
Wihéries
Montignies-s-Roc
Athis
Bellaing
Hornaing
Angre
Onnezies
Hélesmes
Haveluy
Oisy
Hérin
VALENCIENNES
Sebourquiaux
Honnelles
Fayt-le-Franc
Autreppe
Mon de Verhaeren
Angreau
Passe-tout-Outre
la Sentinelle
Marly
Estreux
Sebourg
Gussignies
Bellevue
Denain
Wavrechain-s/s-Denain
Saultain
Curgies
le Triez
Meaurain
Rouvignies
Eth
Roisin
Aulnoy-lez-Valenciennes
Bettrechies
Prouvy
Trith-St Léger
Jenlain
Bry
la Flamengrie
Rulhse
Haulchin
Préseau
Wargnies-le-Gd
Thiant
Famars
Wult
St Waast
Maing
Douchy-les-Mines
Maresches
la Bois Crête
le Pissotiau
Bermeries
Wargnies-le-Pt
Quérénaing
Preux-au-sart
Noyelles-s-Selle
Artres
Monchaux-s-Ecaillon
Villers-Pol
Sepmeries
les 4 Vents
Gommegnies
Amfroipret
Frasnoy
Bavisiau
Fleury
Orsinval
Lieu-St Amand
Sommaing
Carrefr de la Belle Femme
le Cheval Blanc
Verchain-Maugré
Vendegies-s-Ecaillon
le Quesnoy
Grand Sart
Villereau
Haspres
Carnoy
Herbignies
FORÊT
Bermerain
Beaudignies
Carrefr du Cheval Blanc
Avesnes-le-Sec
10 km
St Martin-s-Ecaillon
Potelle
Mon Rouge
Saulzoir
Capelle
le Rond Quesne
A 7 E 19
A 16
A 23
N 7
N 60
N 50
N 52
N 507
N 526
N 527
N 537
N 552
N 549
D 955
D 169
D 40
D 13
D 630
D 649
D 934
D 942
D 350
D 954

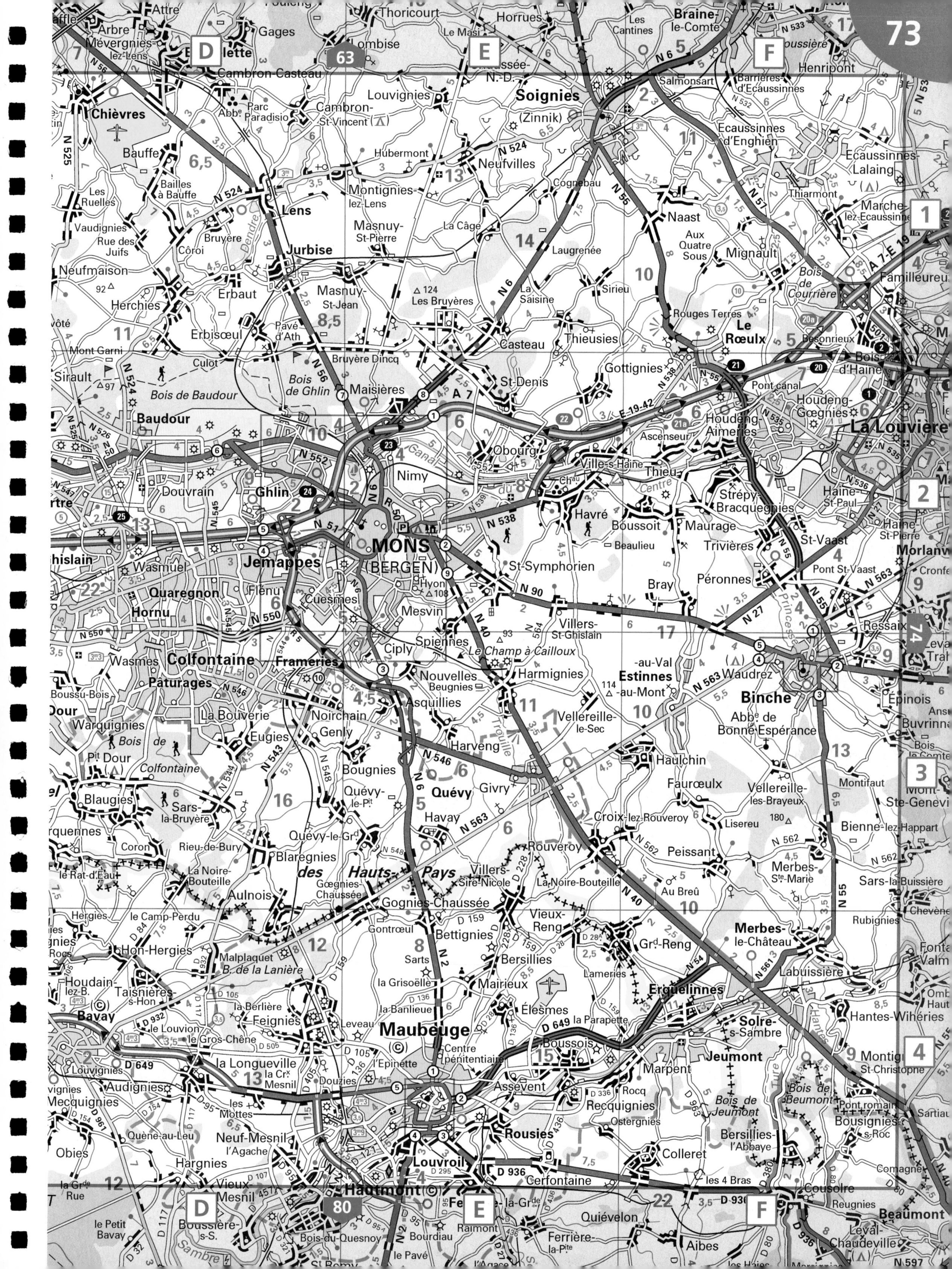
D
E
F
Attre
Thoricourt
Horrues
Les Cantines
Braine-le-Comte
Arbre
Gages
Mévergnies-lez-Lens
Lombise
Le Masi
63
Henripont
Cambron-Casteau
Salmonsart
Barrières-d'Ecaussinnes
Chièvres
Parc Paradisio
Cambron-St-Vincent
Louvignies
Soignies
(Zinnik)
Ecaussinnes-d'Enghien
Hubermont
Bauffe
Neufvilles
Ecaussinnes-Lalaing
Bailles à Bauffe
Montignies-lez-Lens
Cognebau
Thiarmont
Les Ruelles
Lens
Naast
Marche-lez-Ecaussinnes
Vaudignies
Rue des Juifs
Bruyère
Masnuy-St-Pierre
La Câge
Aux Quatre Sous
Mignault
Jurbise
Laugrenée
Neufmaison
Côroi
Masnuy-St-Jean
Les Bruyères
La Saisine
Sirieu
Bois de Courrière
Familleureux
Herchies
Erbaut
Pavé d'Ath
Rouges Terres
Le Rœulx
Erbisœul
Casteau
Thieusies
Besonrieux
Mont Garni
Culot
Bruyère Dincq
Gottignies
Bois d'Haine
Sirault
Bois de Baudour
Bois de Ghlin
Maisières
St-Denis
Pont canal
Houdeng-Gœgnies
Baudour
Houdeng-Aimeries
La Louvière
Ascenseur
Obourg
Ville-s-Haine
Thieu
Nimy
Canal du Centre
Douvrain
Ghlin
Strépy-Bracquegnies
Haine-St-Paul
Havré
Boussoit
Maurage
Haine-St-Pierre
MONS
(BERGEN)
Beaulieu
Trivières
St-Vaast
Morlanwelz
Jemappes
St-Symphorien
Pont St-Vaast
Wasmuel
Quaregnon
Flénu
Hyon
Bray
Péronnes
Cuesmes
Hornu
Mesvin
Villers-St-Ghislain
Ressaix
Spiennes
Le Champ à Cailloux
Wasmes
Colfontaine
Frameries
Ciply
Estinnes-au-Val
Waudrez
Pâturages
Nouvelles
Beugnies
Harmignies
Estinnes-au-Mont
Binche
Boussu-Bois
Asquilles
Épinois
Noirchain
Warquignies
La Bouverie
Genly
Vellereille-le-Sec
Abbe de Bonne Espérance
Buvrinnes
Eugies
Harveng
Bois de Colfontaine
Pt Dour
Bougnies
Haulchin
Montifaut
Blaugies
Quévy-le-Pt
Quévy
Givry
Faurœulx
Vellereille-les-Brayeux
Mont-Ste-Geneviève
Sars-la-Bruyère
Havay
Croix-lez-Rouveroy
Lisereu
Bienne-lez-Happart
Coron
Rieu-de-Bury
Quévy-le-Grd
Rouveroy
Peissant
le Rat-d'Eau
La Noire-Bouteille
Blaregnies
des Hauts-Pays
Villers-Sire-Nicole
Merbes-Ste-Marie
Sars-la-Buissière
Aulnois
Gœgnies-Chaussée
Gognies-Chaussée
Au Breû
Hergies
le Camp-Perdu
Gontrœul
Bettignies
Vieux-Reng
Rubignies
Hon-Hergies
Malplaquet
B. de la Lanière
Sarts
Bersillies
Grd-Reng
Merbes-le-Château
Lameries
Houdain-lez-B.
Taisnières-s-Hon
la Grisoëlle
Mairieux
Labuissière
Erquelinnes
Bavay
la Berlière
la Banlieue
Élesmes
Hantes-Wihéries
Feignies
Leveau
Maubeuge
la Parapette
Solre-s-Sambre
le Louvion
le Gros-Chêne
Centre pénitentiaire
Boussois
Jeumont
Montignies-St-Christophe
Louvignies
la Longueville
la Crx Mesnil
l'Épinette
Marpent
Audignies
Douzies
Assevent
Rocq
Bois de Beumont
Pont romain
Mecquignies
les Mottes
Recquignies
Bois de Jeumont
Bousignies-s-Roc
Ostergnies
Quène-au-Leu
Neuf-Mesnil
Rousies
Bersillies-l'Abbaye
Obies
l'Agache
Colleret
Hargnies
Louvroil
Cerfontaine
les 4 Bras
Cousolre
Vieux-Mesnil
Hautmont
Reugnies
Beaumont
Quiévelon
Boussière-s-S.
Bourdiau
Raimont
Ferrière-la-Pte
Aibes
Bois-du-Quesnoy
le Pavé
Leval-Chaudeville
le Petit Bavay
1
2
3
4
74

Nivelles
Thines
Loupoigne
Fonteny
Houtain-le-Val
Tangissart
Abbaye
Villers-la-Ville
Mellery
Arquennes
Feluy
Luxensart
Pt-Rœulx-lez-Nivelles
Rosseignies
Buzet
Seneffe
Familleureux
Manage
La Louvière
Les Bons Villers
Frasnes-lez-Gosselies
Liberchies
Sombreffe
Ligny
Fleurus
Wangenies
Heppignies
Gosselies
Courcelles
Chapelle-lez-Herlaimont
Mariemont
Trazegnies
Jumet
Ransart
Farciennes
Soleilmont
Pironchamps
Gilly
Souvret
Roux
Morlanwelz
Piéton
CHARLEROI
Forchies-la-Marche
Fontaine-l'Évêque
Monceau-s-Sambre
Dampremy
Lodelinsart
Châtelineau
Montignies-s-Sambre
Châtelet
Aiseau-Presles
Anderlues
Marchienne-au-Pont
Mont-s-Marchienne
Marcinelle
Couillet
Montigny-le-Tilleul
Landelies
Loverval
Bouffioulx
Lobbes
Abbe d'Aulne
Jamioulx
Acoz
Gerpinnes
Thuin
Gozée
Nalinnes
Ham-s-Heure
Hanzinne
Thuillies
Gourdinne
Somzée
Walcourt
Florennes
Clermont
Beaumont
Silenrieux
E 42
A 15
A 54
E 19
R 3
N 5
N 90
N 53
N 59
10 km

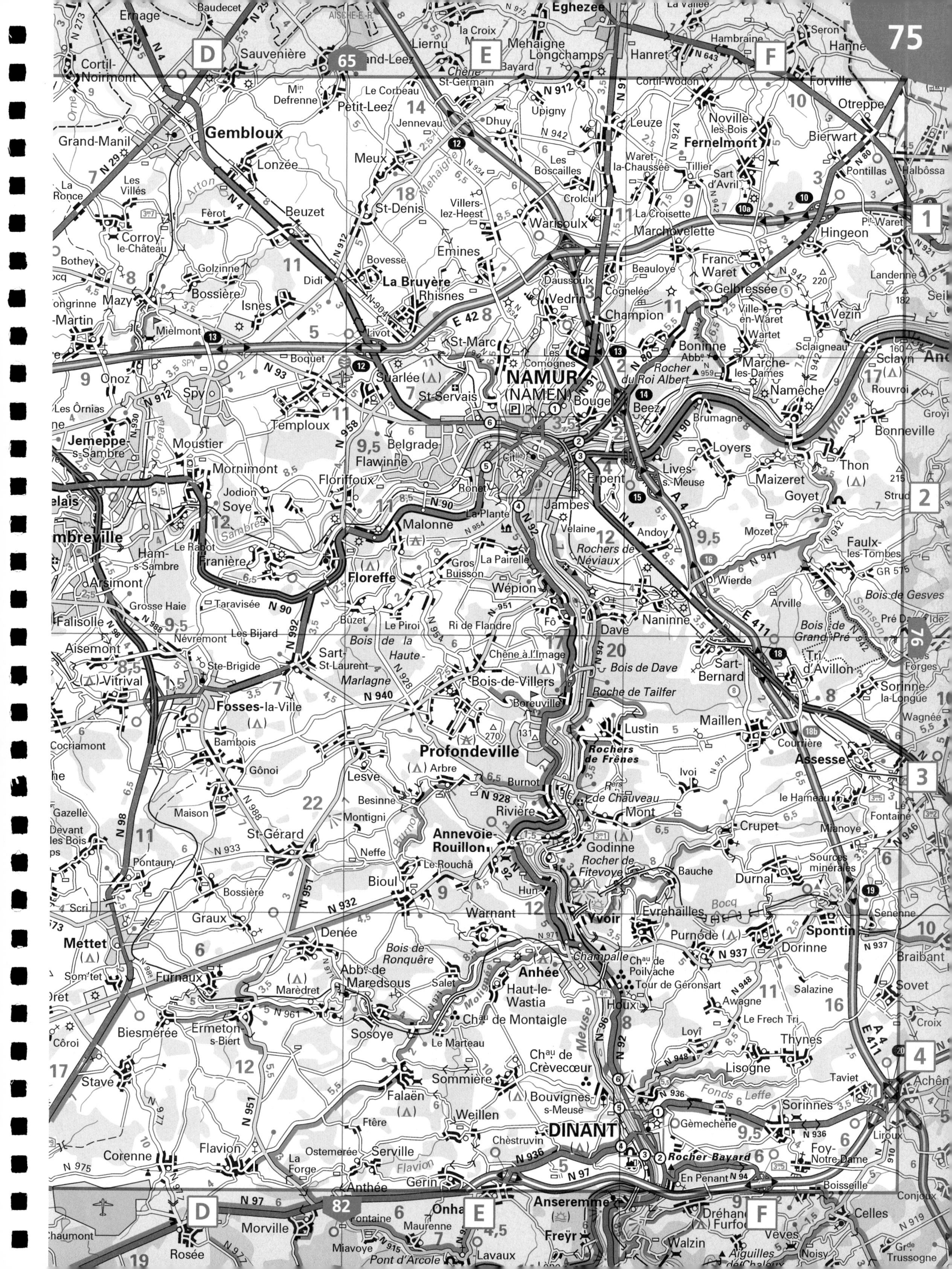
Eghezée
Ernage
Baudecet
Sauvenière
Liernu
la Croix
Mehaigne
Longchamps
Hanret
Hambraine
Seron
Hanne
Cortil-Noirmont
Gembloux
Grand-Manil
Mⁱⁿ Defrenne
Le Corbeau
Petit-Leez
Chêne St-Germain
Bayard
Upigny
Cortil-Wodon
Forville
Otreppe
Jennevau
Dhuy
Leuze
Noville-les-Bois
Fernelmont
Bierwart
Lonzée
Meux
Les Boscailles
Waret-la-Chaussée
Tillier
Sart d'Avril
Pontillas
Halbôssa
La Ronce
Les Villés
St-Denis
Villers-lez-Heest
Crolcul
Fèrot
Beuzet
Corroy-le-Château
Warisoulx
La Croisette
Marchovelette
Hingeon
Emines
Bothey
Golzinne
Bovesse
La Bruyère
Rhisnes
Beauloye
Franc-Waret
Gelbressée
Landenne
Mazy
Bossière
Didi
Isnes
Daussoulx
Vedrin
Cognelée
Champion
Ville-en-Waret
Wartet
Vezin
Mielmont
Livot
St-Marc
Boninne
Marche-les-Dames
Sclaigneau
Sclayn
Onoz
Spy
Boquet
Suarlée
St-Servais
Comognes
NAMUR (NAMEN)
Bouge
Rocher du Roi Albert
Beez
Namêche
Rouvroi
Les Ôrnias
Temploux
Brumagne
Bonneville
Jemeppe-s-Sambre
Moustier
Belgrade
Flawinne
Citadelle
Loyers
Lives-s.-Meuse
Thon
Mornimont
Floriffoux
Ronet
Erpent
Maizeret
Goyet
Jodion
Soye
La Plante
Jambes
Malonne
Velaine
Andoy
Mozet
Rochers de Néviaux
Faulx-les-Tombes
Ham-s-Sambre
Franière
Floreffe
Gros Buisson
La Pairelle
Wépion
Wierde
Arsimont
Taravisée
Bûzet
Le Piroi
Ri de Flandre
Fô
Naninne
Arville
Bois de Gesves
Grosse Haie
Falisolle
Névremont
Les Bijard
Bois de la Haute-Marlagne
Dave
Bois de Grand Pré
Aisemont
Sart-St-Laurent
Chêne à l'Image
Bois de Dave
Sart-Bernard
Tri d'Avillon
Ste-Brigide
Vitrival
Fosses-la-Ville
Bois-de-Villers
Roche de Tailfer
Sorinne-la-Longue
Boreuville
Wagnée
Cocriamont
Bambois
Lustin
Maillen
Courrière
Profondeville
Rochers de Frênes
Assesse
Gônoi
Lesve
Arbre
Burnot
Ivoi
Besinne
Rʳᵉˢ de Chauveau
le Hameau
Fontaine
Gazelle
Maison
Montigni
Rivière
Mont
Crupet
Mianoye
Devant les Bois
St-Gérard
Annevoie-Rouillon
Godinne
Pontaury
Neffe
Le Rouchâ
Rocher de Fitevoye
Bauche
Sources minérales
Bioul
Hun
Durnal
Bossière
Scri
Graux
Warnant
Yvoir
Evrehailles
Bocq
Spontin
Senenne
Mettet
Denée
Purnode
Dorinne
Braibant
Bois de Ronquêre
Champalle
Chᵃᵘ de Poilvache
Furnaux
Abbᵉ de Maredsous
Anhée
Tour de Géronsart
Salazine
Sovet
Marèdret
Salet
Haut-le-Wastia
Houx
Awagne
Biesmerée
Ermeton-s-Biert
Sosoye
Chᵃᵘ de Montaigle
Le Frech Tri
Croix
Côroi
Le Marteau
Loyî
Thynes
Stave
Chᵃᵘ de Crèvecœur
Lisogne
Sommière
Taviet
Achêne
Falaën
Bouvignes-s-Meuse
Fonds de Leffe
Sorinnes
Weillen
Gèmechêne
Ftêre
DINANT
Foy-Notre-Dame
Liroux
Corenne
Flavion
Ostemerée
La Forge
Serville
Chèstruvin
Rocher Bayard
Anthée
Gerin
En Penant
Boisseille
Conjoux
Onhaye
Anseremme
Celles
Dréhance
Furfooz
Veves
Chaumont
Morville
Fontaine
Maurenne
Freÿr
Walzin
Noisy
Rosée
Miavoye
Pont d'Arcole
Lavaux
Aiguilles de Chaleux
Grᵈᵉ Trussogne
Meuse
Sambre
Mehaigne
Orneau
Arton
Burnot
Molignée
Samson
Flavion
E 42
E 411
A 4
N 4
N 90
N 92
N 93
N 912
N 958
N 940
N 928
N 932
N 936
N 97
N 951
N 988
N 98
65
82
76
D
E
F
1
2
3
4

A
B
C
1
2
3
4
66
75
83
Vissoul
Fumal
Bodegnée
Lamontzee
Marneffe
Amon
Sotia
Fize-Fontaine
Stokay
Ramioul
Ramet
Burdinne
Rochée
Otep
Huccorgne
Vinalmont
Flône
Hermalle-s/s-Huy
Clermont-s/s-Huy
Neuville-en-Condroz
Boingt
Wanzoul
Al Barbotte
et de la Mehaigne
Waret-l'Evêque
Héron
Lavoir
Moha
Anc.ne Abb.e du Val-N.D.
Antheit
Amay
Aux Houx
Aux Fontaines
B. d'Hermalle
Ehein
Halbôssa
Longpré
Wanze
Les Paturages
Ampsin
Ombret-Rawsa
Magneri
Les Malheurs
Envoz
Bas-Oha
Statte
Meuse
St-Séverin
Rotheux-Rimière
Couthuin
Tihange
Neuville-s/s-Huy
B. de Bellegrange
Yernée
Velaine
Lamalle
Ahin
Bonne-Espérance
B. de Tihange
Villers-le-Temple
Fraineux
Baugnée
Sur les Més
Huy
(Hoei)
La Sarte
Outrelouxhe
Nandrin
Landenne
Seilles
Ben
Gives
Andenelle
Bois de Mélart
Régissa
Les Communes
Strée
Scry
Aux Quatre Bras
Soheit-Tinlot
Tillesse
Sclayn
Andenne
Stiénihâ
Solières
Belle Maison
Fourneau
Vierset-Barse
Tinlot
Fraiture
Rouvroi
Roche de Fau
Bohissau
Bois de Goesnes
Roiseu
Abée
Groyine
Bonneville
Coutisse
Bois Dame Aguisse
Marchin
Lîmet
Ramelot
Ellemelle
Seny
Ste-Begge
St-Mort
Perwez
Pont-de-Bonne
Linchet
Terwagne
Bêemont
Warzée
Ouffet
Haltinne
Jamagne
Haillot
Bois d'Ohey
Goesnes
Jallet
Vyle-et-Tharoul
Modave
Bonne
Pair
Temme
Basse Arche
Matagne
Bagatelle
Ochain
H.t-Bois
Ohey
Tahîre
Pailhe
Val Clavia
Atrin
Ponto
Bende
Jenneret
Rèppe
D 983
Vyle
Lîbois
Les Avins
Clavier
Bois de Gesves
Spâce
La Bouchaille
Evelette
Centfontaine
Bois
Vervo
Ocquier
Gd Houmart
Pré Dame Ide
Gesves
Sorée
Eve
Ossogne
P.t Avin
Havelange
Hoyoux
Âma
Longueville
les Forges
Doyon
Flostoy
Montegnet
Borsu
Oneu
Sorinne-la-Longue
Couvent
Ôdet
Bassine
Chardeneux
Borlon
Wagnée
Gram'tine
Bârsy
Miécret
Fontenoi
Verlée
Palenge
Florée
Frisée
Bois d'Offou
Méan
Bonsin
Septon
Borminville
Jeneffe
Buzin
le Gros Chêne
P.te Somme
Durbuy
Maibelle
Buresse
Bois Brûlé
Maffe
Ourthe
Le Fontaine
Pré del Lôye
Schaltin
Champion
Philippeville
Grandhan
Skeuvre
Hamois
Hubinne
Porcheresse
Barvaux-Condroz
Failon
Somme-Leuze
Petithan
Natoye
Achet
Ramezée
Somal
Somme
Éneille
Stée
Emptinne
Mohiville
Monteuville
Senenne
Emptinale
Monin
Castel Bois d'Alne
Bois d'Avenne
Moressée
Noiseux
Deulin
Bocq
Braibant
Halloy
Scy
Heure
La Bayolette
Fronville
Monville
Sovet
Ciney
Biron
Nettinne
Marchette
Camp
Melreux
Croix
Pessoux
Jannée
Baillonville
Rabosée
Bois du Ban
Lincia
Fayi
Hotton
Achêne
Barcenale
Leignon
Bois de l'Abîme
Sinsin
militaire
Grottes de Hotton
Chapois
Waillet
Bourdon
Ménil-Favay
Liroux
Corbion
Haversin
les Basses
Marenne
Conneux
Haid
Ychippe
Hogne
WEX
Verdenne
Reux
Marche-en-Famenne
Conjoux
Ronvaux
Dom. provincial Valéry Cousin
Sinsinchamps
Aye
Hamplon-menne
Celles
Enhet
10 km
Jamodenne
Gr.de Trussogne
Chevetogne
Forzée
Buissonville
Hollogne
Grimbiémont
A 15
N 643
N 921
N 90
N 66
N 641
N 636
N 63
N 698
N 97
N 983
N 938
N 946
N 4
N 929
N 833
N 638
N 86
N 888
N 856
N 617
N 614
N 684
N 65
N 64
N 696

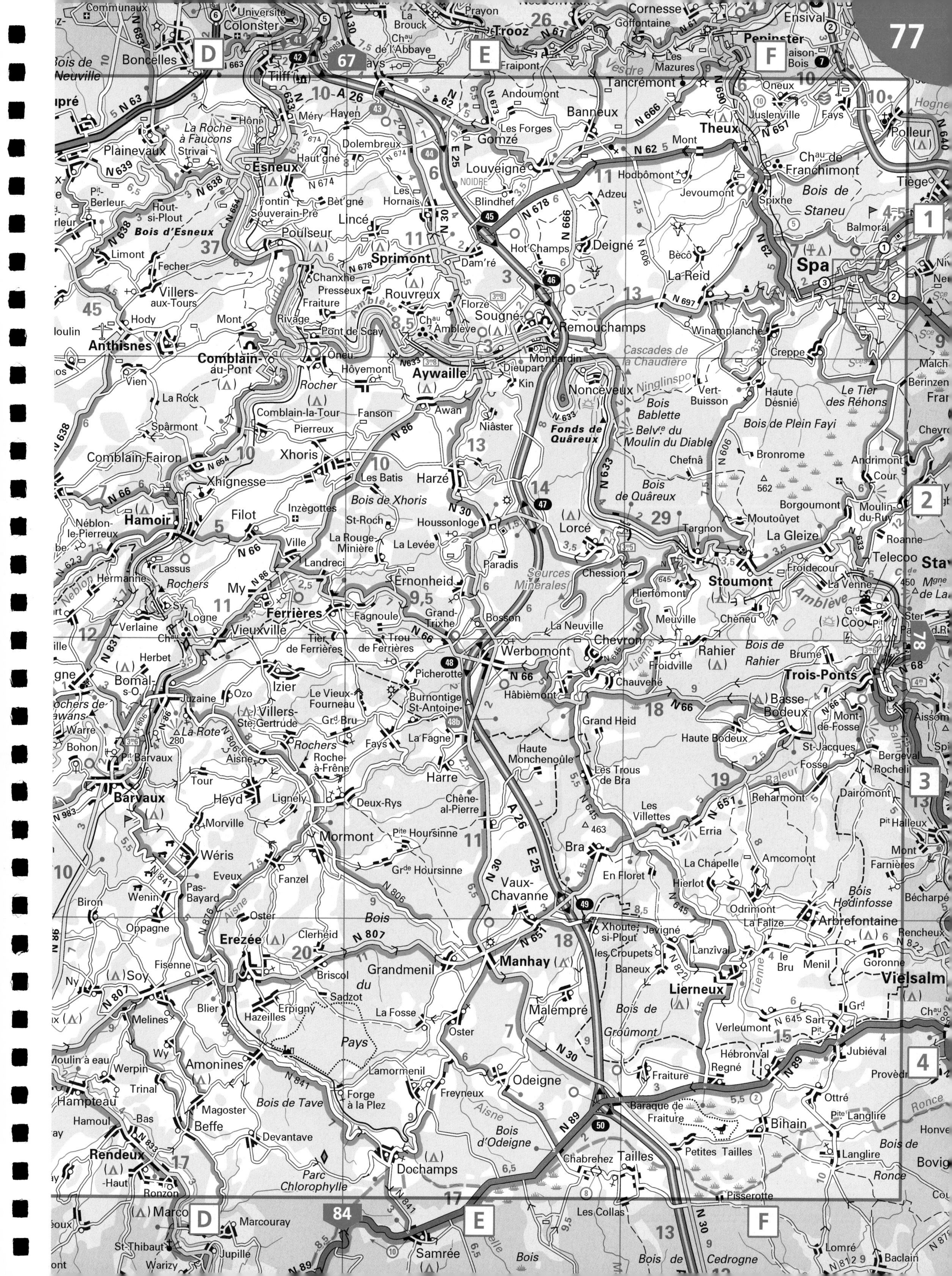
Communaux
Université
Colonster
Boncelles
Bois de Neuville
Tilff
Prayon
La Brouck
Chau de l'Abbaye
Trooz
Cornesse
Goffontaine
Pepinster
Ensival
Fraipont
Les Mazures
Vesdre
Tancrémont
Oneux
Andoumont
Banneux
Theux
Juslenville
Fays
Polleur
Hogne
Méry
Hayen
Hôni
La Roche à Faucons
Plainevaux
Strivai
Esneux
Dolembreux
Haut'gné
Gomzé
Les Forges
Louveigné
NOIDRE
Mont
Hodbômont
Chau de Franchimont
Tiège
Bois de Staneu
Pt Berleur
Hout-si-Plout
Fontin
Souverain-Pré
Bèt'gné
Les Hornais
Blindhef
Adzeu
Jevoumont
Spixhe
Balmoral
Bois d'Esneux
Limont
Fecher
Poulseur
Lincé
Sprimont
Dam'ré
Hot'Champs
Deigné
Becô
La Reid
Spa
Villers-aux-Tours
Chanxhe
Presseux
Rouvreux
Florzé
Fraiture
Amblève
Hody
Mont
Rivage
Pont de Scay
Chau Amblève
Sougné
Remouchamps
Winamplanche
Creppe
Anthisnes
Comblain-au-Pont
Ourthe
Ôneu
Hôyemont
Aywaille
Dieupart
Montjardin
Kin
Cascades de la Chaudière
Nonceveux
Ninglinspo
Vert-Buisson
Haute Desnié
Le Tier des Réhons
Malch
Berinzen
Vien
Rocher
La Rock
Comblain-la-Tour
Fanson
Awan
Niâster
Fonds de Quâreux
Bois Bablette
Belvre du Moulin du Diable
Bois de Plein Fayi
Spârmont
Pierreux
Chefnâ
Bronrome
Andrimont
Cour
Comblain-Fairon
Xhoris
Les Batis
Harzé
Xhignesse
Bois de Xhoris
Bois de Quâreux
Borgoumont
Moulin-du-Ruy
Néblon-le-Pierreux
Hamoir
Filot
Inzègottes
St-Roch
Houssonloge
Lorcé
Targnon
Moutoûyet
La Gleize
Roanne
Ville
La Rouge-Minière
La Levée
Stoumont
Telecoo
Lassus
Landreci
Paradis
Sources Minérales
Chession
Hierfomont
Froidecour
La Venne
Hermanne
Rochers
My
Ernonheid
Néblon
Sy
Logne
Ferrières
Fagnoule
Grand-Trixhe
Bosson
La Neuville
Meuville
Chêneu
Coo
Verlaine
Vieuxville
Tier de Ferrières
Trou de Ferrières
Werbomont
Chevron
Rahier
Bois de Rahier
Brume
Herbet
Bomal-s-O.
Izier
Picherotte
Froidville
Trois-Ponts
Juzaine
Ozo
Le Vieux-Fourneau
Burnontige
St-Antoine
Hâbièmont
Chauvehé
Basse-Bodeux
Rochers de Sy
Villers-Ste-Gertrude
Grd Bru
Grand Heid
Mont-de-Fosse
Aisomont
Warre
La Rote
Fays
La Fagne
Haute Bodeux
Bohon
Pit Barvaux
Rochers
Aisne
Roche-à-Frêne
Haute Monchenoûle
St-Jacques
Bergeval
Rocheli
Fosse
Tour
Harre
Les Trous de Bra
Barvaux
Heyd
Lignely
Deux-Rys
Chêne-al-Pierre
Reharmont
Dairomont
Morville
Les Villettes
Pit Halleux
Mormont
Pite Hoursinne
Erria
Wéris
Bra
Mont
Farnières
Fanzel
Gde Hoursinne
La Chapelle
Amcomont
Eveux
En Floret
Hierlot
Bois Hodinfosse
Biron
Wenin
Pas-Bayard
Vaux-Chavanne
Odrimont
Bécharpé
Oster
Bois
Arbrefontaine
La Falize
Oppagne
Erezée
Clerheid
Xhoute-si-Plout
Jevigné
Rencheux
Fisenne
Grandmenil
Manhay
les Croupets
Lanzîval
le Bru
Menil
Goronne
Soy
Briscol
du
Baneux
Lierneux
Vielsalm
Ny
Sadzot
Blier
Erpigny
Malempré
Hazeilles
La Fosse
Bois de
Melines
Oster
Grd
Chau
Groûmont
Verleumont
Sart Pit.
Pays
Moulin à eau
Wy
Amonines
Hébronval
Jubiéval
Regné
Werpin
Lamormenil
Fraiture
Provèdr
Trinal
Odeigne
Hampteau
Forge à la Plez
Freyneux
Ottré
Magoster
Bois de Tave
Baraque de Fraiture
Hamoul
Beffe
Bois d'Odeigne
Bihain
Pite Langlire
Ronce
Devantave
Rendeux
Chabrehez
Tailles
Petites Tailles
Bois de
Langlire
Bovig
Parc Chlorophylle
Dochamps
Ronzon
Pisserotte
Marcouray
Les Collas
St-Thibaut
Jupille
Samrée
Bois
Bois de
Cedrogne
Lomré
Baclain
Warizy
Marco

Trooz
Cornesse
Goffontaine
Ensival
Pepinster
Foyir
Herbies
Jalhay
Fraipont
Tancrémont
Maison-Bois
Surister
Jehanster
Charneux
PARC
Andoumont
Banneux
Theux
Oneux
Juslenville
Fays
Polleur
Hogne
Royompré
Les Forges
Gomzé
Mont
Belle Croix
Baraque (Station)
Louveigné
Chau de Franchimont
Tiège
Sart
Solwaster
Chapelle Fischbach
Mt Rigi
Station scientifique des Hautes Fagnes
Hodbômont
Jevoumont
Spixhe
Bois de Staneu
Balmoral
Blindhef
Adzeu
Lac de Warfa
Le Wèyai
Sart Station
HTES FAGNES
HAUTES
Sprimont
Hot'Champs
Deigné
Bèço
Spa
Nivezé
Neubois
Cokaifagne
Dam'ré
La Reid
Bois de Hatrai
Hockai
Rouvreux
Florzé
Sougné
Remouchamps
Chau Amblève
Winamplanche
Cascades de la Chaudière
Creppe
Malchamps
Aywaille
Montjardin
Dieupart
Kin
Nonceveux
Ninglinspo
Vert-Buisson
Haute Desnié
Le Tier des Réhons
Berinzenne
Francorchamps
Ster
Mont
Bévercé
Awan
Bois Bablette
Belvre du Moulin du Diable
Fonds de Quâreux
Niâster
Bois de Plein Fayi
Chevrouhé
Bernister
Gdoûmont
Malmedy
Chefnâ
Bronrome
Andrimont
Cour
Burnenville
Harzé
Bois de Quâreux
Ruy
Egbomont
Rivage
Houssonloge
Lorcé
Borgoumont
Moulin-du-Ruy
Moutoûyet
Targnon
La Gleize
Roanne
Hurdebise
Rocher de Falise
La Levée
Paradis
Chession
Sources Minérales
Stoumont
Telecoo
Stavelot
Hédomont
Ronhî
Ernonheid
Hierfomont
Froidecour
La Venne
Cade Mgne de Lancre
Wavreumont
Challe
Grand-Trixhe
Bosson
Meuville
Chêneu
Amblève
Coo
Ster
Parfond Ruy
Warche
Bellevaux
Ligneuville
La Neuville
Werbomont
Chevron
Rahier
Bois de Rahier
Brume
Trois-Ponts
Beaumont
Reculémont
Picherotte
Froidville
Chauveheid
Somagne
Hénumont
Francheville
Burnontige
St-Antoine
Hâbièmont
Basse-Bodeux
Mont-de-Fosse
Aissomont
Wanneranval
Wanne
Houvegné
Kaiserbarracke
Grand Heid
Haute Bodeux
St-Jacques
Spineu
Logbiermé
La Fagne
Haute Monchenoûle
Les Trous de Bra
Fosse
Bergeval
Rochelinval
La Vau
Harre
Baleur
Büchel
Chêne-al-Pierre
Reharmont
Dairomont
Ennal
Les Villettes
Erria
Pt Halleux
Grd-Halleux
Mon-le-Soie
Pite Hoursinne
Bra
Mont
Farnières
Hourt
La Chapelle
Amcomont
Domaine du Monti
Petit-Thier
Grde Hoursinne
En Floret
Hierlot
Bois Hodinfosse
Bécharpé
Poteau
Vaux-Chavanne
Ville-du-Bois
Odrimont
Arbrefontaine
Emmels
Xhoute-si-Plout
Jevigné
La Falize
Rencheux
Lanzîval
Manhay
Grandmenil
les Croupets
Baneux
le Bru
Menil
Goronne
Vielsalm
Neuville
Burtonville
Hinderhausen
Lierneux
Malempré
Bois de Groûmont
Verleumont
Sart
Grd Chau
Salmchâteau
Grand Bois
La Fosse
Oster
Jubiéval
Bèche
Commanster
Kapellen
Weisten
Hébronval
Fraiture
Regné
Provèdroux
Odeigne
Freyneux
Cierreux
Rogery
Baraque de Fraiture
Ottré
Pite Langlire
Ronce
Honvelez
Braunlauf
Bihain
Aisne
Bois d'Odeigne
Petites Tailles
Langlire
Bois de Ronce
St-Martin
Malding
Aldringen
Dochamps
Chabrehez
Tailles
Bovigny
Courtil
Beho
Pisserotte
Les Collas
Espeler
Deiffelt
Samrée
Bois
Lomré
Baclain
Cedrogne
Halconreux
Ourthe
10 km
Salm
Glain
Lienne
Vesdre
Hogne
Eau Rouge
Warche
Recht
Rechterbach

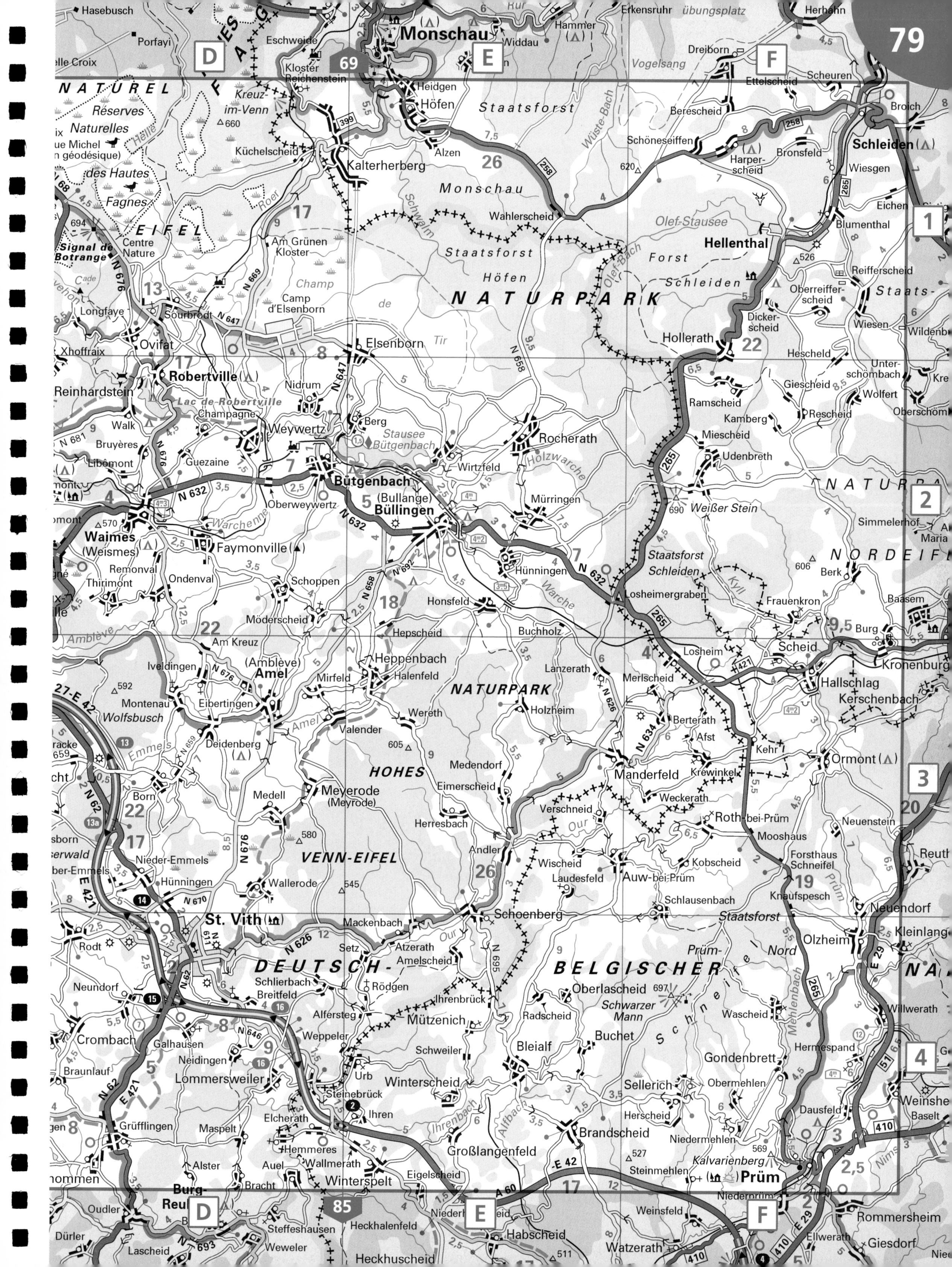
Hasebusch
Porfayi
Eschweide
Monschau
Widdau
Hammer
Erkensruhr
übungsplatz
Herhahn
Kloster Reichenstein
Heidgen
Höfen
Dreiborn
Vogelsang
Ettelscheid
Scheuren
NATUREL
Réserves Naturelles
des Hautes Fagnes
Kreuz-im-Venn
Küchelscheid
Kalterherberg
Alzen
Staatsforst
Berescheid
Schöneseiffen
Harperscheid
Bronsfeld
Schleiden
Broich
Wiesgen
Monschau
Wahlerscheid
Olef-Stausee
Hellenthal
Blumenthal
Eichen
Signal de Botrange
Centre Nature
EIFEL
Am Grünen Kloster
Staatsforst
Höfen
Forst Schleiden
Reifferscheid
Oberreifferscheid
Staats-
Champ de Tir
Camp d'Elsenborn
NATURPARK
Longfaye
Sourbrodt
Dickerscheid
Wiesen
Wildenburg
Hollerath
Xhoffraix
Ovifat
Elsenborn
Hescheld
Unterschömbach
Robertville
Nidrum
Giescheid
Wolfert
Reinhardstein
Lac de Robertville
Champagne
Ramscheid
Rescheid
Oberschömbach
Walk
Weywertz
Berg
Stausee Bütgenbach
Kamberg
Rocherath
Bruyères
Mieschneid
Libômont
Guezaine
Wirtzfeld
Udenbreth
Bütgenbach
Holzwarche
Oberweywertz
(Bullange) Büllingen
Mürringen
Weißer Stein
NATURPARK
Waimes (Weismes)
Warchenne
Faymonville
Simmelerhof
Maria
Remonval
Thirimont
Ondenval
Schoppen
Hünningen
Staatsforst Schleiden
Kyll
NORDEIFEL
Berk
Losheimergraben
Frauenkron
Baasem
Möderscheid
Honsfeld
Warche
Burg
Amblève
Am Kreuz
Hepscheid
Buchholz
Scheid
Losheim
Kronenburg
Iveldingen
(Amblève) Amel
Heppenbach
Halenfeld
Lanzerath
Merlscheid
Hallschlag
Kerschenbach
Mirfeld
NATURPARK
Montenau
Wolfsbusch
Eibertingen
Holzheim
Wereth
Berterath
Afst
Deidenberg
Valender
Emmels
Kehr
Ormont
Medendorf
HOHES
Manderfeld
Krewinkel
Born
Medell
Meyerode (Meyrode)
Eimerscheid
Weckerath
Verschneid
Roth-bei-Prüm
Herresbach
Mooshaus
Neuenstein
Andler
Our
Forsthaus Schneifel
Reuth
VENN-EIFEL
Nieder-Emmels
Wischeid
Laudesfeld
Auw-bei-Prüm
Kobscheid
Hünningen
Wallerode
Knaufspesch
Neuendorf
Schlausenbach
St. Vith
Mackenbach
Schoenberg
Staatsforst
Rodt
Setz
Atzerath
Amelscheid
Prüm-
Nord
Olzheim
Kleinlangenfeld
DEUTSCH-
BELGISCHER
Schlierbach
Breitfeld
Rödgen
Oberlascheid
Neundorf
Ihrenbrück
Schwarzer Mann
Willwerath
Alfersteg
Mützenich
Radscheid
Wascheid
Crombach
Weppeler
Buchet
Galhausen
Neidingen
Schweiler
Bleialf
Hermespand
Braunlauf
Lommersweiler
Urb
Gondenbrett
Winterscheid
Sellerich
Obermehlen
Weinsheim
Steinebrück
Ihren
Dausfeld
Baselt
Grüfflingen
Elcherath
Herscheid
Maspelt
Brandscheid
Niedermehlen
Hemmeres
Großlangenfeld
Alster
Wallmerath
Auel
Steinmehlen
Kalvarienberg
Prüm
Bracht
Winterspelt
Eigelscheid
Burg-Reuland
Oudler
Niederprüm
Weinsfeld
Rommersheim
Steffeshausen
Heckhalenfeld
Habscheid
Dürler
Lascheid
Weweler
Heckhuscheid
Watzerath
Ellwerath
Giesdorf
D
E
F
1
2
3
4

Hautmont
Maubeuge
Louvroil
Rousies
Ferrière-la-Grande
Boussière-s-S.
Pont-s-Sambre
Berlaimont
Aulnoye-Aymeries
Bachant
Limont-Fontaine
Beaufort
Damousies
Obrechies
Choisies
Bérelles
Eccles
Hestrud
Grandrieu
Solre-le-Château
Sivry-Rance
Dimechaux
Dourlers
Floursies
Sars-Poteries
Beugnies
Clairfayts
St Remy-Chaussée
St Aubin
Semousies
Noyelles-s-Sambre
Leval
Monceau-St-Waast
Taisnières-en-Thiérache
Dompierre-s-Helpe
St Hilaire-s-Helpe
Avesnes-s-Helpe
Bas-Lieu
Flaumont-Waudrechies
Felleries
Liessies
Willies
Avesnelles
Sémeries
Ramousies
Sains-du-Nord
Marbaix
Grand-Fayt
Petit-Fayt
Cartignies
Haut-Lieu
Boulogne-s-Helpe
Prisches
Étrœungt
Rainsars
Glageon
Trélon
Ohain
Beaurepaire-s-Sambre
Floyon
Larouillies
Fontenelle
Papleux
Rocquigny
Wignehies
Fourmies
Anor
le Nouvion-en-Thiérache
la Flamengrie
la Capelle
Clairfontaine
Mondrepuis
Buironfosse
Lerzy
Froidestrées
Luzoir
Wimy
Effry
Ohis
Neuve Maison
Hirson
St Michel
Chigny
Erloy
Gergny
Forêt du Nouvion (Domaine privé)
Forêt du Regnaval
Forêt d'Hirson (Domaine privé)
Forêt de Trélon
Forêt de Fourmies
Bois de l'Epaissenoux
Parc départemental du Val Joly
L'AVESNOIS
NATUREL
N 2
D 962
D 951
D 1043-E 44
D 1029-E 44
D 965
D 936
D 963
D 1050
A
B
C
1
2
3
4
0
10 km

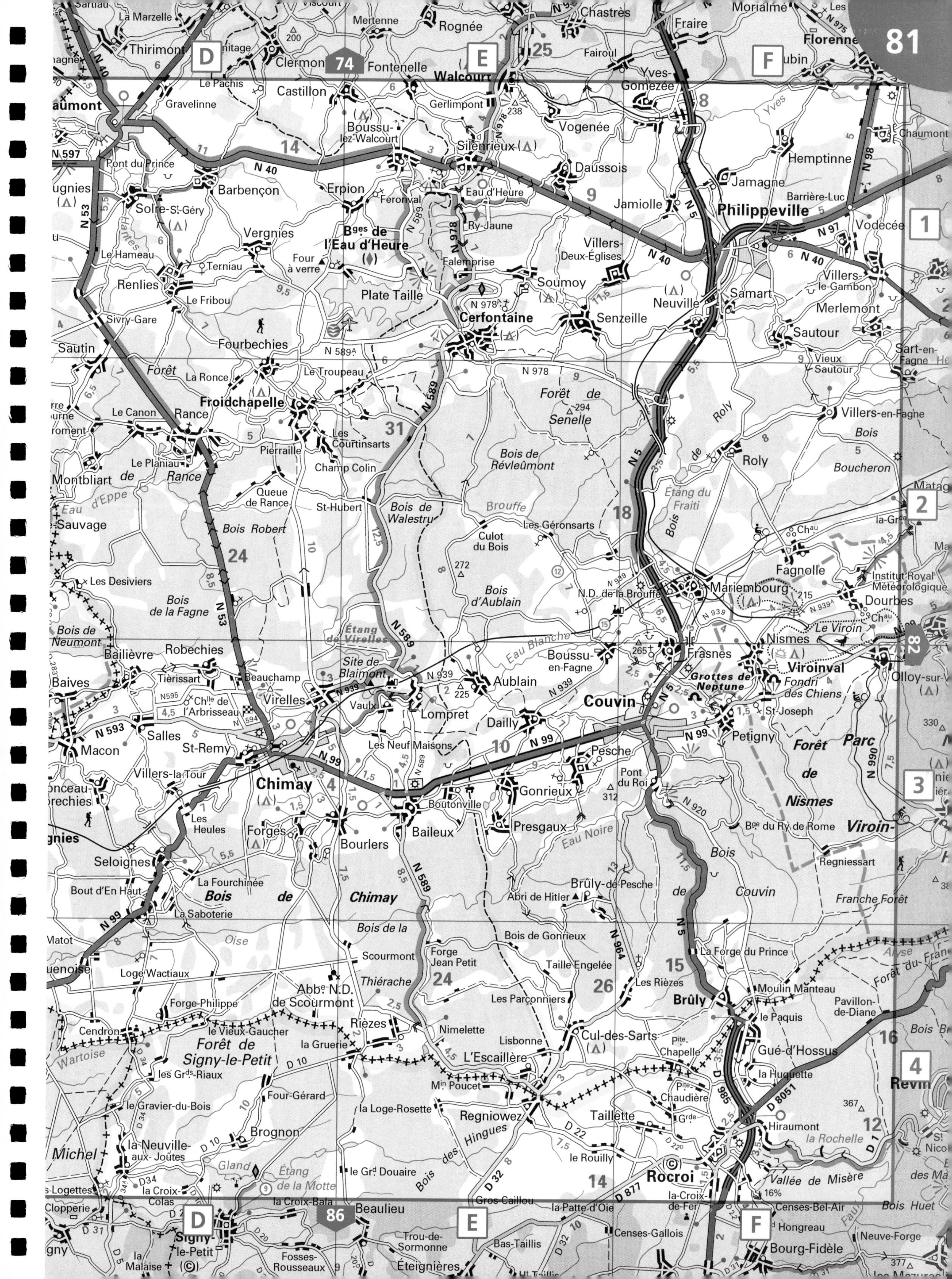
La Marzelle
Thirimont
Clermon
74
Fontenelle
Rognée
Chastrès
25
Fraire
Fairoul
Morialmé
Florenne
D
E
F
Walcourt
Le Pachis
Castillon
Gravelinne
Gerlimpont
Yves-Gomezée
Boussu-lez-Walcourt
Vogenée
Chaumont
14
Silenrieux
Hemptinne
N 597
Pont du Prince
N 40
Daussois
Jamagne
Barbençon
Erpion
Eau d'Heure
9
Barrière-Luc
Solre-St-Géry
Feronval
Jamiolle
Philippeville
Vodecée
1
Vergnies
Bges de l'Eau d'Heure
Ry-Jaune
N 97
Le Hameau
Four à verre
Falemprise
Villers-Deux-Églises
Villers-le-Gambon
Terniau
Renlies
Soumoy
Neuville
Samart
Le Fribou
Plate Taille
Merlemont
Sivry-Gare
Cerfontaine
Senzeille
Sautour
Fourbechies
Sautin
N 589
N 978
Sart-en-Fagne
Vieux Sautour
Forêt
La Ronce
Le Troupeau
Forêt de Senelle
Froidchapelle
Le Canon
Rance
Villers-en-Fagne
Les Courtinsarts
31
Pierraille
Bois
Le Planiau
Roly
Boucheron
Montbliart
de Rance
Champ Colin
Bois de Révleûmont
Queue de Rance
Eau d'Eppe
St-Hubert
Bois de Walestru
Brouffe
Étang du Fraiti
Sauvage
Bois Robert
Culot du Bois
Les Géronsarts
18
2
24
Fagnolle
Les Desiviers
Bois de la Fagne
Bois d'Aublain
N.D. de la Brouffe
Mariembourg
Institut Royal Météorologique
Dourbes
Bois de Neumont
Étang de Virelles
Eau Blanche
Le Viroin
Nismes
82
Bailièvre
Robechies
Site de Blaimont
Boussu-en-Fagne
Frasnes
Viroinval
Baives
Tiérissart
Beauchamp
N 939
Aublain
Grottes de Neptune
Fondri des Chiens
Olloy-sur-Viroin
Chlle de l'Arbrisseau
Virelles
Vaulx
Couvin
St-Joseph
Lompret
Dailly
N 593
Salles
N 99
Petigny
Macon
St-Remy
Les Neuf Maisons
Pesche
Forêt de Nismes
Parc
Villers-la-Tour
10
N 990
3
Chimay
Pont du Roi
Gonrieux
Boutonville
Les Heules
N 920
Forges
Baileux
Presgaux
Bge du Ry de Rome
Viroin-
Bourlers
Eau Noire
Seloignes
Regniessart
La Fourchinée
Bout d'En Haut
Bois de Chimay
Brûly-de-Pesche
Couvin
Abri de Hitler
Franche Forêt
La Saboterie
Bois de la
Oise
Bois de Gonrieux
N 964
Scourmont
Forge Jean Petit
La Forge du Prince
Loge Wactiaux
Thiérache
Taille Engelée
15
Les Rièzes
Abbe N.D. de Scourmont
Les Parçonniers
26
Brûly
Moulin Manteau
Forge-Philippe
Pavillon-de-Diane
Rièzes
Nimelette
le Paquis
Cendron
le Vieux-Gaucher
Cul-des-Sarts
Forêt de Signy-le-Petit
la Gruerie
Lisbonne
Pite Chapelle
Gué-d'Hossus
16
Wartoise
D 10
L'Escaillère
la Huquette
4
Revin
les Grds Riaux
Min Poucet
Pite Chaudière
D 985
D 8051
Four-Gérard
le Gravier-du-Bois
la Loge-Rosette
Regniowez
Taillette
Grde
Hiraumont
12
Brognon
Bois des Hingues
D 22
la Rochelle
la Neuville-aux-Joûtes
Michel
le Rouilly
Rocroi
Vallée de Misère
Gland
Étang de la Motte
le Grd Douaire
D 32
14
D 34
la Croix-Colas
Logettes
D 877
la Croix-de-Fer
Clopperie
la Croix-Bala
Gros-Caillou
la Patte d'Oie
Censes-Bel-Air
Bois Huet
86
Beaulieu
Hongreau
Signy-le-Petit
Trou-de-Sormonne
Bas-Taillis
Censes-Gallois
Neuve-Forge
Fosses-Rousseaux
Bourg-Fidèle
la Malaise
Éteignières

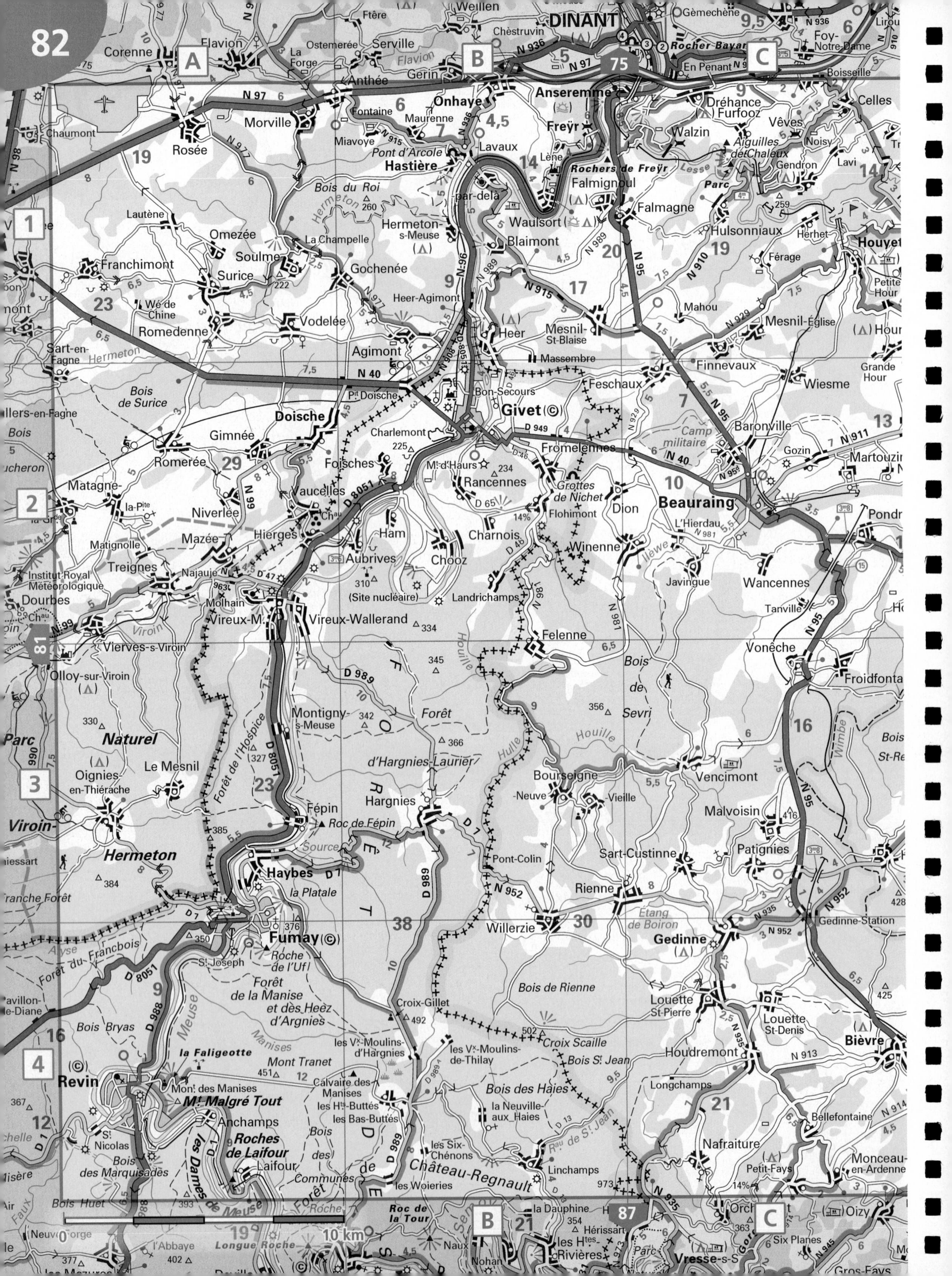
DINANT
Weillen
Ftère
Chèstruvin
Gèmechène
Corenne
Flavion
Ostemerée
Serville
La Forge
Anthée
Gerin
Rocher Bayard
Foy-Notre-Dame
En Penant
Boisseille
Anseremme
Dréhance
Furfooz
Celles
Chaumont
Rosée
Morville
Fontaine
Onhaye
Maurenne
Freÿr
Vêves
Walzin
Noisy
Miavoye
Lavaux
Aiguilles de Chaleux
Pont d'Arcole
Hastière
Lène
Rochers de Freÿr
Lesse
Gendron
Lavi
Houyet
Bois du Roi
Falmignoul
Parc
Falmagne
Hermeton
par-delà
Waulsort
Lautène
Omezée
La Champelle
Hermeton-s-Meuse
Blaimont
Hulsonniaux
Herhet
Soulme
Férage
Franchimont
Surice
Gochenée
Petite Hour
Heer-Agimont
Wé de Chine
Vodelée
Mahou
Romedenne
Heer
Mesnil-St-Blaise
Mesnil-Église
Sart-en-Fagne
Agimont
Massembre
Finnevaux
Grande Hour
Bois de Surice
Pt Doische
Bon-Secours
Feschaux
Wiesme
Doische
Givet (©)
Charlemont
Camp militaire
Baronville
Gimnée
Fromelennes
Gozin
Martouzin
Romerée
Foisches
Md d'Haurs
Rancennes
Grottes de Nichet
Matagne-la-Pte
Vaucelles
Flohimont
Dion
Beauraing
Niverlée
L'Hierdau
Mazée
Hierges
Ham
Charnois
Winenne
Matignolle
Aubrives
Chooz
Treignes
Najauje
Javingue
Wancennes
Institut Royal Météorologique
(Site nucléaire)
Landrichamps
Dourbes
Molhain
Vireux-M.
Vireux-Wallerand
Tanville
Vierves-s-Viroin
Felenne
Vonêche
Olloy-sur-Viroin
Froidfontaine
Montigny-s-Meuse
Forêt
Bois de Sevri
Parc Naturel
d'Hargnies-Laurier
Houille
Le Mesnil
Oignies-en-Thiérache
Bourseigne-Neuve
Bourseigne-Vieille
Vencimont
Hargnies
Fépin
Roc de Fépin
Malvoisin
Viroin-Hermeton
Source
Sart-Custinne
Patignies
Pont-Colin
Haybes
la Platale
Rienne
Franche Forêt
Fumay (©)
Willerzie
Étang de Boiron
Gedinne
Gedinne-Station
Forêt du Francbois
St Joseph
Roche de l'Uf
Forêt de la Manise et des Heez d'Argnies
Bois de Rienne
Louette St-Pierre
Louette St-Denis
Pavillon-de-Diane
Bois Bryas
Croix-Gillet
Croix Scaille
Bièvre
la Faligeotte
Mont Tranet
les Vx-Moulins-d'Hargnies
les Vx-Moulins-de-Thilay
Bois St Jean
Houdremont
Revin
Mont des Manises
Calvaire des Manises
Bois des Haies
Longchamps
Mt Malgré Tout
les Hts-Buttés
les Bas-Buttés
la Neuville-aux-Haies
Anchamps
Bellefontaine
St Nicolas
Roches de Laifour
Bois des Communes
les Six-Chênons
Nafraiture
Bois des Marquisades
Laifour
Château-Regnault
Linchamps
Petit-Fays
Monceau-en-Ardenne
les Woieries
Bois Huet
les Dames de Meuse
Roc de la Tour
la Dauphine
Hérissart
Orchimont
Oizy
Six Planes
Neuve Forge
l'Abbaye
Longue Roche
Naux
Nohan
les Hts-Rivières
Vresse-s-S
Gros-Fays
10 km

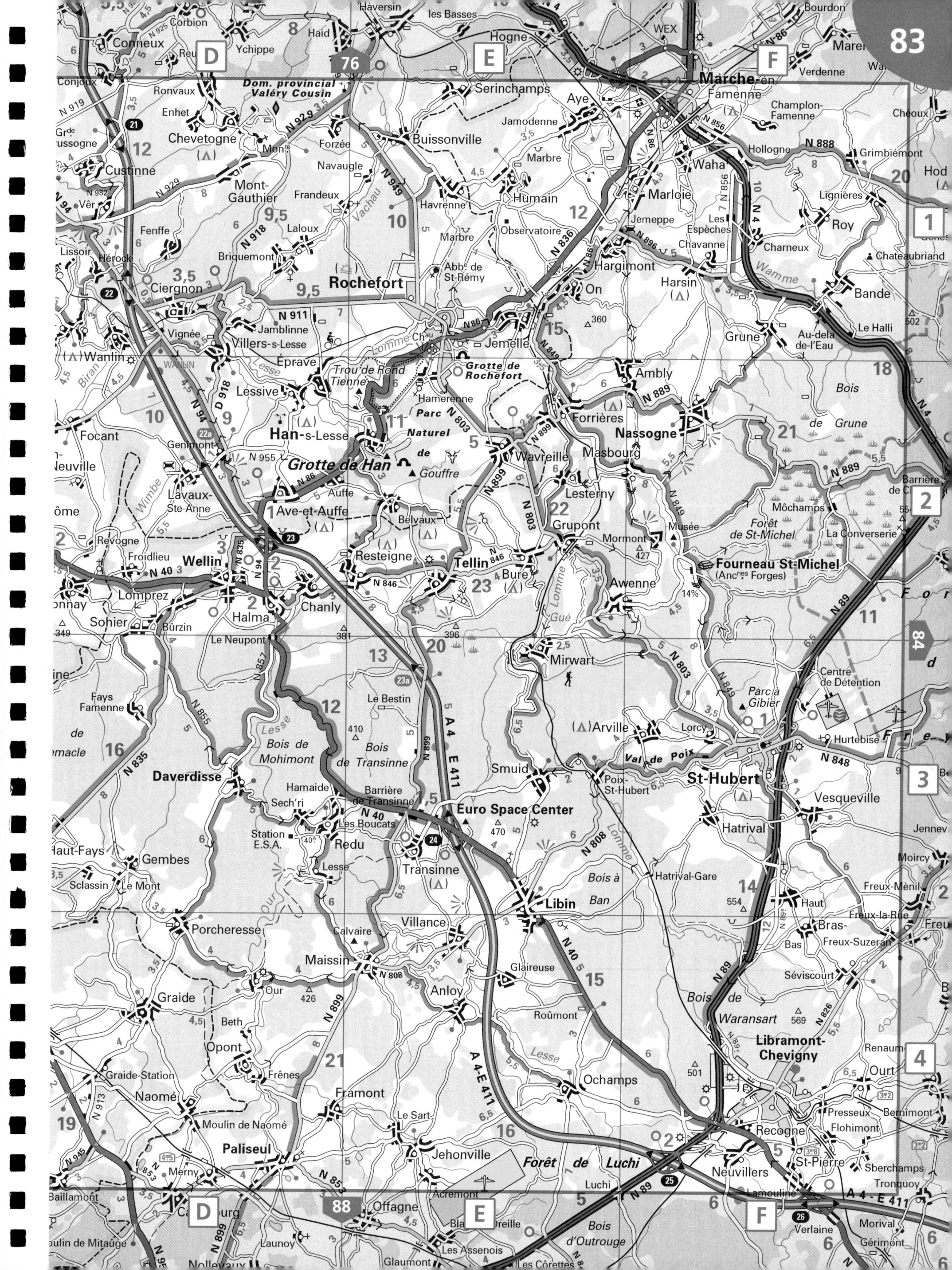
Haversin
les Basses
Hogne
Bourdon
WEX
Marche-en-Famenne
Verdenne
Corbion
Conneux
Ychippe
Haid
Conjoux
Dom. provincial Valéry Cousin
Ronvaux
Serinchamps
Aye
Champlon-Famenne
Enhet
Jamodenne
Chevetogne
Forzée
Buissonville
Hollogne
Grimbiémont
Custinne
Navaugle
Marbre
Waha
Mont-Gauthier
Frandeux
Havrenne
Humain
Marloie
Lignières
Vêr
Laloux
Jemeppe
Les Espèches
Roy
Fenffe
Observatoire
Chavanne
Charneux
Chateaubriand
Lissoir
Hérock
Briquemont
Abbe de St-Rémy
Hargimont
Harsin
Ciergnon
Rochefort
On
Wamme
Bande
Jamblinne
Vignée
Villers-s-Lesse
Jemelle
Grune
Au-delà de-l'Eau
Le Halli
Wanlin
Éprave
Trou de Rond Tienne
Grotte de Rochefort
Ambly
Bois de Grune
Lessive
Hamerenne
Forrières
Focant
Han-s-Lesse
Parc Naturel de Gouffre
Nassogne
Genimont
Masbourg
Grotte de Han
Wavreille
Lavaux-Ste-Anne
Auffe
Lesterny
Mochamps
Ave-et-Auffe
Belvaux
Grupont
Forêt de St-Michel
La Converserie
Revogne
Mormont
Froidlieu
Wellin
Resteigne
Tellin
Fourneau St-Michel
(Ancnes Forges)
Lomprez
Bure
Awenne
Chanly
Halma
Sohier
Bûrzin
Le Neupont
Mirwart
Centre de Détention
Fays Famenne
Le Bestin
Parc à Gibier
Arville
Lorcy
Hurtebise
Lesse
Bois de Mohimont
Bois de Transinne
Val de Poix
Daverdisse
Smuid
Poix-St-Hubert
St-Hubert
Vesqueville
Hamaide
Barrière de Transinne
Sech'ri
Euro Space Center
Station E.S.A.
Les Boucats
Redu
Hatrival
Gembes
Transinne
Hatrival-Gare
Moircy
Sclassin
Le Mont
Libin
Bois à Ban
Freux-Ménil
Haut
Freux-la-Rue
Porcheresse
Villance
Calvaire
Bras-
Freux-Suzeran
Maissin
Glaireuse
Séviscourt
Graide
Our
Anloy
Bois de Waransart
Beth
Roûmont
Opont
Libramont-Chevigny
Renaumont
Graide-Station
Frênes
Ochamps
Ourt
Naomé
Framont
Presseux
Bernimont
Flohimont
Moulin de Naomé
Le Sart
Recogne
Paliseul
Jehonville
Forêt de Luchi
St-Pierre
Sberchamps
Merny
Neuvillers
Tronquoy
Luchi
Baillamont
Acremont
Lamouline
Offagne
Verlaine
Morival
Bois d'Outrouge
Gérimont
Launoy
Les Assenois
Glaumont
Les Côrettes

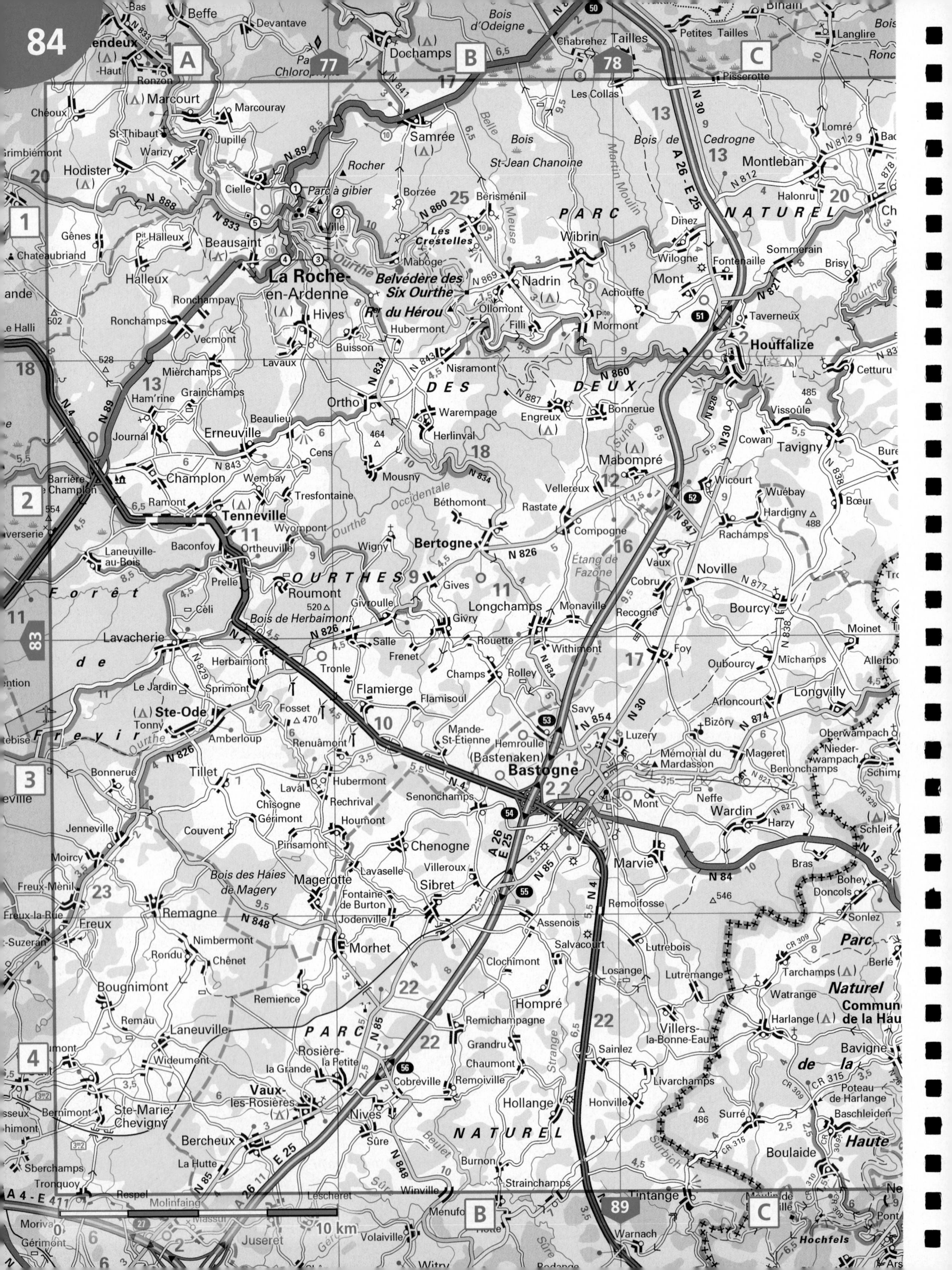
A
B
C
77
78
Beffe
Devantave
Dochamps
Bois d'Odeigne
Chabrehez
Tailles
Petites Tailles
Langlire
Pisserotte
Ronzon
Marcourt
Marcouray
Chéoux
St-Thibaut
Jupille
Warizy
Samrée
Les Collas
Belle Bois
St-Jean Chanoine
Bois de Cedrogne
Lomré
Montleban
Halonru
Hodister
Rocher
Parc à gibier
Borzée
Bérismélil
Cielle
Beausaint
Gênes
Pt Halleux
Chateaubriand
Halleux
Les Crestelles
Ville
Maboge
Ourthe
La Roche-en-Ardenne
Belvédère des Six Ourthe
R. du Hérou
Nadrin
Ollomont
Filli
Wibrin
Achouffe
Wilogne
Dinez
Mont
Fontenaille
Sommerain
Brisy
Taverneux
Houffalize
Cetturu
Ronchampay
Ronchamps
Vecmont
Hives
Buisson
Hubermont
Pte Mormont
Nisramont
Lavaux
Mierchamps
Grainchamps
Ham'rine
Journal
Erneuville
Beaulieu
Ortho
Warempage
Herlinval
Engreux
Bonnerue
Vissoûle
Cowan
Tavigny
PARC NATUREL DES DEUX OURTHES
Meuse
Martin Moulin
Cens
Wembay
Champlon
Barrière de Champlon
Ramont
Tenneville
Trefontaine
Mousny
Béthomont
Rastate
Vellereux
Mabompré
Wicourt
Wuébay
Hardigny
Bœur
Rachamps
Compogne
Occidentale
Wyompont
Laneuville-au-Bois
Baconfoy
Ortheuville
Wigny
Bertogne
Étang de Fazône
Vaux
Noville
Cobru
Bourcy
Prelle
Roumont
Gives
Longchamps
Monaville
Recogne
Forêt de Freÿr
Cèli
Givroulle
Bois de Herbaimont
Givry
Moinet
Lavacherie
Herbaimont
Salle
Frenet
Rouette
Withimont
Foy
Oubourcy
Michamps
Allerborn
Le Jardin
Sprimont
Tronle
Flamierge
Champs
Rolley
Longvilly
Arloncourt
Ste-Ode
Tonny
Fosset
Flamisoul
Savy
Bizôry
Amberloup
Renuâmont
Mande-St-Étienne
Hemroulle
Luzery
Oberwampach
Mageret
Mémorial du Mardasson
Nieder-wampach
Benonchamps
Tillet
Bonnerue
(Bastenaken)
Bastogne
Laval
Hubermont
Chisogne
Gérimont
Rechrival
Senonchamps
Neffe
Mont
Wardin
Harzy
Schleif
Jenneville
Couvent
Houmont
Pinsamont
Chenogne
Moircy
Villeroux
Lavaselle
Marvie
Bras
Bohey
Doncols
Freux-Ménil
Bois des Haies de Magery
Magerotte
Sibret
Fontaine de Burton
Remoifosse
Freux-la-Rue
Remagne
Freux
Jodenville
Assenois
Sonlez
Nimbermont
Salvacourt
Lutrebois
Rondu
Chênet
Morhet
Clochimont
Tarchamps
Berlé
Losange
Lutremange
Parc Naturel de la Haute Sûre
Bougnimont
Watrange
Remience
Hompré
Harlange
Commune de la Haute
Remau
Laneuville
Remichampagne
Villers-la-Bonne-Eau
Grandru
Sainlez
Bavigne
Wideumont
Rosière-la-Petite
la Grande
Chaumont
Strange
Livarchamps
Poteau de Harlange
Cobreville
Remoiville
Vaux-les-Rosières
Ste-Marie-Chevigny
Bernimont
Nives
Hollange
Honville
Surré
Baschleiden
Bercheux
Sûre
Beulet
Boulaide
Sberchamps
La Hutte
Burnon
Surbich
Tronquoy
Respel
Molinfaing
Lescheret
Winville
Strainchamps
Tintange
Massul
Menufontaine
Hotte
Moulin de Bigonville
Pont
Morival
Gérimont
Juseret
Volaiville
Warnach
Hochfels
Witry
Rodange
10 km
A 26 - E 25
A 4 - E 411
N 4
N 30
N 84
N 85
N 89
N 826
N 834
N 848
N 860
89

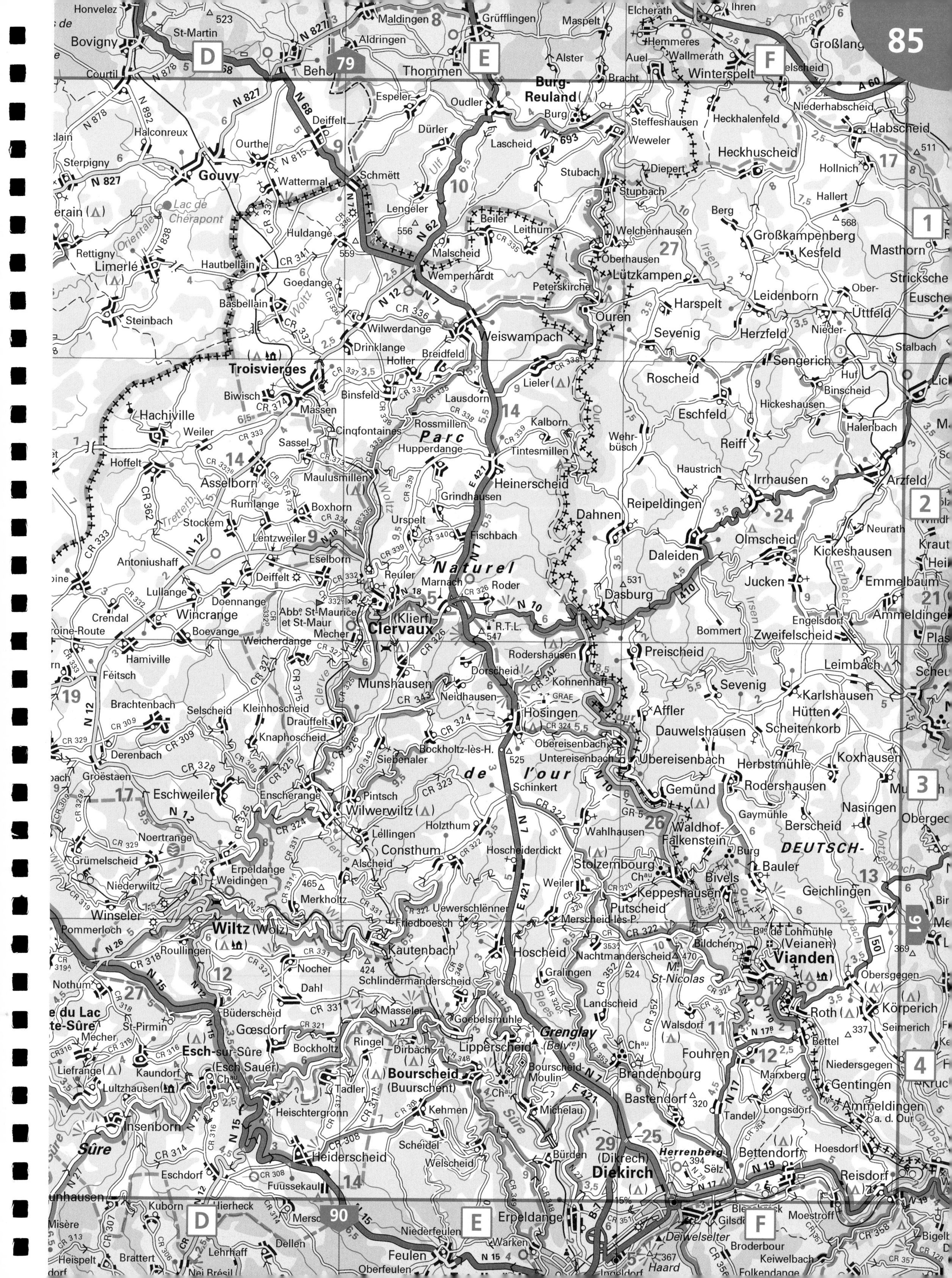

85
Honvelez
Bovigny
St-Martin
Courtil
Maldingen
Aldringen
Grüfflingen
Thommen
Maspelt
Alster
Elcherath
Ihren
Hemmeres
Wallmerath
Auel
Winterspelt
Großlang
Burg-Reuland
Burg
Bracht
Oudler
Espeler
Deiffelt
Dürler
Lascheid
Steffeshausen
Weweler
Heckhalenfeld
Niederhabscheid
Habscheid
Heckhuscheid
Diepert
Stubach
Stupbach
Hollnich
Hallert
Halconreux
Sterpigny
Gouvy
Ourthe
Wattermal
Schmëtt
Lac de Chérapont
Lengeler
Beiler
Leithum
Welchenhausen
Berg
Großkampenberg
Kesfeld
Masthorn
Rettigny
Limerlé
Huldange
Malscheid
Oberhausen
Lützkampen
Hautbellain
Wemperhardt
Peterskirche
Leidenborn
Strickscheid
Goedange
Ober-Üttfeld
Basbellain
Steinbach
Wilwerdange
Weiswampach
Ouren
Harspelt
Sevenig
Herzfeld
Nieder-
Drinklange
Breidfeld
Holler
Stalbach
Sengerich
Troisvierges
Lieler
Roscheid
Huf
Binscheid
Biwisch
Binsfeld
Lausdorn
Hachiville
Massen
Hickeshausen
Weiler
Cinqfontaines
Rossmillen
Kalborn
Eschfeld
Halenbach
Parc
Hupperdange
Tintesmillen
Wehrbüsch
Reiff
Hoffelt
Sassel
Asselborn
Maulusmillen
Heinerscheid
Haustrich
Irrhausen
Arzfeld
Grindhausen
Rumlange
Boxhorn
Dahnen
Reipeldingen
Stockem
Urspelt
Neurath
Olmscheid
Lentzweiler
Fischbach
Daleiden
Kickeshausen
Antoniushaff
Eselborn
Naturel
Deiffelt
Reuler
Jucken
Emmelbaum
Lullange
Marnach
Roder
Dasburg
Doennange
Crendal
Wincrange
Abbe St-Maurice et St-Maur
Clervaux
(Klierf)
R.T.L.
Engelsdorf
Ammeldingen
Boevange
Bommert
Zweifelscheid
Weicherdange
Mecher
Hamiville
Rodershausen
Preischeid
Leimbach
Féitsch
Dorscheid
Sevenig
Karlshausen
Munshausen
Kohnenhaff
Affler
Hütten
Brachtenbach
Selscheid
Kleinhoscheid
Neidhausen
Hosingen
Dauwelshausen
Scheitenkorb
Drauffelt
Derenbach
Knaphoscheid
Obereisenbach
Untereisenbach
Übereisenbach
Koxhausen
Bockholtz-lès-H.
Siebenaler
Herbstmühle
Groëstaen
de
l'our
Schinkert
Gemünd
Rodershausen
Eschweiler
Enscherange
Pintsch
Gaymühle
Nasingen
Obergeckler
Wilwerwiltz
Waldhof-Falkenstein
Berscheid
Lellingen
Holzthum
Wahlhausen
Noertrange
Consthum
Hoscheiderdickt
Burg
DEUTSCH-
Bauler
Grümelscheid
Alscheid
Stolzembourg
Erpeldange
Weidingen
Bivels
Niederwiltz
Weiler
Keppeshausen
Geichlingen
Merkholtz
Putscheid
Winseler
Uewerschlënner
Merscheid-lès-P.
Pommerloch
Wiltz (Wolz)
Friedboesch
Bgg de Lohmühle
Kautenbach
Bildchen
(Veianen)
Roullingen
Hoscheid
Nachtmanderscheid
Vianden
Nothum
Nocher
Gralingen
St-Nicolas
Obersgegen
Dahl
Schlindermanderscheid
Roth
Körperich
Masseler
Landscheid
Seimerich
Büderscheid
Goebelsmühle
Walsdorf
Bettel
St-Pirmin
Grenglay
(Belvé)
Gœsdorf
Ringel
Lipperscheid
Fouhren
Niedersgegen
Mecher
Dirbach
Esch-sur-Sûre
(Esch Sauer)
Bourscheid
Bourscheid-Moulin
Brandenbourg
Marxberg
Gentingen
Liefrange
Kaundorf
(Buurschent)
Lultzhausen
Tadler
Bastendorf
Longsdorf
Ammeldingen a. d. Our
Heischtergronn
Kehmen
Michelau
Tandel
Insenborn
Sûre
Scheidel
Heiderscheid
Hoesdorf
Bürden
(Dikrech)
Herrenberg
Bettendorf
Welscheid
Diekirch
Sëlz
Reisdorf
Eschdorf
Fuussekaul
Kuborn
Lierheck
Mersch
Erpeldange
Moestroff
Misère
Niederfeulen
Deiwelselter
Gilsdorf
Broderbour
Bigelbach
Heispelt
Brattert
Lehrhaff
Dellen
Feulen
Warken
Haard
Keiwelbach
Folkendange
Nei Brésil
Oberfeulen
Ingeldorf
D
E
F
1
2
3
4
79
90
91

Chimay
Gonrieux
Boutonville
Baileux
Bourlers
Forges
Presgaux
Salles
Villers-la-Tour
Monceau-Imbrechies
Momignies
Seloignes
Les Heules
La Fourchinée
Bois de Chimay
Bout d'En Haut
La Saboterie
Macquenoise
Four Matot
Loge Wactiaux
Forge-Philippe
Abbe N.D. de Scourmont
Scourmont
Bois de la Thiérache
Forge Jean Petit
Rièzes
Nimelette
Brûly-de-Pesche
Abri de Hitler
Bois de Gonrieux
Taille Engelée
Les Riezes
Les Parçonniers
Brûly
Bois de Couvin
La Forge du Prince
Moulin Manteau
Pavillon-de-Diane
le Paquis
Gué-d'Hossus
la Huquette
Hiraumont
la Rochelle
Petigny
Forêt de Nismes
Parc Viroin-
Regniessart
Franche Forêt
Cendron
le Vieux-Gaucher
Forêt de Signy-le-Petit
la Gruerie
L'Escaillère
Lisbonne
Cul-des-Sarts
Pite Chapelle
Min Poucet
Regniowez
Taillette
Pite Chaudière
Grde Chaudière
les Grds-Riaux
Four-Gérard
la Loge-Rosette
le Gravier-du-Bois
Brognon
Bois des Hingues
le Rouilly
Rocroi
Vallée de Misère
la Neuville-aux-Joûtes
St Michel
Gland
Étang de la Motte
le Grd Douaire
Gros-Caillou
la Patte d'Oie
la Croix-de-Fer
Censes-Bel-Air
les Logettes
la Clopperie
la Croix-Colas
la Croix-Bala
Beaulieu
Censes-Gallois
le Grd Hongreau
Bourg-Fidèle
Watigny
Signy-le-Petit
Trou-de-Sormonne
Bas-Taillis
la Malaise
Fosses-Rousseaux
Éteignières
Ht-Taillis
Sévigny-la-Forêt
le Cheval-Blanc
Vieille-Forge
Any
Fligny
Pont-d'Any
Mon Idée
Bois d'Harcy
Étang de Bérulle
Martin-Rieux
Tarzy
Maubert-Fontaine
Bois des Potées
Dorville
Bellevue
Wagny
Auvillers-les-Forges
la Neuville-aux-Tourneurs
Tremblois-lès-Rocroi
la Croix-du-Cavalier
Val-la-Caure
Auge
le Piquet
Leuze
Antheny
Foulzy
Étalle
Chilly
Rimogne
la Hayette
Fontenelle
Girondelle
Sormonne
Harcy
Aubenton
Bossus-lès-Rumigny
Champlin
Marby
le Châtelet-s-S.
Murtin-et-Bogny
Lonny
Estrebay
Laval-Morency
le Carbonnet
Hannappes
Laval-d'Estrebay
les Oliviers
Flaignes
Blombay
Sormonne
Logny-lès-Aubenton
Rumigny
le Clos-Berteaux
l'Ermitage
Aube
-Havys
Belzy
Ham-les-Moines
Ribeauville
Prez
la Cerleau
Cernion
l'Échelle
Wartigny
Bolmont
la Terre-des-Moines
la Rue-du-Moulin
Aouste
Puits d'Audry
Audry
le Maipas
Rouvroy-s-Audry
Servion
Hardoncelle
Mont-St Jean
Abbe de Bonnefontaine
la Reupette
la Hérissonnerie
Blanchefosse
la croix-d'Aouste
Liart
Villaine
Remilly-les-Pothées
Pts Caillaux
Logny-Bogny
Aubigny-les-Pothées
les Autels
la Férée
Vaux
Giraumont
St Marce
Bay
les Bonnomets
Lépron-les-Vallées
Neufmaison
Htes-Bruyères
Ht-Chemin
les Héneaux
Marlemont
Malgrétout
Clavy
Gratreux
la Viotte
le Bois-des-Haies
la Guinguette
Fontaine-Olive
Warby
Neuville
Forêt d'Estrémont
le Fréty
Cornaux
le Faluel
Forêt du Hailly
Forge-Maillard
Planche-à-Serre
la Saboterie
les Vallées
Thiery-Pré
Thin
Forêt de Froidmont
Ribauville
Fief-d'Arlois
St Jean-aux-Bois
Maranwez
Thin-le-Moutier
Écogne
Mainbresson
le Suberteaux
Librecy
la Fosse-au-Mortier
Gruyères
les Duizettes
Grande Forêt
la Rue-Giboudelle
Frêne
Signy-l'Abbaye
la Vaux Gravier
la Verrerie
Maimby
la Vénerie
Courcelles
les Corbeaux
Monmeillant
Rocquigny
Boudesocq
Romagne
Bois d'Angerville
la Besace
Petite Forêt
Dommery
Bellevue
10 km
0

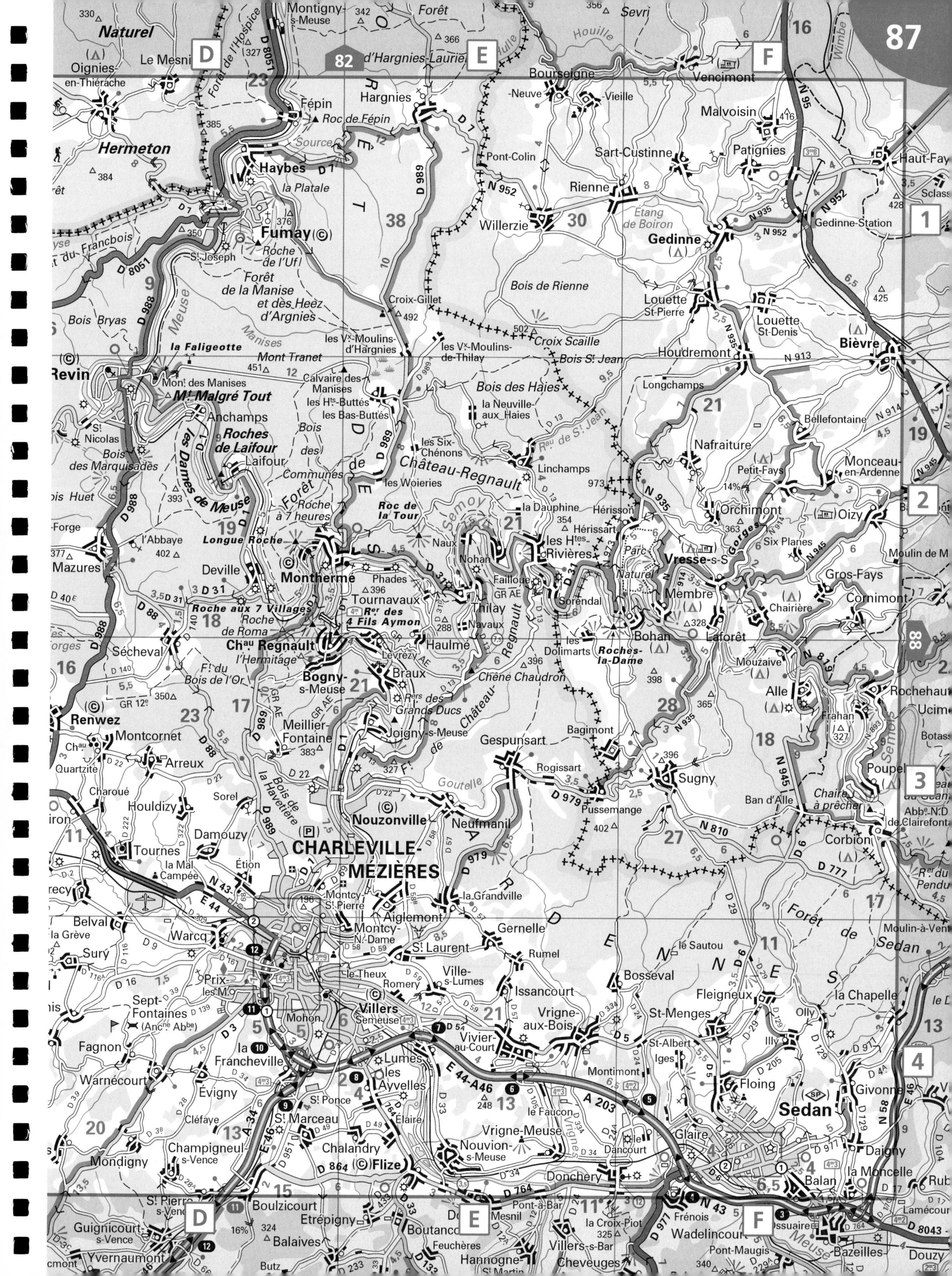
Naturel
Oignies-en-Thiérache
Le Mesnil
D
Forêt de l'Hospice
Montigny-s-Meuse
Forêt
82
d'Hargnies-Laurier
E
Bourseigne-Neuve
Bourseigne-Vieille
Houille
Sevri
F
Vencimont
16
Malvoisin
Fépin
Roc de Fépin
Hargnies
Hermeton
Haybes
la Platale
Pont-Colin
Sart-Custinne
Patignies
Haut-Fays
Rienne
Willerzie
Etang de Boiron
Gedinne
Gedinne-Station
1
Fumay
Roche de l'Uf
St Joseph
Forêt de la Manise et des Heez d'Argnies
Bois de Rienne
Louette St-Pierre
Louette St-Denis
Croix-Gillet
Bois Bryas
Manises
Croix Scaille
Bois St Jean
Bièvre
Houdremont
la Faligeotte
Mont Tranet
Revin
Mont des Manises
Calvaire des Manises
les Vx-Moulins-d'Hargnies
les Vx-Moulins-de-Thilay
Bois des Haies
Longchamps
Mt Malgré Tout
Anchamps
Roches de Laifour
les Hts-Buttés
les Bas-Buttés
la Neuville-aux-Haies
St Nicolas
Bois des Marquisades
Laifour
les Dames de Meuse
les Six-Chênons
Château-Regnault
Linchamps
Nafraiture
Bellefontaine
Monceau-en-Ardenne
19
Petit-Fays
Orchimont
Oizy
2
Bois Huet
Roche à 7 heures
Roc de la Tour
les Woieries
Commune
Forêt de
Semoy
Naux
Nohan
la Dauphine
Hérisson
Hérissart
les Hies Rivières
Parc Naturel
Vresse-s-S
Six Planes
Gorges
Moulin de M
l'Abbaye
Mazures
Longue Roche
Deville
Monthermé
Phades
Tournavaux
Thilay
Failloue
Sorendal
Membre
Gros-Fays
Cornimont
Chairière
Roche aux 7 Villages
Roche de Roma
4m Rer des 4 Fils Aymon
Navaux
Haulmé
les Dolimarts
Roches-la-Dame
Bohan
Laforêt
88
Sécheval
Chau Regnault
l'Hermitage
Levrezy
Braux
Bogny-s-Meuse
Chêne Chaudron
Mouzaive
Alle
Rochehaut
F! du Bois de l'Or
Rers des Grands Ducs
Frahan
Renwez
Meillier-Fontaine
Joigny-s-Meuse
Bagimont
Montcornet
Chau Quartzite
Arreux
Gespunsart
Rogissart
Sugny
Poupel
3
Charoué
Houldizy
Sorel
Bois de la Havetière
Goutelle
Nouzonville
Pussemange
Ban d'Alle
Chaire à prêcher
Abbe N.D de Clairefontaine
Damouzy
Tournes
CHARLEVILLE-MÉZIÈRES
Neufmanil
Corbion
la Mal Campée
Étion
Montcy-St-Pierre
la Grandville
Aiglemont
Belval
la Grève
Warcq
Montcy-N-Dame
Gernelle
Forêt de Sedan
Moulin-à-Vent
Sury
St Laurent
Rumel
le Sautou
Prix-lès-M.
le Theux
Romery
Ville-s-Lumes
Bosseval
Sept-Fontaines (Ancne Abbe)
Issancourt
Fleigneux
la Chapelle
Villers Semeuse
Vrigne-aux-Bois
St-Menges
Olly
Mohon
Vivier-au-Court
St-Albert
Illy
Fagnon
la Francheville
Lumes
les Ayvelles
Iges
Montimont
Floing
Givonne
4
Warnécourt
Évigny
St Ponce
le Faucon
Sedan
Cléfaye
St Marceau
Élaire
Vrigne-Meuse
Glaire
Champigneul-s-Vence
Chalandry
Nouvion-s-Meuse
Vrignes
Ile Dancourt
Daigny
Mondigny
Flize
Donchery
Balan
la Moncelle
St Pierre-s-Vence
Boulzicourt
Pont-à-Bar
Mesnil
la Croix-Piot
Frénois
Wadelincourt
Lamécourt
Guignicourt-s-Vence
Etrépigny
Boutancourt
Villers-s-Bar
Pont-Maugis
Bazeilles
Douzy
Yvernaumont
Balaives
Feuchères
Hannogne-St-Martin
Cheveuges
Butz
A 203
A 34
E 46
E 44-A 46
N 43
E 44
N 952
N 935
N 95
N 913
N 914
N 945
N 810
N 819
D 777
D 8051
D 988
D 989
D 31
D 88
D 979
D 764
D 864

A
B
C
1
2
3
4
Daverdisse
Haut-Fays
Gembes
Porcheresse
Graide
Naomé
Paliseul
Carlsbourg
Redu
Transinne
Euro Space Center
Libin
Maissin
Villance
Anloy
Ochamps
Jehonville
Offagne
Fays-les-Veneurs
Bertrix
Forêt de Luchi
St-Hubert
Hatrival
Libramont-Chevigny
Recogne
Neuvillers
Bouillon
Noirefontaine
Les Hayons
Auby-s-S.
Cugnon
Dohan
Mortehan
Herbeumont
Forêt d'Herbeumont
Orgeo
Bioûrge
St-Médard
Straimont
Suxy
Chiny
Lacuisine
Florenville
Ste-Cécile
Fontenoille
Muno
Chassepierre
Forêt de Muno
Les Douze Cents
Villers-Cernay
Francheval
Pouru-aux-Bois
Escombres
Messincourt
Pure
Sachy
Douzy
Bazeilles
Givonne
Daigny
Rubécourt
Izel
Tombeau du Géant
Roches de Dampire
Forêt de Bouillon
Tombeau du Chevalier
Rocher de Bohanan
Roche du Chat
Défilé du Paradis
Tremblois-lès-Carignan
Williers
d'Orval
Bois du Banel
N 89
N 40
N 83
N 845
N 884
N 853
N 899
N 95
A 4-E 411
83
87
92
0
10 km

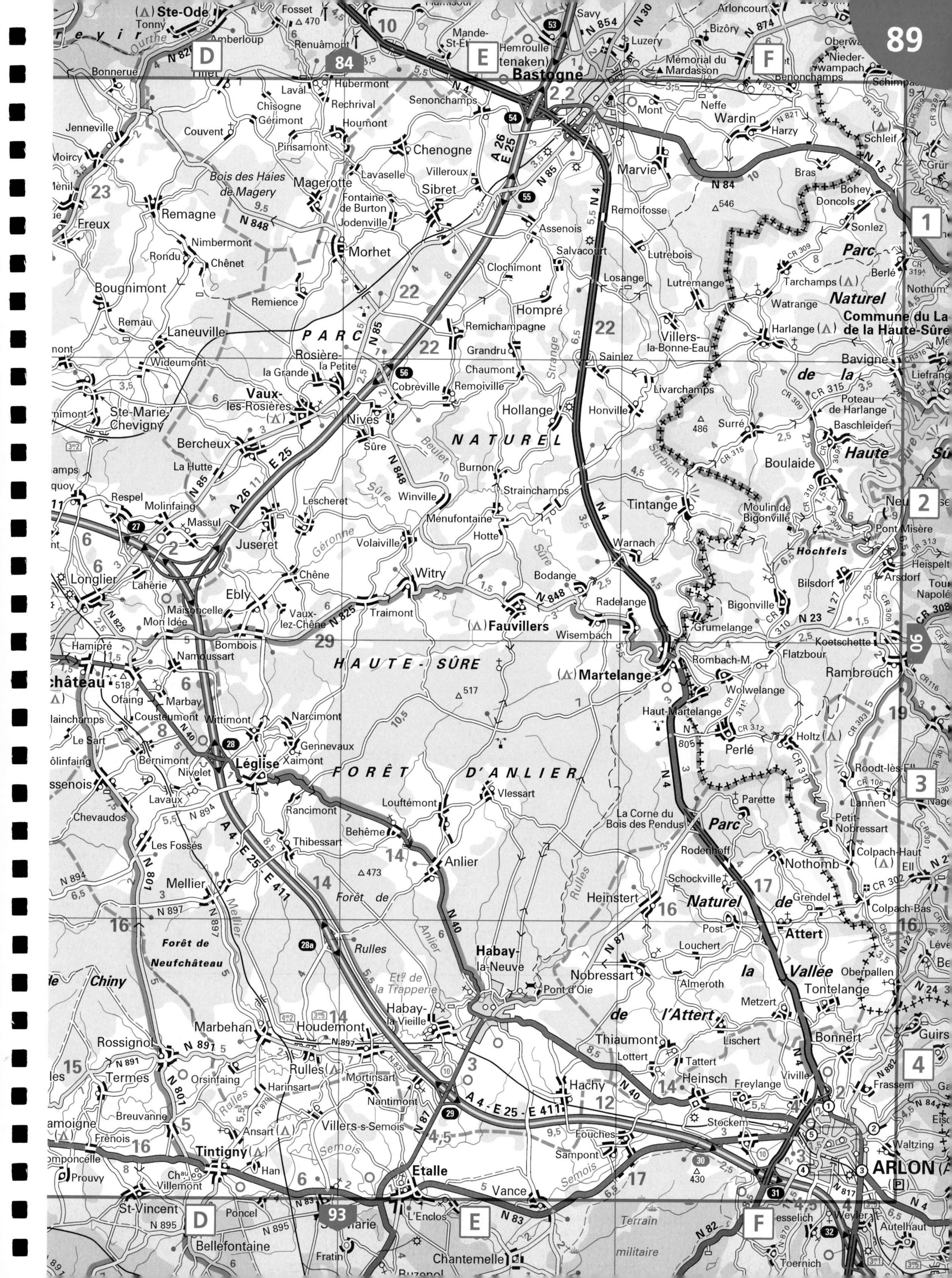
Ste-Ode
Tonny
Amberloup
Fosset
Renuâmont
Mande-St-Etienne
Hemroulle
Savy
Arloncourt
Bizôry
Luzery
Mémorial du Mardasson
Bastogne
Benonchamps
Oberwampach
Niederwampach
Schimpach
Bonnerue
Tillet
Laval
Hubermont
Rechrival
Chisogne
Gérimont
Houmont
Senonchamps
Mont
Neffe
Wardin
Harzy
Schleif
Jenneville
Couvent
Pinsamont
Chenogne
Marvie
Moircy
Villeroux
Lavaselle
Bois des Haies de Magery
Magerotte
Sibret
Fontaine de Burton
Jodenville
Remagne
Freux
Bras
Bohey
Doncols
Sonlez
Remoifosse
Nimbermont
Assenois
Rondu
Chênet
Morhet
Salvacourt
Lutrebois
Clochimont
Losange
Lutremange
Berlé
Tarchamps
Bougnimont
Remience
Hompré
Watrange
Naturel
Commune du Lac de la Haute-Sûre
Remau
Remichampagne
Laneuville
PARC
Rosière-la Grande
Rosière-la Petite
Grandru
Villers-la-Bonne-Eau
Harlange
Sainlez
Chaumont
Bavigne
Wideumont
Cobreville
Remoiville
Livarchamps
de
la
Liefrange
Poteau de Harlange
Vaux-les-Rosières
Hollange
Honville
Ste-Marie-Chevigny
Nives
Surré
Baschleiden
NATUREL
Bercheux
Sûre
Beulet
Strange
Haute
Boulaide
La Hutte
Burnon
Surbich
Respel
Molinfaing
Lescheret
Winville
Strainchamps
Tintange
Moulin de Bigonville
Massul
Menufontaine
Hotte
Hochfels
Pont Misère
Juseret
Volaiville
Warnach
Heispelt
Longlier
Lahérie
Chêne
Witry
Bodange
Bilsdorf
Arsdorf
Ebly
Maisoncelle
Mon Idée
Vaux-lez-Chêne
Traimont
Fauvillers
Radelange
Bigonville
Grumelange
Wisembach
Koetschette
Hamipré
Namoussart
Bombois
Rombach-M.
Flatzbour
Rambrouch
HAUTE-SÛRE
Martelange
Neufchâteau
Ofaing
Marbay
Wolwelange
Lainchamps
Cousteumont
Wittimont
Narcimont
Haut-Martelange
Le Sart
Gennevaux
Perlé
Holtz
Molinfaing
Bernimont
Nivelet
Léglise
Xaimont
FORÊT D'ANLIER
Roodt-lès-Ell
Assenois
Vlessart
Lannen
Lavaux
Louftémont
Parette
Chevaudos
Rancimont
La Corne du Bois des Pendus
Petit-Nobressart
Behême
Parc
Les Fossés
Thibessart
Rodenhoff
Anlier
Colpach-Haut
Nothomb
Mellier
Forêt de
Schockville
Heinstert
Naturel
de
Grendel
Colpach-Bas
Forêt de Neufchâteau
Post
Attert
Rulles
Louchert
Habay-la-Neuve
la
Vallée
Oberpallen
Chiny
Et^g de la Trapperie
Nobressart
Almeroth
Tontelange
Pont d'Oie
Metzert
Habay-la-Vieille
de
l'Attert
Marbehan
Houdemont
Rossignol
Thiaumont
Lischert
Bonnert
Lottert
Tattert
Termes
Orsinfaing
Rulles
Mortinsart
Heinsch
Freylange
Viville
Frassem
Hachy
Harinsart
Nantimont
Stockem
Breuvanne
Villers-s-Semois
Ansart
Frênois
Fouches
Waltzing
Sampont
Tintigny
ARLON
Prouvy
Han
Ch^au Villemont
Etalle
Semois
St-Vincent
Vance
Poncel
Ste-Marie
L'Enclos
Terrain militaire
Heselich
Weyler
Autelhaut
Bellefontaine
Fratin
Chantemelle
Toernich
Buzenol
A 4 - E 25 - E 411
A 26 E 25
N 4
N 848
N 85
N 84
N 825
N 40
N 894
N 801
N 897
N 891
N 87
N 83
N 895
N 82
N 23
N 27
N 15
N 24
CR 309
CR 315
CR 310
CR 303
CR 302

Arloncourt
Brachtenbach
Selscheid
Kleinhoscheid
Drauffelt
Hosingen
Oberwampach
Nieder-wampach
Derenbach
Knaphoscheid
Bockholtz-lès-H.
Obereisenbach
Untereisenbach
Magerei
Benonchamps
Schimpach
Gröestaen
Schinkert
Neffe
Wardin
Harzy
Eschweiler
Enscherange
Pintsch
Wilwerwiltz
Holzthum
Wahlhausen
Schleif
Noertrange
Lellingen
Consthum
Hoscheiderdickt
Stolzembourg
Marvie
Bras
Grümelscheid
Erpeldange
Weidingen
Alscheid
Weiler
Bohey
Doncols
Niederwiltz
Merkholtz
Uewerschlënner
Putscheid
Sonlez
Winseler
Wiltz (Wolz)
Friedboesch
Merscheid-lès-P.
Lutrebois
Pommerloch
Parc
Roullingen
Kautenbach
Hoscheid
Nachtmanderscheid
Berlé
Nocher
Gralingen
Lutremange
Tarchamps
Nothum
Dahl
Schlindermanderscheid
Landscheid
Watrange
Naturel
Commune du Lac de la Haute-Sûre
Büderscheid
Masseler
Goebelsmuhle
Villers-la-Bonne-Eau
Harlange
St-Pirmin
Gœsdorf
Ringel
Grenglay
Mecher
Esch-sur-Sûre
Bockholtz
Dirbach
Lipperscheid
Bavigne
Liefrange
Kaundorf
(Esch Sauer)
Bourscheid
(Buurschent)
Bourscheid-Moulin
Brandenbourg
de la
Lultzhausen
Tadler
Livarchamps
Poteau de Harlange
Heischtergronn
Kehmen
Michelau
Baschleiden
Insenborn
Surré
Haute
Sûre
Heiderscheid
Scheidel
Welscheid
Bürden
(Dikrech)
Diekirch
Boulaide
Eschdorf
Fuussekaul
Neunhausen
Kuborn
Hierheck
Merscheid
Erpeldange
Moulin de Bigonville
Pont Misère
Niederfeulen
Warnach
Hochfels
Heispelt
Brattert
Lehrhaff
Dellen
Feulen
Warken
Ingeldorf
Bilsdorf
Arsdorf
Tour Napoléon
Nei Brésil
Grevels
Oberfeulen
Ettelbrück
(Ettelbréck)
Bigonville
Rindschleiden
Mertzig
Schieren
Grumelange
Koetschette
Wahl
Birtrange
Rombach-M.
Flatzbour
Rambrouch
Eschette
Buschrodt
Grosbous
Karelshaff
Berg
Wolwelange
Folschette
Roudbaach
Michelbouch
Colmar
Haut-Martelange
Hostert
Horas
Vichten
Lellerhaff
Perlé
Holtz
Pratz
Bettborn
Schandel
Bissen
Roost
Platen
Reimberg
Roodt-lès-Ell
Parette
Nagem
Ospern
Lannen
La Corne du Bois des Pendus
Petit-Nobressart
Everlange
Boevange-s-Attert
Grevenknapp
Tumulus
Rettingen
Redange
(Réiden)
Reichlange
Useldange
(Miersch)
Mersch
Moesdorf
Rodenhoff
Nothomb
Colpach-Haut
Ell
Buschdorf
Elenter
Beringen
Schockville
Naturel
Grendel
Rippweiler
Fënsterdall
Colpach-Bas
Niederpallen
Urbaach
Reckange
Post
Attert
Noerdange
Schwebach
Levelange
Huttange
Kapweiler
Louchert
Beckerich
Saeul
Brouch
Rollingen
la
Vallée
Oberpallen
Calmus
Hollenfels
Elvange
Schweich
Tuntange
Schoenfels
Almeroth
Tontelange
Metzert
Hovelange
Prettingen
de
l'Attert
Guirsch
Ehner
Greisch
Ansembourg
Marienthal
Lorentzweiler
Bonnert
Septfontaines
Bour
Lischert
Heckbous
Thiaumont
Tattert
Simmerschmelz
Hünsdorf
Heinsch
Freylange
Viville
Frassem
Gaichel
Hobscheid
Meispelt
Keispelt
Mierschgronne
Müllendorf
Stockem
Eischen
Roodt-s-Eisch
Dondelange
Quatre-Vents
Steinsel
Waltzing
Haereboesch
Goeblange
Nospelt
(Koplescht)
Kopstal
ARLON (AARLEN)
Koerich
Villa romaine
Couvent
Steinfort
Kreiz
Kehlen
(Kiele)
Béreldange
Clairefontaine
Goetzingen
Brameschhaff
Bridel
(LËTZEBUERG)
LUXEMBOURG
Parnich
Sterpenich
Windhof
(Kapellen)
Capellen
Hagen
Kleinbettingen
Toernich
Terrain militaire
0
10 km

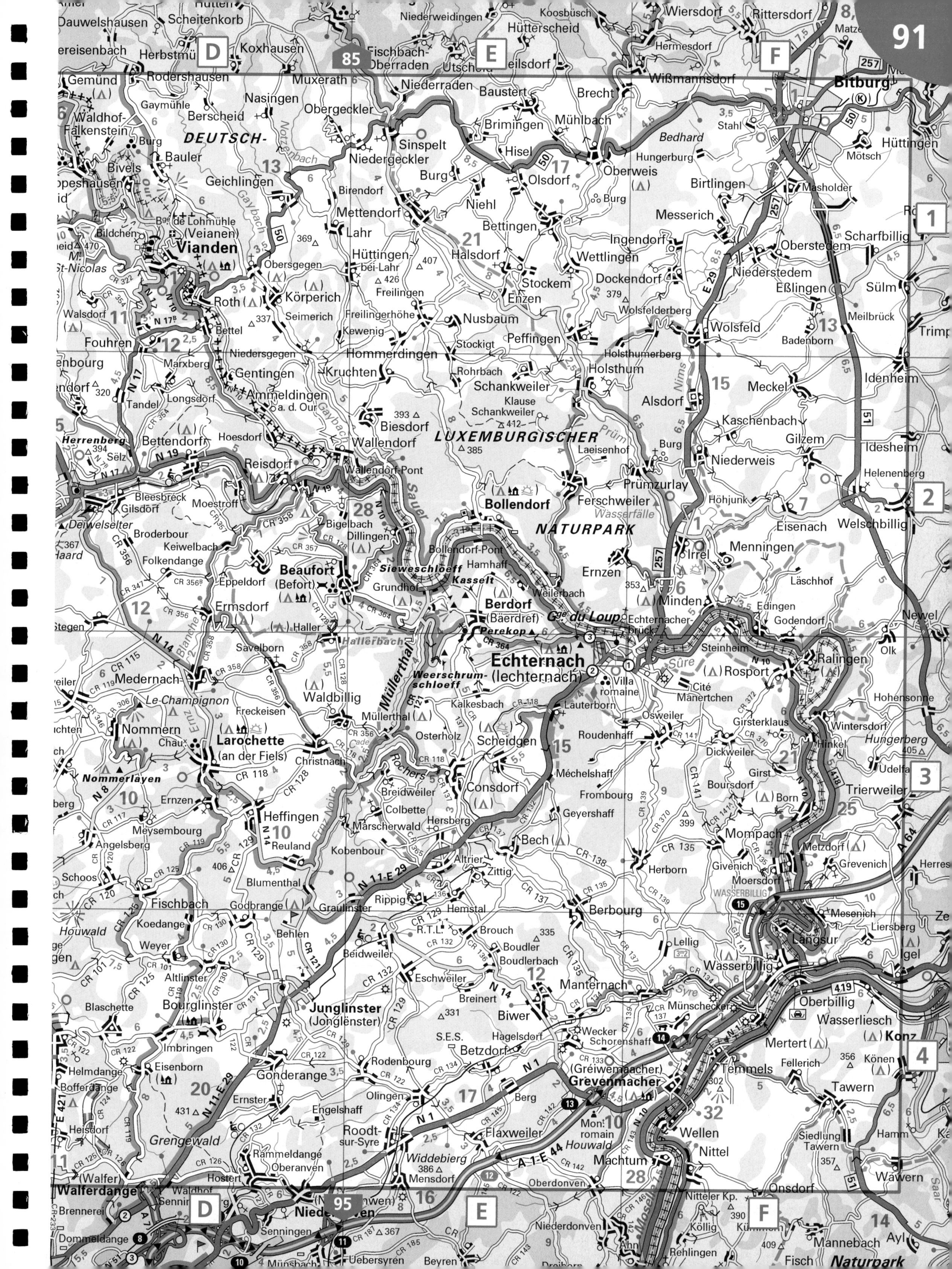
Dauwelshausen
Scheitenkorb
Herbstmühle
Koxhausen
Niederweidingen
Koosbüsch
Hütterscheid
Wiersdorf
Rittersdorf
Fischbach-Oberraden
Hermesdorf
Gemünd
Rodershausen
Muxerath
Niederraden
Baustert
Brecht
Wißmannsdorf
Bitburg
Gaymühle
Nasingen
Obergeckler
Waldhof-Falkenstein
Berscheid
DEUTSCH-
Brimingen
Mühlbach
Stahl
Bedhard
Hütingen
Bauler
Sinspelt
Niedergeckler
Hisel
Hungerburg
Mötsch
Bivels
Geichlingen
Burg
Olsdorf
Oberweis
Birtlingen
Birendorf
Niehl
Masholder
Mettendorf
Messerich
Lahr
Bettingen
Vianden
(Veianen)
Bildchen
St-Nicolas
Hüttingen-bei-Lahr
Halsdorf
Ingendorf
Scharfbillig
Oberstedem
Wettlingen
Obersgegen
Niederstedem
Stockem
Dockendorf
Sülm
Körperich
Roth
Freilingen
Enzen
Eßlingen
Walsdorf
Seimerich
Freilingerhöhe
Nusbaum
Wolsfelderberg
Meilbrück
Bettel
Kewenig
Wolsfeld
Fouhren
Hommerdingen
Stockigt
Peffingen
Badenborn
Marxberg
Niedersgegen
Gentingen
Kruchten
Rohrbach
Holsthumerberg
Holsthum
Schankweiler
Meckel
Idenheim
Tandel
Longsdorf
Ammeldingen a. d. Our
Klause Schankweiler
Alsdorf
Biesdorf
Kaschenbach
Herrenberg
Bettendorf
Hoesdorf
Wallendorf
LUXEMBURGISCHER
Burg
Gilzem
Idesheim
Sëlz
Reisdorf
Laeisenhof
Niederweis
Wallendorf-Pont
Helenenberg
Bleesbreck
Moestroff
Bollendorf
Ferschweiler
Prümzurlay
Höhjunk
Gilsdorf
Wasserfälle
Deiwelselter
Bigelbach
NATURPARK
Eisenach
Welschbillig
Broderbour
Dillingen
Keiwelbach
Bollendorf-Pont
Irrel
Menningen
Haard
Folkendange
Beaufort
(Befort)
Sieweschlöff
Hamhaff
Ernzen
Eppeldorf
Kasselt
Läschhof
Grundhof
Weilerbach
Minden
Ermsdorf
Berdorf
(Bäerdref)
Edingen
Godendorf
Newel
Stegen
Haller
Perekop
G^{ge} du Loup
Echternacher-brück
Hallerbach
Steinheim
Olk
Savelborn
Echternach
(Iechternach)
Ralingen
Medernach
Rosport
Weerschrum-schloeff
Müllerthal
Villa romaine
Cité Manertchen
Le Champignon
Waldbillig
Kalkesbach
Lauterborn
Hohensonne
Freckeisen
Müllerthal
Oswelier
Girsterklaus
Wintersdorf
Nommern
Larochette
(an der Fiels)
Osterholz
Scheidgen
Roudenhaff
Hungerberg
Chaux
Christnach
Dickweiler
Hinkel
Nommerlayen
Rochers
Méchelshaff
Girst
Udelfa
Breidweiler
Consdorf
Boursdorf
Born
Trierweiler
Ernzen
Colbette
Frombourg
Heffingen
Geyershaff
Meysembourg
Marscherwald
Hersberg
Mompach
Angelsberg
Reuland
Kobenbour
Bech
Metzdorf
Grevenich
Altrier
Schoos
Zittig
Herborn
Givenich
Blumenthal
Moersdorf
Fischbach
WASSERBILLIG
Godbrange
Graulinster
Rippig
Hemstal
Berbourg
Mesenich
Houwald
Koedange
Behlen
R.T.L.
Brouch
Liersberg
Boudler
Langsur
Weyer
Beidweiler
Boudlerbach
Lellig
Igel
Altlinster
Eschweiler
Manternach
Wasserbillig
Syre
Oberbillig
Breinert
Blaschette
Bourglinster
Junglinster
(Jonglënster)
Biwer
Münschecker
Wasserliesch
S.E.S.
Hagelsdorf
Wecker
Schorenshaff
Imbringen
Betzdorf
Mertert
Konz
Helmdange
Eisenborn
(Greiwemaacher)
Grevenmacher
Temmels
Fellerich
Könen
Bofferdange
Gonderange
Rodenbourg
Olingen
Tawern
Ernster
Berg
Heisdorf
Engelshaff
Mon. romain
Wellen
Roodt-sur-Syre
Flaxweiler
Grengewald
Nittel
Siedlung Tawern
Hamm
Rammeldange
Widdebierg
Houwald
(Walfer)
Oberanven
Mensdorf
Machtum
Hostert
Wawern
Walferdange
Waldhof
Oberdonven
Onsdorf
Senningen
Niederanven
Nitteler Kp.
Brennerei
Niederdonven
Köllig
Dommeldange
Senningen
Manebach
Ayl
Rehlingen
Münsbach
Uebersyren
Beyren
Fisch
Naturpark
Sauer
Sûre
Prüm
Nims
Our
Ernz
Blanche
Gaybach
Notzenbach
Enz
Mosel
Saar
A 1-E 44
N 11-E 29
A 64
E 29
D
E
F
1
2
3
4

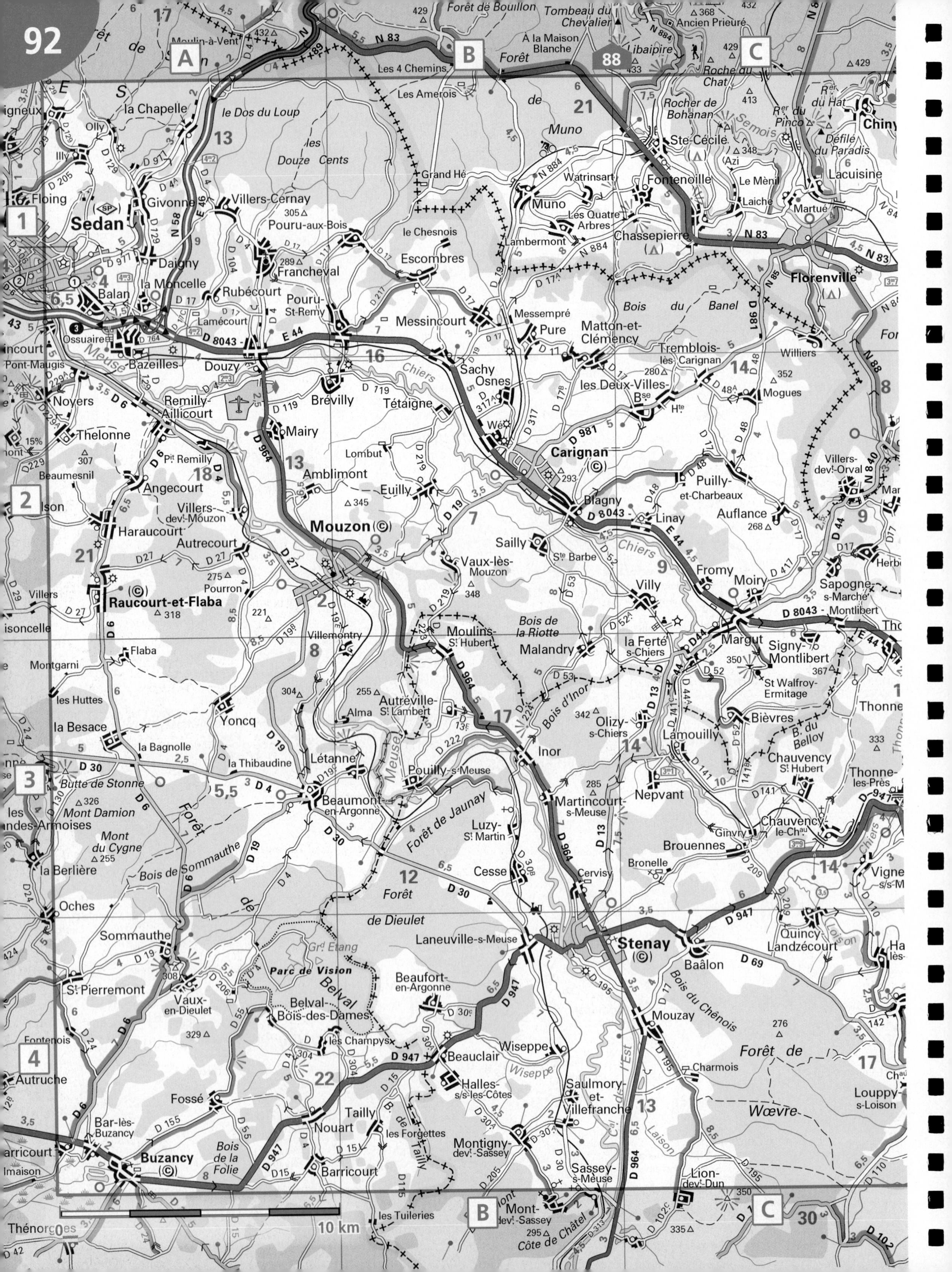
A
B
C
1
2
3
4
Sedan
Floing
Givonne
Daigny
la Moncelle
Balan
Bazeilles
Douzy
Villers-Cernay
Pouru-aux-Bois
Francheval
Rubécourt
Lamécourt
Pouru-St-Remy
Escombres
le Chesnois
Messincourt
Sachy
Osnes
Pure
Messempré
Matton-et-Clémency
Tremblois-lès-Carignan
les Deux-Villes
Carignan
Blagny
Linay
Puilly-et-Charbeaux
Auflance
Fromy
Moiry
Sapogne-s-Marche
Signy-Montlibert
Margut
la Ferté-s-Chiers
Villy
Malandry
Moulins-St Hubert
Bois de la Riotte
Sailly
Ste Barbe
Vaux-lès-Mouzon
Mouzon
Euilly
Amblimont
Lombut
Mairy
Brévilly
Tétaigne
Remilly-Aillicourt
Noyers
Thelonne
Pont-Maugis
Pt Remilly
Angecourt
Villers-devt-Mouzon
Haraucourt
Autrecourt
Pourron
Raucourt-et-Flaba
Villers
Flaba
Villemontry
Montgarni
les Huttes
la Besace
Yoncq
la Bagnolle
la Thibaudine
Butte de Stonne
Mont Damion
Mont du Cygne
la Berlière
Bois de Sommauthe
Oches
Sommauthe
St Pierremont
Vaux-en-Dieulet
Parc de Vision
Belval-Bois-des-Dames
les Champys
Fontenois
Autruche
Fossé
Bar-lès-Buzancy
Buzancy
Bois de la Folie
Nouart
Tailly
les Forgettes
Barricourt
les Tuileries
Beauclair
Halles-s/s-les-Côtes
Beaufort-en-Argonne
Forêt de Dieulet
Laneuville-s-Meuse
Stenay
Baâlon
Mouzay
Bois du Chênois
Wiseppe
Saulmory-et-Villefranche
Montigny-devt-Sassey
Sassey-s-Meuse
Mont-devt-Sassey
Côte de Châtel
Lion-devt-Dun
Charmois
Forêt de Wœvre
Loupy-s-Loison
Cesse
Luzy-St Martin
Forêt de Jaunay
Pouilly-s-Meuse
Létanne
Beaumont-en-Argonne
Martincourt-s-Meuse
Cervisy
Inor
Bois d'Inor
Autréville-St Lambert
Alma
Olizy-s-Chiers
Lamouilly
Nepvant
Bièvres
B. du Belloy
Chauvency-St Hubert
Chauvency-le-Chau
Thonne-les-Prés
Thonne
Ginvry
Brouennes
Bronelle
Quincy-Landzécourt
St Walfroy-Ermitage
Villers-devt-Orval
Florenville
Williers
Mogues
Chassepierre
Lambermont
Les Quatre Arbres
Muno
Watrinsart
Fontenoille
Ste-Cécile
Laiche
Martué
Lacuisine
Azi
Le Mènil
Défilé du Paradis
Chiny
Rocher de Bohanan
Roche du Chat
Libaipire
Ancien Prieuré
Tombeau du Chevalier
À la Maison Blanche
Forêt de Bouillon
Forêt de Muno
Les 4 Chemins
Les Amerois
Grand Hé
le Dos du Loup
les Douze Cents
la Chapelle
Olly
Illy
Moulin-à-Vent
Forêt de Sedan
Meuse
Chiers
Semois
Ossuaire
Thénorgues
10 km

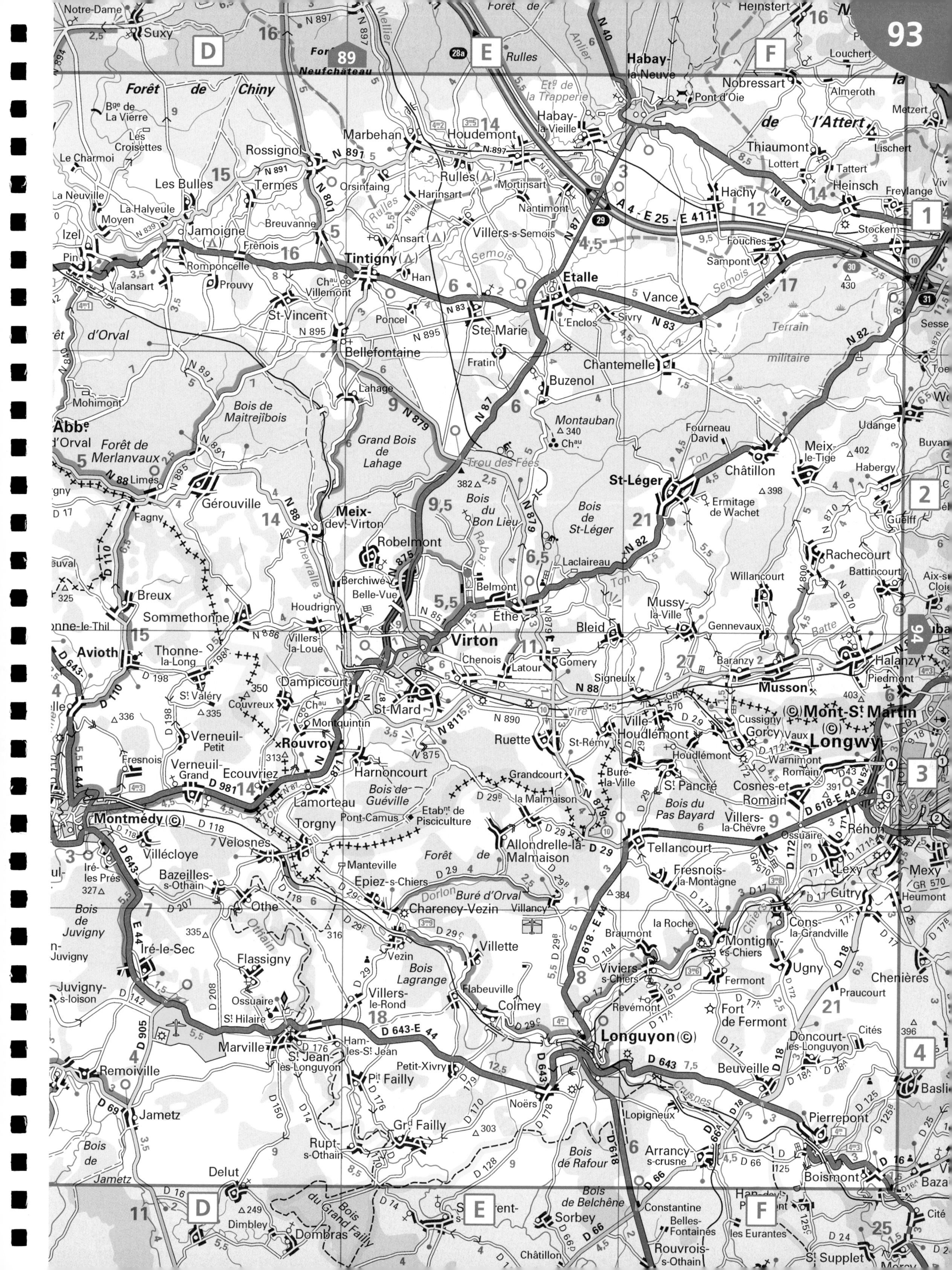
Forêt de Chiny
Habay-la-Neuve
Nobressart
Almeroth
Metzert
Thiaumont
Lischert
Lottert
Tattert
Heinsch
Freylange
Stockem
Hachy
Fouches
Sampont
Habay-la-Vieille
Houdemont
Marbehan
Rossignol
Termes
Les Bulles
Le Charmoi
La Neuville
La Halyeule
Moyen
Izel
Pin
Jamoigne
Frênois
Romponcelle
Prouvy
Valansart
Breuvanne
Tintigny
Han
Ansart
Villers-s-Semois
Rulles
Mortinsart
Harinsart
Nantimont
Orsinfaing
Etalle
Vance
Sivry
L'Enclos
Ste-Marie
St-Vincent
Bellefontaine
Fratin
Buzenol
Chantemelle
Terrain militaire
Forêt d'Orval
Lahage
Grand Bois de Lahage
Bois de Maitrejibois
Mohimont
Forêt de Merlanvaux
Limes
Gérouville
Fagny
Meix-devt-Virton
Robelmont
Montauban
Trou des Fées
Bois du Bon Lieu
Bois de St-Léger
St-Léger
Châtillon
Fourneau David
Ermitage de Wachet
Meix-le-Tige
Habergy
Udange
Rachecourt
Battincourt
Willancourt
Mussy-la-Ville
Gennevaux
Laclaireau
Belmont
Ethe
Virton
Chenois
Latour
Gomery
Bleid
Signeulx
Baranzy
Halanzy
Musson
Piedmont
Berchiwé
Belle-Vue
Houdrigny
Villers-la-Loue
Breux
Sommethonne
Avioth
Thonne-la-Long
St Valéry
Couvreux
Dampicourt
St-Mard
Montquintin
Rouvroy
Ruette
St-Rémy
Ville-Houdlémont
Houdlémont
Cussigny
Gorcy
Mont-St Martin
Longwy
Vaux
Warnimont
Romain
Cosnes-et-Romain
St Pancré
Buré-la-Ville
Grandcourt
Verneuil-Petit
Verneuil-Grand
Fresnois
Ecouvriez
Harnoncourt
Bois de Guéville
Lamorteau
Torgny
Pont-Camus
Etabnt de Pisciculture
la Malmaison
Allondrelle-la-Malmaison
Bois du Pas Bayard
Villers-la-Chèvre
Tellancourt
Ossuaire
Réhon
Lexy
Mexy
Heumont
Montmédy
Villécloye
Velosnes
Iré-les Prés
Manteville
Epiez-s-Chiers
Forêt de
Fresnois-la-Montagne
Bazeilles-s-Othain
Othe
Dorlon
Buré d'Orval
Charency-Vezin
Villancy
Cutry
Cons-la-Grandville
Bois de Juvigny
Iré-le-Sec
Flassigny
Vezin
Bois Lagrange
Villette
Braumont
la Roche
Montigny-s-Chiers
Ugny
Chenières
Juvigny-s-loison
Villers-le-Rond
Flabeuville
Colmey
Viviers-s-Chiers
Fermont
Praucourt
Revémont
Fort de Fermont
Ossuaire
St Hilaire
Marville
Longuyon
Cités
Doncourt-lès-Longuyon
Remoiville
St Jean-lès-Longuyon
Ham-les-St Jean
Petit-Xivry
Pit Failly
Beuveille
Jametz
Noërs
Lopigneux
Pierrepont
Grd Failly
Bois de Jametz
Rupt-s-Othain
Bois de Rafour
Arrancy-s-crusne
Delut
Boismont
Dimbley
Dombras
Bois du Grand Failly
Sorbey
Bois de Belchêne
Constantine
Belles-Fontaines
les Eurantes
Rouvrois-s-Othain
Châtillon
St Supplet
Crusnes
Chiers
Semois
Rulles
Ton
Vire
Batte
Othain
Chevralle
Rabai
Ardennes
A 4 - E 25 - E 411
N 87
N 82
N 88
N 83
N 40
D 643-E 44
D 618-E 44
D 981
D 118
D 110
D 29
D 643
D 66
D 18
D 17
N 897
N 891
N 895
N 879
N 875
N 811
N 801
Neufchâteau
89
94
D
E
F
1
2
3
4

A
B
C
1
2
3
4
90
93
ARLON (AARLEN)
LUXEMBOURG
(LETZEBUERG)
Mamer
Capellen
Kehlen
Kopstal
Bridel
Strassen
Bertrange
Walferdange
Steinsel
Lorentzweiler
Lintgen
Septfontaines
Hobscheid
Steinfort
Koerich
Garnich
Dippach
Bascharage
Pétange
Athus
Aubange
Messancy
Sanem
(Suessem)
Differdange
Herserange
Longlaville
Saulnes
Mondercange
Soleuvre
Belvaux
Esch-s-A.
(Esch-U.)
Schifflange
(Schëffléng)
Bettembourg
Leudelange
Reckange-s-Mess
Kayl
(Käl)
Dudelange
(Diddeleng)
Rumelange
(Rëmmeléng)
Tétange
Audun-le-Tiche
Villerupt
Thil
Tiercelet
Hussigny-Godbrange
Villers-la-Montagne
Bréhain-la-Ville
Crusnes
Errouville
Aumetz
Ottange
Volmerange-les-Mines
Kanfen
Escherange
Rochonvillers
Tressange
Angevillers
Havange
Boulange
Bassompierre
Fillières
Bazailles
Ville-au-Montois
Baslieux
Laix
Morfontaine
Mexy
Thionville
Zoufftgen
Hellange
Roeser
Hesperange
Clémency
Hautcharage
Sprinkange
Schouweiler
Tontelange
Bonnert
Guirsch
Eischen
Frassem
Waltzing
Autelbas
Hondelange
Wolkrange
Sélange
Beckerich
Saeul
Hollenfels
Tuntange
Ansembourg
Nospelt
Olm
Goetzingen
Goeblange
Mersch
Niederkorn
Oberkorn
Lamadelaine
Rodange
E 25
A 6
E 44
A 4
A 13
A 3
A 31
A 30
N 4
N 5
N 52
D 16
Parc Merveilleux
Forêt de Zoufftgen
Camp militaire
Musée des Mines
10 km

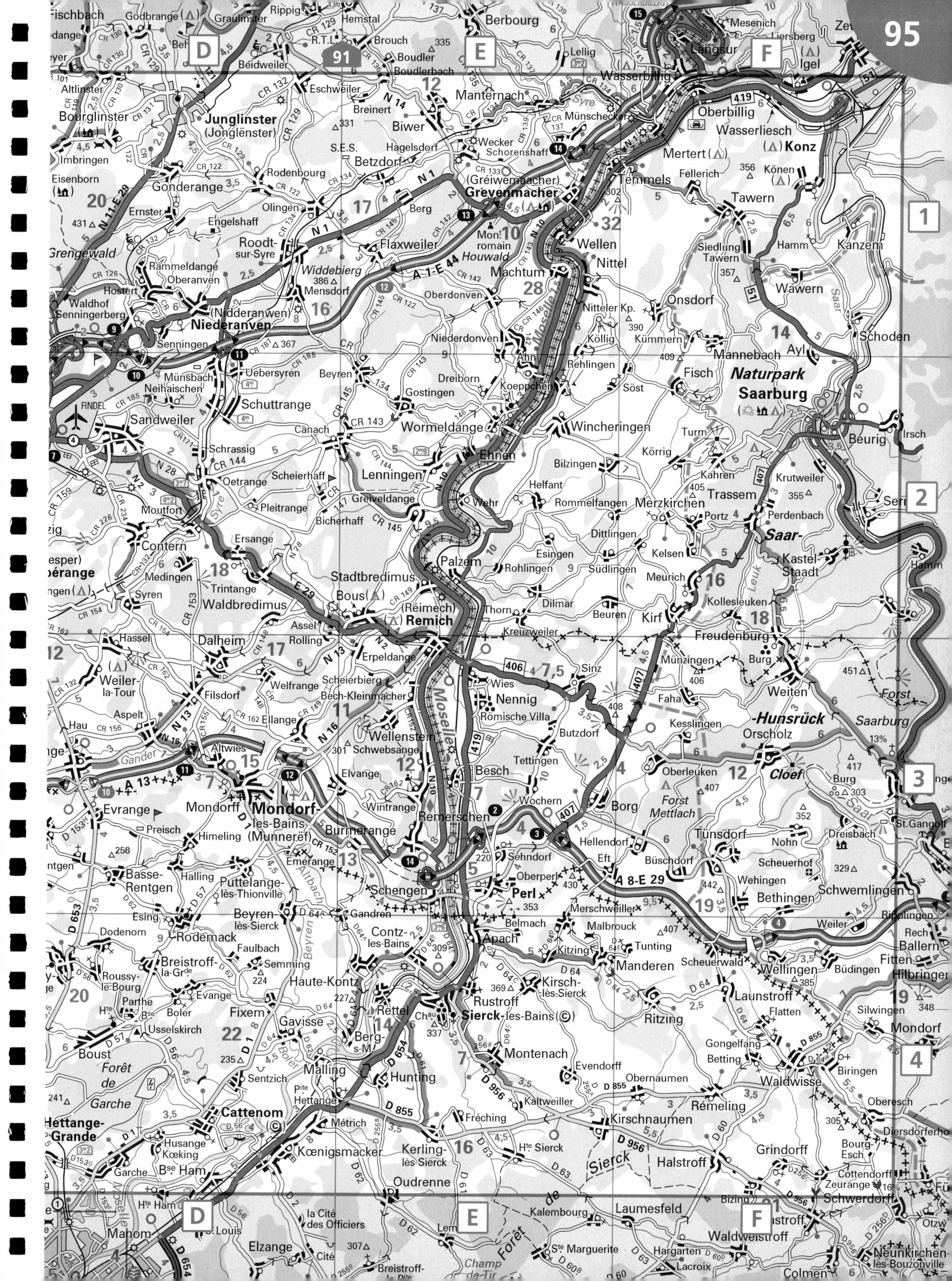
Fischbach
Godbrange
Graulinster
Rippig
Hemstal
Berbourg
Mesenich
Langsur
Igel
Beidweiler
Brouch
Boudler
Boudlerbach
Lellig
Wasserbillig
Altlinster
Eschweiler
Breinert
Manternach
Syre
Münschecker
Oberbillig
Wasserliesch
Bourglinster
Junglinster
(Jonglënster)
Biwer
Wecker
Schorenshaff
Imbringen
S.E.S.
Hagelsdorf
Betzdorf
Mertert
Konz
Eisenborn
Rodenbourg
Fellerich
Könen
Gonderange
(Greiwemaacher)
Grevenmacher
Temmels
Tawern
Olingen
Berg
Ernster
Engelshaff
Mon. romain
Wellen
Roodt-sur-Syre
Flaxweiler
Houwald
Siedlung Tawern
Hamm
Kanzem
Grengewald
Rammeldange
Widdebierg
Machtum
Nittel
Oberanven
Mensdorf
Wawern
Hostert
Oberdonven
Onsdorf
Waldhof
Senningerberg
(Nidderanwen)
Niederanven
Nitteler Kp.
Mosel
Köllig
Kümmern
Schoden
Senningen
Niederdonven
Ahn
Mannebach
Ayl
Uebersyren
Beyren
Dreiborn
Rehlingen
Fisch
Naturpark
Saarburg
Münsbach
Neihaischen
Gostingen
Koeppchen
Söst
Schuttrange
FINDEL
Sandweiler
Canach
Wormeldange
Wincheringen
Turm
Beurig
Irsch
Schrassig
Ehnen
Körrig
Bilzingen
Scheierhaff
Lenningen
Kahren
Krutweiler
Oetrange
Helfant
Trassem
Wehr
Rommelfangen
Merzkirchen
Moutfort
Pleitrange
Greiveldange
Portz
Perdenbach
Bicherhaff
Dittlingen
Saar-
Contern
Ersange
Palzem
Esingen
Kelsen
Kastel-Staadt
Medingen
Rohlingen
Südlingen
Meurich
Hamm
Trintange
Stadtbredimus
Syren
Bous
(Reimech)
Remich
Thorn
Dilmar
Beuren
Kirf
Kollesleuken
Waldbredimus
Assel
Kreuzweiler
Freudenburg
Hassel
Dalheim
Rolling
Erpeldange
Münzingen
Burg
Weiler-la-Tour
Filsdorf
Welfrange
Scheierbierg
Bech-Kleinmacher
Wies
Nennig
Sinz
Faha
Weiten
Forst
Aspelt
Ellange
Römische Villa
Butzdorf
Kesslingen
-Hunsrück
Saarburg
Hau
Wellenstein
Orscholz
Gander
Altwies
Schwebsange
Tettingen
Oberleuken
Cloef
Elvange
Besch
Burg
Mondorff
Mondorf-les-Bains
(Munneref)
Wintrange
Wochern
Borg
Forst Mettlach
Evrange
Preisch
Himeling
Burmerange
Remerschen
Hellendorf
Büschdorf
Tünsdorf
Dreisbach
St. Gangolf
Nohn
Emerange
Sehndorf
Eft
Scheuerhof
Basse-Rentgen
Halling
Puttelange-lès-Thionville
Schengen
Oberperl
Perl
Wehingen
Bethingen
Schwemlingen
Ripplingen
Esing
Beyren-lès-Sierck
Gandren
Belmach
Merschweiller
Malbrouck
Weiler
Dodenom
Rodemack
Contz-les-Bains
Apach
Kitzing
Tunting
Ballern
Faulbach
Breistroff-la-Grde
Semming
Manderen
Scheuerwald
Wellingen
Büdingen
Fitten
Hilbringen
Roussy-le-Bourg
Haute-Kontz
Kirsch-lès-Sierck
Parthe
Evange
Rustroff
Launstroff
Boler
Fixem
Rettel
Sierck-les-Bains
Flatten
Silwingen
Usselskirch
Gavisse
Berg-s-M.
Ritzing
Mondorf
Boust
Forêt de Garche
Sentzich
Malling
Hunting
Montenach
Gongelfang
Betting
Evendorff
Obernaumen
Biringen
Waldwisse
Hettange-Grande
Cattenom
Pte Hettange
Kaltweiller
Rémeling
Oberesch
Métrich
Fréching
Kirschnaumen
Diersdorferhof
Husange
Kœking
Kœnigsmacker
Kerling-lès-Sierck
Hte Sierck
Halstroff
Grindorff
Bourg-Esch
Garche
Bse Ham
Sierck
Cottendorff
Zeurange
Oudrenne
Schwerdorff
Hte Ham
la Cité des Officiers
Kalembourg
Laumesfeld
Bizing
Mahom
St Louis
Lem
Forêt de
Elzange
Cité
Ste Marguerite
Hargarten
Waldweistroff
Breistroff-
Champ de Tir
Lacroix
Colmen
Neunkirchen-lès-Bouzonville
Otzw

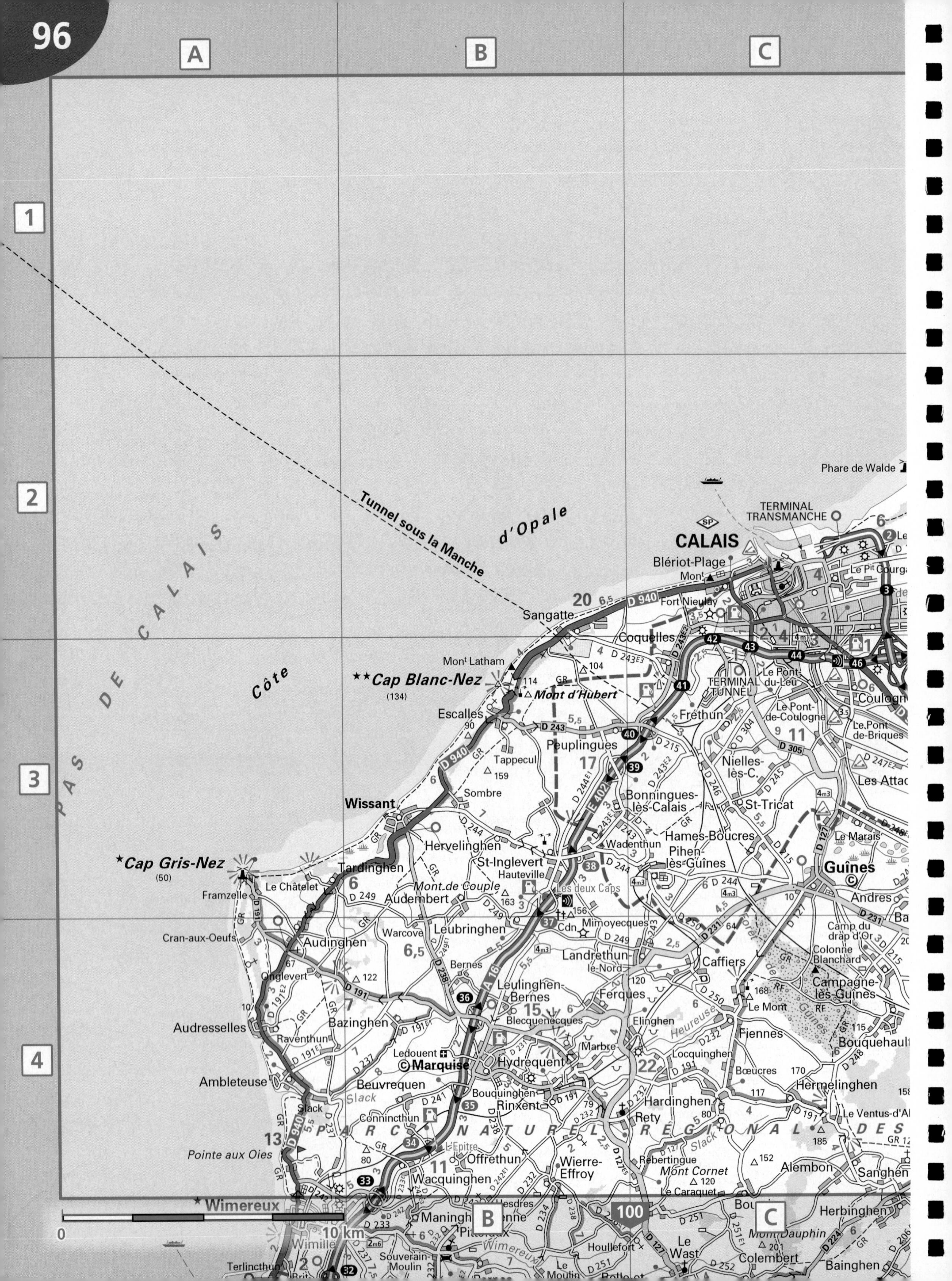
A
B
C
1
2
3
4
PAS DE CALAIS
Côte d'Opale
Tunnel sous la Manche
Phare de Walde
TERMINAL TRANSMANCHE
CALAIS
Blériot-Plage
Sangatte
Fort Nieulay
Coquelles
Mont Latham
★★Cap Blanc-Nez
(134)
Mont d'Hubert
Escalles
TERMINAL TUNNEL
Fréthun
Le Pont-du-Leu
Le Pont-de-Coulogne
Le Pont de-Briques
Peuplingues
Tappecul
Sombre
Wissant
Nielles-lès-C.
Bonningues-lès-Calais
St-Tricat
Hames-Boucres
Pihen-lès-Guînes
Wadenthun
Guînes
Le Marais
Les Attaques
★Cap Gris-Nez
(50)
Framzelle
Le Châtelet
Tardinghen
Hervelinghen
St-Inglevert
Hauteville
Mont de Couple
Les deux Caps
Audembert
Mimoyecques
Cdn
Cran-aux-Oeufs
Audinghen
Warcove
Leubringhen
Landrethun-le-Nord
Caffiers
Andres
Camp du drap d'Or
Colonne Blanchard
Campagne-lès-Guînes
Forêt de Guînes
Onglevert
Bernes
Leulinghen-Bernes
Ferques
Le Mont
Audresselles
Raventhun
Bazinghen
Blecquenecques
Elinghen
Fiennes
Bouquehault
Ledouent
Marquise
Hydrequent
Marbre
Locquinghen
Bœucres
Hermelinghen
Ambleteuse
Beuvrequen
Slack
Bouquinghen
Rinxent
Hardinghen
Rety
Le Ventus-d'Al
Conninethun
PARC NATUREL RÉGIONAL DES
L'Epitre
Offrethun
Wierre-Effroy
Rebertingue
Mont Cornet
Alembon
Sanghen
Pointe aux Oies
Wacquinghen
Le Caraquet
★Wimereux
Maninghen
Pittefaux
Herbinghen
Houllefort
Le Wast
Mont Dauphin
Colembert
Wimille
Souverain-Moulin
Terlincthun
Bainghen
0
10 km
100
D 940
D 243
D 244
D 191
D 249
D 237
D 231
D 127
D 305
E 402
A 16

D
E
F
1
2
3
4
DUNKE
ZONE INDUSTRIELLE
PORTUAIRE
Hameau-des-Dunes
Fort-Mardyck
St-Pol-sur-Mer
Grde Synthe
Mardyck
Grand-Fort-Philippe
Pt-Fort-Philippe
Les Escardines
Les Dunes-d'Oye
Le Bout-d'Oye
Les Huttes
Loon-Plage
Le Tap-Cul
Les Hemmes
L'Etoile
Oye-Plage
Gravelines
Waldam
Fort-Vert
St-Georges-sur-l'Aa
Craywick
Spycker
Pont-de-Spycker
Armbout-Cappel
Grd-Millebrugghe
Pont-d'Oye
Coppenaxfort
Marck
Offekerque
Le Beau-Marais
Brouckerque
St-Folquin
Le Guindal
Bourbourg
St-Omer-Capelle
Guemps
Nouvelle-Eglise
Vieille-Eglise
Mannequebeurre
Le Laurier
St-Nicolas
Quathove
Looberghe
Pitgam
Le Nieppe
Drincham
Le Spret
Fort-Bâtard
Ste-Marie-Kerque
La Bistade
Cappelle-Brouck
Eringhem
L'Hossenaere
Le Tilleul
Lynck
St-Pierre-Brouck
Zegerscappel
Pont-l'Abbesse
Le Pont-d'Ardres
Hennuin
Audruicq
Pont-du West
Bois-en-Ardres
Nortkerque
Ostove
Bollezeele
Le Rossignol
Les Pèlerins
Blanc-Pignon
Le Fort-St-Jean
Ruminghem
Bac-de-Millam
Merckeghem
Millam
Holque
Brêmes
Ardres
Le Plat d'Or
Zutkerque
Munq-Nieulet
Ste-Mildrède
Les Cinq Rues
Lostebarne
Nielles-lès-Ardres
Polincove
Cocove
Le Ruth
Volckerinckhove
Lostrat
Berthem
Recques-sur-Hem
Forêt d'Eperlecques
Wattendam
Watten
Abbé
Rodelinghem
Landrethun-lès-Ardres
Autingues
Louches
Blockhaus
Wulverdinghe
Lederzeele
Broxeele
Crézecques
Wolphus
La Recousse
Le Communal
Le Mont
Bleue-Maison
Ganspette
Bois du Ham
Point du Jour
Ecottes
Yeuse
Zouafques
St-Louis
Guémy
Nordausques
Parc d'Attractions
Tournehem-sur-la-Hem
Loverstel
Le Val
Bayenghem-lès-Eperlecques
Eperlecques
St-Momelin
Buysscheure
Clerques
Nort-Leulinghem
Houlle
Serques
Nieurlet
Booneghem
Licques
Bonningues-lès-Ardres
La Ronville
Moulle
Audenfort
Audrehem
Mentque-Nortbécourt
Tilques
Le Romelaere
Hocquinghen
Le Héricat
Poirier
Petit Difques
Grand Difques
Salperwick
Clairmarais
La Quingoie
Bécourt
Moringhem
St-Martin-au-Laërt
Bernard
Ferme
Forêt de Rihoult-Clairmarais
Rebergues
Journy
Bas-Loquin
Hte Pannée
La Wattine
Barbinghem
Liheuse
Cormette
ST-OMER
A 16
E 40
A 26
E 15
D 943
D 300
N 316
T.G.V. NORD
Cal de Calais
Cal de Bourbourg
Colme
Aa
101
98

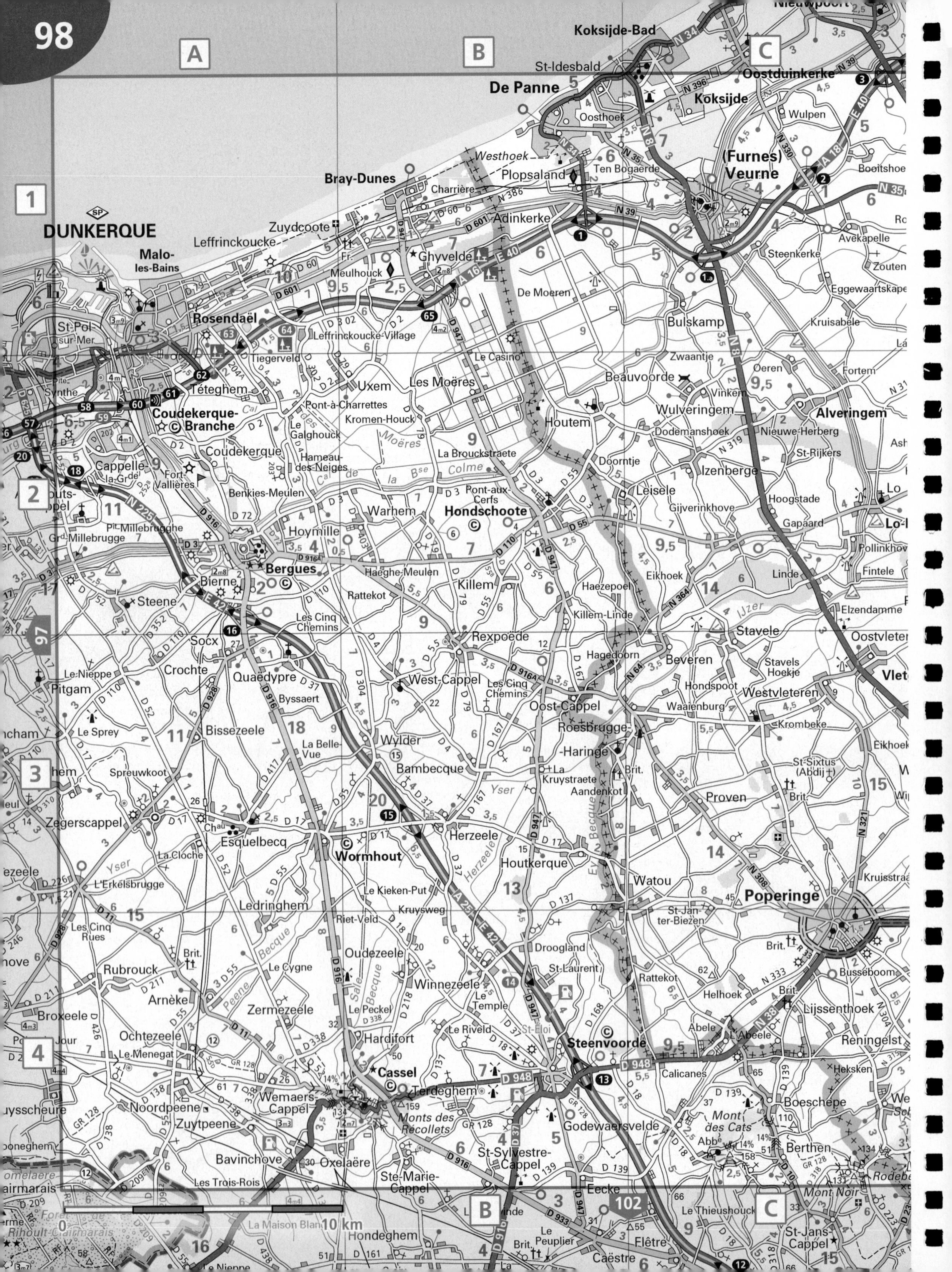

A
B
C
1
2
3
4
DUNKERQUE
Malo-les-Bains
Rosendaël
St-Pol-sur-Mer
Grande-Synthe
Leffrinckoucke
Zuydcoote
Bray-Dunes
De Panne
Koksijde-Bad
St-Idesbald
Oostduinkerke
Koksijde
Oosthoek
Westhoek
Plopsaland
Ten Bogaerde
(Furnes) Veurne
Wulpen
Booitshoek
Adinkerke
Charrière
Ghyvelde
Meulhouck
De Moeren
Leffrinckoucke-Village
Tiegerveld
Téteghem
Coudekerque-Branche
Coudekerque
Uxem
Les Moëres
Le Casino
Pont-à-Charrettes
Kromen-Houck
Le Galghouck
Hameau-des-Neiges
La Brouckstraete
Cappelle-la-Grande
Fort-Vallières
Benkies-Meulen
Warhem
Hondschoote
Pont-aux-Cerfs
Hoymille
Bergues
Bierne
Steene
Haeghe-Meulen
Rattekot
Killem
Les Cinq Chemins
Socx
Crochte
Quaëdypre
Byssaert
West-Cappel
Rexpoëde
Les Cinq Chemins
Oost-Cappel
Pitgam
Le Nieppe
Le Sprey
Bissezeele
La Belle-Vue
Wylder
Bambecque
Spreuwkoot
Zegerscappel
Esquelbecq
Wormhout
Herzeele
Houtkerque
La Cloche
L'Erkelsbrugge
Ledringhem
Le Kieken-Put
Kruysweg
Riet-Veld
Les Cinq Rues
Rubrouck
Arnèke
Zermezeele
Oudezeele
Le Cygne
Winnezeele
Le Temple
Broxeele
Ochtezeele
Le Menegat
Le Peckel
Le Riveld
Hardifort
Cassel
Terdeghem
Wemaers-Cappel
Noordpeene
Zuytpeene
Monts des Récollets
Bavinchove
Oxelaëre
Ste-Marie-Cappel
St-Sylvestre-Cappel
Les Trois-Rois
Hondeghem
Forêt de Rihoult-Clairmarais
Clairmarais
Eecke
Le Peuplier
Caëstre
Flêtre
Le Thieushouck
Droogland
St-Laurent
Steenvoorde
Godewaersvelde
Rattekot
Abele
L'Abeele
Calicanes
Mont des Cats
Abbé
Boeschepe
Berthen
Mont Noir
St-Jans-Cappel
Heksken
Reningelst
Lijssenthoek
Helhoek
Busseboom
Poperinge
Watou
St-Jan-ter-Biezen
Proven
Roesbrugge-Haringe
La Kruystraete
Aandenkot
Beveren
Hagedoorn
Killem-Linde
Haezepoel
Eikhoek
Houtem
Doorntje
Leisele
Gijverinkhove
Izenberge
Beauvoorde
Zwaantje
Bulskamp
Wulveringem
Vinkem
Dodemanshoek
Oeren
Nieuwe-Herberg
Alveringem
St-Rijkers
Hoogstade
Gapaard
Lo
Linde
Fintele
Pollinkhove
Elzendamme
Stavele
Stavels Hoekje
Oostvleteren
Hondspoot
Westvleteren
Waaienburg
Krombeke
St-Sixtus (Abdij)
Eikhoek
Steenkerke
Avekapelle
Zouten
Eggewaartskapelle
Kruisabele
Fortem
Kruisstraat
Yser
IJzer
Moëres
Cal de la Bse Colme
Peene Becque
Sale Becque
Herzeele
Ey Becque
Brit.
Fr.
Chau
Nieuwpoort
A 16
E 40
A 18
A 25
E 42
N 8
N 34
N 35
N 39
D 601
D 916
D 947
D 948
102
97
0
10 km

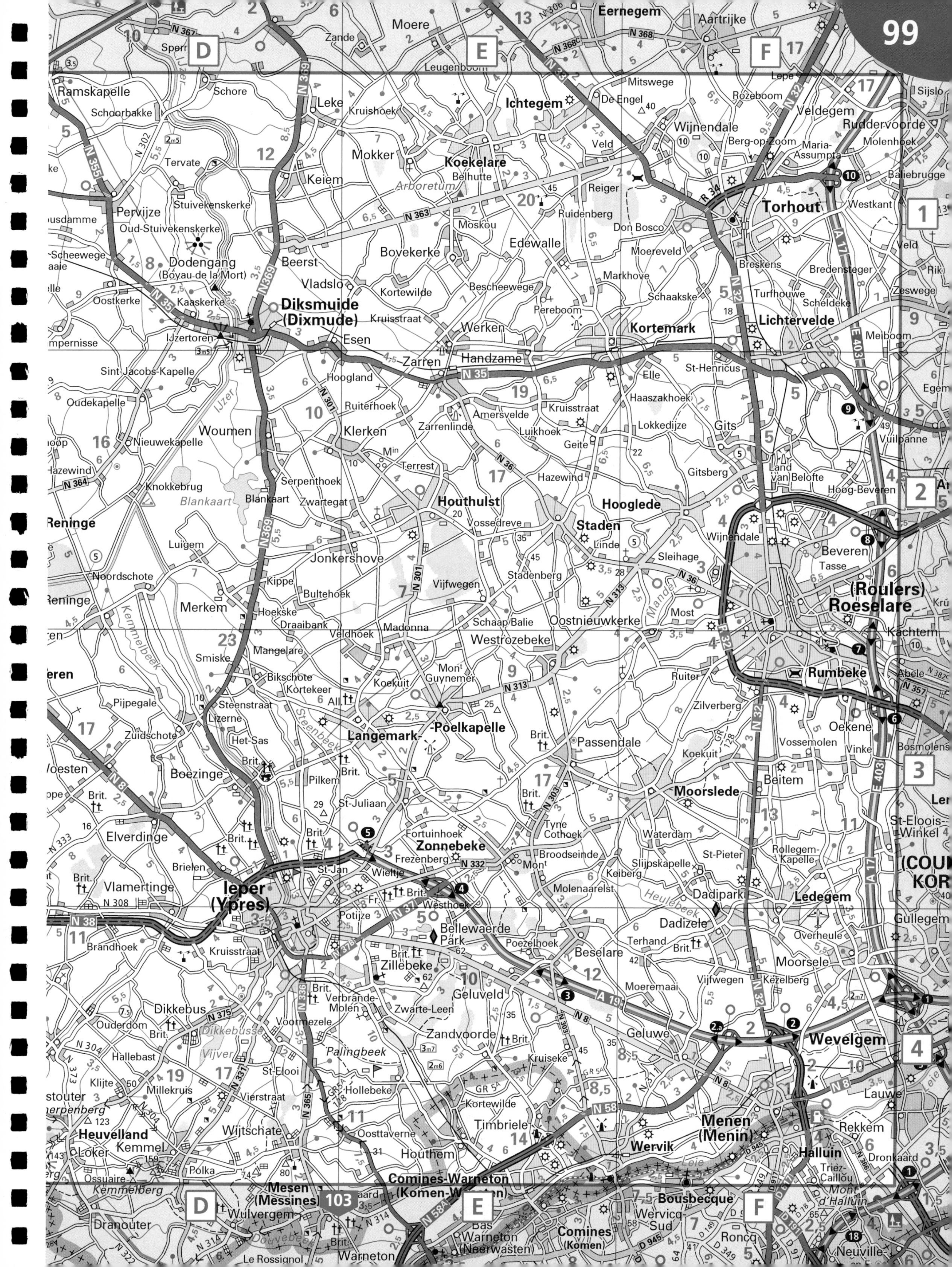
Eernegem
Aartrijke
Moere
Zande
Leugenboom
D
E
F
Ramskapelle
Schore
Schoorbakke
Leke
Kruishoek
Ichtegem
Mitswege
De Engel
Rozeboom
Veldegem
Ruddervoorde
Wijnendale
Berg-op-Zoom
Maria-Assumpta
Molenhoek
Baliebrugge
Tervate
Mokker
Koekelare
Belhutte
Veld
Keiem
Arboretum
Reiger
Torhout
Westkant
Pervijze
Stuivekenskerke
Oud-Stuivekenskerke
Moskou
Ruidenberg
Don Bosco
Dodengang
(Boyau de la Mort)
Beerst
Bovekerke
Edewalle
Moereveld
Breskens
Bredensteger
Vladslo
Kortewilde
Bescheewege
Markhove
Turfhouwe
Scheldeke
Zeswege
Oostkerke
Kaaskerke
Diksmuide
(Dixmude)
Kruisstraat
Pereboom
Schaakske
Lichtervelde
IJzertoren
Esen
Werken
Kortemark
Meiboom
Zarren
Handzame
St-Henricus
Sint-Jacobs-Kapelle
Hoogland
Elle
Oudekapelle
Ruiterhoek
Amersvelde
Kruisstraat
Haaszakhoek
Woumen
Klerken
Zarrenlinde
Luikhoek
Lokkedijze
Gits
Vuilpanne
Nieuwkapelle
Terrest
Geite
Land van Beloofte
Hazewind
Serpenthoek
Houthulst
Hazewind
Gitsberg
Hoog-Beveren
Knokkebrug
Blankaart
Zwartegat
Hooglede
Reninge
Vossedreve
Staden
Wijnendale
Beveren
Luigem
Jonkershove
Linde
Sleihage
Tasse
Noordschote
Kippe
Vijfwegen
Stadenberg
Bultehoek
Roulers
Roeselare
Merkem
Hoekske
Draaibank
Madonna
Schaap Balie
Oostnieuwkerke
Most
Veldhoek
Westrozebeke
Kachtem
Mangelare
Smiske
Bikschote
Kortekeer
Koekuit
Mont Guynemer
Ruiter
Rumbeke
Abele
Steenstraat
Lizerne
Zilverberg
Pijpegale
Zuidschote
Langemark-Poelkapelle
Passendale
Oekene
Vossemolen
Vinke
Bosmolens
Het-Sas
Koekuit
Boezinge
Pilkem
Beitem
Moorslede
St-Juliaan
St-Eloois-Winkel
Elverdinge
Fortuinhoek
Tyne Cothoek
Waterdam
Zonnebeke
Rollegem-Kapelle
Brielen
Frezenberg
Broodseinde
St-Pieter
Slijpskapelle
Vlamertinge
St-Jan
Wieltje
Keiberg
Molenaarelst
Ieper
(Ypres)
Westhoek
Dadipark
Ledegem
Potijze
Heulebeek
Bellewaerde Park
Dadizele
Gullegem
Brandhoek
Kruisstraat
Poezelhoek
Terhand
Overheule
Zillebeke
Beselare
Moorsele
Geluveld
Moeremaai
Vijfwegen
Kezelberg
Dikkebus
Verbrande-Molen
Zwarte-Leen
Ouderdom
Voormezele
Zandvoorde
Geluwe
Wevelgem
Dikkebusvijver
Hallebast
Palingbeek
St-Eloi
Kruiseke
Klijte
Millekruis
Hollebeke
Lauwe
Vierstraat
Kortewilde
Heuvelland
Kemmel
Wijtschate
Oosttaverne
Timbriele
Menen
(Menin)
Rekkem
Loker
Houthem
Wervik
Halluin
Dronkaard
Polka
Comines-Warneton
(Komen-Waasten)
Kemmelberg
Mesen
(Messines)
Bousbecque
Wulvergem
Dranouter
Wervicq-Sud
Bas Warneton
(Neerwasten)
Comines
(Komen)
Ronq
Neuville
Le Rossignol
Warneton
103
Ijzer
Mandel
Leie
Kemmelbeek
Steenbeek
N 35
N 36
N 32
N 313
N 369
N 8
A 19
A 17
E 403
R 32
R 34

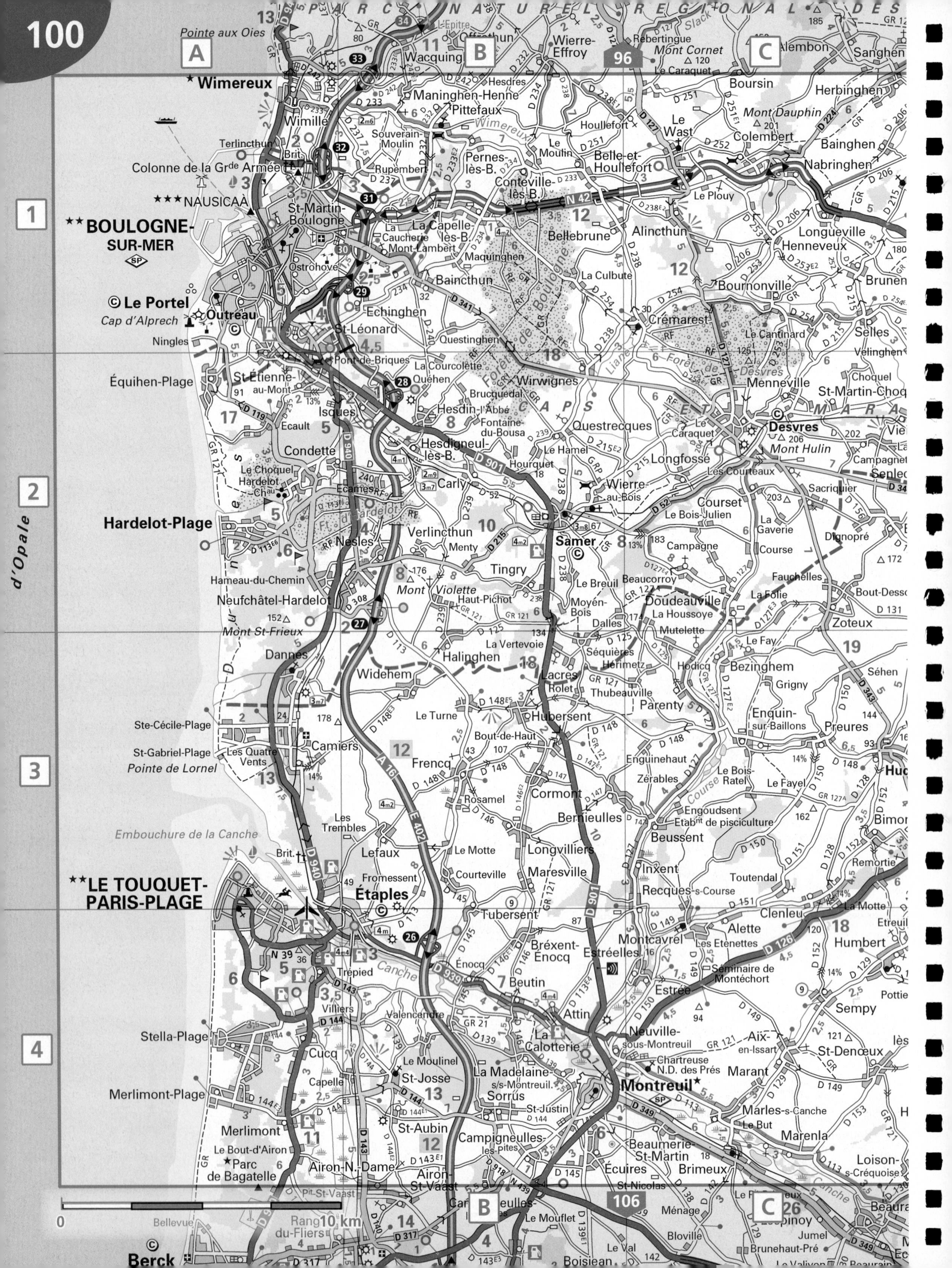
PARC NATUREL REGIONAL DES
Pointe aux Oies
Wimereux
Wimille
Terlincthun
Colonne de la Grde Armée
NAUSICAA
BOULOGNE-SUR-MER
Le Portel
Cap d'Alprech
Outreau
Ningles
Équihen-Plage
St-Étienne-au-Mont
Ecault
Condette
Le Choquel
Hardelot Chau
Hardelot-Plage
Hameau-du-Chemin
Neufchâtel-Hardelot
Mont St-Frieux
Dannes
Ste-Cécile-Plage
St-Gabriel-Plage
Les Quatre Vents
Pointe de Lornel
Camiers
Embouchure de la Canche
LE TOUQUET-PARIS-PLAGE
Étaples
Stella-Plage
Cucq
Merlimont-Plage
Merlimont
Le Bout-d'Airon
Parc de Bagatelle
Berck
Wacquing
Offrethun
Maninghen-Henne
Pittefaux
Souverain-Moulin
Rupembert
Pernes-lès-B.
St-Martin-Boulogne
La Capelle-lès-B.
La Caucherie
Mont-Lambert
Ostrohove
Maquinghen
Bainethun
Echinghen
St-Léonard
Questinghen
Pont-de-Briques
La Courcolette
Quéhen
Isques
Hesdin-l'Abbé
Hesdigneul-lès-B.
Carly
Verlincthun
Nesles
Menty
Tingry
Mont Violette
Haut-Pichot
Halinghen
Widehem
Le Turne
Frencq
Rosamel
Les Trembles
Lefaux
Fromessent
Le Motte
Courteville
Tubersent
Enocq
Trépied
Villiers
Valencendre
Le Moulinel
St-Josse
Capelle
St-Aubin
Airon-N.-Dame
Airon-St-Vaast
Wierre-Effroy
Rebertingue
Mont Cornet
Le Caraquet
Houllefort
Le Moulin
Belle-et-Houllefort
Conteville-lès-B.
Bellebrune
Alincthun
La Culbute
Forêt de Boulogne
Wirwignes
Fontaine-du-Bousa
Le Hamel
Hourquet
Questrecques
Longfosse
Wierre-au-Bois
Samer
Le Breuil
Moyen-Bois
Dalles
La Vertevoie
Séquières
Hérimetz
Lacres
Rolet
Thubeauville
Hubersent
Bout-de-Haut
Cormont
Bernieulles
Longvilliers
Maresville
Bréxent-Enocq
Beutin
Estréelles
Attin
La Calotterie
La Madelaine-s/s-Montreuil
Sorrus
St-Justin
Campigneulles-les-pites
Écuires
Montreuil
Beaumerie-St-Martin
Brimeux
St-Nicolas
Le Moufiet
Ménage
Boursin
Le Wast
Colembert
Mont Dauphin
Herbinghen
Bainghen
Nabringhen
Le Plouy
Longueville
Henneveux
Bournonville
Brunen
Crémarest
Le Cantinard
Selles
Velinghen
Forêt de Desvres
Menneville
Choquel
St-Martin-Choq
Desvres
Le Caraquet
Mont Hulin
Les Courteaux
Campagnet
Sacriquier
Courset
Le Bois-Julien
La Gaverie
Campagne
Course
Dignopré
Fauchelles
Beaucorroy
Doudeauville
La Houssoye
Mutelette
La Folie
Bout-Desso
Zoteux
Le Fay
Hodicq
Bezinghem
Grigny
Séhen
Parenty
Enquin-sur-Baillons
Preures
Enguinehaut
Zérables
Le Bois-Ratel
Le Fayel
Engoudsent
Etabnt de pisciculture
Beussent
Inxent
Toutendal
Remortie
Recques-s-Course
Clenleu
La Motte
Alette
Montcavrel
Les Etenettes
Humbert
Séminaire de Montéchort
Estrée
Sempy
Neuville-sous-Montreuil
Aix-en-Issart
St-Denœux
Chartreuse N.D. des Prés
Marant
Marles-s-Canche
Le But
Marenla
Loison-s-Créquoise
Bloville
Brunehaut-Pré
Le Val
Boisjean
Canche
Slack
Wimereux
Liane
d'Opale
0
10 km
A
B
C
1
2
3
4
96
106

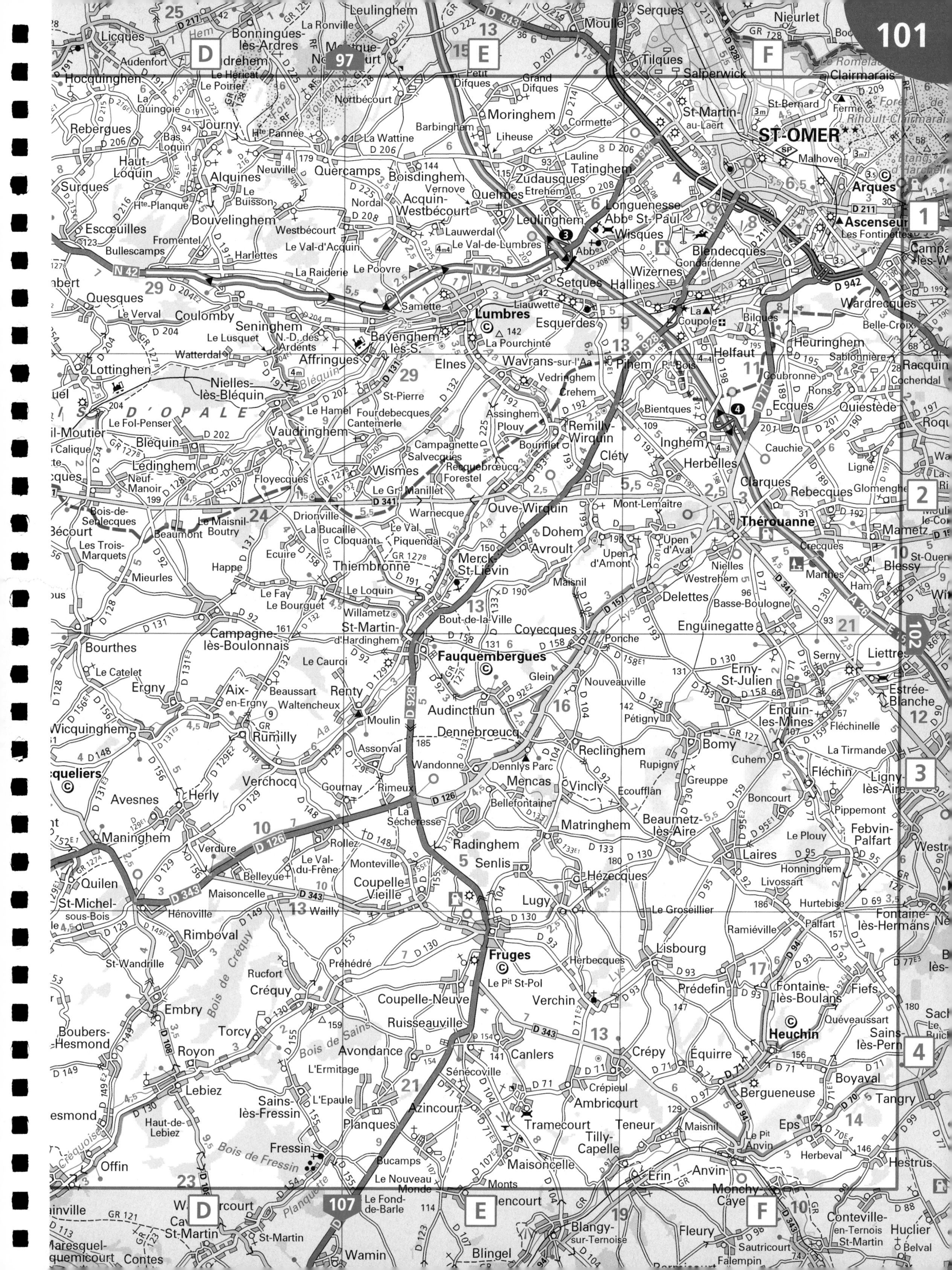
Leulinghem
Serques
Nieurlet
Licques
Bonningues-lès-Ardres
La Ronville
Moulle
Tilques
Audenfort
Salperwick
Clairmarais
Hocquinghen
Le Poirier
Nortbécourt
Difques
Grand Difques
Rebergues
Journy
Moringhem
Cormette
St-Martin-au-Laërt
St-Bernard
ST-OMER
Malhove
Barbinghem
La Wattine
Liheuse
Haut-Loquin
Alquines
Neuville
Quercamps
Boisdinghem
Zudausques
Lauline
Tatinghem
Surques
Vernove
Quelmes
Etrehem
Arques
Escœuilles
Acquin-Westbécourt
Leulinghem
Longuenesse
Abbe St-Paul
Wisques
Ascenseur
Les Fontinettes
Bouvelinghem
Westbécourt
Lauwerdal
Le Val-d'Acquin
Le Val-de-Lumbres
Blendecques
Gondardenne
Bullescamps
Harlettes
Wizernes
Setques
Hallines
La Raiderie
Le Poovre
Wardrecques
Quesques
Samette
Liauwette
La Coupole
Bilques
Belle-Croix
Le Verval
Coulomby
Lumbres
Esquerdes
Heuringhem
Seninghem
Le Lusquet
N.-D. des Ardents
Bayenghem-lès-S.
La Pourchinte
Helfaut
Sablonnière
Racquinghem
Watterdal
Affringues
Elnes
Wavrans-sur-l'Aa
Pihem
Coubronne
Cochendal
Lottinghen
Nielles-lès-Bléquin
Vedringhem
Crehem
Ecques
Quiestède
St-Pierre
Rons
Le Hamel
Fourdebecques
Assinghem
Bientques
Cantemerle
Plouy
Remilly-Wirquin
Le Fol-Penser
Vaudringhem
Inghem
Cauchie
Bléquin
Campagnette
Salvecques
Bouriflet
Cléty
Ledinghem
Requebrœucq
Forestel
Herbelles
Wismes
Neuf-Manoir
Floyecques
Clarques
Rebecques
Le Gd Manillet
Mont-Lemaître
Bois-de-Seplecques
Drionville
Warnecque
Ouve-Wirquin
Thérouanne
Le Maisnil-Boutry
Beaumont
La Bucaille
Le Val
Dohem
Les Trois-Marquets
Cloquant
Piquendal
Avroult
Upen d'Aval
Upen d'Amont
Crecques
Mametz
Ecuire
Merck-St-Liévin
Nielles
Marthes
Blessy
Happe
Thiembronne
Westrehem
Mieurles
Maisnil
Le Fay
Le Loquin
Delettes
Ham
Le Bourguet
Bout-de-la-Ville
Basse-Boulogne
Willametz
St-Martin-d'Hardinghem
Coyecques
Enguinegatte
Campagne-lès-Boulonnais
Bourthes
Ponche
Liettres
Fauquembergues
Le Cauroi
Le Catelet
Glein
Erny-St-Julien
Serny
Ergny
Aix-en-Ergny
Beaussart
Renty
Nouveauville
Estrée-Blanche
Waltencheux
Audincthun
Enquin-les-Mines
Pétigny
Fléchinelle
Wicquinghem
Moulin
Rumilly
Dennebrœucq
Bomy
La Tirmande
Assonval
Reclinghem
Cuhem
Wandonne
Dennlys Parc
Rupigny
Fléchin
Ligny-lès-Aire
Mencas
Vincly
Greuppe
Verchocq
Gournay
Rimeux
Ecoufflan
Avesnes
Herly
Boncourt
Bellefontaine
La Sécheresse
Pippemont
Beaumetz-lès-Aire
Maninghem
Matringhem
Le Plouy
Febvin-Palfart
Rollez
Radinghem
Verdure
Le Val-du-Frêne
Senlis
Laires
Monteville
Honninghem
Bellevue
Coupelle-Vieille
Hézecques
Livossart
Quilen
Maisoncelle
St-Michel-sous-Bois
Wailly
Lugy
Hurtebise
Hénoville
Le Groseillier
Fontaine-lès-Hermans
Rimboval
Ramiéville
Palfart
St-Wandrille
Préhédré
Fruges
Lisbourg
Herbecques
Rucfort
Créquy
Le Pit St-Pol
Prédefin
Fontaine-lès-Boulans
Fiefs
Embry
Coupelle-Neuve
Verchin
Ruisseauville
Queveaussart
Heuchin
Torcy
Boubers-lès-Hesmond
Royon
Bois de Créquy
Bois de Sains
Avondance
Canlers
Crépy
Équirre
L'Ermitage
Sénécoville
Boyaval
Lebiez
Crépieul
Bergueneuse
Ambricourt
Tangry
Sains-lès-Fressin
L'Epaule
Azincourt
Haut-de-Lebiez
Planques
Tramecourt
Teneur
Maisnil
Eps
Tilly-Capelle
Le Pit Anvin
Fressin
Bois de Fressin
Bucamps
Maisoncelle
Herbeval
Hestrus
Offin
Le Nouveau Monde
Monts
Érin
Anvin
Monchy-Cayeux
Le Fond-de-Barle
Blangy-sur-Ternoise
Fleury
Conteville-en-Ternois
Huclier
St-Martin
Wamin
Blingel
Sautricourt
Falempin
Belval
Contes
D
E
F
1
2
3
4
97
102
107
N 42
D 928
D 343
D 126
D 341
A 26
GR 127
GR 128
GR 121

Zuytpeene
Monts des Recollets
Godewaersvelde
Mont des Cats
Abbé
Berthen
Bavinchove
Oxelaëre
St-Sylvestre-Cappel
Ste-Marie-Cappel
Eecke
Les Trois-Rois
Mont Noir
Rodebe
Forêt de Rihoult-Clairmarais
Schoubrouck
La Maison Blanche
Hondeghem
L'Hazewinde
Le Thieushouck
St-Jans-Cappel
Le Peuplier
Flêtre
Caëstre
Méteren
Le Nieppe
Longue-Croix
Staple
La Bréarde
Rouge-Croix
Etang d'Harchelles
Borre Becque
La Creule
Pradelles
Arques
La Crosse
Ebblinghem
Borre
Strazeele
Campagne-lès-W.
Renescure
Wallon-Cappel
Les Cinq Rues
Hazebrouck
Merris
Le Steen'tje
Lynde
Le Bourbourg
Ingeland
Outtersteene
Pont-d'Asquin
Sercus
Le Croquet
Sec-Bois
Belle-Croix
Morbecque
Racquinghem
Cochendal
Blaringhem
La Belle-Hôtesse
La Motte-au-Bois
La Rue-du-Bois
Vieux-Berquin
Le Doulieu
Le Camois
Les Ciseaux
Steenbecque
La Caudescure
Wittes
Roquetoire
Boëseghem
Le Préavin
Neuf-Berquin
Warne
La Jumelle
Rincq
Thiennes
Le Parc
Forêt de Nieppe
Canal de la Nieppe
Aire-s-la-Lys
Haverskerque
Merville
Estaires
Moulin-le-Comte
Mametz
Pecqueur
Houleron
Tannay
Le Sart
La Gorgue
La Laque
Bas-Hamel
St-Quentin
Blessy
Treizennes
Isbergues
St-Venant
St-Floris
Lestrem
Pont Riqueul
Witternesse
Lambres
Guarbecque
Calonne-sur-la-Lys
Les Amuzoires
Molinghem
Paradis
La Fosse
Bout-Delville
Quernes
Berguette
Rombly
Mazinghem
Robecq
Pacault
Lillers
Estrée-Blanche
Linghem
Ham-en-Artois
La Pierrière
La Miquellerie
Clarence
Riez-du-Vinage
Le Cornet-Malo
Vieille-Chapelle
La Couture
Richebourg
Norrent-Fontes
Orgeville
Busnes
L'Eclème
Manqueville
Mont-Bernanchon
St-Hilaire-Cottes
Rely
Gonnehem
Locon
Bourecq
Hinges
Le Touret
Lespesses
Le Vert-Dragon
Lières
Ecquedecques
Le Reveillon
Busnettes
Rieux
Chocques
Werppe
Oblinghem
Vendin-lès-B.
Essars
Le Hamel
Festubert
Febvin-Palfart
Auchy-au-Bois
Ames
Hurionville
Westrehem
Amettes
Burbure
Allouagne
Annezin
Béthune
Gorre
Givenchy-lès-la-Bassée
Nédon
Labeuvrière
Fouquières
Le Quesnoy
Cuinchy
Cambrin
Rimbert
St-Pierre
Ferfay
Lozinghem
Lapugnoy
Fouquereuil
Beuvry
Fontaine-lès-Hermans
Nédonchel
Aumerval
St-Nicolas
Cités
Bois des Dames
Gosnay
Vaudricourt
Verquigneul
Annequin
Bailleul-lès-Pernes
La Guillotine
Cauchy-à-la-Tour
Auchel
Marles-les-Mines
Sailly-Labourse
Floringhem
Hesdigneul-lès-B.
Verquin
Labourse
Noyelles-lès-V.
Sachin
Pernes
Calonne-Ricouart
Drouvin-le-Marais
Labuissière
Camblain-Châtelain
Le Buich
Pressy
Haillicourt
Houchin
La Clarence
Bruay-la-Buissière
Nœux-les-Mines
Mazingarbe
Marest
Faux
Divion
Tangry
Noyelles
Bours
Ruitz
Hersin-Coupigny
Maisnil-lès-R.
Barlin
Sains-en-G.
Ourton
Houdain
Donjon
Monneville
Beugin
Diéval
Hestrus
Valhuon
Ranchicourt
Rebreuve-Ranchicourt
Barafle
Bracquencourt
Bully-les-Mines
La Comté
Olhain
Bouvigny-Boyeffles
Calonne
Liévin
Verdrel
Aix-Noulette
Belval
Britel
Bajus
Hermin
Marqueffles
Angres
10 km

Heuvelland
Kemmel
Loker
Wijtschate
Oosttaverne
Houthem
Timbriele
Menen (Menin)
Wervik
Halluin
Mesen (Messines)
Comines-Warneton (Komen-Waasten)
Bousbecque
Wervicq-Sud
Roncq
Neuville-en-F.
Dranouter
Wulvergem
Bas Warneton (Neerwasten)
Comines (Komen)
Warneton (Waasten)
Le Rossignol
Nieuwkerke (Neuve-Église)
Ste-Marguerite
Le Long-Champ
Blanc Four
Linselles
Tourcoing
Ploegsteert
Deûlémont
Le Pacau
Les Écluses
Quesnoy-s-Deûle
La Vigne
La Croix Blanche
Bondues
La Crèche
De Seule
Le Romarin
Le Touquet
Frelinghien
Le Chien
Nieppe
Le Bizet
La Houlette
Le Colombier
Mouvaux
Steenwerck
Croix-au-Bois
Houplines
Verlinghem
Wambrechies
Croix
ROUBAIX
Funquereau
La Prévôté
Armentières
Marquette-lez-Lille
Marcq-en-B.
Croix-du-Bac
Erquinghem-Lys
La Chapelle-d'Armentières
Lompret
St-André-lez-Lille
Wasquehal
Bac-St-Maur
Pérenchies
La Madeleine
Le Sart
Recueil
Hem
Sailly-s-la-Lys
Fleurbaix
Wez-Macquart
Prémesques
Lomme
Lambersart
Mons-en-Barœul
Nouveau-Mandé
Bois-Grenier
Capinghem
Lomme Délivrance
Citadelle
Fives
M.I.N.
Flers
Ennetières-en-Weppes
LILLE (RIJSEL)
Hellemmes-Lille
Villeneuve-d'Ascq
Laventie
La Boutillerie
Escobecques
Englos
Sequedin
Radinghem-en-W.
Le Maisnil
Hallennes-lez-H.
Tressin
Erquinghem-le-Sec
Lezennes
Ascq
Fauquissart
Fromelles
Loos
Ronchin
Aubers
La Joirie
Beaucamps-Ligny
Haubourdin
Anstaing
Silo Rouge-Croix
Pietre
Fournes-en-W.
Santes
Wattignies
Thumesnil
Lesquin
Sainghin-en-M.
Emmerin
Grand-Riez
Faches-Thumesnil
Neuve-Chapelle
Herlies
Noyelles-lès-S.
Wavrin
Ligny-le-Pt
Ligny-le-Grd
Wicres
Templemars
Vendeville
Péronne-en-M.
La Fontaine
Houplin-Ancoisne
Ancoisne
LILLE-LESQUIN
Lorgies
Illies
Marquillies
Sainghin-en-Weppes
Gravelin
Le Transloy
Hocron
Gondecourt
Seclin
Ennetières
Fretin
Has
Ennevelin
Bonnance
Wachemy
Le Moisnil
Pt Hantay
Don
Herrin
Wachemy
Avelin
Ardompré
La Bassée
Violaines
Salomé
Hantay
Chemy
Allennes-les-Marais
Martinsart
Pont-à-Marcq
Annœullin
Wattiessart
Le Croquet
Phalempin
Attiches
Bauvin
Carnin
Pt-Attiches
Provin
Camphin-en-Carembault
Forêt de Phalempin
Mérignies
Auchy-les-Mines
Billy-Berclau
Tourmignies
Capelle-en-Pévèle
Molpas
Haisnes
Douvrin
Wingles
Meurchin
Ennecourt
La Poissonnerie
Nau Jeu
Cité
La Neuville
Hulluch
Carvin
Libercourt
L'Offrande
Wahagnies
Martinval
Wattines
Deux-Villes
Mons-en-Pévèle
Pont-à-Vendin
Le Rutoire
Bénifontaine
Thumeries
Derégnaucourt
Bersée
Loos-en-Gohelle
Vendin-le-Vieil
Estevelles
La Broderie
La Pétrie
Annay
Courrières
Oignies
Bouvincourt
Faumont
Bois de l'Offlarde
Le Crupez
Ostricourt
Harnes
Moncheaux
La Picterie
Évin-Malmaison
Loison-s/s-Lens
Montigny-en-Gohelle
Dourges
Leforest
Raimbeaucourt
Flines-lez-Raches
Lens
Noyelles-s/s-Lens
Fouquières-lès-L.
Courcelles-lès-L.
Roost
Auby
Râches
Éleu
Noyelles-Godault
Kemmelberg
Douvebeek
Leie
Deûle
Canal de la Deûle
T.G.V.
A 25
A 1
A 22
A 27
A 21
E 42
E 17
N 41
N 47
D 917
D 945
99
104
109
D
E
F
1
2
3
4

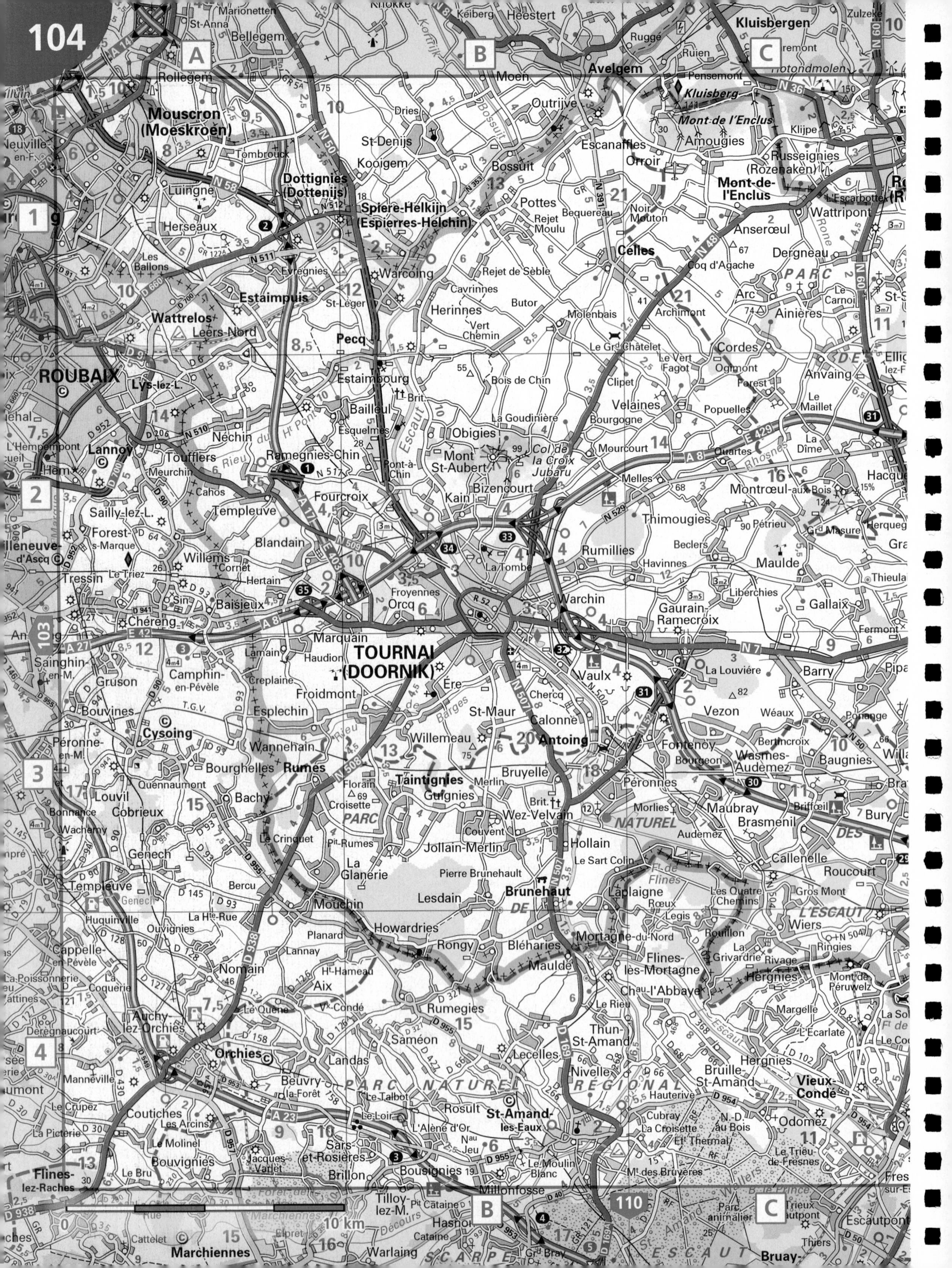
Knokke
Marionetten
St-Anna
Bellegem
Keiberg
Heestert
Kluisbergen
Zulzeke
Rugge
Ruien
Rollegem
Moen
Avelgem
Pensemont
Kluisberg
Mont-de-l'Enclus
Mouscron
(Moeskroen)
Dries
Bossuit
Outrijve
Amougies
Klijpe
St-Denijs
Escanaffles
Orroir
Russeignies
(Rozenaken)
Tombrouck
Kooigem
Dottignies
(Dottenijs)
Mont-de-
l'Enclus
Luingne
Spiere-Helkijn
(Espierres-Helchin)
Pottes
Rejet
Moulu
Bequereau
Noir
Mouton
L'Escarbotte
Wattripont
Herseaux
Celles
Anserœul
Dergneau
Les
Ballons
Evregnies
Warcoing
Rejet de Sèble
Coq d'Agache
PARC
Estaimpuis
St-Léger
Cavrinnes
Butor
Archimont
Arc
Ainières
Le
Carnoi
Wattrelos
Leers-Nord
Herinnes
Vert
Chemin
Molenbais
Pecq
Le Grd Châtelet
Cordes
Le Vert
Fagot
Ogimont
ROUBAIX
Lys-lez-L.
Estaimbourg
Bois de Chin
Clipet
Forest
Anvaing
Brit.
Bailleul
Velaines
Popuelles
Le
Maillet
Esquelmes
La Goudinière
Bourgogne
Obigies
Nechin
Rieu du Ht Pont
Escaut
Col de
la Croix
Jubaru
Mourcourt
La
Dîme
Lannoy
L'Hempempont
Toufflers
Ramegnies-Chin
Pont-à-
Chin
Mont
St-Aubert
Quartes
Rhosnes
Meurchin
Melles
Montrœul-au-Bois
Hacque
Ham
Cahos
Bizencourt
Sailly-lez-L.
Templeuve
Fourcroix
Kain
Thimougies
Pétrieu
Grd Masure
Herqueg
Forest-
s-Marque
Blandain
Beclers
Villeneuve-
d'Ascq
Willems
Cornet
La Tombe
Rumillies
Maulde
Havinnes
Tressin
Le Triez
Hertain
Thieula
Froyennes
Liberchies
Sin
Baisieux
Orcq
Warchin
Gaurain-
Ramecroix
Gallaix
Chéreng
Marquain
Fermont
Lamain
TOURNAI
(DOORNIK)
La Louvière
Barry
Sainghin-
en-M.
Camphin-
en-Pévèle
Haudion
Gruson
Creplaine
Ère
Vaulx
Froidmont
Chercq
Vezon
Wéaux
Bouvines
Esplechin
T.G.V.
St-Maur
Barges
Calonne
Ponange
Cysoing
Willemeau
Antoing
Péronne-
en-M.
Wannehain
Fontenoy
Bertincroix
Baugnies
Bourgeon
Wasmes-
Audemez
Bourghelles
Rumes
Florain
Taintignies
Bruyelle
Quennaumont
Merlin
Péronnes
Louvil
Bachy
Croisette
Guignies
Brit.
Maubray
Briffœil
Bonnance
Cobrieux
Wez-Velvain
Morlies
Bury
PARC
Brasmenil
Wachemy
Couvent
NATUREL
Audemez
Genech
Le Cr'nquet
Pt-Rumes
Jollain-Merlin
Hollain
DES
La
Glanerie
Le Sart Colin
Callenelle
Pierre Brunehault
Ft de
Flines
Roucourt
Templeuve
Bercu
Brunehault
Laplaigne
Les Quatre
Chemins
Gros Mont
Lesdain
DE
Genech
Mouchin
Rœux
Legis
L'ESCAUT
Huquinville
La Hte-Rue
Wiers
Ouvignies
Howardries
Planard
Rouillon
Cappelle-
en-Pévèle
Rongy
Bléharies
Mortagne-du-Nord
La
Grivardrie
Rivage
Ringies
Lannay
Flines-
lès-Mortagne
La Poissonnerie
La
Coquerie
Nomain
Ht-Hameau
Maulde
Hergnies
Mont de
Péruwelz
Aix
Chau-l'Abbaye
Le Quéne
Vx-Condé
Rumegies
Le Rieu
Margelle
Auchy-
lez-Orchies
Deregnaucourt
Sameon
Thun-
St-Amand
L'Ecarlate
Orchies
Landas
Lecelles
Hergnies
Nivelle
Bruille-
St-Amand
Vieux-
Condé
Manneville
Beuvry-
la-Forêt
PARC
NATUREL
RÉGIONAL
Hauterive
Le Crupez
Le Talbot
Rosult
Coutiches
Les Arcins
Le Loir
St-Amand-
les-Eaux
Cubray
La Croisette
N.-D.
au Bois
Odomez
L'Alène d'Or
Nau
Jeu
Ett Thermal
La Picterie
Le Molinel
Sars-
et-Rosières
Le Trieu-
de-Fresnes
Jacques-
Varlet
Le Moulin
Blanc
Bouvignies
Bousignies
Mt des Bruyères
Flines-
lez-Raches
Le Bru
Brillon
Millonfosse
Tilloy-
lez-M.
Pt Cataine
Parc
animalier
Trieux
Sautpont
Escautpont
10 km
Hasnon
Cataine
Cattelet
Marchiennes
Elpret
Warlaing
Grd Bray
Bruay-
Thiers
SCARPE
ESCAUT
A
B
C
1
2
3
4
103
110

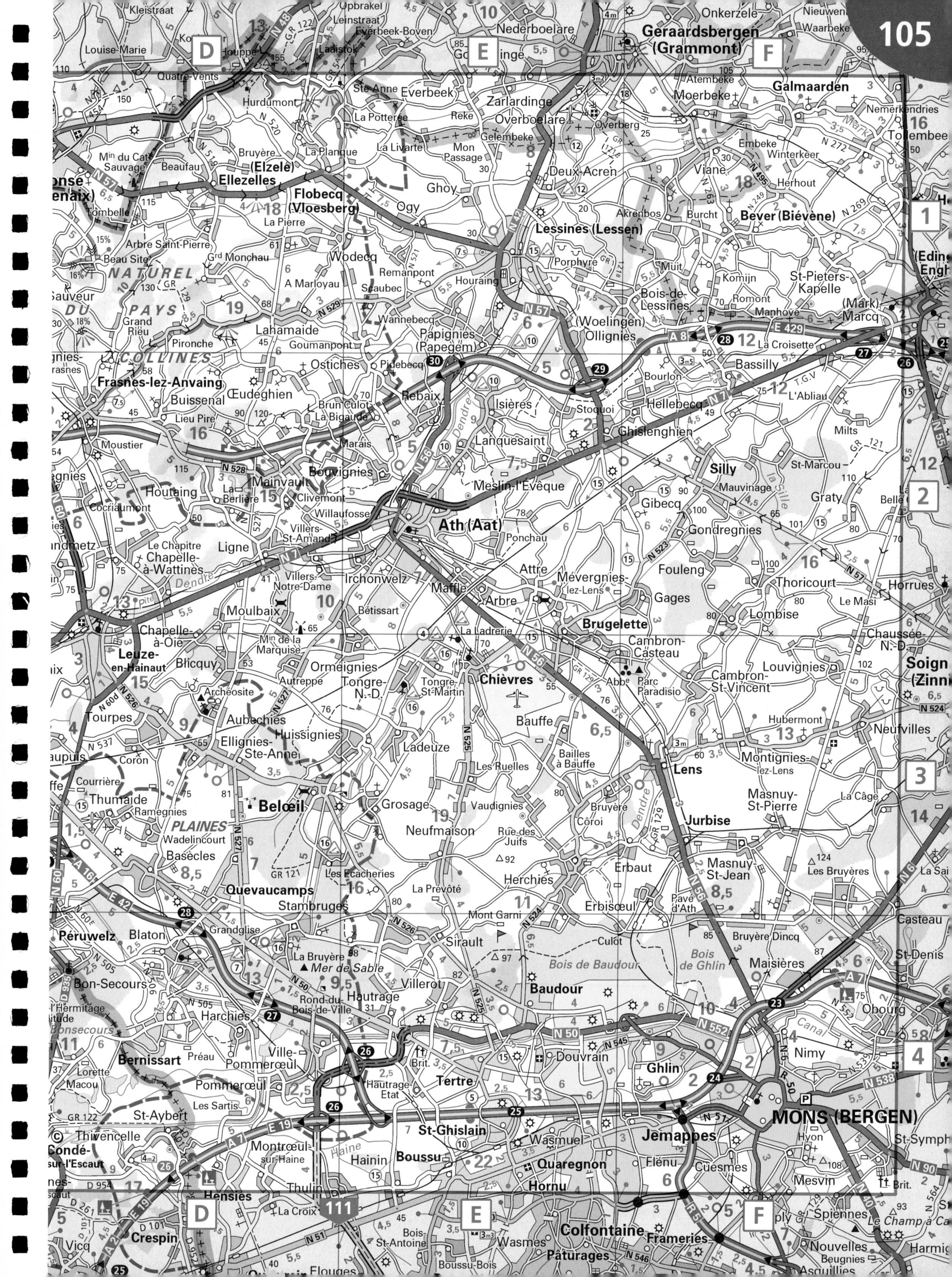
Kleistraat
Upbrakel
Leinstraat
Everbeek-Boven
Nederboelare
Onkerzele
Nieuwen
Waarbeke
Louise-Marie
Houppe
Laaistok
Geraardsbergen
(Grammont)
D
E
F
Quatre-Vents
Atembeke
Ste-Anne
Everbeek
Zarlardinge
Overboelare
Moerbeke
Galmaarden
Nemerkendries
Hurdumont
La Potterée
Reke
Overberg
Tollembee
Gelembeke
Embeke
Winterkeer
Min du Cat Sauvage
Bruyère
La Planque
La Livarte
Mon Passage
Viane
Beaufau
(Elzele)
Ellezelles
Deux-Acren
Herhout
Flobecq
(Vloesberg)
Ghoy
Ogy
Tombelle
La Pierre
Akrenbos
Burcht
Bever (Biévène)
Lessines (Lessen)
Arbre Saint-Pierre
Beau Site
Grd Monchau
Wodecq
Remanpont
Porphyre
Muit
Komijn
St-Pieters-Kapelle
NATUREL
PAYS
DU
A Marloyau
Scaubec
Houraing
Bois-de-Lessines
Romont
(Mark)
Marcq
Manhove
Grand Rieu
Wannebecq
Papignies
(Papegem)
(Woelingen)
Ollignies
Lahamaide
Pironche
Goumanpont
La Croisette
COLLINES
Ostiches
Pidebecq
Bassilly
Frasnes-lez-Anvaing
Œudeghien
Buissenal
Brun Culot
La Bigaude
Rebaix
Isières
Bourlon
Hellebecq
L'Abliau
Lieu Pire
Stoquoi
Ghislenghien
Moustier
Marais
Lanquesaint
Milts
Houtaing
Mainvault
La Berlière
Bouvignies
Clivemont
Meslin-l'Évêque
Silly
St-Marcou
Cocriaumont
Willaufosse
Villers-St-Amand
Mauvinage
Gibecq
Graty
Ath (Aat)
Ponchau
Gondregnies
Le Chapitre
Chapelle-à-Wattines
Ligne
Attre
Mévergnies-lez-Lens
Fouleng
Thoricourt
Horrues
Dendre
Villers-Notre-Dame
Irchonwelz
Maffle
Arbre
Gages
Le Masi
Moulbaix
Bétissart
Brugelette
Lombise
Chapelle-à-Oie
Min de la Marquise
La Ladrerie
Cambron-Casteau
Chaussée-N.-D.
Leuze-en-Hainaut
Blicquy
Ormeignies
Tongre-N.-D.
Tongre-St-Martin
Chièvres
Abbé
Parc Paradisio
Cambron-St-Vincent
Louvignies
Soign
(Zinn
Autreppe
Archéosite
Aubechies
Bauffe
Hubermont
Neufvilles
Tourpes
Huissignies
Ellignies-Ste-Anne
Ladeuze
Coron
Les Ruelles
Bailles à Bauffe
Lens
Montignies-lez-Lens
Courrière
Thumaide
Beloeil
Grosage
Vaudignies
Masnuy-St-Pierre
La Câge
Ramegnies
PLAINES
Wadelincourt
Neufmaison
Rue-des Juifs
Bruyère
Côroi
Jurbise
Basècles
Erbaut
Masnuy-St-Jean
Les Bruyères
La Sai
Quevaucamps
Les Écacheries
La Prévôté
Herchies
Stambruges
Erbisœul
Pavé d'Ath
Mont Garni
Casteau
Péruwelz
Blaton
Grandglise
Sirault
Culot
Bruyère Dincq
La Bruyère
Mer de Sable
Bois de Baudour
Bois de Ghlin
Maisières
St-Denis
Bon-Secours
Villerot
Hautrage
Rond-du-Bois-de-Ville
Baudour
Harchies
Obourg
Bonsecours
Bernissart
Préau
Ville-Pommerœul
Brit.
Douvrain
Ghlin
Nimy
Lorette
Macou
Pommerœul
Hautrage-Etat
Tertre
Les Sartis
St-Aybert
MONS (BERGEN)
Thivencelle
Condé-sur-l'Escaut
Montrœul-sur-Haine
Haine
St-Ghislain
Wasmuel
Jemappes
Hyon
Boussu
Hainin
Quaregnon
Flénu
Cuesmes
Mesvin
Hensies
Thulin
Hornu
La Croix
111
Crespin
Spiennes
Le Champ à Ca
Vicq
Bois-St-Antoine
Wasmes
Colfontaine
Frameries
Pâturages
Boussu-Bois
Flouges
Nouvelles
Beugnies
Asquillies
Harmig
GR 122
E 429
A 8
E 42
A 16
E 19
A 7
N 7
N 56
N 57
N 50
N 552
N 545
N 60
N 6
N 90
N 538
N 546
N 526
N 527
N 528
N 529
N 524
N 525
N 523
1
2
3
4

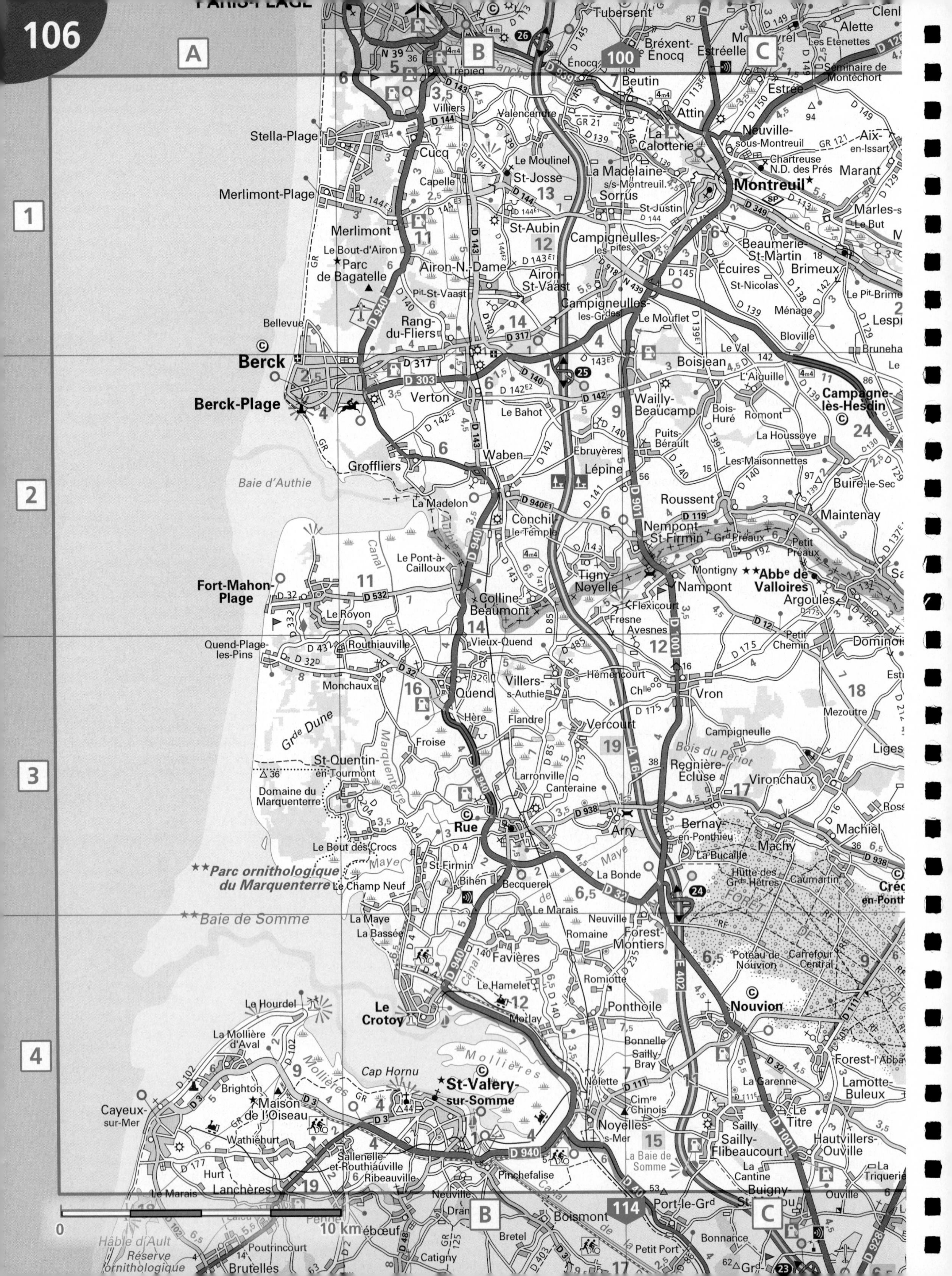
Tubersent
Bréxent-Énocq
Estréelle
Alette
Les Etenettes
Séminaire de Montéchort
Trépied
Beutin
Estrée
Villiers
Valencendre
Attin
Neuville-sous-Montreuil
Aix-en-Issart
Stella-Plage
Cucq
La Calotterie
Chartreuse N.D. des Prés
Marant
Le Moulinel
St-Josse
La Madelaine-s/s-Montreuil
Montreuil
Merlimont-Plage
Capelle
Sorrus
St-Justin
Marles-s
Le But
St-Aubin
Merlimont
Campigneulles-les-ptes
Beaumerie-St-Martin
Le Bout-d'Airon
Parc de Bagatelle
Airon-N.-Dame
Airon-St-Vaast
Écuires
Brimeux
St-Nicolas
Campigneulles-les-Grdes
Ménage
Pit-St-Vaast
Rang-du-Fliers
Le Mouflet
Bellevue
Bloville
Berck
Le Val
Boisjean
L'Aiguille
Berck-Plage
Verton
Wailly-Beaucamp
Bois-Huré
Romont
Campagne-lès-Hesdin
Le Bahot
Puits-Bérault
La Houssoye
Groffliers
Waben
Ebruyères
Lépine
Les Maisonnettes
Baie d'Authie
Buire-le-Sec
La Madelon
Roussent
Conchil-le-Temple
Maintenay
Nempont-St-Firmin
Grd Préaux
Petit Préaux
Le Pont-à-Cailloux
Montigny
Abbe de Valloires
Fort-Mahon-Plage
Tigny-Noyelle
Nampont
Colline-Beaumont
Argoules
Le Royon
Flexicourt
Fresne
Avesnes
Vieux-Quend
Petit Chemin
Dominois
Quend-Plage-les-Pins
Routhiauville
Hémencourt
Monchaux
Quend
Villers-s-Authie
Chlle
Vron
Hère
Flandre
Vercourt
Mezoutre
Grde Dune
Froise
Campigneulle
St-Quentin-en-Tourmont
Bois du Périot
Marquenterre
Larronville
Regnière-Écluse
Vironchaux
Domaine du Marquenterre
Canteraine
Rue
Arry
Bernay-en-Ponthieu
Machiel
Le Bout des Crocs
Machy
La Bucaille
Maye
Parc ornithologique du Marquenterre
St-Firmin
La Bonde
Hutte des Grds Hêtres
Caumartin
Bihen
Becquerel
Le Champ Neuf
Le Marais
Forêt de
Baie de Somme
La Maye
Neuville
La Bassée
Romaine
Forest-Montiers
Favières
Poteau de Nouvion
Carrefour Central
Le Hamelet
Romiotte
Le Hourdel
Le Crotoy
Morlay
Ponthoile
Nouvion
La Mollière d'Aval
Mollières
Bonnelle
Sailly-Bray
Forest-l'Abbaye
Cap Hornu
St-Valery-sur-Somme
Nolette
La Garenne
Lamotte-Buleux
Brighton
Maison de l'Oiseau
Cimre Chinois
Le Titre
Cayeux-sur-Mer
Noyelles-s-Mer
Sailly
Sailly-Flibeaucourt
Hautvillers-Ouville
Wathiéhurt
La Baie de Somme
Sallenelle-et-Routhiauville
Ribeauville
La Cantine
La Triquerie
Hurt
Pinchefalise
Lanchères
Le Marais
Neuville
Port-le-Grd
Buigny-
Ouville
Boismont
Bretel
Bonnance
Hâble d'Ault
Réserve ornithologique
Poutrincourt
Brutelles
Catigny
Petit Port
0
10 km
A
B
C
1
2
3
4

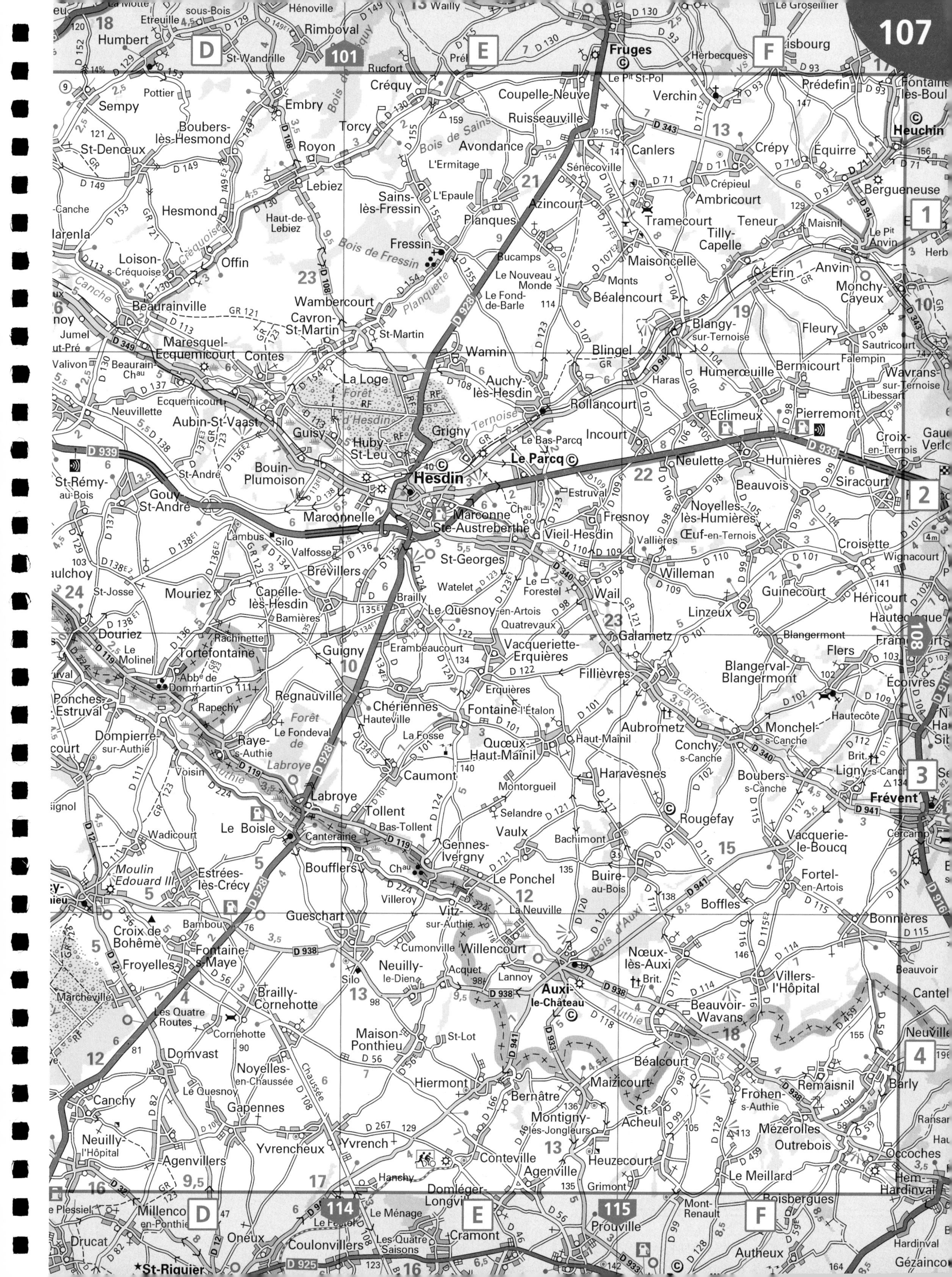
Fruges
Créquy
Embry
Rimboval
Humbert
Sempy
St-Denœux
Boubers-lès-Hesmond
Hesmond
Torcy
Royon
Lebiez
Coupelle-Neuve
Ruisseauville
Avondance
Verchin
Canlers
Crépy
Équirre
Heuchin
Bergueneuse
Azincourt
Tramecourt
Ambricourt
Teneur
Tilly-Capelle
Sains-lès-Fressin
Planques
Fressin
Bois de Fressin
Offin
Loison-s-Créquoise
Beaurainville
Wambercourt
Cavron-St-Martin
Maisoncelle
Béalencourt
Blangy-sur-Ternoise
Fleury
Anvin
Erin
Monchy-Cayeux
Wamin
Auchy-lès-Hesdin
Blingel
Humerœuille
Bermicourt
Maresquel-Ecquemicourt
Contes
La Loge
Forêt d'Hesdin
Rollancourt
Eclimeux
Pierremont
Aubin-St-Vaast
Guisy
Huby-St-Leu
Grigny
Incourt
Hesdin
Le Parcq
Neulette
Humières
Siracourt
Bouin-Plumoison
St-Rémy-au-Bois
Gouy-St-André
Marconnelle
Marconne
Ste-Austreberthe
Vieil-Hesdin
Fresnoy
Beauvois
Noyelles-lès-Humières
Œuf-en-Ternois
Croisette
St-Georges
Brévillers
Willeman
Mouriez
Capelle-lès-Hesdin
Le Quesnoy-en-Artois
Wail
Guinecourt
Héricourt
Linzeux
Douriez
Tortefontaine
Guigny
Vacqueriette-Erquières
Galametz
Fillièvres
Flers
Blangerval-Blangermont
Regnauville
Chériennes
Fontaine-l'Étalon
Aubrometz
Conchy-s-Canche
Monchel-s-Canche
Dompierre-sur-Authie
Raye-s-Authie
Quœux-Haut-Maînil
Caumont
Haravesnes
Boubers-s-Canche
Ligny-s-Canche
Frévent
Labroye
Tollent
Le Boisle
Rougefay
Vacquerie-le-Boucq
Gennes-Ivergny
Vaulx
Buire-au-Bois
Le Ponchel
Fortel-en-Artois
Estrées-lès-Crécy
Boufflers
Gueschart
Boffles
Bonnières
Croix de Bohême
Fontaine-s-Maye
Willencourt
Auxi-le-Château
Nœux-lès-Auxi
Froyelles
Neuilly-le-Dien
Villers-l'Hôpital
Brailly-Cornehotte
Beauvoir-Wavans
Maison-Ponthieu
Domvast
Noyelles-en-Chaussée
Hiermont
Bernâtre
Bealcourt
Maizicourt
Remaisnil
Barly
Canchy
Gapennes
Montigny-les-Jongleurs
St-Acheul
Frohen-s-Authie
Mézerolles
Outrebois
Neuilly-l'Hôpital
Agenvillers
Yvrencheux
Yvrench
Conteville
Agenville
Heuzecourt
Le Meillard
Occoches
Millencourt-en-Ponthieu
Domléger-Longvillers
Prouville
Mont-Renault
Boisbergues
Oneux
Coulonvillers
Cramont
Autheux
Drucat
St-Riquier
D 928
D 939
D 343
D 941
D 938
D 119
D 925
101
114
115
108
D
E
F
1
2
3
4

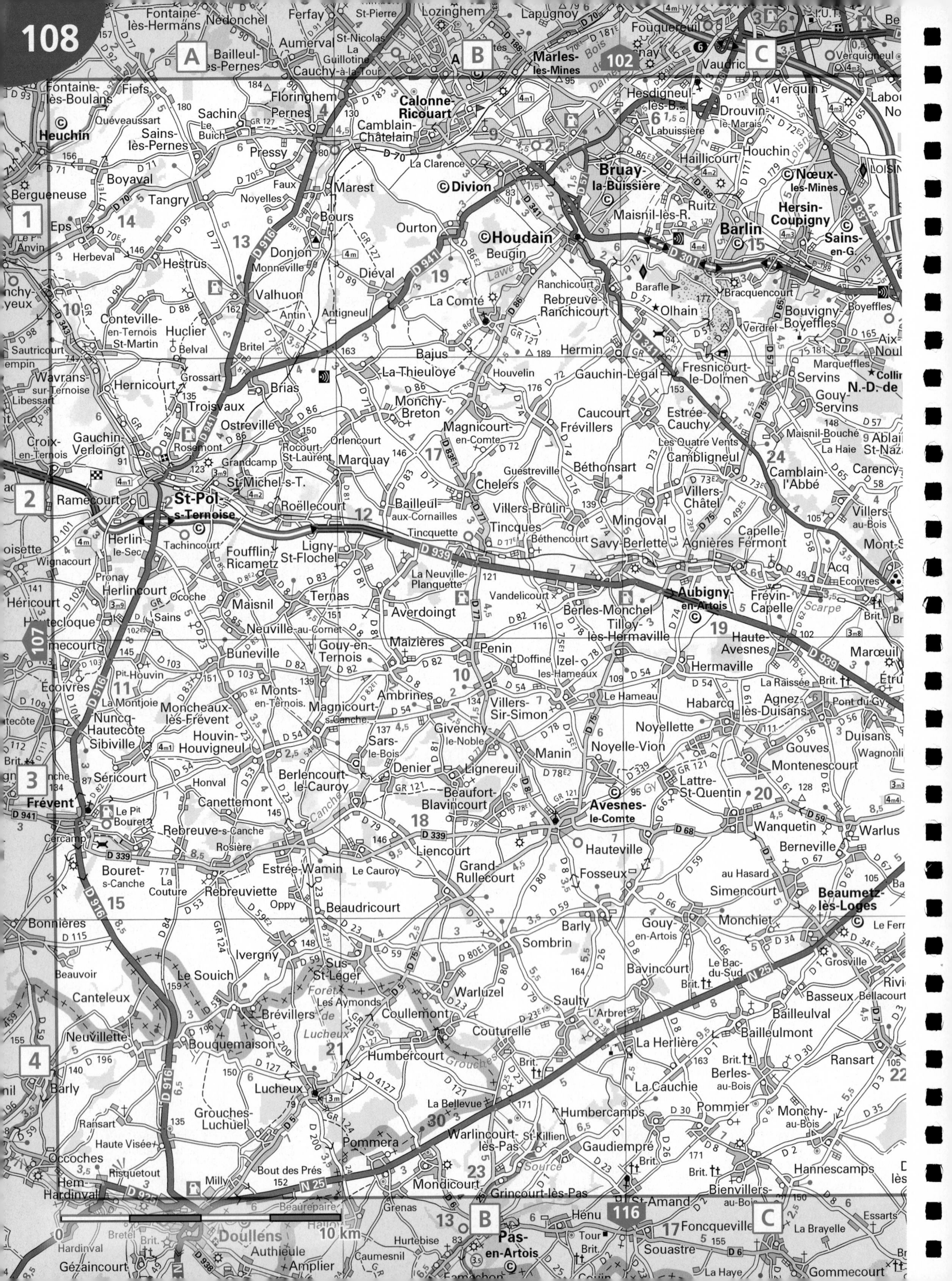
Fontaine-lès-Hermans
Nedonchel
Ferfay
St-Pierre
Lozinghem
Lapugnoy
Fouquereuil
Aumerval
St-Nicolas
Bailleul-lès-Pernes
La Guillotine
Cauchy-à-la-Tour
Marles-les-Mines
Vaudricourt
Verquigneul
Fontaine-lès-Boulans
Fiefs
Floringhem
Pernes
Calonne-Ricouart
Hesdigneul-lès-B.
Drouvin-le-Marais
Verquin
Heuchin
Quéveaussart
Sachin
Le Buich
Camblain-Châtelain
Labuissière
Sains-lès-Pernes
Pressy
Haillicourt
Houchin
Boyaval
La Clarence
Bruay-la-Buissière
Nœux-les-Mines
Bergueneuse
Faux
Noyelles
Marest
Divion
Tangry
Ruitz
Hersin-Coupigny
Maisnil-lès-R.
Eps
Bours
Ourton
Houdain
Barlin
Sains-en-G.
Anvin
Herbeval
Hestrus
Donjon
Monneville
Dieval
Beugin
Valhuon
La Comté
Ranchicourt
Rebreuve-Ranchicourt
Barafle
Olhain
Bracquencourt
Bouvigny-Boyeffles
Boyeffles
Conteville-en-Ternois
Huclier
Antin
Antigneul
St-Martin
Belval
Britel
Sautricourt
Bajus
Hermin
Verdrel
Aix-Noulette
Wavrans-sur-Ternoise
Hernicourt
Grossart
La Thieuloye
Houvelin
Gauchin-Légal
Fresnicourt-le-Dolmen
Marqueffles
Servins
N.-D.-de-Lorette
Libessart
Troisvaux
Brias
Monchy-Breton
Caucourt
Estrée-Cauchy
Gouy-Servins
Ostreville
Magnicourt-en-Comte
Frévillers
Maisnil-Bouché
La Haie
Ablain-St-Nazaire
Croix-en-Ternois
Gauchin-Verloingt
Rosemont
Rocourt-St-Laurent
Orlencourt
Marquay
Les Quatre Vents
Cambligneul
Camblain-l'Abbé
Carency
Grandcamp
St-Michel-s-T.
Guestreville
Chelers
Béthonsart
Ramecourt
St-Pol-s-Ternoise
Roëllecourt
Bailleul-aux-Cornailles
Villers-Brûlin
Villers-Châtel
Villers-au-Bois
Mingoval
Tincques
Capelle-Fermont
Tincquette
Béthencourt
Savy-Berlette
Agnières
Mont-St-Éloi
Herlin-le-Sec
Tachincourt
Foufflin-Ricametz
Ligny-St-Flochel
Wignacourt
Acq
Écoivres
La Neuville-Planquette
Vandelicourt
Aubigny-en-Artois
Frévin-Capelle
Pronay
Herlincourt
Ococche
Maisnil
Ternas
Averdoingt
Berles-Monchel
Héricourt
Sains
Neuville-au-Cornet
Tilloy-lès-Hermaville
Haute-Avesnes
Buneville
Gouy-en-Ternois
Maizières
Penin
Doffine
Izel-les-Hameaux
Hermaville
Marœuil
Pt Houvin
Écoivres
Monts-en-Ternois
Ambrines
Le Hameau
La Raissée
Étrun
La Montjoie
Moncheaux-lès-Frévent
Magnicourt-s-Canche
Villers-Sir-Simon
Habarcq
Agnez-lès-Duisans
Pont du Gy
Nuncq-Hautecôte
Sibiville
Houvin-Houvigneul
Sars-le-Bois
Givenchy-le-Noble
Noyellette
Duisans
Manin
Noyelle-Vion
Gouves
Wagnonlieu
Séricourt
Denier
Lignereuil
Montenescourt
Honval
Berlencourt-le-Cauroy
Lattre-St-Quentin
Frévent
Canettemont
Beaufort-Blavincourt
Avesnes-le-Comte
Le Pt Bouret
Wanquetin
Warlus
Rebreuve-s-Canche
Liencourt
Hauteville
Berneville
Cercamp
Rosière
Estrée-Wamin
Le Cauroy
Grand-Rullecourt
Fosseux
au Hasard
Bouret-s-Canche
La Couture
Rebreuviette
Simencourt
Beaumetz-lès-Loges
Oppy
Beaudricourt
Bonnières
Barly
Gouy-en-Artois
Monchiet
Le Ferme
Sombrin
Ivergny
Sus-St-Léger
Grosville
Bavincourt
Le Bac-du-Sud
Beauvoir
Le Souich
Rivière
Warluzel
Saulty
Basseux
Bellacourt
Canteleux
Forêt de Lucheux
Les Aymonds
Brévillers
Coullemont
L'Arbret
Bailleulval
Neuvillette
Bouquemaison
Couturelle
La Herlière
Bailleulmont
Ransart
Humbercourt
Grouches
Berles-au-Bois
Barly
Lucheux
La Cauchie
Monchy-au-Bois
La Bellevue
Humbercamps
Pommier
Grouches-Luchuel
Ransart
Haute Visée
Warlincourt-lès-Pas
St-Killien
Gaudiempré
Pommera
Occoches
Risquetout
Bout des Prés
Mondicourt
Source
Hannescamps
Hem-Hardinval
Milly
Grincourt-lès-Pas
St-Amand
Bienvillers-au-Bois
Beaurepaire
Grenas
Hénu
Foncquevillers
La Brayelle
Essarts
Bretel
Doullens
Hurtebise
Pas-en-Artois
Tour
Souastre
Hardinval
Authieule
Caumesnil
Gézaincourt
Amplier
La Haye
Gommecourt
A
B
C
1
2
3
4
102
107
116
0
10 km

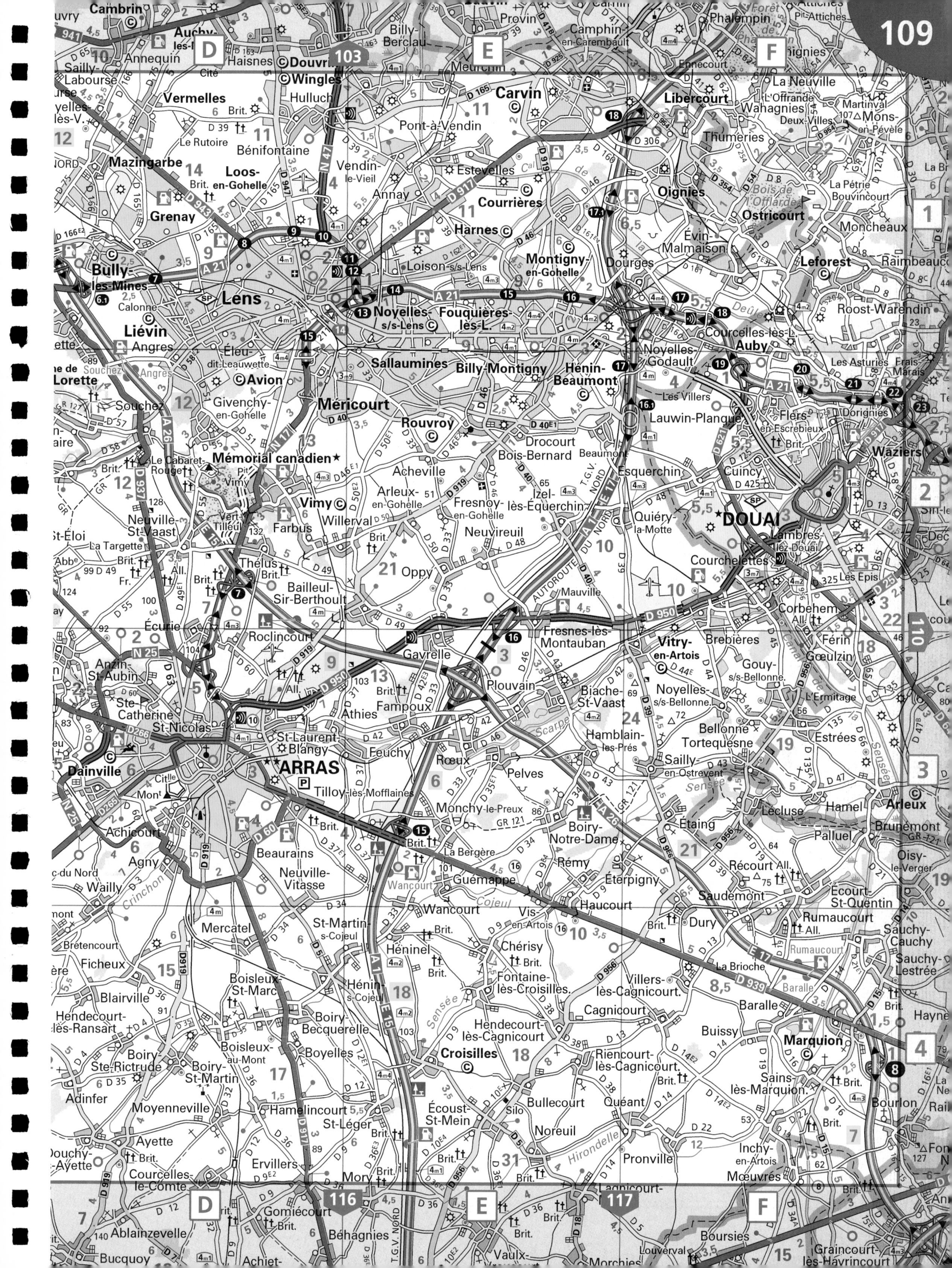
Cambrin
Auchy-les-La Bassée
Annequin
Haisnes
Douvrin
103
Billy-Berclau
Provin
Camphin-en-Carembault
Phalempin
Pt-Attiches
D
E
F
Sailly-Labourse
Cité
Wingles
Meurchin
Ennecourt
La Neuville
L'Offrande
Wahagnies
Martinval
Mons-en-Pévèle
Deux-Villes
Vermelles
Hulluch
Carvin
Libercourt
Brit.
Pont-à-Vendin
Le Rutoire
Bénifontaine
Thumeries
Mazingarbe
Loos-en-Gohelle
Vendin-le-Vieil
Estevelles
Oignies
Bois de l'Offlarde
La Pétrie
Bouvincourt
Grenay
Annay
Courrières
Ostricourt
Moncheaux
Harnes
Évin-Malmaison
Bully-les-Mines
Loison-s/s-Lens
Montigny-en-Gohelle
Dourges
Leforest
Raimbeaucourt
Lens
Calonne
Noyelles-s/s-Lens
Fouquières-lès-L.
Roost-Warendin
Courcelles-lès-L.
Auby
Liévin
Angres
Éleu-dit-Leauwette
Sallaumines
Billy-Montigny
Hénin-Beaumont
Noyelles-Godault
Les Asturies
Frais-Marais
Lorette
Souchez
Avion
Les Villers
Givenchy-en-Gohelle
Méricourt
Lauwin-Planque
Flers-en-Escrebieux
Dorignies
Rouvroy
Drocourt
Bois-Bernard
Beaumont
Waziers
Le Cabaret-Rouge
Mémorial canadien
Acheville
Esquerchin
Cuincy
Vimy
Arleux-en-Gohelle
Fresnoy-en-Gohelle
Izel-lès-Équerchin
Quiéry-la-Motte
DOUAI
Neuville-St-Vaast
Vert Tilleul
Farbus
Willerval
Neuvireuil
St-Éloi
La Targette
Lambres-lez-Douai
Thélus
Oppy
Courchelettes
Les Epis
Bailleul-Sir-Berthoult
Mauville
Écurie
Corbehem
Roclincourt
Fresnes-lès-Montauban
Vitry-en-Artois
Brebières
Férin
Anzin-St-Aubin
Gavrelle
Gœulzin
Plouvain
Biache-St-Vaast
Gouy-s/s-Bellonne
Ste-Catherine
Athies
Fampoux
Noyelles-s/s-Bellonne
L'Ermitage
St-Nicolas
St-Laurent-Blangy
Hamblain-les-Prés
Bellonne
Tortequesne
Estrées
Dainville
ARRAS
Feuchy
Rœux
Pelves
Sailly-en-Ostrevent
Tilloy-lès-Mofflaines
Scarpe
Sensée
Achicourt
Monchy-le-Preux
Boiry-Notre-Dame
Étaing
Lécluse
Hamel
Arleux
Brunémont
Palluel
Agny
Beaurains
La Bergère
Rémy
Récourt
Oisy-le-Verger
Wailly
Neuville-Vitasse
Wancourt
Guémappe
Éterpigny
Saudemont
Écourt-St-Quentin
Crinchon
Cojeul
Haucourt
Vis-en-Artois
Dury
Rumaucourt
Sauchy-Cauchy
Mercatel
St-Martin-s-Cojeul
Bretencourt
Héninel
Chérisy
La Brioche
Sauchy-Lestrée
Ficheux
Fontaine-lès-Croisilles
Villers-lès-Cagnicourt
Boisleux-St-Marc
Hénin-s-Cojeul
Baralle
Blairville
Cagnicourt
Hendecourt-lès-Ransart
Boiry-Becquerelle
Hendecourt-lès-Cagnicourt
Buissy
Marquion
Boiry-Ste-Rictrude
Boisleux-au-Mont
Boyelles
Croisilles
Riencourt-lès-Cagnicourt
Boiry-St-Martin
Sains-lès-Marquion
Adinfer
Moyenneville
Hamelincourt
St-Léger
Écoust-St-Mein
Bullecourt
Quéant
Bourlon
Ayette
Noreuil
Hirondelle
Inchy-en-Artois
Douchy-lès-Ayette
Courcelles-le-Comte
Ervillers
Mory
Pronville
Mœuvres
116
117
Gomiécourt
Ablainzevelle
Béhagnies
Boursies
Louverval
Graincourt-lès-Havrincourt
Bucquoy
Achiet-
Vaulx-
Morchies
A 1
A 21
A 26
E 15
E 17
N 17
N 25
D 950
D 939
D 917
AUTOROUTE DU NORD
T.G.V. NORD
110
1
2
3
4

A
B
C
1
2
3
4
104
118
109
Mérignies
Cappelle-en-Pévèle
Huquinville
Ouvignies
La Hte-Rue
Planard
Lannay
Howardries
Rongy
Bléharies
Mortagne
Maulde
Nomain
Molpas
La Poissonnerie
La Coquerie
La Neuville
Nau Jeu
Wattines
L'Offrande
Wahagnies
Martinval
Mons-en-Pévèle
Deux-Villes
Thumeries
Aix
Le Quéne
Vx-Condé
Rumegies
Auchy-lez-Orchies
Deregnaucourt
Saméon
Orchies
Landas
Lecelles
Thun-St-Amand
Nivelle
Bersée
La Broderie
Manneville
Beuvry-la-Forêt
PARC NATUREL RÉGIONAL
Le Talbot
Faumont
Rosult
St-Amand-les-Eaux
La Pétrie
Bouvincourt
Le Crupez
Coutiches
Les Arcins
Le Loir
L'Alène d'Or
Ostricourt
Bois de l'Offlarde
Moncheaux
La Picterie
Le Molinel
Sars-et-Rosières
Nau Jeu
Le Moulin Blanc
Leforest
Raimbeaucourt
Flines-lez-Raches
Le Bru
Bouvignies
Jacques-Varlet
Brillon
Bousignies
Millonfosse
Forêt de Sec-Marais Marchiennes
Tilloy-lez-M.
Pt Cataine
Roost-Warendin
La Gde Rue
Hasnon
Cataine
Courcelles-lès-L.
Auby
Râches
Cattelet
Marchiennes
Elpret
Warlaing
SCARPE
Grd Bray
Anhiers
Pont-Mouy
Alnes
Forêt de Raismes
Réserve ornithologique
Les Asturies
Frais-Marais
La Templerie
Décours
Vred
Wandignies-Hamage
Raismes
Flers-en-Escrebieux
Dorignies
Anchin (Anc.ne Abbe)
Traitoire
Lallaing
Rieulay
La Broucheuse
Arenberg
Waziers
Wallers
Aubry-du-H.
Cuincy
Montigny-en-Ostrevant
Pecquencourt
Fenain
Bellaing
DOUAI
Sin-le-Noble
Bruille-lez-M.
Hornaing
Haveluy
Lambres-lez-Douai
Dechy
Loffre
Erre
Hélesmes
Oisy
Courchelettes
Guesnain
Masny
Écaillon
Somain
Bellevue
Les Epis
Escaudain
Wavrechain-s/s-Denain
Corbehem
Lewarde
Denain
Abscon
Roucourt
Centre Minier
Aniche
Férin
Gœulzin
Auberchicourt
Les Six-Mariannes
Lourches
Haulchin
Gouy-s/s-Bellonne
Erchin
Cantin
Mastaing
Rœulx
L'Ermitage
Villers-au-Tertre
Émerchicourt
Neuville-s-Escaut
Douchy-les-Mines
Bellonne
Estrées
Bugnicourt
Monchecourt
Marquette-en-Ostrevant
Bouchain
Noyelles-s-Selle
Fressain
Marcq-en-Ostrevant
Wavrechain-s/s-Faulx
Pavé-de-Valenciennes
Lieu-St-Amand
Fleury
Lécluse
Hamel
Arleux
Féchain
Aubigny-au-Bac
Brunémont
Palluel
Wasnes-au-Bac
Hordain
Oisy-le-Verger
la Sensée
Récourt
Hem-Lenglet
Estrun
Avesnes-le-Sec
Haspres
Saudemont
Écourt-St-Quentin
Fressies
Aubencheul-au-Bac
Rumaucourt
Dury
Abancourt
Paillencourt
Iwuy
Saulzoir
Sauchy-Cauchy
Épinoy
Bantigny
Thun-l'Évêque
Villers-en-Cauchies
Cuvillers
Sauchy-Lestrée
La Brioche
Baralle
Sancourt
Eswars
Thun-St-Martin
Canadien
Blécourt
Avesnes-les-Aubert
St-Aubert
Haynecourt
Ramillies
Marquion
Naves
Sailly-lez-C.
Tilloy-lez-C.
Rieux-en-Cambrésis
Sains-lès-Marquion
Morenchies
Cagnoncles
St-Vaast-en-Cambrésis
Bourlon
La Mon Neuve
Neuville-St-Rémy
Escaudœuvres
St-Hilaire-lez-Cambrai
Raillencourt-Ste-Olle
Cauroir
Carnières
Inchy-en-Artois
Fontaine-N.-D.
Boussières-en-Cambrésis
CAMBRAI
Mœuvres
Quiévy
Proville
Awoingt
Ferme Ecole
Bévillers
Boistrancourt
Niergnies
Estourmel
Boursies
Graincourt-lès-Havrincourt
Cantaing-sur-Escaut
Noyelles-
Cattenières
Beauvois-en-Cambrésis
Jeune-Bois
A 21
A 23
D 938
D 957
D 643
D 630
E 19
E 17
0
10 km

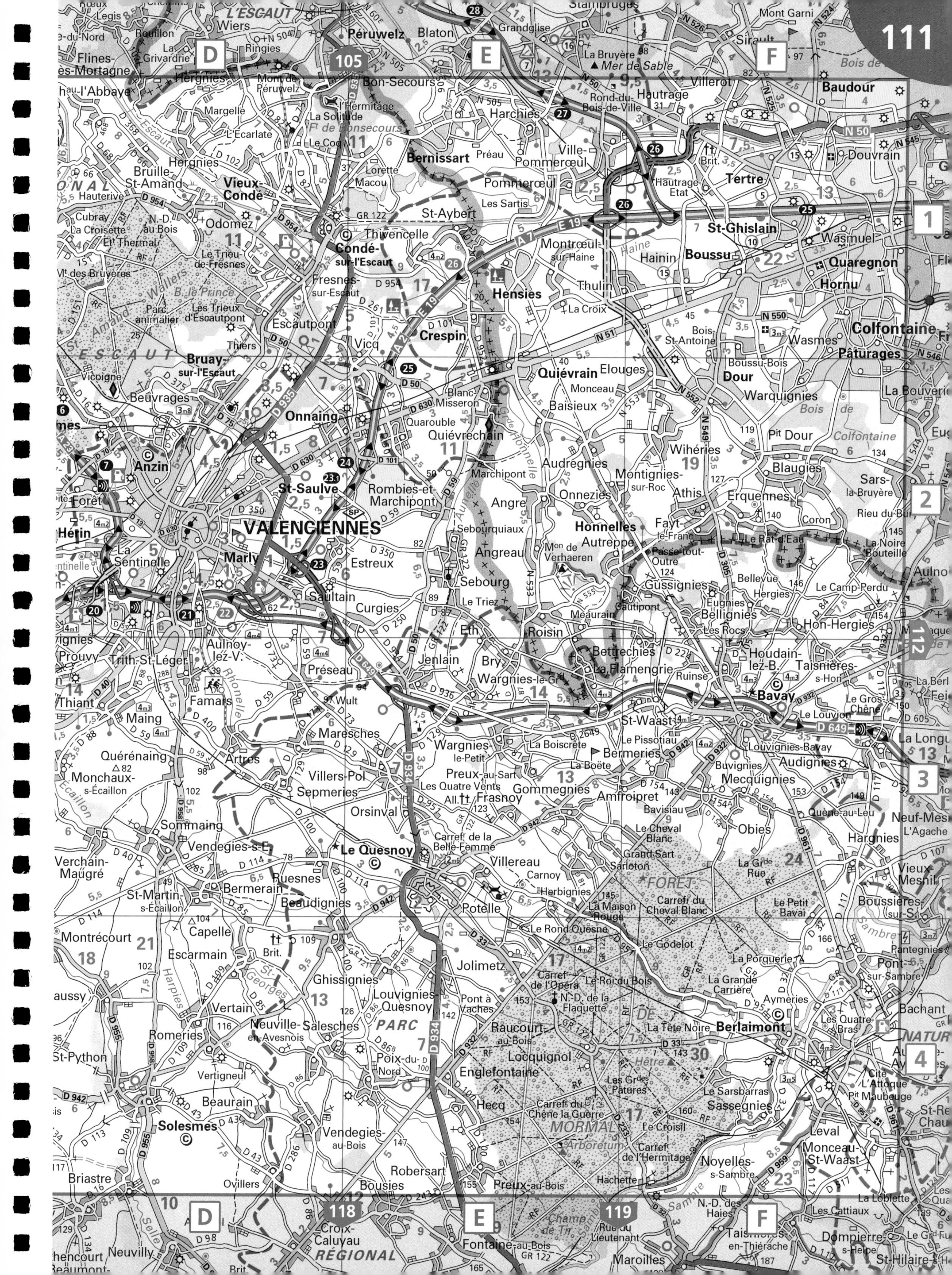
111
D
E
F
105
118
119
112
1
2
3
4
Péruwelz
Blaton
Grandglise
Stambruges
Mont Garni
Sirault
Baudour
Wiers
Legis
Rouillon
Ringies
La Grivardrie
Flines-lès-Mortagne
Hergnies
Mont de Péruwelz
Bon-Secours
L'Hermitage
La Solitude
Ft de Bonsecours
L'Ecarlate
Le Coq
Bernissart
Harchies
Hautrage
Villerot
La Bruyère
Mer de Sable
Rond-du-Bois-de-Ville
Ville-Pommerœul
Pommerœul
Préau
Lorette
Macou
Les Sartis
Douvrain
Tertre
Hautrage-Etat
Brit.
Margelle
Bruille-St-Amand
Hauterive
Vieux-Condé
Odomez
Cubray
La Croisette
Et Thermal
N.-D. au Bois
St-Aybert
Thivencelle
Condé-sur-l'Escaut
Montrœul-sur-Haine
Haine
Hainin
Boussu
St-Ghislain
Wasmuel
Quaregnon
Hornu
Mt des Bruyères
Le Trieu-de-Fresnes
Fresnes-sur-Escaut
B. le Prince
Parc animalier
Les Trieux d'Escautpont
Escautpont
Hensies
Thulin
La Croix
Vicq
Crespin
Quiévrain
Elouges
Bois-St-Antoine
Wasmes
Colfontaine
Pâturages
Boussu-Bois
Dour
Warquignies
Bois de Colfontaine
La Bouverie
Thiers
Bruay-sur-l'Escaut
Vicoigne
Beuvrages
Onnaing
Blanc-Misseron
Quarouble
Quiévrechain
Monceau
Baisieux
Pt Dour
Wihéries
Blaugies
Sars-la-Bruyère
Anzin
St-Saulve
Rombies-et-Marchipont
Marchipont
Audregnies
Montignies-sur-Roc
Athis
Erquennes
Angre
Onnezies
Rieu du Bur
Coron
Forêt
Hérin
VALENCIENNES
Sebourquiaux
Honnelles
Fayt-le-Franc
Autreppe
Le Rat d'Eau
La Noire Bouteille
La Sentinelle
Marly
Estreux
Angreau
Mon de Verhaeren
Passe-tout-Outre
Bellevue
Sebourg
Gussignies
Hergies
Le Camp-Perdu
Aulnois
Saultain
Curgies
Le Triez
Meaurain
Cautipont
Eugnies
Bellignies
Hon-Hergies
Les Rocs
Eth
Roisin
Aulnoy-lez-V.
Prouvy
Trith-St-Léger
Préseau
Jenlain
Bry
Bettrechies
La Flamengrie
Houdain-lez-B.
Taisnières-s-Hon
Ruinse
Wargnies-le-Gd
Bavay
Thiant
Famars
Wult
Maing
St-Waast
Le Louvion
Le Gros Chêne
Maresches
Wargnies-le-Petit
La Boiscrète
Le Pissotiau
Bermeries
Louvignies-Bavay
La Longu
Quérénaing
Artres
La Boëte
Audignies
Monchaux-s-Écaillon
Villers-Pol
Preux-au-Sart
Buvignies
Mecquignies
Sepmeries
Les Quatre Vents
Gommegnies
Frasnoy
Amfroipret
Bavisiau
Quêne-au-Leu
Neuf-Mes
L'Agache
Orsinval
Sommaing
Obies
Hargnies
Le Cheval Blanc
Vendegies-s-E.
Le Quesnoy
Carrefr de la Belle-Femme
Villereau
Grand Sart
Sarloton
La Grde Rue
Vieux-Mesnil
Verchain-Maugré
Ruesnes
Carnoy
FORÊT
Bermerain
Beaudignies
Herbignies
Carrefr du Cheval Blanc
Le Petit Bavai
Boussières-sur-S.
St-Martin-s-Écaillon
Potelle
La Maison Rouge
Le Rond Quesne
Capelle
Montrécourt
Escarmain
Le Godelot
Pantegnies
Jolimetz
La Porquerie
Pont-sur-Sambre
Carrefr de l'Opéra
Le Roi du Bois
La Grande Carrière
Ghissignies
N.-D. de la Flaquette
Aymeries
Bachant
Louvignies-Quesnoy
Pont à Vaches
Vertain
Romeries
Neuville-Salesches
en-Avesnois
PARC
Raucourt-au-Bois
La Tête Noire
Berlaimont
Les Quatre Bras
St-Python
Vertigneul
Poix-du-Nord
Locquignol
Hêtre
Englefontaine
Les Grdes Pâtures
Cité L'Attaque
Pt Maubeuge
Beaurain
Hecq
Carrefr du Chêne la Guerre
MORMAL
Le Sarsbarras
Sassegnies
Leval
Solesmes
Vendegies-au-Bois
Arboretum
Le Croisil
Carrefr de l'Hermitage
Monceau-St-Waast
Briastre
Robersart
Noyelles-s-Sambre
Ovillers
Bousies
Preux-au-Bois
Hachette
La Loblette
N.-D. des Haies
Les Cattiaux
Croix-Caluyau
Champ de Tir
Rue du Lieutenant
Taisnières-en-Thiérache
Dompierre-s-Helpe
Neuvilly
RÉGIONAL
Fontaine-au-Bois
Maroilles
St-Hilaire-s-H
E 19
A 2
A 7
N 50
N 51
N 549
D 649
D 934
D 942
D 932

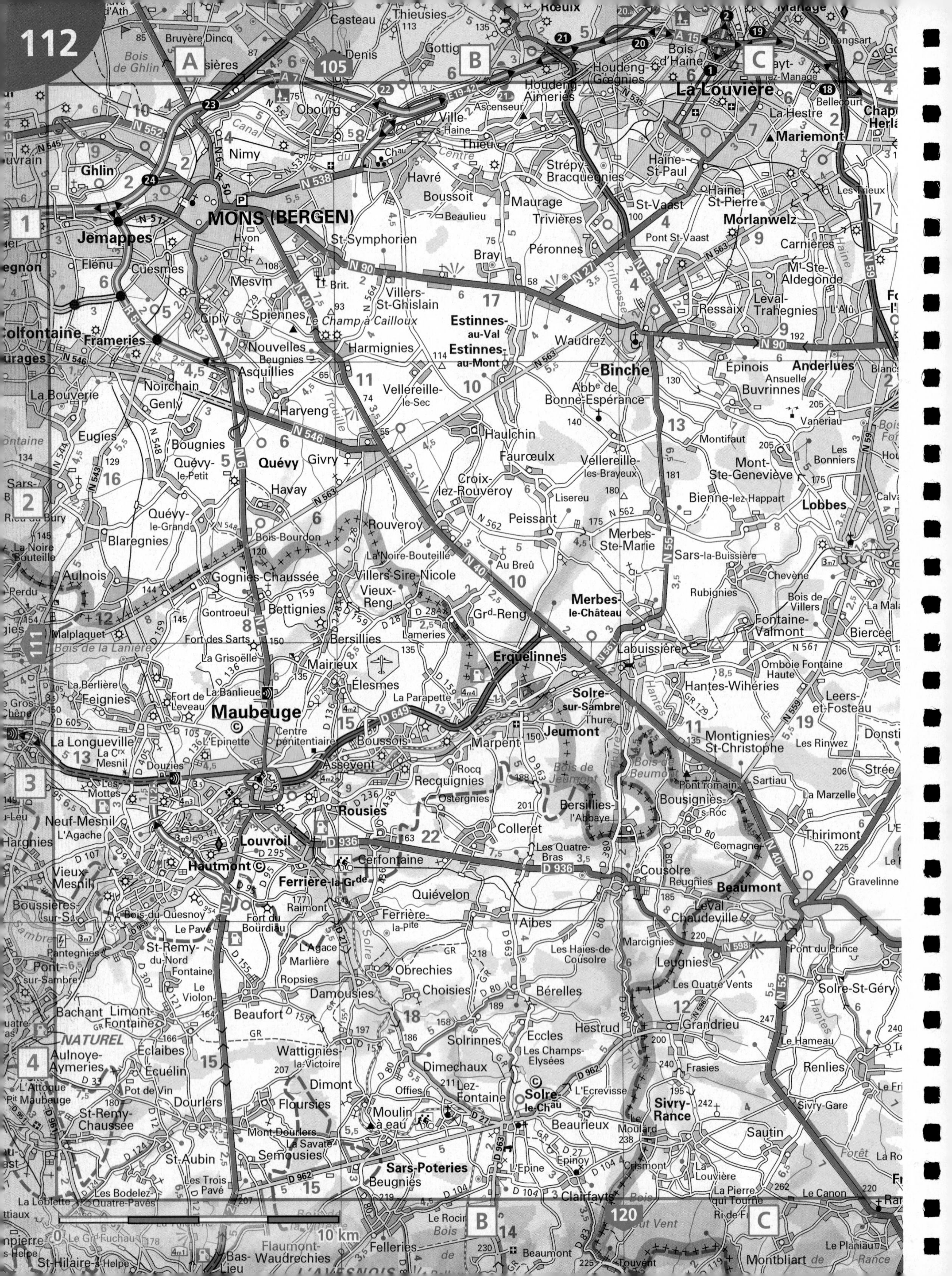
A
B
C
1
2
3
4
105
111
120
MONS (BERGEN)
Jemappes
Ghlin
Nimy
Obourg
Casteau
Thieusies
Rœulx
Gottignies
St-Denis
Masnuy-St-Jean
Bois de Ghlin
Bruyère Dincq
Houdeng-Gœgnies
Houdeng-Aimeries
Bois d'Haine
La Louvière
La Hestre
Bellecourt
Mariemont
Ville-s-Haine
Thieu
Havré
Boussoit
Maurage
Strépy-Bracquegnies
Haine-St-Paul
Haine-St-Pierre
St-Vaast
Trivières
Péronnes
Bray
Morlanwelz
Carnières
Mt-Ste-Aldegonde
Les Trieux
Pont St-Vaast
Ressaix
Leval-Trahegnies
Flénu
Cuesmes
Hyon
Mesvin
St-Symphorien
Villers-St-Ghislain
Spiennes
Le Champ à Cailloux
Ciply
Frameries
Colfontaine
Nouvelles
Harmignies
Estinnes-au-Val
Estinnes-au-Mont
Waudrez
Binche
Épinois
Anderlues
Ansuelle
Buvrinnes
Asquillies
Noirchain
La Bouverie
Genly
Harveng
Vellereille-le-Sec
Abbe de Bonne-Espérance
Haulchin
Montifaut
Vaneriau
Eugies
Bougnies
Quévy-le-Petit
Quévy
Givry
Faurœulx
Vellereille-les-Brayeux
Mont-Ste-Geneviève
Les Bonniers
Croix-lez-Rouveroy
Havay
Lisereu
Bienne-lez-Happart
Lobbes
Quévy-le-Grand
Blaregnies
Rouveroy
Peissant
Merbes-Ste-Marie
Bois-Bourdon
La Noire Bouteille
Sars-la-Buissière
Au Breû
Aulnois
Gognies-Chaussée
Villers-Sire-Nicole
Vieux-Reng
Chevène
Rubignies
Bois de Villers
Gontroeul
Bettignies
Grd-Reng
Merbes-le-Château
Malplaquet
Bois de la Lanière
Fort des Sarts
Bersillies
Lameries
Fontaine-Valmont
Biercée
La Grisoëlle
Mairieux
Erquelinnes
Labuissière
Omboie Fontaine Haute
La Berlière
Feignies
Fort de Leveau
La Banlieue
Élesmes
La Parapette
Solre-sur-Sambre
Thure
Hantes-Wihéries
Leers-et-Fosteau
Maubeuge
La Longueville
L'Epinette
Centre pénitentiaire
Boussois
Marpent
Jeumont
Montignies-St-Christophe
Les Rinwez
Donstiennes
La Crx Mesnil
Douzies
Assevent
Rocq
Recquignies
Bois de Jeumont
Bois de Beumont
Pont romain
Sartiau
Strée
Les Mottes
Ostergnies
Bersillies-l'Abbaye
Bousignies-s-Roc
La Marzelle
Neuf-Mesnil
L'Agache
Rousies
Louvroil
Colleret
Thirimont
Hautmont
Cerfontaine
Les Quatre-Bras
Comagne
Vieux-Mesnil
Ferrière-la-Grde
Cousolre
Reugnies
Beaumont
Gravelinne
Boussières-sur-Sambre
Bois-du-Quesnoy
Fort du Bourdiau
Raimont
Quiévelon
Leval-Chaudeville
Ferrière-la-pite
Aibes
Le Pavé
St-Remy-du-Nord
L'Agace
Marlière
Marcignies
Pont du Prince
Pantegnies
Pont-sur-Sambre
Fontaine
Obrechies
Les Haies-de-Cousolre
Leugnies
Les Quatre Vents
Solre-St-Géry
Le Violon
Ropsies
Damousies
Choisies
Bérelles
Bachant
Limont-Fontaine
Beaufort
Hestrud
Grandrieu
Eclaibes
Solrinnes
Eccles
Les Champs-Elysées
Le Hameau
Aulnoye-Aymeries
Wattignies-la-Victoire
Dimechaux
Frasies
Renlies
Écuélin
Dimont
Lez-Fontaine
L'Ecrevisse
Pot de Vin
Offies
Solre-le-Chau
L'Attoque
Pt Maubeuge
Dourlers
Floursies
Sivry-Rance
Sivry-Gare
St-Remy-Chaussée
Moulin à eau
Beaurieux
Le Moulard
Mont-Dourlers
La Savate
Sautin
Semousies
St-Aubin
Sars-Poteries
L'Epine
Epinoy
Crismont
La Louvière
Les Trois Pavé
Beugnies
Les Bodelez
Quatre-Pavés
La Loblette
Clairfayts
La Pierre qui Tourne
Le Canon
Le Rocin
Bois
Bois de Rance
Flaumont-Waudrechies
Fellevies
Beaumont
Bas-Lieu
St-Hilaire-s-Helpe
Le Grd-Fuchau
Touvent
Montbliart
Le Planiau
L'AVESNOIS
NATUREL
10 km
N 552
N 90
N 40
N 6
N 2
N 546
N 563
N 55
N 53
N 27
N 538
N 59
N 598
D 936
D 649
D 962
A 7
A 15
E19-42

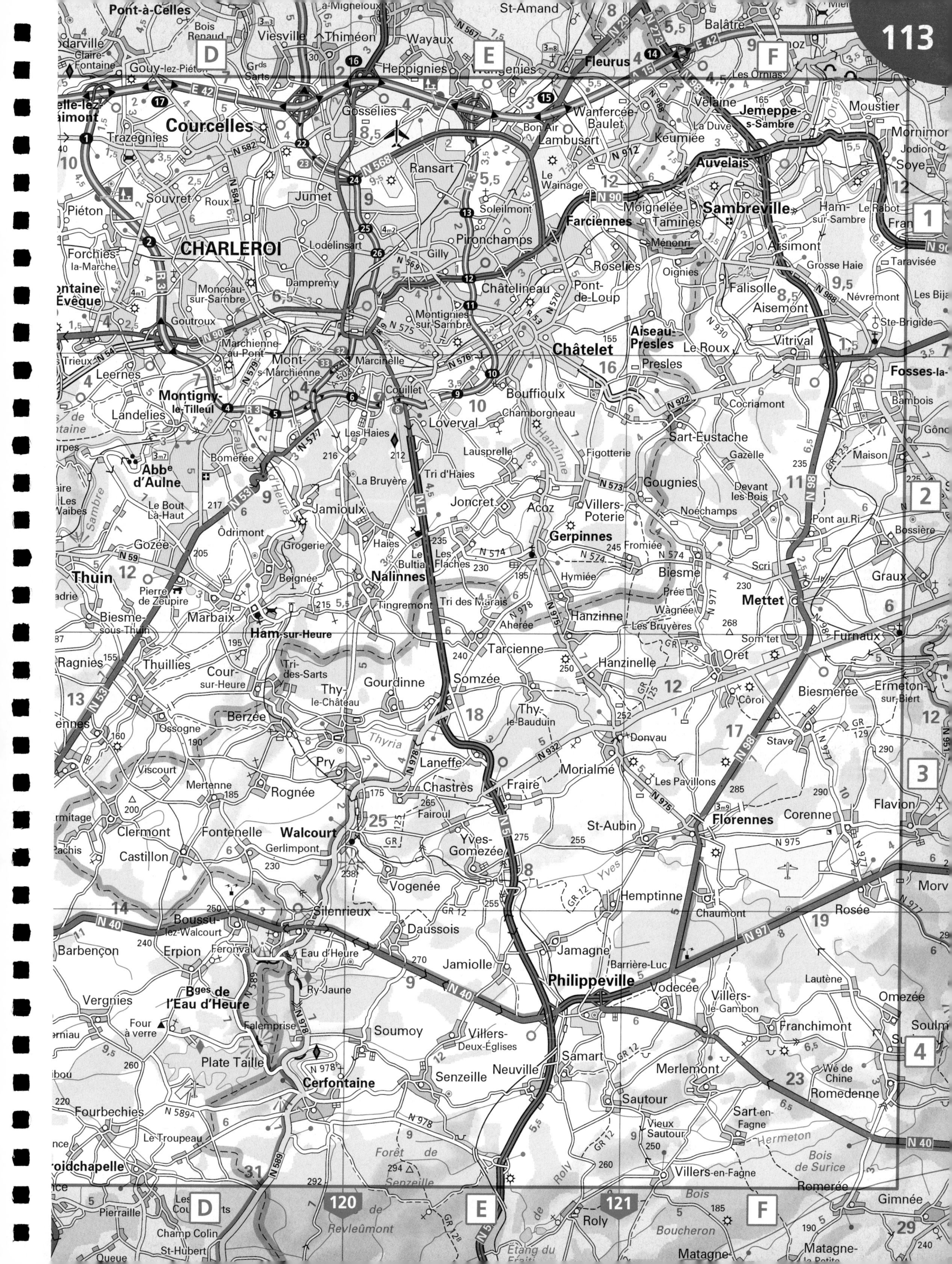

Pont-à-Celles
Viesville
Thiméon
Wayaux
St-Amand
Fleurus
Balâtre
Gouy-lez-Piéton
Heppignies
Courcelles
Gosselies
Trazegnies
Wanfercée-Baulet
Lambusart
Velaine
Jemeppe-s-Sambre
Moustier
Keumiée
Mornimont
Ransart
Auvelais
Souvret
Roux
Jumet
Le Wainage
Soleilmont
Piéton
Farciennes
Moignelée
Tamines
Sambreville
Ham-sur-Sambre
CHARLEROI
Lodelinsart
Gilly
Pironchamps
Forchies-la-Marche
Roselies
Arsimont
Dampremy
Monceau-sur-Sambre
Châtelineau
Pont-de-Loup
Falisolle
Aisemont
Goutroux
Montignies-sur-Sambre
Marchienne-au-Pont
Mont-s-Marchienne
Marcinelle
Châtelet
Aiseau-Presles
Le Roux
Vitrival
Leernes
Couillet
Presles
Fosses-la-
Montigny-le-Tilleul
Landelies
Bouffioulx
Loverval
Chamborgneau
Cocriamont
Les Haies
Sart-Eustache
Lausprelle
Figotterie
Bomerée
Abbe d'Aulne
La Bruyère
Tri d'Haies
Gougnies
Jamioulx
Joncret
Acoz
Villers-Poterie
Noéchamps
Ôdrimont
Gozée
Grogerie
Haies
Gerpinnes
Fromiée
Thuin
Beignée
Nalinnes
Biesme
Mettet
Marbaix
Ham-sur-Heure
Tingremont
Tri des Marais
Hanzinne
Biesme-sous-Thuin
Aherée
Furnaux
Ragnies
Thuillies
Cour-sur-Heure
Tarcienne
Hanzinelle
Oret
Gourdinne
Somzée
Thy-le-Château
Berzée
Thy-le-Bauduin
Biesmerée
Ermeton-sur-Biert
Ossogne
Donvau
Stave
Viscourt
Pry
Laneffe
Morialmé
Mertenne
Rognée
Chastrès
Fraire
Les Pavillons
Flavion
Clermont
Fontenelle
Walcourt
Fairoul
St-Aubin
Florennes
Corenne
Castillon
Gerlimpont
Yves-Gomezée
Vogenée
Hemptinne
Silenrieux
Boussu-lez-Walcourt
Daussois
Chaumont
Rosée
Barbençon
Erpion
Eau d'Heure
Jamagne
Jamiolle
Philippeville
Vodecée
Villers-le-Gambon
Ry-Jaune
Bges de l'Eau d'Heure
Vergnies
Four à verre
Soumoy
Villers-Deux-Églises
Franchimont
Omezée
Falemprise
Plate Taille
Cerfontaine
Senzeille
Neuville
Samart
Merlemont
Wé de Chine
Romedenne
Sautour
Fourbechies
Le Troupeau
Sart-en-Fagne
Vieux Sautour
Forêt de Senzeille
Villers-en-Fagne
Bois de Surice
Romerée
Gimnée
Pierraille
Champ Colin
St-Hubert
Roly
Boucheron
Matagne-

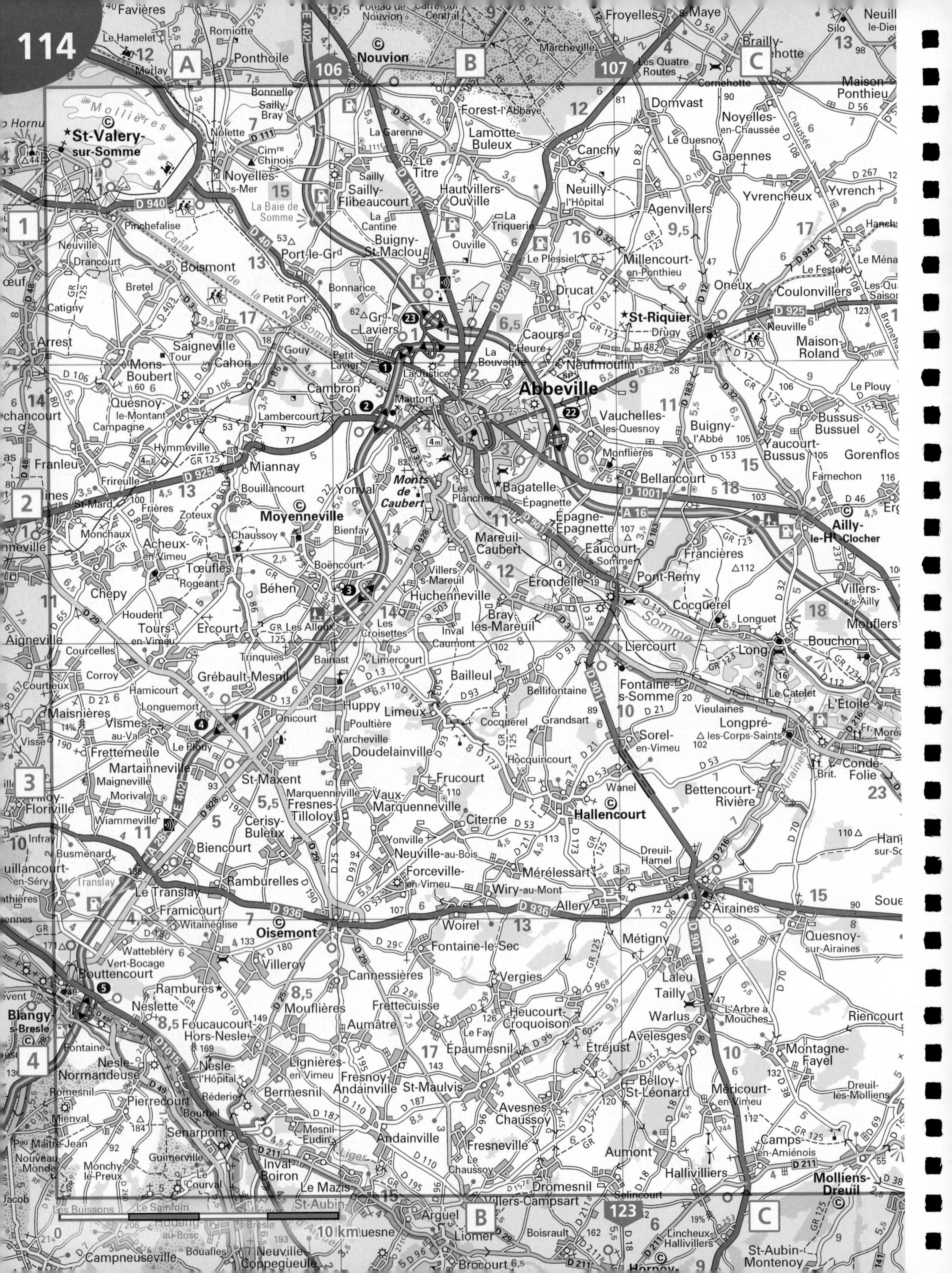
Nouvion
Forest-l'Abbaye
Froyelles
Brailly-Cornehotte
Les Quatre Routes
Ponthoile
Morlay
Favières
Romiotte
Le Hamelet
St-Valery-sur-Somme
Noyelles-sur-Mer
Nolette
Cimre Chinois
Sailly-Bray
Bonnelle
La Garenne
Lamotte-Buleux
Le Titre
Sailly-Flibeaucourt
Hautvillers-Ouville
Canchy
Domvast
Noyelles-en-Chaussée
Le Quesnoy
Gapennes
Neuilly-l'Hôpital
Agenvillers
Yvrencheux
Yvrench
Maison-Ponthieu
La Baie de Somme
Pinchefalise
Port-le-Grd
Buigny-St-Maclou
La Cantine
La Triquerie
Ouville
Le Plessiel
Millencourt-en-Ponthieu
Onneux
Coulonvillers
Le Festel
Neuville
Drancourt
Boismont
Bretel
Petit Port
Bonnance
Drucat
St-Riquier
Drugy
Catigny
Arrest
Saigneville
Tour
Cahon
Gouy
Grd-Laviers
Petit Laviers
Caours
L'Heure
La Bouvaque
Neufmoulin
Mons-Boubert
Cambron
La Justice
Mautort
Abbeville
Maison-Roland
Le Plouy
Quesnoy-le-Montant
Campagne
Lambercourt
Vauchelles-les-Quesnoy
Buigny-l'Abbé
Bussus-Bussuel
Yaucourt-Bussus
Gorenflos
Franleu
Hymmeville
Miannay
Monfllières
Bellancourt
Famechon
Frireulle
St-Mard
Bouillancourt
Frières
Yonval
Monts de Caubert
Les Planches
Bagatelle
Épagnette
Epagne-Epagnette
Ailly-le-Ht-Clocher
Moyenneville
Zoteux
Monchaux
Acheux-en-Vimeu
Chaussoy
Bienfay
Mareuil-Caubert
Eaucourt-s-Somme
Francières
Pont-Remy
Tœufles
Rogeant
Boëncourt
Villers-s-Mareuil
Érondelle
Villers-s/s-Ailly
Chepy
Béhen
Huchenneville
Cocquerel
Longuet
Houdent
Tours-en-Vimeu
Ercourt
Les Alleux
Les Croisettes
Bray-lès-Mareuil
Inval
Caumont
Liercourt
Mouflers
Bouchon
Long
Aigneville
Courcelles
Trinquies
Bainast
Limercourt
Corroy
Grébault-Mesnil
Bailleul
Bellifontaine
Fontaine-s-Somme
Le Catelet
L'Étoile
Courtieux
Hamicourt
Longuemort
Huppy
Limeux
Vieulaines
Maisnières
Vismes-au-Val
Onicourt
Poultière
Cocquerel
Grandsart
Sorel-en-Vimeu
Longpré-les-Corps-Saints
Frettemeule
Le Plouy
Warcheville
Doudelainville
Hocquincourt
Martainneville
Maigneville
Morival
St-Maxent
Marquenneville
Fresnes-Tilloloy
Vaux-Marquenneville
Frucourt
Wanel
Hallencourt
Bettencourt-Rivière
Condé-Folie
Brit.
Wiammeville
Cerisy-Buleux
Citerne
Infray
Busménard
Biencourt
Yonville
Neuville-au-Bois
Dreuil-Hamel
Forceville-en-Vimeu
Mérélessart
Translay
Ramburelles
Wiry-au-Mont
Le Translay
Framicourt
Witainéglise
Oisemont
Woirel
Allery
Airaines
Quesnoy-sur-Airaines
Métigny
Fontaine-le-Sec
Wattebléry
Vert-Bocage
Villeroy
Bouttencourt
Cannessières
Vergies
Laleu
Tailly
Rambures
Neslette
Mouflières
Frettecuisse
Heucourt-Croquoison
Warlus
L'Arbre à Mouches
Riencourt
Blangy-s-Bresle
Foucaucourt-Hors-Nesle
Aumâtre
Le Fay
Avelesges
Fontaine
Nesle-Normandeuse
Nesle-l'Hôpital
Lignières-en-Vimeu
Épaumesnil
Étréjust
Montagne-Fayel
Romesnil
Réderie
Bermesnil
Fresnoy-Andainville
St-Maulvis
Belloy-St-Léonard
Méricourt-en-Vimeu
Dreuil-lès-Molliens
Pierrecourt
Bourbel
Avesnes-Chaussoy
Mienval
Senarpont
Mesnil-Eudin
Andainville
Camps-en-Amiénois
Maître-Jean
Nouveau-Monde
Guimerville
Monchy-le-Preux
Inval-Boiron
Liger
Fresneville
Le Chaussoy
Aumont
Hallivilliers
Molliens-Dreuil
Le Courval
Le Mazis
Dromesnil
Selincourt
Villers-Campsart
Jacob
Les Buissons
Le Sainfoin
St-Aubin-Rivière
Arguel
Liomer
Boisrault
Lincheux-Hallivillers
St-Aubin-Montenoy
Campneuseville
Bouafles
Neuville-Coppegueule
Brocourt
Hornoy
10 km
Somme
Canal de la Somme
Mollières
Airaines
A
B
C
1
2
3
4
106
107
123
D 940
D 925
D 1001
D 928
D 901
A 16
A 28
E 402
D 936
D 211
D 216
D 29
D 32
D 12

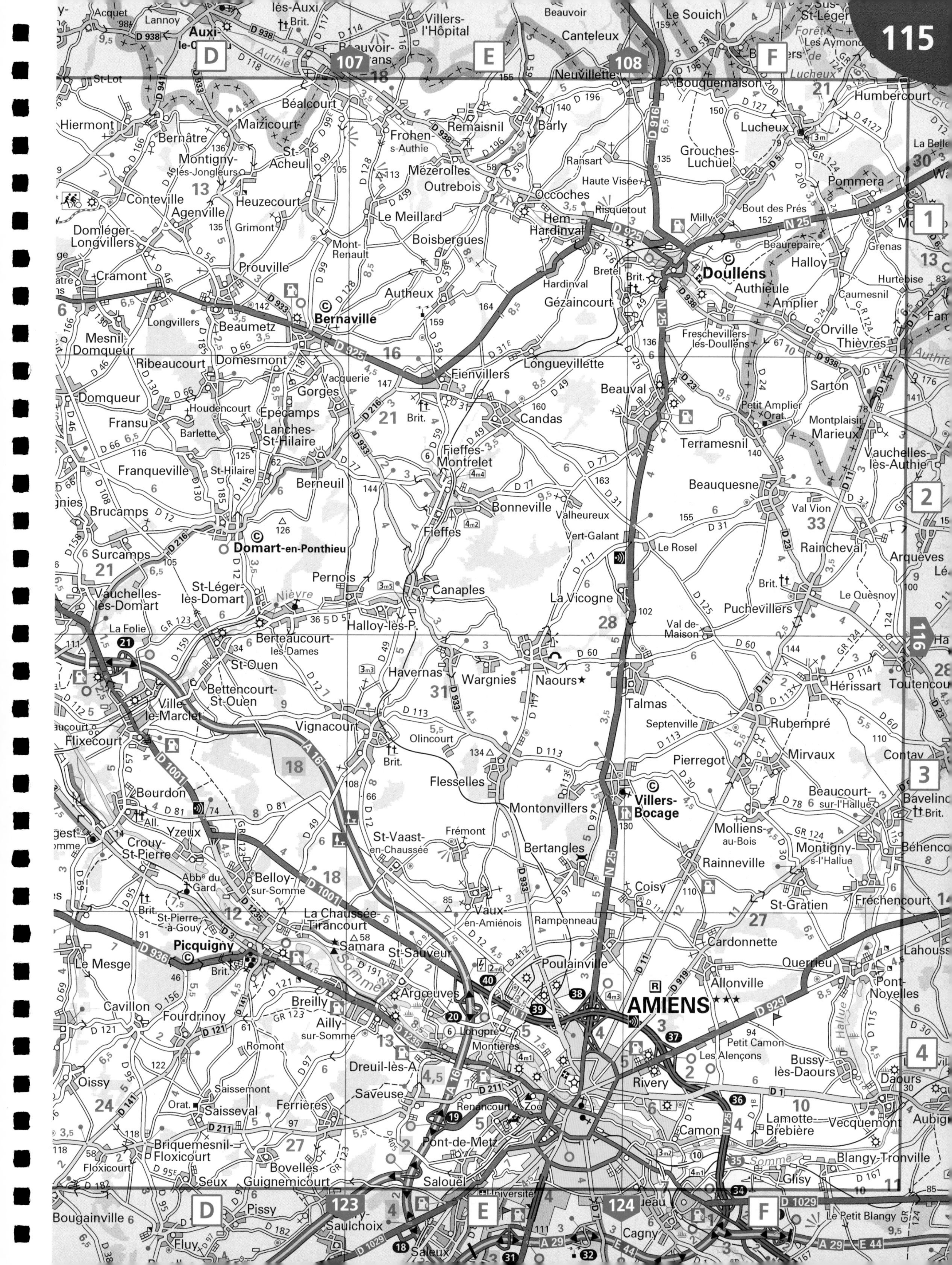
Auxi-le-Château
Lannoy
Acquet
Villers-l'Hôpital
Beauvoir
Le Souich
Canteleux
Neuvillette
Bouquemaison
Humbercourt
Lucheux
Grouches-Luchuel
Pommera
Bealcourt
Hiermont
Maizicourt
Bernâtre
Remaisnil
Barly
Frohen-s-Authie
Montigny-les-Jongleurs
St-Acheul
Mézerolles
Ransart
Haute Visée
Outrebois
Occoches
Conteville
Heuzecourt
Agenville
Le Meillard
Hem-Hardinval
Risquetout
Milly
Bout des Prés
Domléger-Longvillers
Grimont
Mont-Renault
Boisbergues
Beaurepaire
Grenas
Halloy
Doullens
Authieule
Amplier
Orville
Thièvres
Cramont
Prouville
Autheux
Hardinval
Gézaincourt
Bretel
Caumesnil
Hurtebise
Bernaville
Longvillers
Beaumetz
Mesnil-Domqueur
Domesmont
Ribeaucourt
Fienvillers
Longuevillette
Freschevillers-lès-Doullens
Vacquerie
Gorges
Beauval
Sarton
Domqueur
Houdencourt
Épécamps
Candas
Petit Amplier
Montplaisir
Marieux
Fransu
Barlette
Lanches-St-Hilaire
Terramesnil
Vauchelles-lès-Authie
Franqueville
St-Hilaire
Fieffes-Montrelet
Berneuil
Beauquesne
Brucamps
Bonneville
Valheureux
Val Vion
Fieffes
Vert-Galant
Domart-en-Ponthieu
Surcamps
Le Rosel
Raincheval
Arquèves
Pernois
Canaples
Vauchelles-lès-Domart
St-Léger-lès-Domart
Nièvre
La Vicogne
Puchevillers
Le Quesnoy
La Folie
Halloy-lès-P.
Val de Maison
Berteaucourt-les-Dames
St-Ouen
Havernas
Wargnies
Naours
Hérissart
Toutencourt
Bettencourt-St-Ouen
Ville-le-Marclet
Talmas
Septenville
Rubempré
Vignacourt
Olincourt
Flixecourt
Mirvaux
Contay
Pierregot
Flesselles
Villers-Bocage
Bourdon
Montonvillers
Beaucourt-sur-l'Hallue
Bavelincourt
Frémont
Molliens-au-Bois
Yzeux
Crouy-St-Pierre
St-Vaast-en-Chaussée
Bertangles
Montigny-s-l'Hallue
Béhencourt
Abbé du Gard
Belloy-sur-Somme
Rainneville
Coisy
St-Gratien
Fréchencourt
St-Pierre-à-Gouy
La Chaussée-Tirancourt
Vaux-en-Amiénois
Ramponneau
Samara
Cardonnette
Picquigny
St-Sauveur
Poulainville
Querrieu
Lahoussoye
Le Mesge
Argœuves
Allonville
Pont-Noyelles
Breilly
Cavillon
Fourdrinoy
Ailly-sur-Somme
AMIENS
Longpré
Montières
Petit Camon
Les Alençons
Bussy-lès-Daours
Romont
Dreuil-lès-A.
Rivery
Daours
Oissy
Saissemont
Saveuse
Renancourt
Zoo
Saisseval
Ferrières
Lamotte-Brebière
Vecquemont
Aubigny
Camon
Briquemesnil-Floxicourt
Pont-de-Metz
Blangy-Tronville
Bovelles
Seux
Guignemicourt
Salouël
Glisy
Université
Bougainville
Pissy
Saulchoix
Cagny
Le Petit Blangy
Fluy
Saleux
Authie
Somme
Hallue
D
E
F
107
108
123
124
116
1
2
3
4

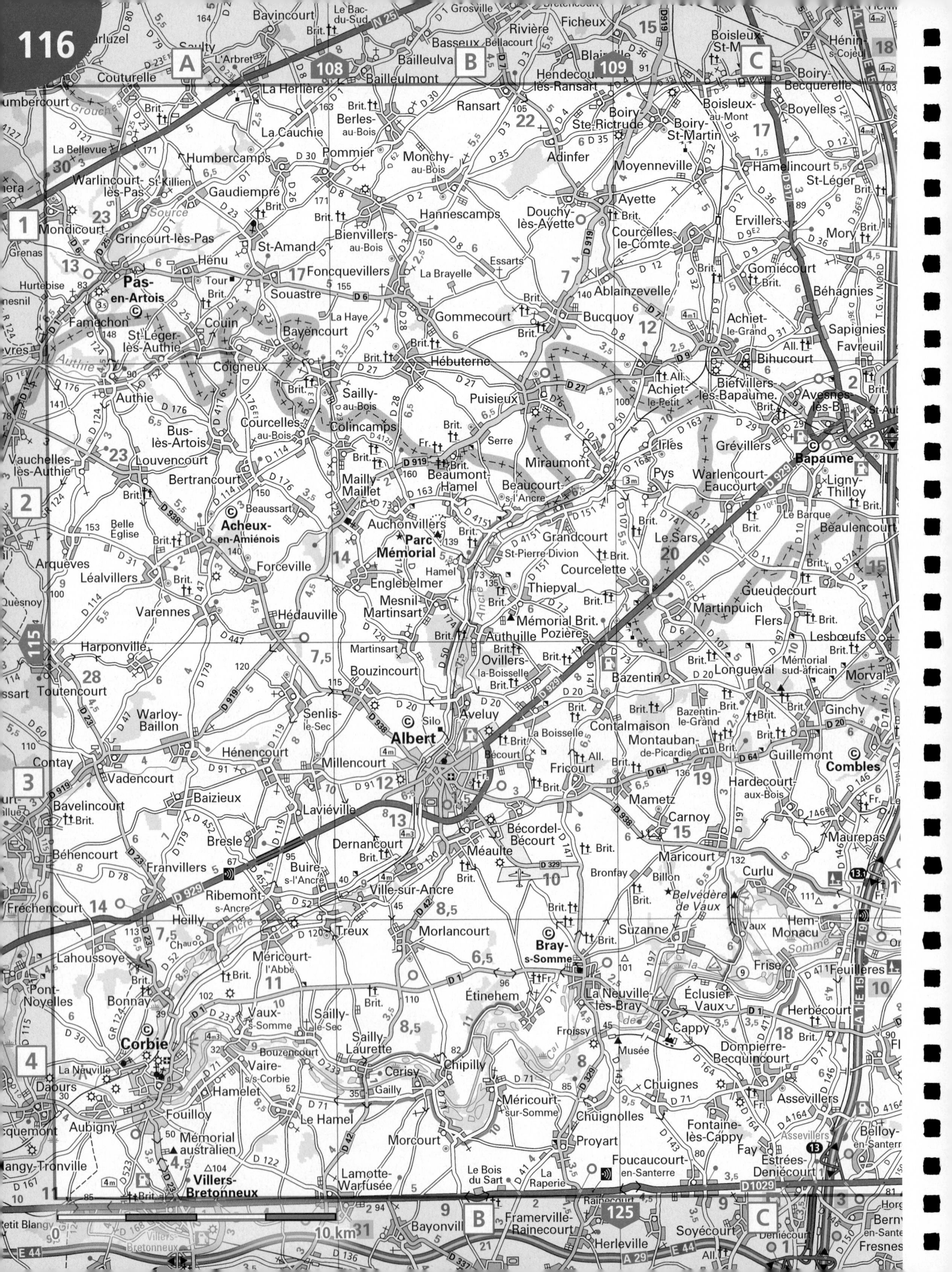
Pas-en-Artois
Acheux-en-Amiénois
Albert
Bapaume
Combles
Bray-s-Somme
Corbie
Villers-Bretonneux
Parc Mémorial
Mémorial Brit.
Mémorial australien
Mémorial sud-africain
Belvédère de Vaux
Beaumont-Hamel
Thiepval
Pozières
Longueval
Foncquevillers
Hébuterne
Gommecourt
Bucquoy
Miraumont
Courcelette
Contalmaison
Fricourt
Mametz
Méaulte
Montauban-de-Picardie
Guillemont
Ginchy
Flers
Le Sars
Warlencourt-Eaucourt
Ligny-Thilloy
Achiet-le-Grand
Achiet-le-Petit
Irles
Pys
Grandcourt
Authuille
Ovillers-la-Boisselle
Aveluy
Mesnil-Martinsart
Englebelmer
Auchonvillers
Mailly-Maillet
Colincamps
Hédauville
Bouzincourt
Senlis-le-Sec
Millencourt
Laviéville
Dernancourt
Ribemont-s-Ancre
Heilly
Méricourt-l'Abbé
Morlancourt
Étinehem
Suzanne
Maricourt
Curlu
Hem-Monacu
Frise
Cappy
Chuignes
Proyart
Foucaucourt-en-Santerre
Assevillers
Sailly-Laurette
Cerisy
Chipilly
Lamotte-Warfusée
Le Hamel
Fouilloy
Aubigny
Daours
10 km
A
B
C
1
2
3
4

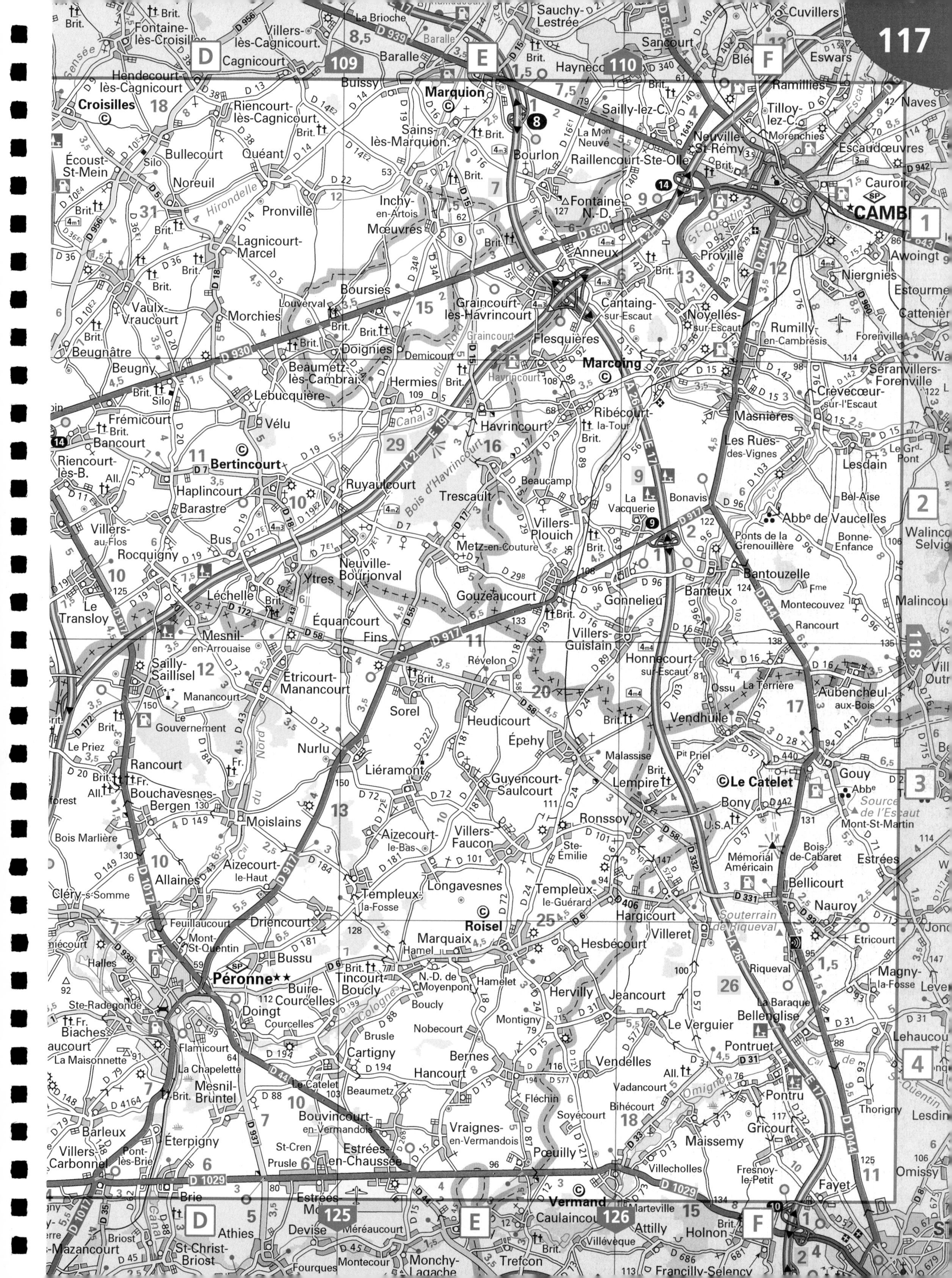
Fontaine-lès-Croisilles
Villers-lès-Cagnicourt
La Brioche
Sauchy-Lestrée
Cuvillers
Cagnicourt
Baralle
Sancourt
Eswars
Hendecourt-lès-Cagnicourt
Buissy
Marquion
Haynecourt
Ramillies
Croisilles
Riencourt-lès-Cagnicourt
Sains-lès-Marquion
Sailly-lez-C.
Tilloy-lez-C.
Naves
Morenchies
Écoust-St-Mein
Bullecourt
Quéant
Bourlon
Raillencourt-Ste-Olle
Neuville-St-Rémy
Escaudœuvres
Noreuil
Cauroir
Pronville
Inchy-en-Artois
Fontaine-N.-D.
CAMBRAI
Mœuvres
Lagnicourt-Marcel
Anneux
Proville
Awoingt
Niergnies
Estourmel
Boursies
Graincourt-lès-Havrincourt
Cantaing-sur-Escaut
Louverval
Noyelles-sur-Escaut
Vaulx-Vraucourt
Morchies
Rumilly-en-Cambrésis
Cattenières
Doignies
Flesquières
Beugnâtre
Demicourt
Forenville
Beugny
Beaumetz-lès-Cambrai
Hermies
Havrincourt
Marcoing
Séranvillers-Forenville
Crèvecœur-sur-l'Escaut
Lebucquière
Ribécourt-la-Tour
Frémicourt
Masnières
Vélu
Bancourt
Bertincourt
Les Rues-des-Vignes
Lesdain
Le Grd-Pont
Riencourt-lès-B.
Ruyaulcourt
Beaucamp
Haplincourt
Trescault
Bonavis
Bel-Aise
Barastre
La Vacquerie
Abbe de Vaucelles
Villers-au-Flos
Villers-Plouich
Ponts de la Grenouillère
Bonne-Enfance
Walincourt-Selvigny
Bus
Rocquigny
Metz-en-Couture
Neuville-Bourjonval
Bantouzelle
Le Transloy
Ytres
Léchelle
Gouzeaucourt
Gonnelieu
Banteux
Malincourt
Montecouvez
Équancourt
Fins
Villers-Guislain
Rancourt
Mesnil-en-Arrouaise
Révelon
Honnecourt-sur-Escaut
Sailly-Saillisel
Étricourt-Manancourt
Ossu
La Terrière
Aubencheul-aux-Bois
Manancourt
Sorel
Heudicourt
Vendhuile
Le Gouvernement
Épehy
Le Priez
Nurlu
Malassise
Pt Priel
Rancourt
Liéramont
Guyencourt-Saulcourt
Lempire
Le Catelet
Gouy
Abbe
Bouchavesnes-Bergen
Bony
Source de l'Escaut
Ronssoy
U.S.A.
Mont-St-Martin
Moislains
Bois Marlière
Aizecourt-le-Bas
Villers-Faucon
Ste-Émilie
Mémorial Américain
Bois-de-Cabaret
Estrées
Allaines
Aizecourt-le-Haut
Longavesnes
Templeux-le-Guérard
Bellicourt
Cléry-s-Somme
Templeux-la-Fosse
Hargicourt
Nauroy
Roisel
Souterrain de Riqueval
Feuillaucourt
Driencourt
Villeret
Étricourt
Mont-St-Quentin
Marquaix
Hesbécourt
Hamel
Bussu
Riqueval
Magny-la-Fosse
Halles
Péronne
Tincourt-Boucly
N.-D. de Moyenpont
Hamelet
Buire-Courcelles
Hervilly
Jeancourt
Ste-Radegonde
Doingt
Boucly
La Baraque
Bellenglise
Biaches
Courcelles
Montigny
Nobecourt
Le Verguier
Brusle
Flamicourt
Pontruet
La Maisonnette
Cartigny
Bernes
Vendelles
La Chapelette
Hancourt
Le Catelet
Beaumetz
Vadancourt
Pontru
Mesnil-Bruntel
Fléchin
Bihécourt
Thorigny
Lesdins
Bouvincourt-en-Vermandois
Soyécourt
Gricourt
Barleux
Éterpigny
Vraignes-en-Vermandois
Maissemy
Villers-Carbonnel
Pont-lès-Brie
St-Cren
Prusle
Estrées-en-Chaussée
Pœuilly
Villecholles
Fresnoy-le-Petit
Fayet
Omissy
Brie
Vermand
Marteville
Caulaincourt
Attilly
Holnon
Athies
Devise
Méraucourt
Villévêque
Briost
St-Christ-Briost
Monchy-Lagache
Trefcon
Francilly-Selency
Fourques
Montecour
Mazancourt
Canal du Nord
Canal de St-Quentin
Bois d'Havrincourt
Hirondelle
Sensée
Omignon
Cologne
Escaut
D
E
F
1
2
3
4
109
110
125
126
118
A 2 E 19
A 26 E 17
D 930
D 917
D 1017
D 1029
D 644
D 939

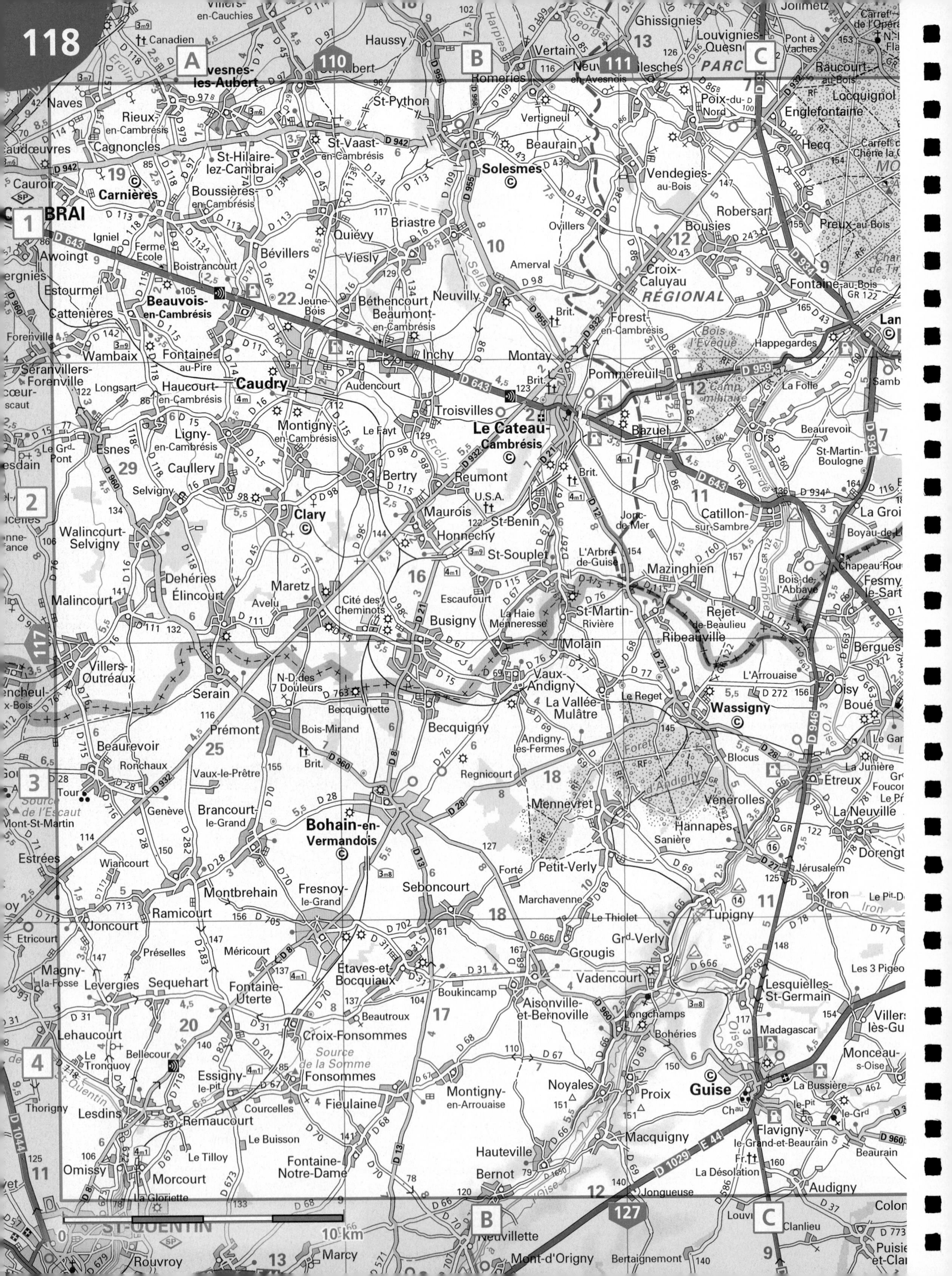
Avesnes-les-Aubert
St-Python
Haussy
Romeries
Vertain
Ghissignies
Louvignies-Quesnoy
Jolimetz
Naves
Rieux-en-Cambrésis
Cagnoncles
St-Vaast-en-Cambrésis
St-Hilaire-lez-Cambrai
Carnières
Boussières-en-Cambrésis
Cauroir
CAMBRAI
Solesmes
Vertigneul
Beaurain
Vendegies-au-Bois
Poix-du-Nord
Englefontaine
Hecq
Raucourt-au-Bois
Locquignol
Robersart
Preux-au-Bois
Bousies
Ovillers
Briastre
Quiévy
Viesly
Bévillers
Igniel
Awoingt
Ferme Ecole
Boistrancourt
Estourmel
Beauvois-en-Cambrésis
Cattenières
Béthencourt
Beaumont-en-Cambrésis
Neuvilly
Amerval
Croix-Caluyau
RÉGIONAL
PARC
Fontaine-au-Bois
Forest-en-Cambrésis
Bois l'Évêque
Happegardes
Wambaix
Fontaine-au-Pire
Inchy
Montay
Pommereuil
Camp militaire
La Folle
Séranvillers-Forenville
Longsart
Haucourt-en-Cambrésis
Caudry
Audencourt
Troisvilles
Le Cateau-Cambrésis
Bazuel
Ors
Beaurevoir
St-Martin-Boulogne
Esnes
Ligny-en-Cambrésis
Montigny-en-Cambrésis
Le Fayt
Erclin
Caullery
Bertry
Reumont
Selvigny
Clary
Maurois
Honnechy
St-Benin
U.S.A.
Jonc-de-Mer
Catillon-sur-Sambre
La Groise
Walincourt-Selvigny
St-Souplet
L'Arbre de-Guise
Mazinghien
Chapeau-Rouge
Deheries
Élincourt
Maretz
Avelu
Cité des Cheminots
Escaufourt
La Haie Menneresse
St-Martin-Rivière
Rejet-de-Beaulieu
Bois-de-l'Abbaye
Fesmy-le-Sart
Malincourt
Busigny
Molain
Ribeauville
Bergues
Villers-Outréaux
Serain
N-D des 7 Douleurs
Becquignette
Vaux-Andigny
La Vallée-Mulâtre
Le Reget
L'Arrouaise
Wassigny
Oisy
Boué
Prémont
Bois-Mirand
Becquigny
Andigny-les-Fermes
Forêt d'Andigny
Blocus
Beaurevoir
Ronchaux
Vaux-le-Prêtre
Brit.
Regnicourt
Tour
Source de l'Escaut
Mont-St-Martin
Genève
Brancourt-le-Grand
Bohain-en-Vermandois
Mennevret
Vénérolles
Étreux
La Junière
La Neuville
Hannapes
Sanière
Dorengt
Estrées
Wiancourt
Montbrehain
Fresnoy-le-Grand
Seboncourt
Forté
Petit-Verly
Jérusalem
Iron
Marchavenne
Ramicourt
Joncourt
Le Thiolet
Tupigny
Etricourt
Préselles
Méricourt
Étaves-et-Bocquiaux
Grougis
Grd-Verly
Vadencourt
Les 3 Pigeons
Magny-la-Fosse
Levergies
Sequehart
Fontaine-Uterte
Boukincamp
Aisonville-et-Bernoville
Lesquielles-St-Germain
Lehaucourt
Beautroux
Croix-Fonsommes
Longchamps
Bohéries
Madagascar
Le Tronquoy
Bellecour
Essigny-le-Pit
Source de la Somme
Fonsommes
Noyales
Proix
Guise
Monceau-s-Oise
La Bussière
Thorigny
Lesdins
Remaucourt
Courcelles
Fieulaine
Montigny-en-Arrouaise
Macquigny
Flavigny-le-Grand-et-Beaurain
Beaurain
Le Buisson
Le Tilloy
Fontaine-Notre-Dame
Hauteville
La Désolation
Omissy
Morcourt
Bernot
Audigny
La Gloriette
Jongueuse
ST-QUENTIN
Rouvroy
Marcy
Neuvillette
Mont-d'Origny
Bertaignemont
Louvry
Clanlieu
Puisieux-et-Clanlieu
10 km
A
B
C
1
2
3
4
110
111
117
127

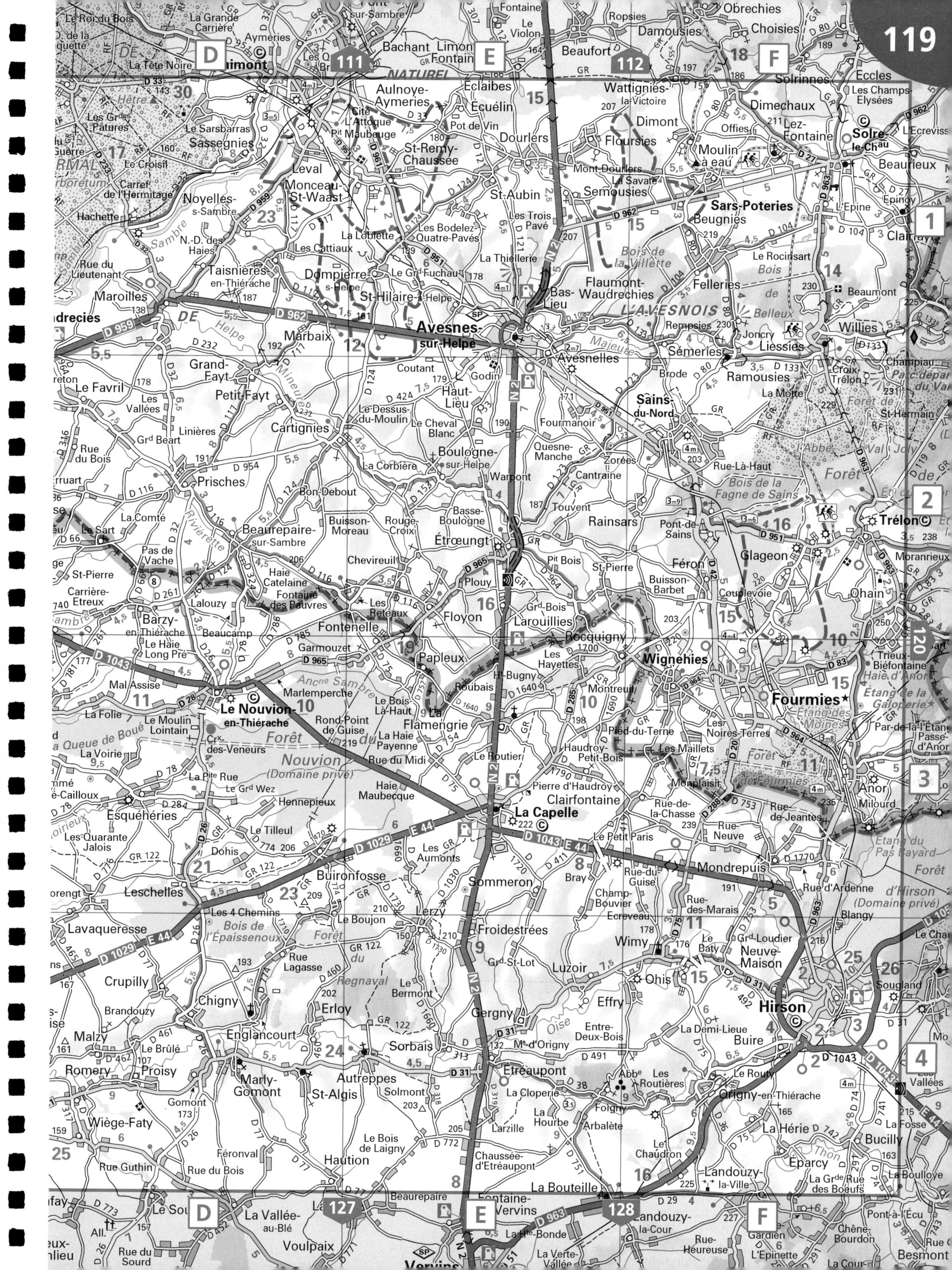
Le Roi du Bois
La Grande Carrière
Aymeries
Bachant
Limont-Fontaine
Fontaine
Le Violon
Beaufort
Ropsies
Damousies
Obrechies
Choisies
D
E
F
111
112
18
La Tête Noire
NATUREL
Solrinnes
Eccles
30
Aulnoye-Aymeries
Eclaibes
Écuélin
15
Wattignies-la-Victoire
Dimechaux
Les Champs-Elysées
Le Sarsbarras
Sassegnies
Cité
L'Attoque
Pit Maubeuge
Pot de Vin
Dourlers
Dimont
Floursies
Offies
Lez-Fontaine
Solre-le-Château
L'Ecreviss
17
Le Croisil
Leval
St-Remy-Chaussée
Moulin à eau
Beaurieux
Carref de l'Hermitage
Noyelles-s-Sambre
Monceau-St-Waast
St-Aubin
Mont-Dourlers
La Savate
Semousies
Sars-Poteries
Epinoy
L'Epine
Hachette
23
Les Trois Pavé
Beugnies
1
Clairfayts
N.-D. des Haies
La Loblette
Les Bodelez
Quatre-Pavés
Les Cattiaux
Bois de la Villette
Le Rocinsart
Rue du Lieutenant
Taisnières-en-Thiérache
Dompierre-s-Helpe
Le Grd Fuchau
La Thiellerie
14
Maroilles
St-Hilaire-s-Helpe
Bas-Lieu
Flaumont-Waudrechies
Felleries
Beaumont
Bois de Belleux
L'AVESNOIS
Landrecies
Marbaix
Avesnes-sur-Helpe
12
Rempsies
Joncry
Willies
Liessies
Sémeries
Avesnelles
Majeure
Champiau
Parc départ du Val
Le Favril
Grand-Fayt
Petit-Fayt
Coutant
Godin
Haut-Lieu
Brode
Ramousies
Croix-Trélon
La Motte
Forêt de St-Hermain
Les Vallées
Le Dessus-du-Moulin
Le Cheval Blanc
Fourmanoir
Sains-du-Nord
Linières
Cartignies
Grd Beart
Rue du Bois
Boulogne-sur-Helpe
Quesne-Manche
Zorées
Rue-Là-Haut
L'Abbé
Val Joly
La Corbière
Prisches
Warpont
Cantraine
Bois de la Fagne de Sains
Forêt de
Bon-Debout
2
Touvent
La Comté
Basse-Boulogne
Le Sart
Beaurepaire-sur-Sambre
Buisson-Moreau
Rouge-Croix
Étrœungt
Rainsars
Pont-de-Sains
16
Trélon
Pas de Vache
Chevireuil
Pit Bois
St-Pierre
Féron
Glageon
Moranrieux
St-Pierre
Carrière-Etreux
Haie Catelaine
Fontaine des Pauvres
Plouy
Buisson-Barbet
Couplevoie
Ohain
Lalouzy
Les Reteaux
16
Grd-Bois
Barzy-en-Thiérache
Beaucamp
Fontenelle
Floyon
Larouilles
15
Le Haie Long Pré
Garmouzet
Papleux
Rocquigny
10
120
Les Hayettes
Wignehies
Trieux-Biéfontaine
Mal Assise
Ancne Sambre
Marlemperche
Ht-Bugny
Roubais
Montreuil
Haie d'Anor
Étang de la Galoperie
11
Le Nouvion-en-Thiérache
10
Le Bois Là-Haut
La Flamengrie
Fourmies
15
La Folie
Le Moulin Lointain
Rond-Point de Guise
Pied-du-Terne
Les Noires-Terres
Étang des Moines
Par-de-la-l'Étang
Passe-d'Anor
La Queue de Boué
Crx des-Veneurs
Forêt du Nouvion (Domaine privé)
La Haie Payenne
Le Routier
Haudroy-Petit-Bois
Les Maillets
Forêt
11
La Voirie
Rue du Midi
3
La Pite Rue
Le Grd Wez
Hennepieux
Haie Maubecque
Pierre d'Haudroy
Clairfontaine
Monplaisir
Anor
Milourd
Esquéhéries
La Capelle
Rue-de-la-Chasse
Rue-de-Jeantes
Le Tilleul
Le Petit Paris
Rue-Neuve
Étang du Pas Bayard
Les Quarante Jalois
Dohis
Les Aumonts
Mondrepuis
21
Rue-du-Guise
Bray
Leschelles
Buironfosse
Sommeron
Champ-Bouvier
Rue-des-Marais
Rue d'Ardenne
Forêt d'Hirson (Domaine privé)
Les 4 Chemins
23
Ecreveau
Blangy
Lavaqueresse
Bois de l'Épaissenoux
Le Boujon
Lerzy
Froidestrées
Wimy
11
Le Baty
Grd-Loudier
Neuve-Maison
Rue Lagasse
Forêt du Regnaval
25
26
Crupilly
Le Bermont
Grd-St-Lot
Luzoir
Ohis
Sougland
Chigny
Erloy
Effry
Hirson
Brandouzy
Gergny
Oise
Malzy
Le Brûlé
Englancourt
Entre-Deux-Bois
La Demi-Lieue
Mt d'Origny
Buire
24
Sorbais
4
Romery
Proisy
Marly-Gomont
St-Algis
Autreppes
Étréaupont
Le Routy
Les Vallées
Abbe
Les Routières
Gomont
Solmont
La Cloperie
Origny-en-Thiérache
Wiège-Faty
La Hourbe
Foigny
Arbalète
La Hérie
La Fosse
Bucilly
Larzille
25
Féronval
Le Bois de Laigny
Le Chaudron
Thon
Rue Guthin
Rue du Bois
Haution
Chaussée-d'Étréaupont
16
Eparcy
Landouzy-la-Ville
La Bouteille
La Grd Rue des Bœufs
La Boulloye
127
128
Beaurepaire
Fontaine-lès-Vervins
Landouzy-la-Cour
Le Sou
La Vallée-au-Blé
Pont-à-l'Écu
Chêne-Bourdon
Rue-Heureuse
Gardien
L'Epinette
All.
Rue du Sourd
Voulpaix
La Hte Bonde
La Verte-Vallée
Vervins
Besmont

A
B
C
1
2
3
4
112
113
129
119
Solre-St-Géry
Les Quatre Vents
Vergnies
Bges de Eau d'Heure
Ry-Jaune
Jamiolle
Falemprise
Soumoy
Villers-Deux-Églises
Le Hameau
Terniau
Four à verre
Renlies
Frasies
Plate Taille
Cerfontaine
Senzeille
Neuville
L'Ecrevisse
Sivry-Rance
Le Fribou
Sivry-Gare
Fourbechies
Beaurieux
Moulard
Sautin
Le Troupeau
Epinoy
Crismont
La Louvière
Forêt
La Ronce
Froidchapelle
Forêt de Senzeille
Clairfayts
La Pierre qui Tourne
Le Canon
Rance
Bois de Tout Vent
Ri de Froment
Pierraille
Les Courtinsarts
Bois de Revleûmont
Le Planiau
Champ Colin
Montbliart
St-Hubert
Touvent
Queue de Rance
Bois de Walestru
Brouffe
Étang du Fraiti
Eau d'Eppe
Eppe-Sauvage
Bois Robert
Culot du Bois
Les Géronsarts
Champiau
Parc départemental du Val Joly
Lambercies
Bois d'Aublain
N.-D. de la Brouffe
St-Hermain
Les Desiviers
Moustier-en-Fagne
(Domaine privé)
Bois de la Fagne
Étang de Virelles
Bois de Neumont
Trélon
Site de Blaimont
Frâsnes
Grottes de Neptune
Robechies
Bailièvre
Beauchamp
Aublain
Boussu-en-Fagne
Wallers-Trélon
Baives
Tièrissart
Vaulx
Lompret
Couvin
Chlle de l'Arbrisseau
Virelles
Dailly
Étang de la Folie
Chapelle des Monts
Moranrieux
Macon
Salles
St-Remy
Les Neuf Maisons
Pesche
Pont du Roi
Chimay
Villers-la-Tour
Gonrieux
Monceau-Imbrechies
Boutonville
Melsart
Les Heules
Baileux
Presgaux
Momignies
Forges
Bourlers
Eau Noire
Seloignes
Abri de Hitler
Brûly-de-Pesche
Beauwelz
La Fourchinée
Bois de Chimay
Pilarde
Bout d'En Haut
La Saboterie
Par-de-la-l'Étang
Passe-d'Anor
Four Matot
Bois de la Thiérache
Bois de Gonrieux
Oise
Villa-Lamarche
Scourmont
Forges Jean Petit
Taille Engelée
Le Lobiette
Fourneau-Philippe
Loge Wactiaux
Les Rièzes
Macquenoise
Abbe N.-D. de Scourmont
Les Parçonniers
Milourd
La Masure
Forge-Philippe
Hauts-Marais
Brûly
L'Ermitage
Rièzes
Nimelette
Cul-des-Sarts
Le Vieux Gauchier
Étang du Pas Bayard
Cendron
Forêt de Signy-le-Petit
Lisbonne
Petite Chapelle
Le Gruerie
L'Escaillère
Forêt d'Hirson
Les Grands-Riaux
Le Moulin Poucet
La Pite Chaudière
(Domaine privé)
Le Four-Gérard
La Loge-Rosette
Le Gravier-du-Bois
Regniowez
La Grde Chaudière
Le Chamiteaux
Taillette
Brognon
Cocreaumont
La Neuville-aux-Joûtes
Bois des Hingues
Le Rouilly
Rocroi
Sougland
St-Michel
Le Grd Douaire
Étang de la Motte
Les Logettes
La Croix-Colas
Le Gros-Caillou
La Patte d'Oie
La Croix-de-Fer
La Bovette
La Clopperie
Beaulieu
Censes-Gallois
Montorieux
La Croix-Bala
Trou-de-Sormonne
Signy-le-Petit
Bas-Taillis
Les Vallées
Watigny
Fosses-Rousseaux
Éteignières
Haut-Taillis
Blissy
La Malaise
Any-Martin-Rieux
Pont-d'Any
Sévigny-la-Forêt
La Fosse
Laurembert
Fligny
Mon Idée
Bucilly
Martin-Rieux
Maubert-Fontaine
Tarzy
Dorville
La Boulloye
Bellevue
Neuville-lez-Beaulieu
Auvillers-les-Forges
Wagny
Tremblois-lès-Rocroi
Martigny
Val-la-Caure
Auge
Anthény
Le Piqu
Leuze
Girondelle
Chilly
Rimogne
10 km
Aubenton
Besmont
Rue Grde-Jeanne
Fontenelle
Champlin
Marby
Laval-Morency
Le Châtelet-s-Sormonne
Sormonne
N 53
N 589
N 978
N 40
N 5
N 939
N 99
N 595
N 593
D 951
N 591
D 1050
E 44
D 8043
N 51
D 985
D 877
D 34
D 10
D 20
D 31
D 32
D 22
D 283
D 119

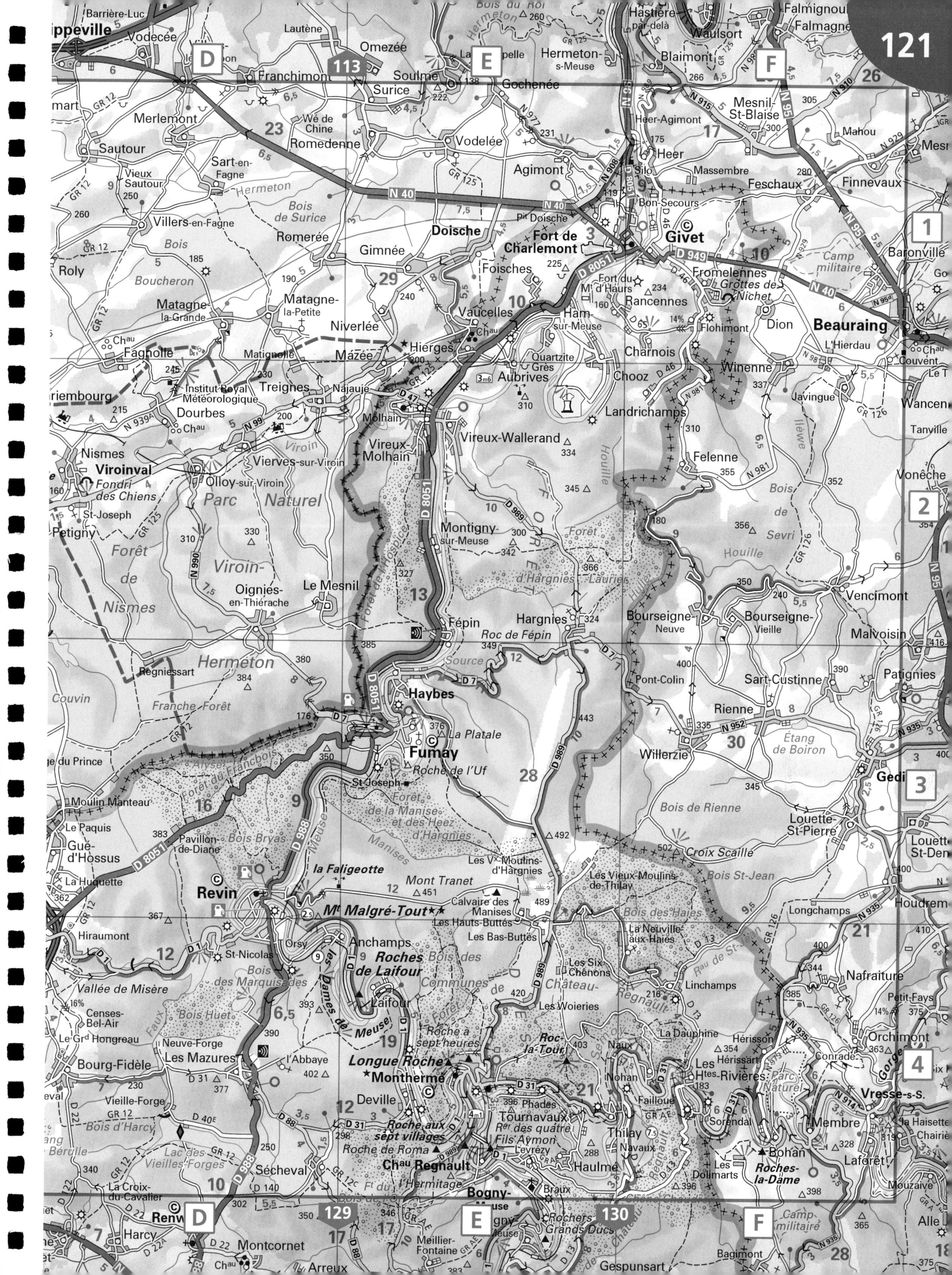
Philippeville
Vodecée
Franchimont
Omezée
Soulme
Surice
Gochenée
Hermeton-s-Meuse
Hastière-par-delà
Waulsort
Blaimont
Falmignoul
Falmagne
Merlemont
Romedenne
Vodelée
Agimont
Heer-Agimont
Heer
Mesnil-St-Blaise
Sautour
Sart-en-Fagne
Vieux Sautour
Villers-en-Fagne
Romerée
Doische
Fort de Charlemont
Givet
Feschaux
Finnevaux
Baronville
Roly
Gimnée
Foisches
Fromelennes
Grottes de Nichet
Beauraing
Matagne-la-Grande
Matagne-la-Petite
Niverlée
Vaucelles
Rancennes
Ham-sur-Meuse
Dion
Fagnolle
Mazée
Hierges
Charnois
Winenne
Treignes
Aubrives
Chooz
Dourbes
Molhain
Landrichamps
Nismes
Viroinval
Vireux-Molhain
Vireux-Wallerand
Felenne
Olloy-sur-Viroin
Vierves-sur-Viroin
Parc Naturel
Viroin-Hermeton
Montigny-sur-Meuse
Petigny
Oignies-en-Thiérache
Le Mesnil
Fépin
Hargnies
Bourseigne-Neuve
Bourseigne-Vieille
Vencimont
Regniessart
Haybes
Fumay
Willerzie
Rienne
Patignies
Revin
Louette-St-Pierre
Anchamps
Roches de Laifour
Laifour
Linchamps
Nafraiture
Bourg-Fidèle
Les Mazures
Longue Roche
Montherme
Deville
Tournavaux
Thilay
Les Hautes-Rivières
Vresse-s-S.
Membre
Bohan
Sécheval
Chau Regnault
Bogny-sur-Meuse
Renwez
Harcy
Montcornet
Arreux
Gespunsart
Bagimont
Orchimont
N 40
N 95
D 8051
D 988
D 989
113
129
130

Dancourt
St-Riquier-en-Rivière
Maître-Jean
Nouveau-Monde
Senarpont
Guimerville
Mesnil-Eudin
Andainville
Fresne
Le Chaussoy
Puisenval
Silo
Le Coudroy
Preuseville
Inval-Boiron
Le Mazis
A
B
C
114
E 402
Lignemare
Le Val-Jacob
Les Buissons
Le Sainfoin
Hodeng-au-Bosc
St-Léger-s-Bresle
St-Aubin-Rivière
Arguel
Liomer
Les Fosses
La Leuqueue
Fallencourt
Campneuseville
Bouafles
Neuville-Coppegueule
Le Quesne
St-Pierre-des-Jonquières
Houppelande
Puchervin
Foucarmont
Réalcamp
Sailly
Beaucamps-le-Vieux
Brocour
Smermesnil
Villers-s/s-Foucarmont
Le Mesnil-Allard
St-Martin-au-Bosc
Edruchon
Rouen-s-B.
Londinières
Hambures
Bosc-Geffroy
Aubermesnil-aux-Érables
St-Léger-aux-Bois
Laboissière-St-Martin
St-Germain-s-Bresle
(Lafresguimont-St-Martin)
Neuville
Clais
Fresnoy-en-Val
Callengeville
Rétonval
Les Catéliers
Coquereaux
Bois de Brétizel
Richemont
Sortival
Bretizel
Lafresnoye
Les Essarts-Varimpré
La Vieuville
Varimpré
Le Mont Gournoy
Aubéguimont
Marescot
Beaucamps-le-Jeune
Montmarquet
Bonnerue
La Plaine
Fréquecamp
Guémicourt
Duranville
Fesques
Basse Forêt d'Eu
Vieilles-Landes
La Comté
Ellecourt
Orival
Rougemare
Blingemer
Rivery
Blangiel
Charny
Bailloley
Lucy
Bremont
Landes
Marques
Morienne
Gauville
Morvil
St-Sat
Vieilles-et-Neuves
Vert-Bois
Silo
Le Marais
Vatierville
Aumale
Le Coq-Gaulois
St-Saturnin
La Hte Rue
Les Ventes Mésangères
Nullemont
Barques
Ménonval
Le Caule-Ste-Beuve
Coppegueule
Fourcigny
Ste-Beuve-en-Rivière
Culvreuse
Ronde-Épine
St-Germain-s-Eaulne
Auvilliers
Le Forestel
Mesnil-David
La Couture
Fleuzy
Digeon
Escles-St-Pierre
Beaurep
Le Bihorel
Epinay
Laventure
Villers
Roupied
Mesnil-Huchon
La Mare
Mortemer
Les Fretils
Illois
Coupigny
Quincampoix-Fleuzy
Flamets-Frétils
Ormesnil
Haudricourt
St-Valery
Le Vallelet
Fouilloy
Neufchâtel-en-Bray
Graval
Petit Ronchois
Sous-les-Quesnes
Gourchelles
Ronchois
Hardonseille
Rothois
Bouelles
Sausseuzemare
Portmort
Beaufresne
Haudricourt-au-Bois
Lannoy-Cuillère
Brémontier
La Mare-aux-Daims
Dranville
La Hallegouche
La Huanière
Carroix
Romescamps
Neuville-Ferrières
La Neuville-Gouvion
Cuillère
Bernapré
Nesle-Hodeng
Grattenoix
Les Défens
St-Saire
Frettencourt
Abancourt
Ménantissart
La Croix-des Mazis
Hodeng
Toupray
Conteville
Le Vergenet
Hennicourt
Les Calais
Béthune
Bois-des-Puits
Le Guide
Beaussault
Criquiers
Hadancourt
Belleville
La Neuville
Fontaine-en-Bray
Mesnil-Mauger
Louvicamp
Le Campdos
Blargies
Brit.
Le Carouge
St-Maurice
La Chapelle
Vallabonnet
Redderies
Pleuville-Moliens
La Rosière
Tréforêt
Pierrement
Les Anthieux
Moliens
Broqu
Ste-Geneviève
Compainville
Gaillefontaine
Secqueville
Monceaux-l'Abbé
Silo
Atteville
Le Thil-Riberpré
Le Bord-des-Bois
Frévent
Bouvresse
Feuquières
Beaubec-la-Rosière
Boutavent
Marcoquet
La Cavée
Croix-Crochetot
Les Noyers
Haucourt
Villedieu
Formerie
Colagnies-les-Bois
Bois de Léon
Serqueux
Généfel
Mureaumont
St-Arnoul
La Ferme de Bray
Roncherolles-en-Bray
Forges-les-Eaux
Rousseville
Campeaux
Liffremont
L'Epinay
La Garenne
Epeaux
Longmesnil
Mondeville
Grumesnil
Colagnie-le-Bas
Mauquenchy
Le Fossé
Pommereux
Courcelles
La Chaussée
Parc thermal
St-Michel-d'Halescourt
Canny-sur-Thérain
Loueuse
Forgettes
La Chaule
La Bellière
Ernemont-Boutavent
Le Randillon
St-Samson-la-Poterie
Mercastel
Bois aux Moines
Héricourt-sur-Thérain
La Ferté-St-Samson
Forêt de Bray
La Poterie
Courcelles
Hucleu
Rouvray-Catillon
Haussez
Hausseline
Villers-Vermont
Riffin
St-Samson
Saumont-la-Poterie
Chile
Bosc-Edeline
Andelle
Vivière
Doudeauville
Fontenay-Torcy
Escames
Les Ravines
Hémécourt
Bosc-Asselin
Béthencourt
Le Petit Argueil
La Vierge
Méneval
Sully
Bois-le-Borgne
Hyaumet
Bazancourt
Buicourt
Mésangueville
Gancourt-St-Étienne
Hévécourt
Bois-Guilbert
Argueil
Sigy-en-Bray
Hodenger
St-Étienne
Beaulevrier
La Chapelle-St-Ouen
Hodeng-Hodenger
Dampierre
Beuvreuil
St-Quentin-des-Prés
Gerberoy
Bellefontaine
Bois-Gautier
La Hallotière
Le Mesnil-Lieubray
Merval
Le Mort
Humermant
Molagnies
Hécourt
Wam
Normanville
St-Lucien
Bellozanne
Cuy-St-Fiacre
Mourseux
10 km
134
1
2
3
4
A29
E 44
D 929
D 919
D 915
D 1314
D 316
D 1015
D 1029

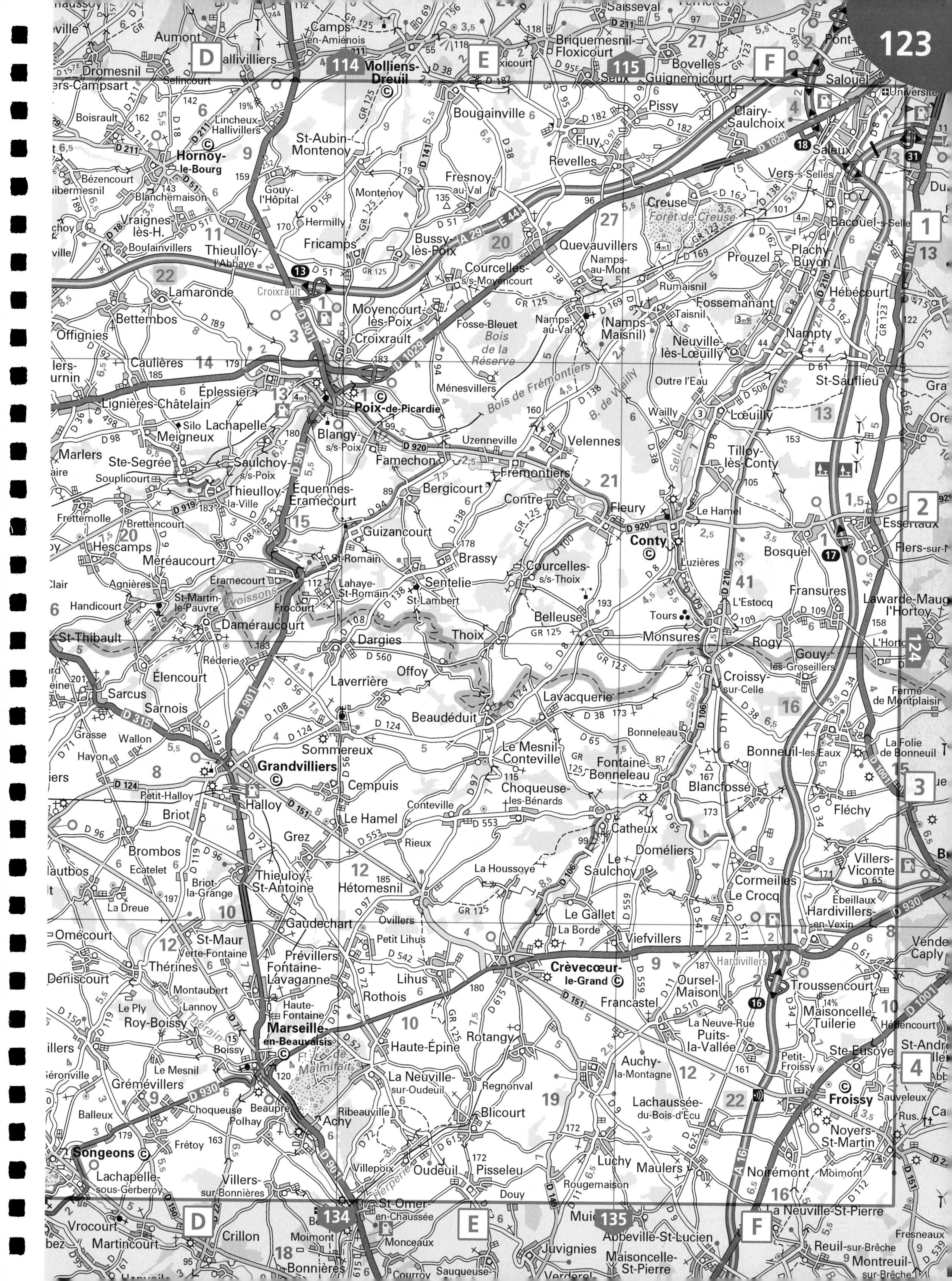
123
D
E
F
114
115
134
135
124
Molliens-Dreuil
Camps-en-Amiénois
Saisseval
Briquemesnil-Floxicourt
Bovelles
Guignemicourt
Seux
Salouël
Pont-
Aumont
allivilliers
Dromesnil
Selincourt
Campsart
Boisrault
Lincheux-Hallivillers
Hornoy-le-Bourg
Bézencourt
Blanchemaison
Vraignes-lès-H.
Boulainvillers
Thieulloy-l'Abbaye
St-Aubin-Montenoy
Bougainville
Pissy
Clairy-Saulchoix
Fluy
Revelles
Saleux
Vers-s-Selles
Fresnoy-au-Val
Montenoy
Gouy-l'Hôpital
Hermilly
Fricamps
Bussy-lès-Poix
Creuse
Forêt de Creuse
Bacouël-s-Selle
Quevauvillers
Namps-au-Mont
Prouzel
Plachy-Buyon
Hébécourt
Courcelles-s/s-Moyencourt
Rumaisnil
Fossemanant
Taisnil
Lamaronde
Croixrault
Moyencourt-lès-Poix
Fosse-Bleuet
Bois de la Réserve
Namps-au-Val
(Namps-Maisnil)
Neuville-lès-Lœuilly
Nampty
Bettembos
Offignies
Caulières
Lignières-Châtelain
Éplessier
Poix-de-Picardie
Ménesvillers
Bois de Frémontiers
B. de Wailly
Outre l'Eau
St-Sauflieu
Wailly
Lœuilly
Meigneux
Lachapelle
Silo
Blangy-s/s-Poix
Uzenneville
Velennes
Tilloy-lès-Conty
Marlers
Ste-Segrée
Saulchoy-s/s-Poix
Famechon
Frémontiers
Souplicourt
Thieulloy-la-Ville
Equennes-Eramecourt
Bergicourt
Contre
Fleury
Le Hamel
Essertaux
Frettemolle
Brettencourt
Hescamps
Guizancourt
Conty
Bosquel
Flers-sur-N
Méréaucourt
St-Romain
Brassy
Courcelles-s/s-Thoix
Luzières
Eramecourt
Agnières
Lahaye-St-Romain
Sentelie
St-Lambert
Fransures
Handicourt
St-Martin-le-Pauvre
Frocourt
Évoissons
L'Estocq
Tours
Lawarde-Mauger-l'Hortoy
Daméraucourt
Belleuse
Thoix
Dargies
Monsures
Rogy
L'Hortoy
St-Thibault
Réderie
Gouy-les-Groseillers
Offoy
Croissy-sur-Celle
Élencourt
Laverrière
Sarcus
Sarnois
Lavacquerie
Ferme de Montplaisir
Beaudéduit
Bonneleau
Grasse
Wallon
Sommereux
Bonneuil-les-Eaux
La Folie de Bonneuil
Hayon
Grandvilliers
Le Mesnil-Conteville
Fontaine-Bonneleau
Blancfossé
Petit-Halloy
Halloy
Cempuis
Choqueuse-les-Bénards
Briot
Conteville
Fléchy
Le Hamel
Catheux
Grez
Rieux
Doméliers
Brombos
Ecatelet
Thieuloy-St-Antoine
Le Saulchoy
Villers-Vicomte
Briot-la-Grange
Hétomesnil
La Houssoye
Cormeilles
Le Crocq
Ébeillaux
La Dreue
Hardivillers-en-Vexin
Gaudechart
Ovillers
Le Gallet
Omécourt
St-Maur
La Borde
Viefvillers
Verte-Fontaine
Petit Lihus
Prévillers
Thérines
Fontaine-Lavaganne
Crèvecœur-le-Grand
Hardivillers
Vendeuil-Caply
Deniscourt
Lihus
Oursel-Maison
Troussencourt
Montaubert
Rothois
Francastel
Maisoncelle-Tuilerie
Le Ply
Lannoy
Haute-Fontaine
Hédencourt
Roy-Boissy
Marseille-en-Beauvaisis
Rotangy
La Neuve-Rue
Puits-la-Vallée
Boissy
Haute-Épine
Petit-Froissy
Ste-Eusoye
St-André
Auchy-la-Montagne
Le Mesnil
Ft de Malmifait
Grémévillers
La Neuville-sur-Oudeuil
Regnonval
Froissy
Sauveleux
Choqueuse
Beaupré
Blicourt
Lachaussée-du-Bois-d'Écu
Balleux
Polhay
Ribeauville
Noyers-St-Martin
Achy
Songeons
Frétoy
Luchy
Lachapelle-sous-Gerberoy
Villers-sur-Bonnières
Villepoix
Oudeuil
Pisseleu
Maulers
Noirémont
Moimont
Rougemaison
Douy
La Neuville-St-Pierre
Vrocourt
St-Omer-en-Chaussée
Crillon
Monceaux
Abbeville-St-Lucien
Martincourt
Moimont
Juvignies
Maisoncelle-St-Pierre
Reuil-sur-Brêche
Fresneaux
Montreuil-sur-Brêche
Bonnières
Sauqueuse
A 16
A 29
E 44
D 901
D 1029
D 920
D 210
D 1001
D 930
D 151
D 315
D 124
D 919
GR 125
GR 123
Selle
Thérain
Herperie

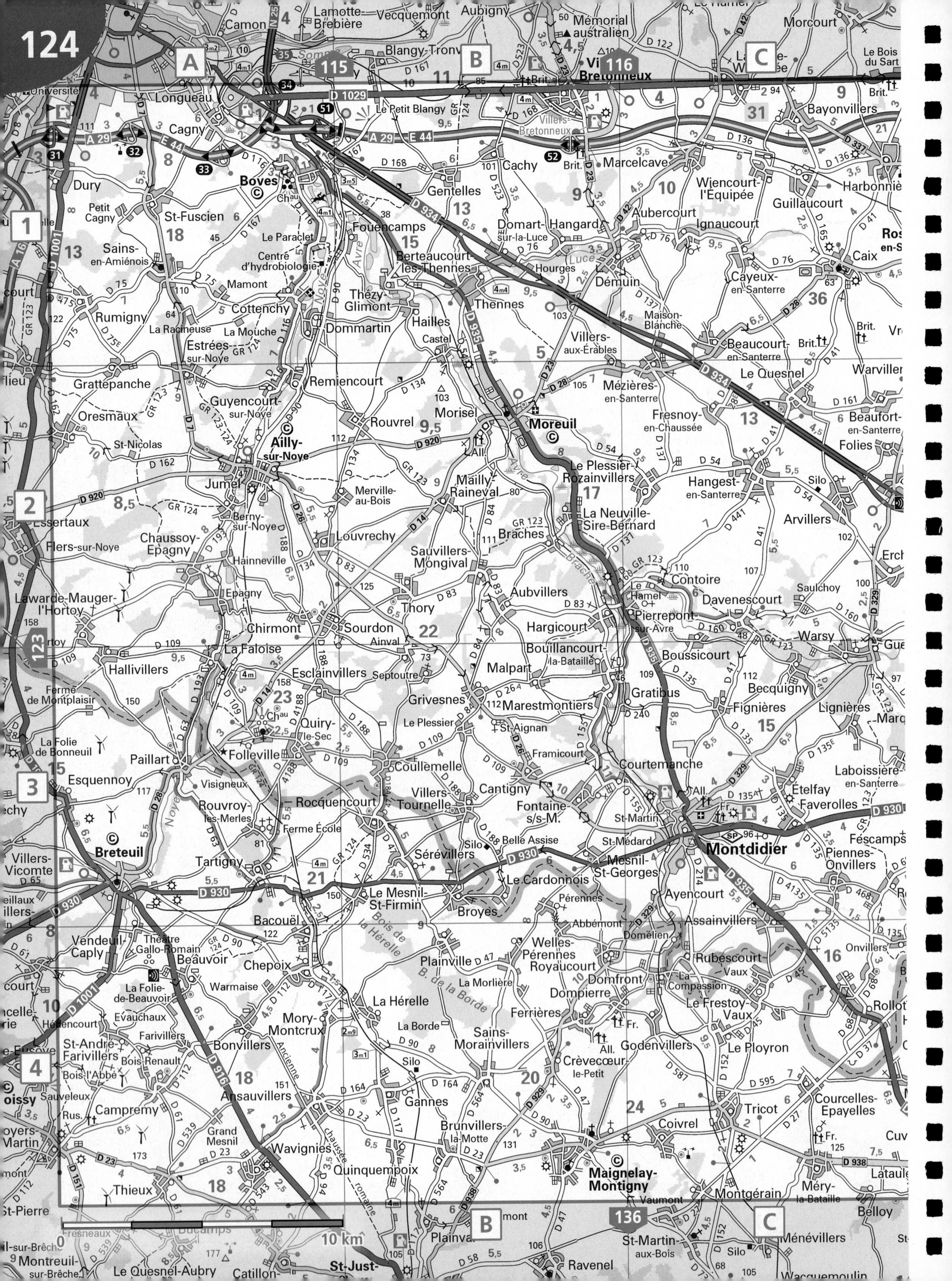
Camon
Lamotte-Brebière
Vecquemont
Aubigny
Mémorial australien
Morcourt
Le Bois du Sart
Blangy-Tronville
Villers-Bretonneux
Longueau
Le Petit Blangy
Cagny
Bayonvillers
Marcelcave
Dury
Boves
Cachy
Gentelles
Wiencourt-l'Équipée
Harbonnières
Guillaucourt
Petit Cagny
St-Fuscien
Fouencamps
Domart-sur-la-Luce
Hangard
Aubercourt
Ignaucourt
Sains-en-Amiénois
Le Paraclet
Centre d'hydrobiologie
Berteaucourt-les-Thennes
Hourges
Démuin
Cayeux-en-Santerre
Caix
Mamont
Thézy-Glimont
Thennes
Rumigny
Cottenchy
Hailles
Maison-Blanche
La Racineuse
La Mouche
Dommartin
Castel
Villers-aux-Érables
Beaucourt-en-Santerre
Estrées-sur-Noye
Le Quesnel
Warvillers
Grattepanche
Remiencourt
Mézières-en-Santerre
Guyencourt-sur-Noye
Morisel
Fresnoy-en-Chaussée
Beaufort-en-Santerre
Oresmaux
Rouvrel
Moreuil
Folies
St-Nicolas
Ailly-sur-Noye
Jumel
Le Plessier-Rozainvillers
Hangest-en-Santerre
Mailly-Raineval
Merville-au-Bois
Essertaux
Berny-sur-Noye
La Neuville-Sire-Bernard
Arvillers
Flers-sur-Noye
Chaussoy-Epagny
Louvrechy
Braches
Hainneville
Sauvillers-Mongival
Contoire
Lawarde-Mauger-l'Hortoy
Epagny
Aubvillers
Le Hamel
Davenescourt
Saulchoy
Thory
Pierrepont-sur-Avre
Chirmont
Sourdon
Ainval
Hargicourt
Warsy
La Faloise
Bouillancourt-la-Bataille
Boussicourt
Hallivillers
Esclainvillers
Septoutre
Malpart
Becquigny
Ferme de Montplaisir
Grivesnes
Marestmontiers
Gratibus
Fignières
Lignières
Quiry-le-Sec
Le Plessier
St-Aignan
La Folie de Bonneuil
Paillart
Folleville
Coullemelle
Framicourt
Courtemanche
Laboissière-en-Santerre
Esquennoy
Visigneux
Villers-Tournelle
Cantigny
Fontaine-s/s-M.
Etelfay
Faverolles
Rouvroy-les-Merles
Rocquencourt
St-Martin
Ferme École
Breteuil
Belle Assise
St-Médard
Montdidier
Fescamps
Villers-Vicomte
Tartigny
Sérévillers
Mesnil-St-Georges
Piennes-Onvillers
Le Cardonnois
Le Mesnil-St-Firmin
Ayencourt
Broyes
Bacouël
Pérennes
Assainvillers
Abbémont
Domélien
Vendeuil-Caply
Théâtre Gallo-Romain
Bois de la Hérelle
Welles-Pérennes
Beauvoir
Chepoix
Plainville
Royaucourt
Rubescourt
Onvillers
Domfront
La Compassion
Warmaise
La Morlière
La Folie-de-Beauvoir
B. de la Borde
Dompierre
Rollot
La Hérelle
Ferrières
Le Frestoy-Vaux
Evauchaux
Hédencourt
Mory-Montcrux
La Borde
Sains-Morainvillers
Farivillers
St-André-Farivillers
Bonvillers
Godenvillers
Le Ployron
Bois-Renault
Bois-l'Abbé
Silo
Crèvecœur-le-Petit
Sauveleux
Ansauvillers
Gannes
Tricot
Courcelles-Epayelles
Campremy
Coivrel
Brunvillers-la-Motte
Grand Mesnil
Wavignies
Quinquempoix
Maignelay-Montigny
Thieux
Montgérain
Méry-la-Bataille
Belloy
Vaumont
Plainval
St-Martin-aux-Bois
Ménévillers
Fresneaux
Bucamps
Montreuil-sur-Brêche
Le Quesnel-Aubry
Catillon
St-Just
Ravenel
Wacquemoulin
10 km
A
B
C
1
2
3
4
115
116
123
136

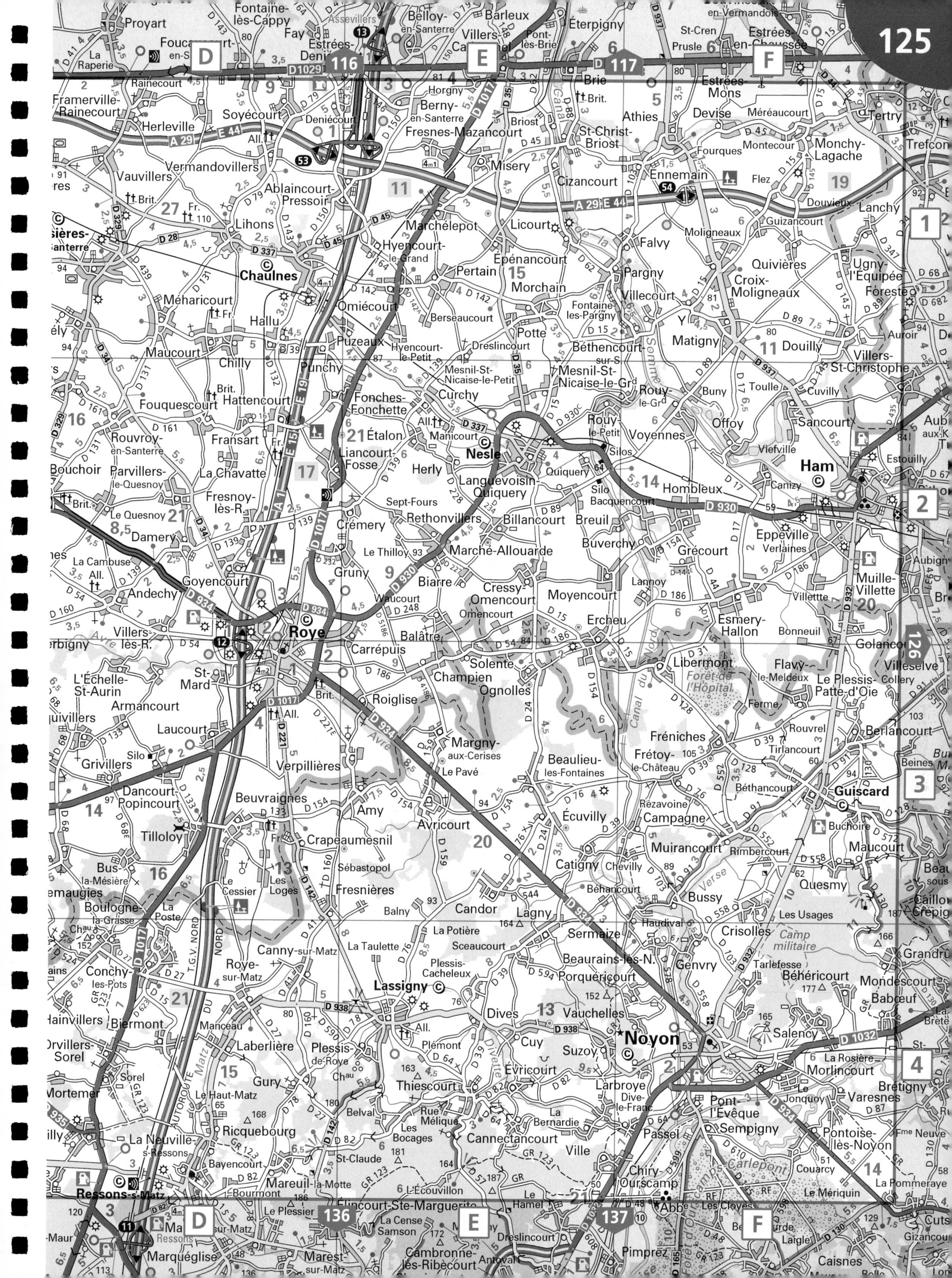
D
E
F
116
117
136
137
126
1
2
3
4
Proyart
Fontaine-lès-Cappy
Assevillers
Belloy-en-Santerre
Barleux
Éterpigny
Estrées-en-Chaussée
Foucaucourt-en-Santerre
Estrées-Deniécourt
Villers-Carbonnel
Pont-lès-Brie
St-Cren
Prusle
La Raperie
Rainecourt
Framerville-Rainecourt
Horgny
Brie
Estrées-Mons
Berny-en-Santerre
Athies
Devise
Méréaucourt
Tertry
Soyécourt
Herleville
Deniécourt
Fresnes-Mazancourt
Briost
St-Christ-Briost
Monchy-Lagache
Trefcon
Vauvillers
Vermandovillers
Misery
Cizancourt
Fourques
Montecour
Ennemain
Flez
Ablaincourt-Pressoir
Marchélepot
Licourt
Falvy
Moligneaux
Guizancourt
Douvieux
Lanchy
Lihons
Hyencourt-le-Grand
Épénancourt
Pargny
Quivières
Ugny-l'Equipée
Chaulnes
Pertain
Morchain
Croix-Moligneaux
Foreste
Méharicourt
Omiécourt
Fontaine-lès-Pargny
Villecourt
Berseaucourt
Hallu
Potte
Matigny
Auroir
Puzeaux
Hyencourt-le-Petit
Dreslincourt
Béthencourt-sur-Somme
Douilly
Villers-St-Christophe
Maucourt
Chilly
Mesnil-St-Nicaise-le-Petit
Mesnil-St-Nicaise-le-Grd
Punchy
Toulle
Curchy
Rouy-le-Grd
Buny
Cuvilly
Fouquescourt
Hattencourt
Fonches-Fonchette
Étalon
Rouy-le-Petit
Offoy
Sancourt
Rouvroy-en-Santerre
Fransart
Manicourt
Nesle
Voyennes
Silos
Viefville
Ham
Estouilly
Liancourt-Fosse
Herly
Quiquery
Hombleux
Bouchoir
Parvillers-le-Quesnoy
La Chavatte
Languevoisin-Quiquery
Canizy
Fresnoy-lès-R.
Sept-Fours
Silo
Bacquencourt
Le Quesnoy
Rethonvillers
Billancourt
Breuil
Eppeville
Verlaines
Damery
Crémery
Buverchy
Grécourt
Le Thilloy
Marché-Allouarde
La Cambuse
Gruny
Biarre
Lannoy
Muille-Villette
Goyencourt
Cressy-Omencourt
Moyencourt
Villette
Andechy
Waucourt
Omencourt
Ercheu
Esmery-Hallon
Bonneuil
Villers-lès-R.
Roye
Balâtre
Golancourt
Carrépuis
Solente
Libermont
Forêt de l'Hôpital
Flavy-le-Meldeux
Villeselve
L'Échelle-St-Aurin
St-Mard
Champien
Ognolles
Le Plessis-Patte-d'Oie
Collery
Armancourt
Roiglise
Ferme
Laucourt
Margny-aux-Cerises
Fréniches
Rouvrel
Berlancourt
Grivillers
Fréloy-le-Château
Tirlancourt
Beines
Verpillières
Le Pavé
Beaulieu-les-Fontaines
Béthancourt
Guiscard
Dancourt-Popincourt
Beuvraignes
Amy
Rézavoine
Campagne
Tilloloy
Avricourt
Écuvilly
Buchoire
Crapeaumesnil
Muirancourt
Rimbercourt
Maucourt
Bus-la-Mésière
Sébastopol
Catigny
Chevilly
Quesmy
Les Loges
Fresnières
Béhancourt
Bussy
Boulogne-la-Grasse
La Poste
Balny
Candor
Lagny
Les Usages
Haudival
Crisolles
Camp militaire
La Potière
Sermaize
La Taulette
Sceaucourt
Canny-sur-Matz
Conchy-les-Pots
Roye-sur-Matz
Plessis-Cacheleux
Beaurains-lès-N.
Genvry
Tarlefesse
Béhéricourt
Mondescourt
Porquéricourt
Lassigny
Babœuf
Hainvillers
Biermont
Manceau
Dives
Vauchelles
Salency
Orvillers-Sorel
Laberlière
Plessis-de-Roye
Plémont
Cuy
Noyon
Suzoy
La Rosière
Morlincourt
Sorel
Gury
Évricourt
Mortemer
Le Haut-Matz
Thiescourt
Larbroye
Dive-le-Franc
Le Jonquoy
Bretigny
Varesnes
Belval
Rue Mélique
La Bernardie
Ricquebourg
Les Bocages
Cannectancourt
Passel
Pont-l'Évêque
Sempigny
Pontoise-lès-Noyon
La Neuville-s-Ressons
Bayencourt
St-Claude
Ville
Couarcy
Chiry-Ourscamp
Ressons-s-Matz
Bourmont
Mareuil-la-Motte
L'Écouvillon
Le Mériquin
La Pommeraye
Le Plessier
Elincourt-Ste-Marguerite
Le Hamel
Abb.
Les Cloyes
Cuts
La Cense Samson
Dreslincourt
Laigle
Gizancourt
Marquéglise
Marest-sur-Matz
Cambronne-lès-Ribécourt
Antoval
Pimprez
Caisnes
Forêt d'Ourscamps-Carlepont
Canal du Nord
La Somme
AUTOROUTE DU NORD
T.G.V. NORD
Avre
Verse
Divette
Matz
A 29
E 44
A 1
E 15
E 19
D 1029
D 1017
D 337
D 930
D 934
D 938
D 937
D 932
D 1032
D 935

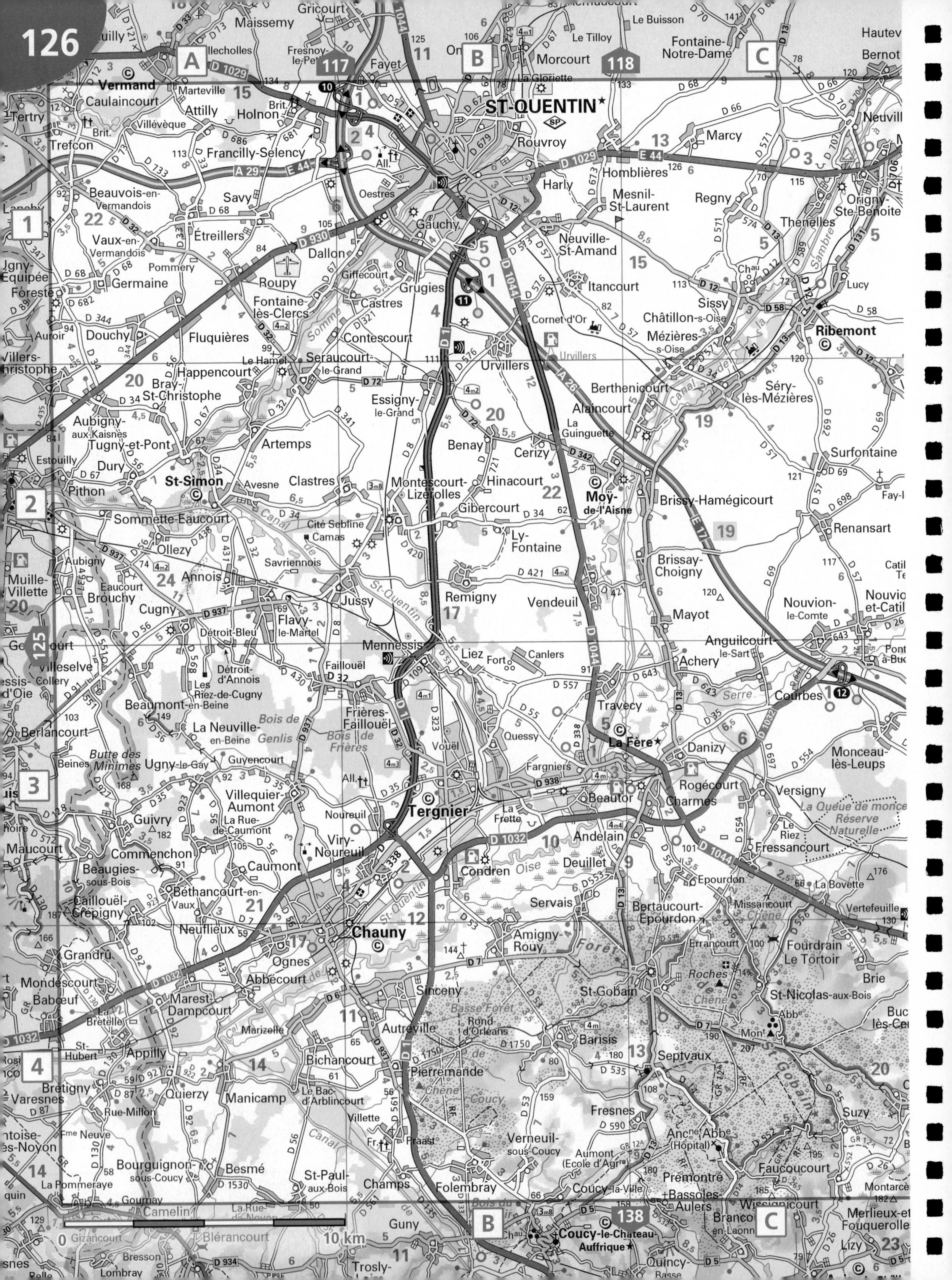
A
B
C
1
2
3
4
117
118
125
138
ST-QUENTIN
Vermand
Maissemy
Gricourt
Fayet
Morcourt
Le Tilloy
Le Buisson
Fontaine-Notre-Dame
La Gloriette
Marteville
Caulaincourt
Attilly
Holnon
Villevèque
Trefcon
Francilly-Selency
Rouvroy
Marcy
Homblières
Harly
Mesnil-St-Laurent
Regny
Origny-Ste-Benoite
Thenelles
Beauvois-en-Vermandois
Savy
Oestres
Gauchy
Étreillers
Vaux-en-Vermandois
Dallon
Neuville-St-Amand
Pommery
Germaine
Roupy
Giffecourt
Grugies
Itancourt
Sissy
Lucy
Fontaine-lès-Clercs
Castres
Cornet d'Or
Châtillon-s-Oise
Mézières-s-Oise
Ribemont
Douchy
Fluquières
Contescourt
Urvillers
Le Hamel
Seraucourt-le-Grand
Happencourt
Bray-St-Christophe
Essigny-le-Grand
Berthenicourt
Séry-lès-Mézières
Alaincourt
La Guinguette
Aubigny-aux-Kaisnes
Tugny-et-Pont
Artemps
Benay
Cerizy
Surfontaine
Estouilly
Dury
St-Simon
Avesne
Clastres
Montescourt-Lizerolles
Hinacourt
Moÿ-de-l'Aisne
Brissy-Hamégicourt
Pithon
Gibercourt
Sommette-Eaucourt
Cité Sebline
Camas
Ly-Fontaine
Renansart
Ollezy
Savriennois
Brissay-Choigny
Aubigny
Annois
Eaucourt
Brouchy
Remigny
Vendeuil
Nouvion-et-Catillon
Nouvion-le-Comte
Cugny
Jussy
Mayot
Flavy-le-Martel
Détroit-Bleu
Mennessis
Liez
Fort
Canlers
Anguilcourt-le-Sart
Achery
Villeselve
Détroit-d'Annois
Les Riez-de-Cugny
Faillouël
Travecy
Courbes
Beaumont-en-Beine
Frières-Faillouël
La Neuville-en-Beine
Bois de Genlis
Bois de Frières
Vouël
Quessy
La Fère
Danizy
Berlancourt
Monceau-lès-Leups
Butte des Minimes
Beines
Ugny-le-Gay
Guyencourt
Fargniers
Rogécourt
Charmes
Versigny
Villequier-Aumont
Tergnier
Beautor
La Queue de monce Réserve Naturelle
Guivry
La Rue-de-Caumont
Noureuil
La Frette
Andelain
Le Riez
Fressancourt
Maucourt
Commenchon
Viry-Noureuil
Condren
Deuillet
Beaugies-sous-Bois
Caumont
Epourdon
La Bovette
Béthancourt-en-Vaux
Servais
Bertaucourt-Epourdon
Missancourt
Vertefeuille
Caillouël-Crépigny
Neuflieux
Chauny
Amigny-Rouy
Errancourt
Fourdrain
Le Tortoir
Grandrû
Ognes
Roches
Mondescourt
Abbécourt
Sinceny
St-Gobain
St-Nicolas-aux-Bois
Babœuf
Marest-Dampcourt
Brie
La Bretelle
Marizelle
Autreville
Rond d'Orléans
Barisis
Basse Forêt
St-Hubert
Appilly
Bichancourt
Pierremande
Septvaux
Brétigny
Varesnes
Quierzy
Manicamp
Le Bac-d'Arblincourt
Fresnes
Rue-Millon
Villette
Suzy
Ferme Neuve
Praast
Verneuil-sous-Coucy
Anc^ne Abb^e (Hôpital)
Aumont (École d'Agr^re)
Bourguignon-sous-Coucy
Besmé
Prémontré
Faucoucourt
St-Paul-aux-Bois
Champs
Folembray
Coucy-la-Ville
Bassoles-Aulers
Montarcène
La Pommeraye
Gournay
Camelin
La Rue-de-Noyon
Wissignicourt
Merlieux-et-Fouquerolles
Branco en-Laonn
Gizancourt
Blérancourt
Guny
Coucy-le-Château-Auffrique
Lizy
Bresson
Lombray
Trosly-
Quincy-Basse
0
10 km
Somme
Canal de St-Quentin
Oise
Serre
Sambre
Forêt de St-Gobain
Chêne
Bois du

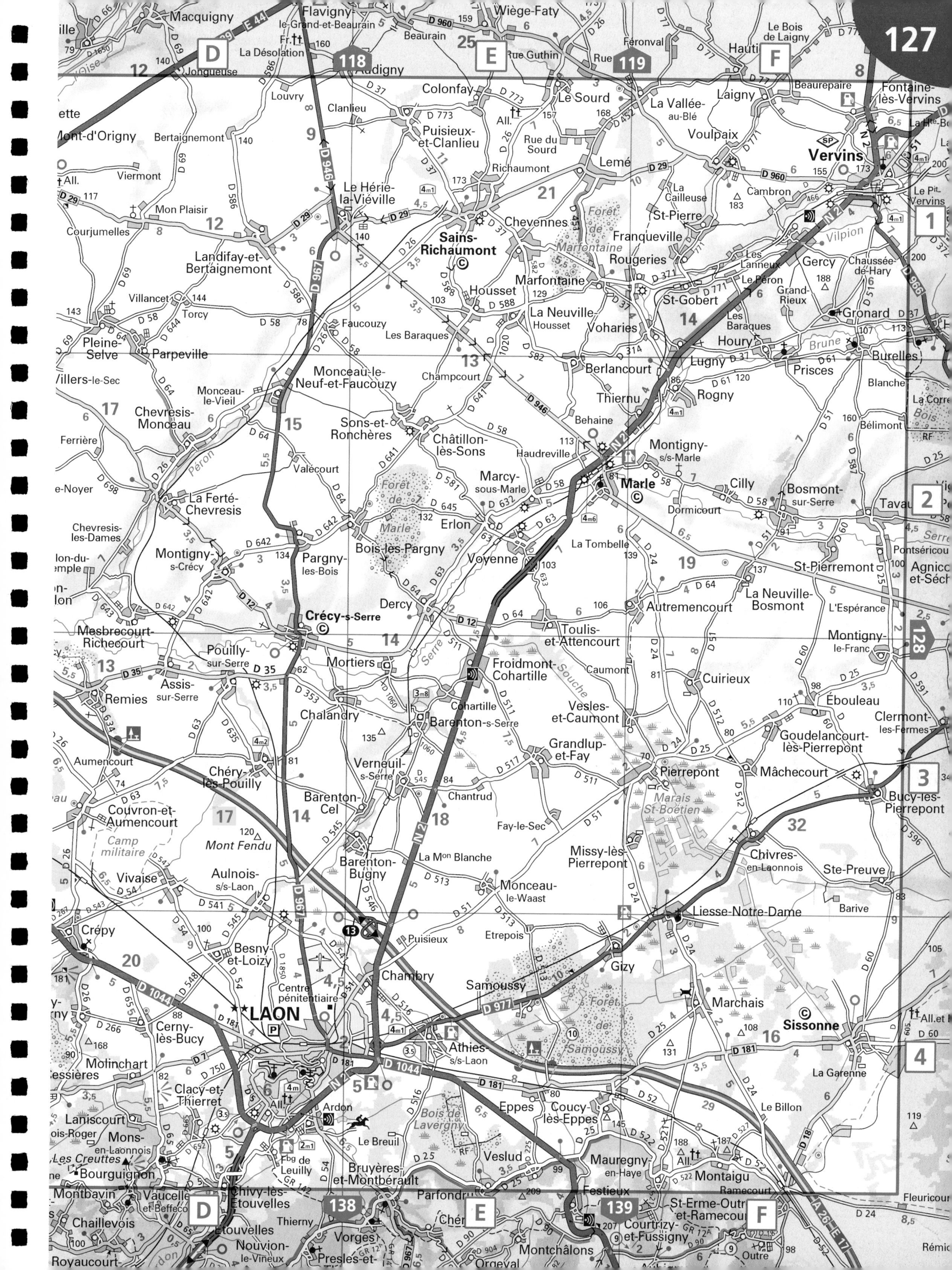

Vervins
Sains-Richaumont
Marle
Crécy-s-Serre
LAON
Sissonne
Liesse-Notre-Dame
Pierrepont
Montigny-le-Franc
Froidmont-Cohartille
Barenton-Bugny
Chambry
Athies-s/s-Laon
Gizy
Marchais
Samoussy
Eppes
Coucy-lès-Eppes
Veslud
Mauregny-en-Haye
Montaigu
Festieux
Bruyères-et-Montbérault
Chivy-lès-Étouvelles
Étouvelles
Vaucelle-et-Beffecourt
Montbavin
Chaillevois
Royaucourt
Nouvion-le-Vineux
Vorges
Presles-et-Thierny
Parfondru
Orgeval
Montchâlons
Courtrizy-et-Fussigny
St-Erme-Outre-et-Ramecourt
Ramecourt
Fleuricourt
Crépy
Vivaise
Aulnois-s/s-Laon
Besny-et-Loizy
Cerny-lès-Bucy
Molinchart
Clacy-et-Thierret
Laniscourt
Mons-en-Laonnois
Bourguignon
Les Creuttes
Ardon
Le Breuil
Fbg de Leuilly
Couvron-et-Aumencourt
Aumencourt
Camp militaire
Mont Fendu
Chéry-lès-Pouilly
Remies
Assis-sur-Serre
Pouilly-sur-Serre
Mesbrecourt-Richecourt
Mortiers
Chalandry
Barenton-s-Serre
Cohartille
Verneuil-s-Serre
Barenton-Cel
Chantrud
La Mon Blanche
Monceau-le-Waast
Etrepois
Puisieux
Fay-le-Sec
Missy-lès-Pierrepont
Grandlup-et-Fay
Vesles-et-Caumont
Caumont
Toulis-et-Attencourt
Cuirieux
Autremencourt
La Neuville-Bosmont
St-Pierremont
L'Espérance
Ébouleau
Clermont-les-Fermes
Goudelancourt-lès-Pierrepont
Mâchecourt
Bucy-lès-Pierrepont
Chivres-en-Laonnois
Ste-Preuve
Barive
Marais St-Boëtien
La Garenne
Le Billon
Dercy
Pargny-les-Bois
Bois-lès-Pargny
Voyenne
Erlon
La Tombelle
Montigny-s-Crécy
La Ferté-Chevresis
Chevresis-les-Dames
Chevresis-Monceau
Monceau-le-Vieil
Monceau-le-Neuf-et-Faucouzy
Valécourt
Sons-et-Ronchères
Châtillon-lès-Sons
Marcy-sous-Marle
Forêt de Marle
Haudreville
Montigny-s/s-Marle
Dormicourt
Cilly
Bosmont-sur-Serre
Tavaux
Pontséricourt
Agnicourt-et-Séchelles
Behaine
Thiernu
Rogny
Bélimont
La Correrie
Berlancourt
Lugny
Prisces
Burelles
Blanchet
Houry
Les Baraques
St-Gobert
Gronard
Grand-Rieux
Gercy
Chaussée-de-Hary
Le Péron
Les Lanneux
Vohariès
La Neuville-Housset
Marfontaine
Forêt de Marfontaine
Housset
Rougeries
Franqueville
St-Pierre
La Cailleuse
Cambron
Le Pt Vervins
Fontaine-lès-Vervins
Beaurepaire
Laigny
Voulpaix
La Vallée-au-Blé
Le Sourd
Rue du Sourd
Lemé
Chevennes
Richaumont
Puisieux-et-Clanlieu
Clanlieu
Colonfay
Louvry
Le Hérie-la-Viéville
Landifay-et-Bertaignemont
Bertaignemont
Viermont
Mon Plaisir
Courjumelles
Villancet
Torcy
Pleine-Selve
Parpeville
Faucouzy
Les Baraques
Champcourt
Villers-le-Sec
Ferrière
Macquigny
La Désolation
Jongueuse
Flavigny-le-Grand-et-Beaurain
Beaurain
Audigny
Wiège-Faty
Rue Guthin
Féronval
Le Bois de Laigny
Haution
Mont-d'Origny
N 2
D 1044
D 967
D 946
D 977
A 26 E 17

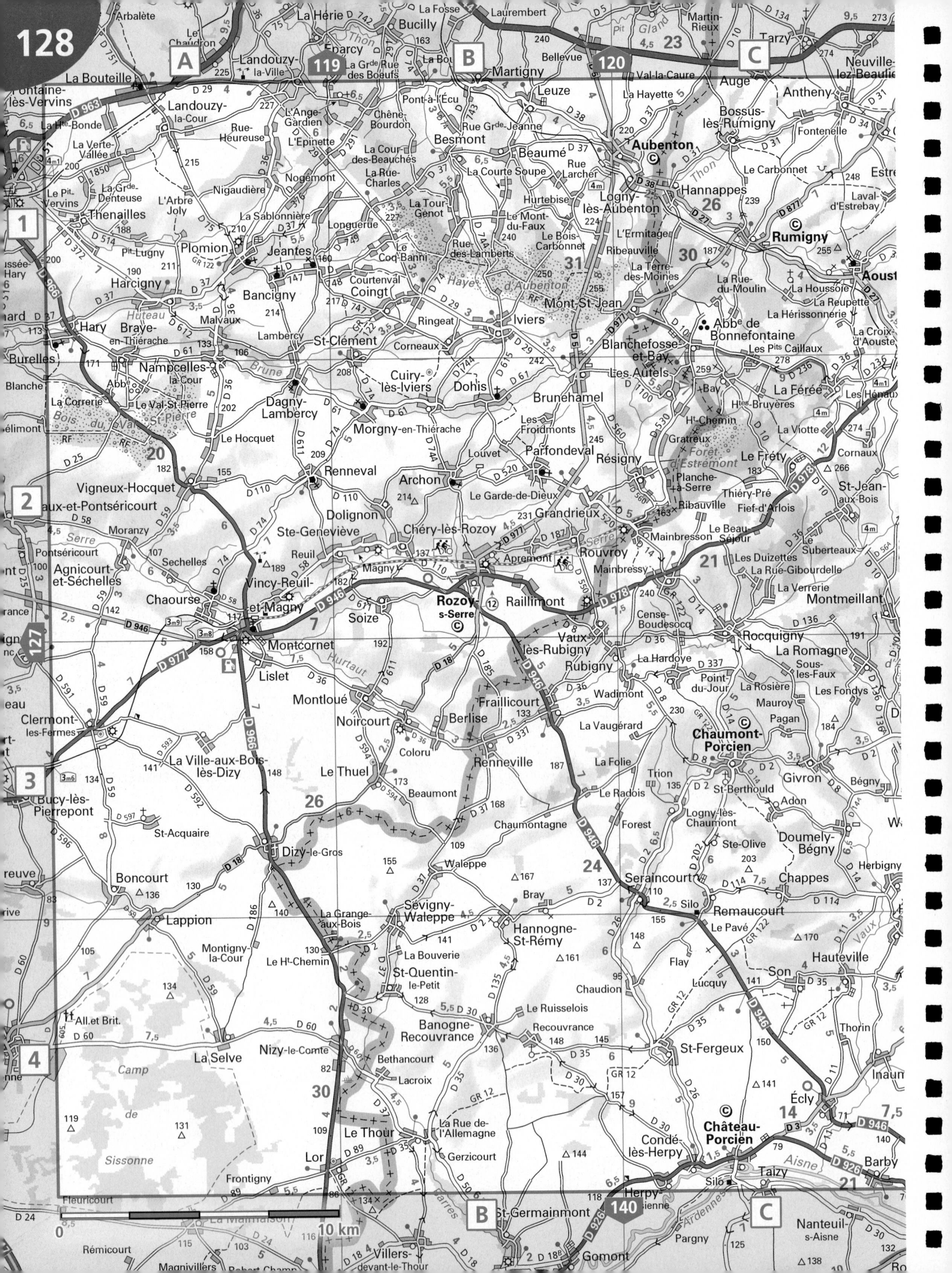
Arbalète
La Hérie
La Fosse
Laurembert
Martin-Rieux
Tarzy
Le Chaudron
Éparcy
Bucilly
Landouzy-la-Ville
La Grde Rue des Boeufs
Martigny
Bellevue
Val-la-Caure
Auge
Neuville-lez-Beaulieu
La Bouteille
Fontaine-lès-Vervins
Landouzy-la-Cour
L'Ange-Gardien
Chêne-Bourdon
Pont-à-l'Écu
Leuze
La Hayette
Antheny
Bossus-lès-Rumigny
La Hte-Bonde
La Verte-Vallée
Rue-Heureuse
L'Épinette
Rue Grde-Jeanne
Besmont
Aubenton
Fontenelle
La Cour-des-Beauchés
Beaumé
Rue Larcher
La Courte Soupe
Le Carbonnet
La Rue-Charles
Nogemont
Le Pit-Vervins
La Grde-Denteuse
Nigaudière
L'Arbre Joly
La Tour-Génot
Hurtebise
Logny-lès-Aubenton
Hannappes
Laval-d'Estrebay
Thenailles
La Sablonnière
Longuerue
Le Mont-du-Faux
Le Bois-Carbonnet
L'Ermitage
Rumigny
Pit-Lugny
Plomion
Jeantes
Coq Banni
Rue-des-Lamberts
Ribeauville
La Terre-des-Moines
Harcigny
Courtenval
Coingt
Haye d'Aubenton
La Rue-du-Moulin
La Houssoie
Aouste
Bancigny
Mont-St-Jean
La Reupette
Huteau
Malvaux
Ringeat
Iviers
La Hérissonnerie
Hary
Braye-en-Thiérache
Lambercy
St-Clément
Abbe de Bonnefontaine
Blanchefosse-et-Bay
La Croix-d'Aouste
Burelles
Nampcelles-la-Cour
Corneaux
Les Pits Caillaux
Brune
Cuiry-lès-Iviers
Dohis
Les Autels
Blanche
Abbe
Dagny-Lambercy
Brunehamel
Bay
La Férée
La Correrie
Le Val-St-Pierre
Htes-Bruyères
Les Hénaux
Bois du Val St-Pierre
Morgny-en-Thiérache
Les Froidmonts
Ht-Chemin
La Viotte
Le Hocquet
Louvet
Parfondeval
Résigny
Gratreux
Forêt d'Estrémont
Le Fréty
Cornaux
Renneval
Archon
Planche-à-Serre
St-Jean-aux-Bois
Vigneux-Hocquet
Le Garde-de-Dieux
Thiéry-Pré
Ribauville
Fief-d'Arlois
Vaux-et-Pontséricourt
Dolignon
Grandrieux
Moranzy
Serre
Ste-Geneviève
Chéry-lès-Rozoy
Mainbresson
Le Beau-Séjour
Pontséricourt
Reuil
Apremont
Rouvroy
Les Duizettes
Le Suberteaux
Agnicourt-et-Séchelles
Sechelles
Magny
Mainbressy
La Rue-Gibourdelle
Vincy-Reuil-et-Magny
La Verrerie
Chaourse
Rozoy-s-Serre
Raillimont
Montmeillant
Soize
Cense-Boudesocq
Montcornet
Vaux-lès-Rubigny
Rocquigny
La Romagne
Hurtaut
La Hardoye
Sous-les-Faux
Lislet
Rubigny
Point-du-Jour
La Rosière
Les Fondys
Montloué
Fraillicourt
Wadimont
Mauroy
Clermont-les-Fermes
Noircourt
Berlise
Pagan
La Vaugérard
Chaumont-Porcien
Coloru
La Ville-aux-Bois-lès-Dizy
Renneville
La Folie
Givron
Trion
Bucy-lès-Pierrepont
Le Thuel
St-Berthould
Bégny
Beaumont
Le Radois
Adon
St-Acquaire
Chaumontagne
Forest
Logny-lès-Chaumont
Doumely-Bégny
Dizy-le-Gros
Ste-Olive
Waleppe
Herbigny
Boncourt
Bray
Seraincourt
Chappes
Sévigny-Waleppe
Silo
Remaucourt
Lappion
La Grange-aux-Bois
Hannogne-St-Rémy
Le Pavé
Montigny-la-Cour
Le Ht-Chemin
La Bouverie
Flay
Hauteville
St-Quentin-le-Petit
Chaudion
Son
Lucquy
Le Ruisselois
All.et Brit.
Banogne-Recouvrance
Recouvrance
Thorin
La Selve
Nizy-le-Comte
Bethancourt
St-Fergeux
Camp de Sissonne
Lacroix
Inaumont
Écly
Château-Porcien
La Rue de-l'Allemagne
Le Thour
Condé-lès-Herpy
Lor
Gerzicourt
Barby
Aisne
Frontigny
Taizy
Herpy-l'Arlésienne
Fleuricourt
La Malmaison
St-Germainmont
Ardennes
Nanteuil-s-Aisne
Pargny
Rémicourt
Villers-devant-le-Thour
Gomont
Magnivillers
Robert Champ
0
10 km
A
B
C
1
2
3
4
119
120
127
140
D 946
D 966
D 977
D 978
D 926

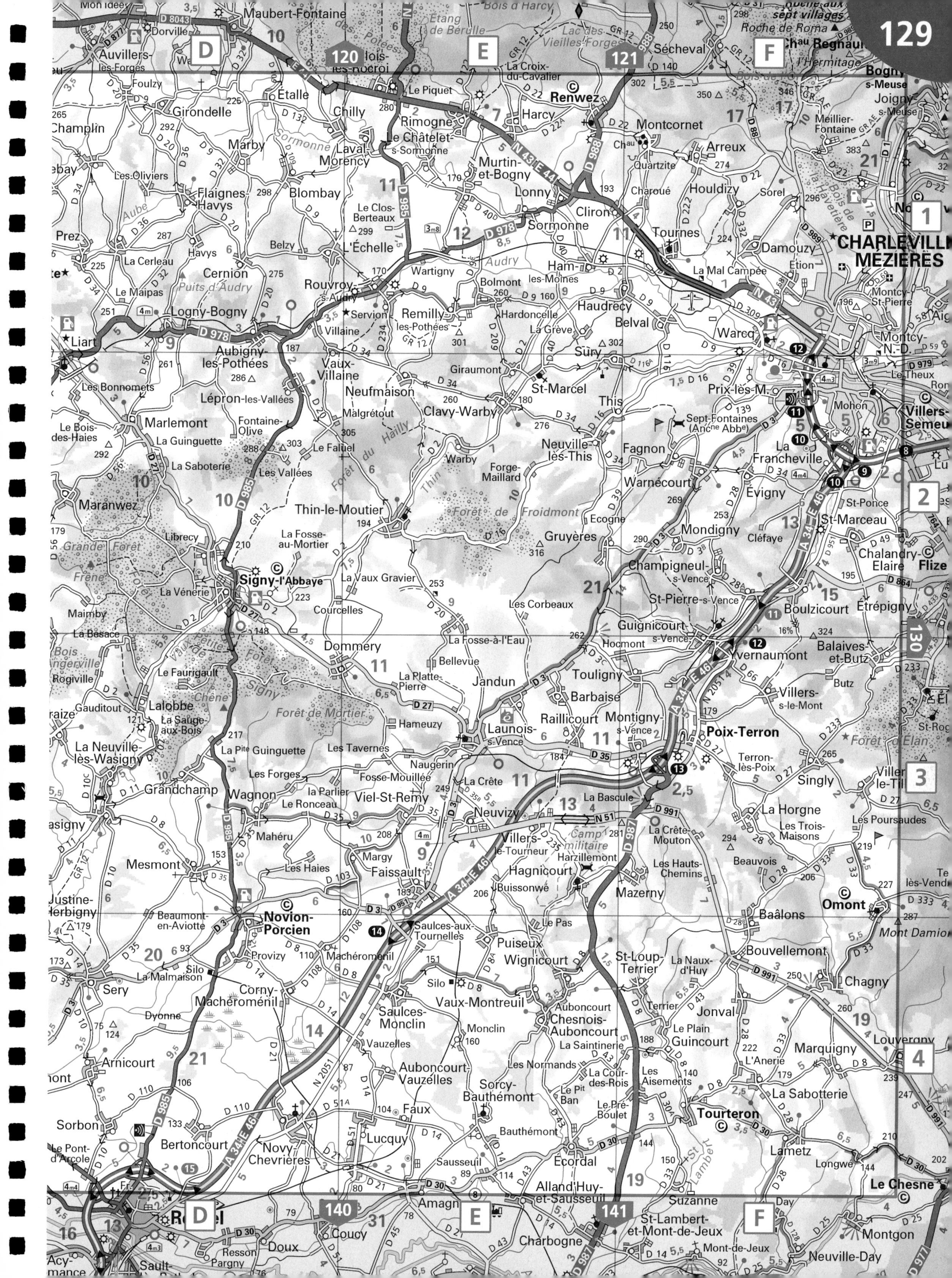
129
D
E
F
120
121
130
140
141
1
2
3
4
Maubert-Fontaine
Dorville
Auvillers-les-Forges
Foulzy
Girondelle
Champlin
Étalle
Chilly
Le Piquet
Rimogne
Le Châtelet-s-Sormonne
Laval-Morency
Marby
Sormonne
Étang de Bérulle
Bois d'Harcy
Lac des Vieilles Forges
La Croix-du-Cavalier
Renwez
Harcy
Sécheval
Roche de Roma
Chau Regnault
l'Hermitage
Montcornet
Arreux
Quartzite
Charoué
Houldizy
Sorel
Bogny-s-Meuse
Joigny-s-Meuse
Meillier-Fontaine
Murtin-et-Bogny
Lonny
Cliron
Sormonne
Tournes
Damouzy
CHARLEVILLE-MÉZIÈRES
Étion
La Mal Campée
Les Oliviers
Flaignes-Havys
Blombay
Le Clos-Berteaux
L'Échelle
Belzy
Prez
Havys
La Cerleau
Cernion
Puits d'Audry
Le Maipas
Logny-Bogny
Liart
Rouvroy-s-Audry
Wartigny
Audry
Ham-les-Moines
Bolmont
Hardoncelle
Haudrecy
Belval
Warcq
Montcy-St-Pierre
Montcy-N.-D.
Le Theux
Servion
Villaine
Remilly-les-Pothées
La Grève
Sury
Aubigny-les-Pothées
Vaux-Villaine
Neufmaison
Giraumont
St-Marcel
This
Prix-lès-M.
Mohon
Villers-Semeuse
Les Bonnomets
Lépron-les-Vallées
Marlemont
Le Bois-des-Haies
La Guinguette
Fontaine-Olive
Malgrétout
Clavy-Warby
Sept-Fontaines (Ancne Abbe)
Neuville-lès-This
Fagnon
La Francheville
La Saboterie
Le Faluel
Les Vallées
Forêt du Hailly
Warby
Forge-Maillard
Warnécourt
Évigny
St-Ponce
Maranwez
Thin-le-Moutier
Forêt de Froidmont
Ecogne
Mondigny
St-Marceau
Cléfaye
Grande Forêt
Librecy
La Fosse-au-Mortier
Gruyères
Champigneul-s-Vence
Chalandry-Elaire
Flize
Signy-l'Abbaye
La Vénerie
La Vaux Gravier
Les Corbeaux
St-Pierre-s-Vence
Boulzicourt
Étrépigny
Maimby
Courcelles
Guignicourt-s-Vence
La Besace
Dommery
La Fosse-à-l'Eau
Hocmont
Yvernaumont
Balaives-et-Butz
Le Faurigault
Rogiville
Bellevue
La Platte-Pierre
Jandun
Touligny
Villers-s-le-Mont
Butz
Lalobbe
Gauditout
La Sauge-aux-Bois
Forêt de Signy
Forêt de Mortier
Hameuzy
Barbaise
Raillicourt
Montigny-s-Vence
Poix-Terron
Launois-s-Vence
La Neuville-lès-Wasigny
La Pte Guinguette
Les Tavernes
Terron-lès-Poix
Forêt d'Élan
Singly
Villers-le-Tilleul
Grandchamp
Les Forges
Naugerin
Fosse-Mouillée
La Crête
Wagnon
la Parlier
Le Ronceau
Viel-St-Remy
La Bascule
La Horgne
Les Poursaudes
Neuvizy
Mahéru
Villers-le-Tourneur
Camp militaire
La Crête-Mouton
Les Trois-Maisons
Mesmont
Les Haies
Margy
Faissault
Harzillemont
Beauvois
Hagnicourt
Les Hauts-Chemins
Buissonwé
Mazerny
Omont
Justine-Herbigny
Beaumont-en-Aviotte
Novion-Porcien
Saulces-aux-Tournelles
Le Pas
Baâlons
Mont Damion
Provizy
Machéroménil
Puiseux
Wignicourt
St-Loup-Terrier
La Naux-d'Huy
Bouvellemont
La Malmaison
Sery
Silo
Corny-Macheroménil
Vaux-Montreuil
Chagny
Dyonne
Saulces-Monclin
Auboncourt
Chesnois-Auboncourt
Terrier
Jonval
Le Plain
Guincourt
Monclin
Vauzelles
La Saintinerie
Marquigny
Louvergny
Arnicourt
L'Anerie
Auboncourt-Vauzelles
Sorcy-Bauthémont
Les Normands
La Cour-des-Rois
Les Aisements
La Sabotterie
Le Pit Ban
Le Pré-Boulet
Faux
Tourteron
Sorbon
Bertoncourt
Novy-Chevrières
Lucquy
Bauthémont
Le Pont-d'Arcole
Lametz
Longwé
Sausseuil
Écordal
Le Chesne
Alland'Huy-et-Sausseuil
Suzanne
Amagne
Rethel
Coucy
Charbogne
St-Lambert-et-Mont-de-Jeux
Montgon
Mont-de-Jeux
Neuville-Day
Doux
Resson
Pargny
Acy-Romance
Sault
St Lambert
Day
D 8043
D 978
D 985
D 988
D 987
D 991
D 30
D 35
N 43
N 51
E 44
E 46
A 34
N 2051

A
B
C
1
2
3
4
Thilay
Haulme
Bohan
Laforêt
Chairière
Mogimont
Les Dolimarts
Rochers des Grands Ducs
Joigny-s-Meuse
Camp militaire
Alle
Rochehaut
Bellevaux
Ucimont
Frahan
Sensenruth
La Cornette
Gespunsart
Bagimont
Botassart
Noirefontaine
Les Hayons
Poupehan
Curfoz
Tombeau du Géant
Rogissart
Sugny
Goutelle
Nouzonville
Pussemange
Ban d'Alle
Chaire à prêcher
Abb. N.-D. de Clairefontaine
Bouillon
Dohan
Neufmanil
CHARLEVILLE-MÉZIÈRES
Corbion
A R D E N N E S
Rer du Pendu
La Grandville
Forêt de Sedan
Beaubru
Montcy-St-Pierre
Aiglemont
Parc animalier
Moulin-à-Vent
Montcy-N.-D.
Gernelle
St-Laurent
Le Sautou
Les 4 Chemins
Les Amerois
Le Theux
Romery
Rumel
Ville-s-Lumes
Bosseval-et-Briancourt
Issancourt-et-Rumel
Fleigneux
Le Dos du Loup
Villers-Semeuse
Vivier-au-Court
St-Menges
St-Albert
Olly
La Chapelle
Les Douze Cents
Illy
Lumes
Vrigne-aux-Bois
Iges
Givonne
Grand Haye
Montimont
Floing
Villers-Cernay
Les Ayvelles
Le Faucon
Sedan
Pouru-aux-Bois
Elaire
Vrigne-Meuse
Glaire
Daigny
Le Chesnois
Nouvion-s-Meuse
Francheval
Escombres-et-le-Chesnois
Chalandry-Elaire
Flize
Le Dancourt
Balan
La Moncelle
Rubécourt-et-Lamécourt
Pouru-St-Remy
Donchery
Étrépigny
Dom-le-Mesnil
Pont-à-Bar
Frénois
Lamécourt
Messincourt
Boutancourt
La Croix-Piot
Wadelincourt
Douzy
Sachy
Feuchères
Villers-s-Bar
Champ de tir
Ossuaire
Bazeilles
Chiers
Hannogne-St-Martin
Pont-Maugis
Cheveuges
Bois de la Marfée
Noyers-Pont-Maugis
Remilly-Aillicourt
Brévilly
Tétaigne
Élan
St-Roger
Sapogne-et-Feuchères
St-Aignan
Chaumont
Thelonne
Pt Remilly
Mairy
Lombut
Forêt d'Élan
Triage du Omicourt
Chéhéry
Beaumesnil
Amblimont
Villers-Tilleul
Bulson
Angecourt
Euilly-et-Lombut
Rocan
Villers-devant-Mouzon
Meuse
Les Poursaudes
Haut de Sapogne
Connage
Haraucourt
Autrecourt-et-Pourron
Arboretum
Mouzon
Vaux-lès-Mouzon
Vendresse
Terron-lès-Vendresse
Chémery-s-Bar
Villers
Raucourt-et-Flaba
Pourron
Malmy
Silo
Maisoncelle-et-Villers
Villemontry
Moulins-St-Hubert
Mont Damion
Ambly
Ardennes
Artaise le-Vivier
Montgarni
Flaba
La Cassine
La Neuville-à-Maire
Bois de la Cassine
Chagny
Les Huttes
Autréville-St-Lambert
Le Vivier
La Besace
Yoncq
Alma
Louvergny
Forêt du Mont-Dieu
Sauville
Stonne
La Bagnolle
La Thibaudine
Létanne
Anc.ne Chartreuse
Mémorial de Stonne
Pouilly-sur-Meuse
Le Mont-Dieu
Beaumont-en-Argonne
Mont Damion
Forêt de Jaunay
Luzy-St-Martin
Mont du Cygne
Tannay
Les Grandes-Armoises
Lac de Bairon
La Berlière
Bois de Sommauthe
Le Chesne
Sy
Armoises
Oches
Forêt de Dieulet
Canal
Les Petites-Armoises
Sommauthe
Laneuville-sur-Meuse
Montgon
Bois du Chesne
Bazancourt
Beaufort-en-Argonne
10 km
E 44-E 46
A 34
N 43
N 58-E 46
D 8043
D 977
D 964
N 89
N 83
121
129
142

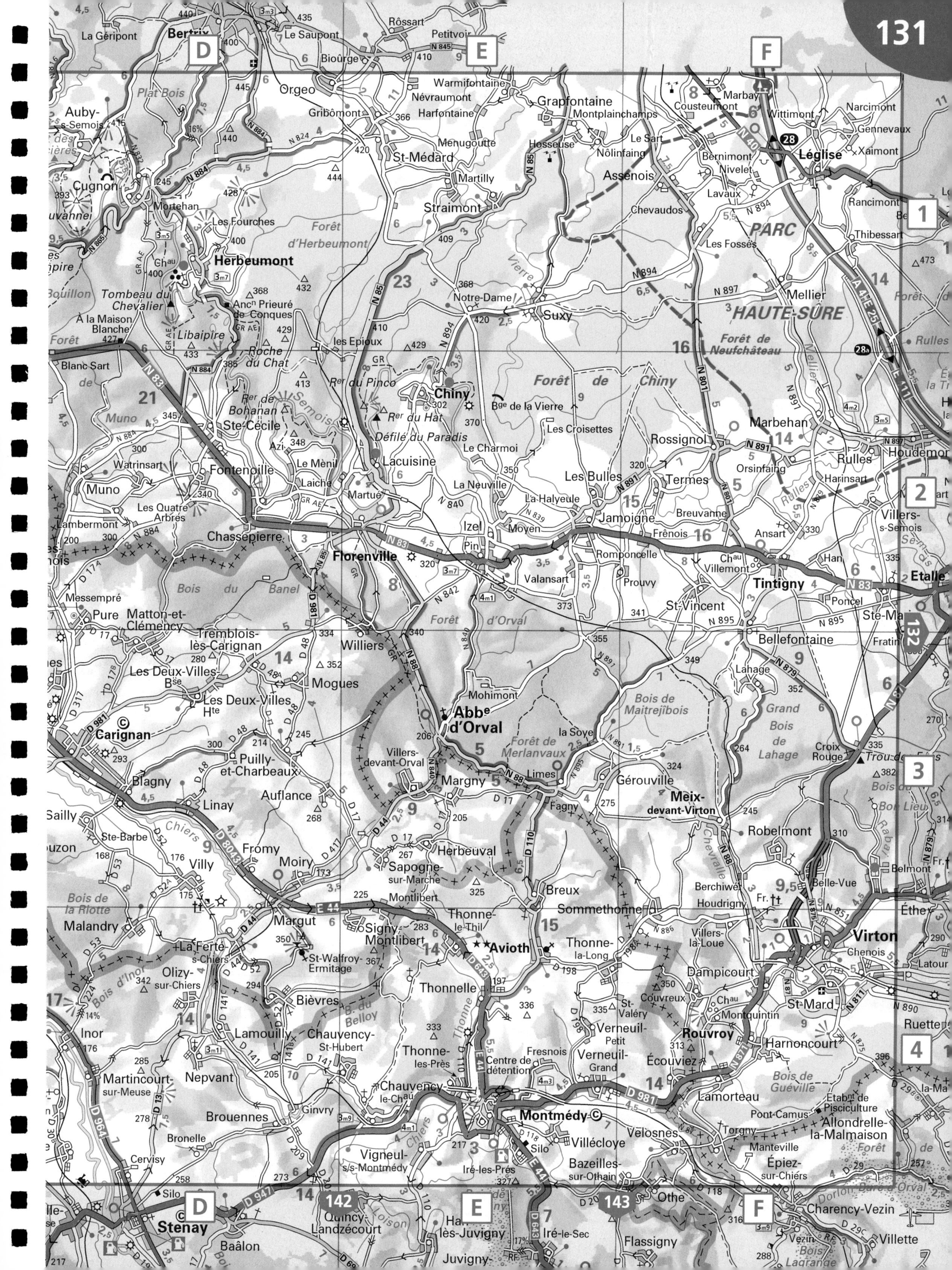
Bertrix
La Géripont
Le Saupont
Rôssart
Petitvoir
Bioûrge
Orgeo
Warmifontaine
Névraumont
Harfontaine
Gribômont
Grapfontaine
Montplainchamps
Marbay
Cousteumont
Wittimont
Narcimont
Gennevaux
Léglise
Xaimont
Auby-s-Semois
Plat Bois
St-Médard
Menugoutte
Hosseuse
Nôlinfaing
Le Sart
Bernimont
Nivelet
Assenois
Cugnon
Martilly
Straimont
Lavaux
Rancimont
Mortehan
Les Fourches
Chevaudos
PARC
Thibessart
Forêt d'Herbeumont
Les Fossés
Herbeumont
Tombeau du Chevalier
Ancn Prieuré de Conques
Notre-Dame
Suxy
Mellier
HAUTE-SÛRE
À la Maison Blanche
Libaipire
Roche du Chat
les Epioux
Forêt de Neufchâteau
Rulles
Blanc Sart
Forêt de Chiny
Chiny
Rer du Pinco
Bge de la Vierre
Rer de Bohanan
Rer du Hat
Muno
Semois
Marbehan
Ste-Cécile
Défilé du Paradis
Les Croisettes
Rossignol
Watrinsart
Le Mènil
Lacuisine
Le Charmoi
Houdemont
Fontenoille
Laiche
Les Bulles
Termes
Orsinfaing
Rulles
Harinsart
La Neuville
Martué
La Halyeule
Muno
Les Quatre Arbres
Jamoigne
Breuvanne
Villers-s-Semois
Lambermont
Izel
Moyen
Frênois
Ansart
Chassepierre
Pin
Romponcelle
Han
Florenville
Chau Villemont
Etalle
Valansart
Prouvy
Tintigny
Bois du Banel
Messempré
Pure
Matton-et-Clémency
Poncel
Ste-Ma
Forêt d'Orval
St-Vincent
Tremblois-lès-Carignan
Williers
Bellefontaine
Fratin
Les Deux-Villes Bse
Mogues
Lahage
Les Deux-Villes Hte
Mohimont
Bois de Maitrejîbois
Grand Bois de Lahage
Carignan
Abbe d'Orval
la Soye
Forêt de Merlanvaux
Croix Rouge
Trou des Fées
Puilly-et-Charbeaux
Villers-devant-Orval
Limes
Gérouville
Blagny
Margny
Meix-devant-Virton
Linay
Auflance
Fagny
Bois du Bon Lieu
Sailly
Ste-Barbe
Chiers
Herbeuval
Robelmont
Fromy
Moiry
Sapogne-sur-Marche
Villy
Breux
Belle-Vue
Belmont
Bois de la Riotte
Montlibert
Berchiwé
Houdrigny
Éthe
Malandry
Margut
Thonne-le-Thil
Sommethonne
Signy-Montlibert
Avioth
Thonne-la-Long
Villers-la-Loue
Virton
Chenois
La Ferté-s-Chiers
St-Walfroy-Ermitage
Dampicourt
Latour
Olizy-sur-Chiers
Thonnelle
Couvreux
Bois d'Inor
Bièvres
B. du Belloy
St-Valéry
Chau Montquintin
St-Mard
Ruette
Inor
Lamouilly
Chauvency-St-Hubert
Verneuil-Petit
Rouvroy
Harnoncourt
Thonne-les-Prés
Centre de détention
Fresnois
Verneuil-Grand
Écouviez
Martincourt-sur-Meuse
Nepvant
Bois de Guéville
la-Ma
Chauvency-le-Chau
Lamorteau
Etabt de Pisciculture
Brouennes
Ginvry
Montmédy
Pont-Camus
Allondrelle-la-Malmaison
Bronelle
Villécloye
Velosnes
Torgny
Forêt de
Vigneul-s/s-Montmédy
Silo
Manteville
Cervisy
Iré-les-Prés
Bazeilles-sur-Othain
Épiez-sur-Chiers
Silo
Othe
Stenay
Quincy-Landzécourt
Loison
Han-lès-Juvigny
Iré-le-Sec
Charency-Vezin
Baâlon
Flassigny
Villette
Juvigny-
Vezin
Bois Lagrange
Dorlon
Orval
D
E
F
1
2
3
4
142
143
132

A
B
C
1
2
3
4
Rombach-M.
Koetschette
Rambrouch
Wahl
Eschette
Grosbous
Wolwelange
Haut-Martelange
Perlé
Holtz
Folschette
Hostert
Horas
Pratz
Reimberg
Bettborn
Platen
Roodt-lès-Ell
Lannen
Nagem
Ospern
Everlange
Vlessart
Louftémont
Behême
Thibessart
NATUREL
Forêt
d'Anlier
Parc
Naturel
La Corne du Bois des Pendus
Parette
Petit-Nobressart
Nothomb
Colpach-Haut
Ell
(Réiden)
Redange
Reichlange
Anlier
Rodenhoff
Heinstert
Schockville
Grendel
Colpach-Bas
Rippweiler
Niederpallen
FORÊT D'ANLIER
Rulles
Habay-la-Neuve
Post
Louchert
Attert
Lévelange
Noerdange
Huttange
Schwebach
Beckerich
Oberpallen
Étang de la Trapperie
Nobressart
Almeroth
de la Vallée
de l'Attert
Tontelange
Elvange
Calmus
Schweich
Habay-la-Vieille
Pont d'Oie
Metzert
Hovelange
Thiaumont
Lischert
Bonnert
Guirsch
Heckbous
Ehner
Septfontaines
Houdemont
Lottert
Tattert
Nantimont
Hachy
Heinsch
Freylange
Viville
Frassem
Gaichel
Hobscheid
Mierschgronne
Mortinsart
Stockem
Eischen
Villers-s-Semois
Fouches
Sampont
Waltzing
Goeblange
Kœrich
ARLON (AARLEN)
Etalle
Vance
Semois
Couvent Clairefontaine
Steinfort
Ste-Marie
Sivry
L'Enclos
Terrain militaire
Sesselich
Weyler
Autelhaut
Barnich
Sterpenich
Goetzingen
Windhof
Chantemelle
Toernich
Kleinbettingen
Buzenol
Udange
Wolkrange
Autelbas
Hondelange
Grass
Kahler
Capellen
Montauban
Fourneau David
Buvange
Differt
Garnich
Meix-le-Tige
Habergy
Sélange
Hivange
des Fées
Châtillon
St-Léger
Turpange
Fingig
Dahlem
Ermitage de Wachet
Bébange
Messancy
Clémency
Bois de St-Léger
Guelff
Rachecourt
Schouweiler
Hautcharage
Laclaireau
Battincourt
Guerlange
Belmont
Willancourt
Aix-s-Cloie
Longeau
Mussy-la-Ville
Athus
Linger
Bascharage
Éthe
Aubange
Pétange
Bleid
Gennevaux
Limpach
Virton
Baranzy
Halanzy
(Suessem)
Sanem
Chenois
Latour
Gomery
Signeulx
Musson
Piedmont
Lamadelaine
Mondercange
Cussigny
Gorcy
Longwy
Mont-St-Martin
Rodange
Ville-Houdlémont
Longlaville
Tételbierg
Ruette
St-Rémy
Vaux
Warnimont
Saulnes
Niederkorn
Zolwerknapp
Soleuvre
Grandcourt
Houdlémont
Romain
Differdange
Buré-la-Ville
Cosnes-et-Romain
Lasauvage
Herserange
St-Pancré
la-Malmaison
Bois du Pas Bayard
Villers-la-Chèvre
Oberkorn
St-Charles
Belvaux
Tellancourt
Fresnois-la-Montagne
Ossuaire
Réhon
Moulaine
Redange
Hussigny-Godbrange
Villancy
Lexy
Mexy
Cutry
Heumont
Montigny
Haucourt-Moulaine
Russange
0
10 km
Cons-la-Grandville
Villette
Ugny
Chenières
Villers-la-Montagne
Viviers-s-Chiers
Villerupt
Tiercelet
131
144

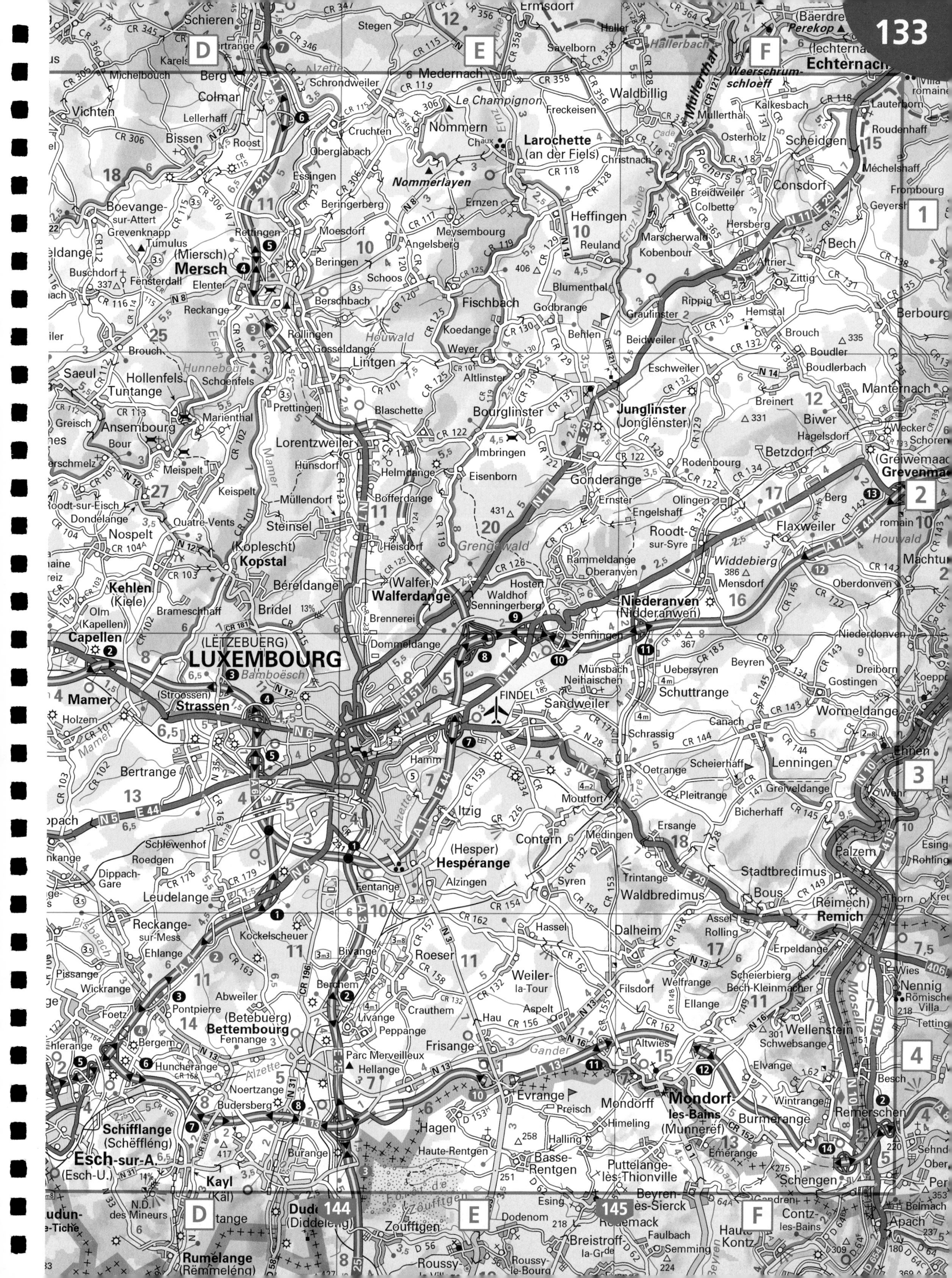
D
E
F
Schieren
Ermsdorf
Stegen
Medernach
Echternach
Perekop
Hallerbach
Savelborn
Berg
Colmar
Vichten
Bissen
Michelbouch
Schrondweiler
Le Champignon
Waldbillig
Weerschrum-schloeff
Müllerthal
Nommern
Larochette
(an der Fiels)
Christnach
Freckeisen
Cruchten
Oberglabach
Essingen
Nommerlayen
Heffingen
Reuland
Consdorf
Scheidgen
Lauterborn
Roudenhaff
Méchelshaff
Osterholz
Kalkesbach
Breidweiler
Colbette
Hersberg
Marscherwald
Kobenbour
Bech
Boevange-
sur-Attert
Grevenknapp
Tumulus
(Miersch)
Mersch
Rettingen
Moesdorf
Beringerberg
Meysembourg
Angelsberg
Beringen
Schoos
Ernzen
Fischbach
Blumenthal
Altrier
Zittig
Rippig
Graulinster
Hemstal
Berbourg
Buschdorf
Fënsterdall
Elenter
Reckange
Berschbach
Godbrange
Rollingen
Koedange
Houwald
Weyer
Behlen
Beidweiler
Brouch
Boudler
Boudlerbach
Gosseldange
Lintgen
Hunnebour
Saeul
Hollenfels
Schoenfels
Tuntange
Altlinster
Eschweiler
Manternach
Ansembourg
Marienthal
Prettingen
Blaschette
Bourglinster
Junglinster
(Jonglënster)
Biwer
Greisch
Bour
Lorentzweiler
Imbringen
Hagelsdorf
Wecker
Betzdorf
Meispelt
Hünsdorf
Helmdange
Eisenborn
Rodenbourg
Gonderange
Grevenmacher
Keispelt
Müllendorf
Bofferdange
Ernster
Olingen
Berg
Roodt-sur-Eisch
Engelshaff
Dondelange
Quatre-Vents
Steinsel
Grengewald
Roodt-
sur-Syre
Flaxweiler
Nospelt
Heisdorf
Widdebierg
Houwald
Machtum
(Kopleschit)
Kopstal
Rammeldange
Oberanven
Mensdorf
Oberdonven
Kehlen
(Kiele)
Béreldange
(Walfer)
Walferdange
Hostert
Waldhof
Senningerberg
Niederanven
(Nidderanwen)
Olm
(Kapellen)
Brameschhaff
Bridel
Brennerei
Capellen
(LËTZEBUERG)
LUXEMBOURG
Bamboësch
Dommeldange
Senningen
Niederdonven
Münsbach
Neihaischen
Uebersyren
Schuttrange
Beyren
Dreiborn
Gostingen
Mamer
(Stroossen)
Strassen
FINDEL
Sandweiler
Wormeldange
Holzem
Canach
Schrassig
Ehnen
Bertrange
Hamm
Oetrange
Scheierhaff
Lenningen
Greiveldange
Pleitrange
Moutfort
Bicherhaff
Wehr
Itzig
Contern
Medingen
Ersange
Palzem
Schlewenhof
Roedgen
Dippach-
Gare
(Hesper)
Hespérange
Alzingen
Syren
Trintange
Stadtbredimus
Leudelange
Fentange
Waldbredimus
Bous
(Réimech)
Remich
Reckange-
sur-Mess
Kockelscheuer
Hassel
Dalheim
Assel
Rolling
Ehlange
Bivange
Roeser
Erpeldange
Pissange
Wickrange
Berchem
Weiler-
la-Tour
Filsdorf
Welfrange
Scheierbierg
Bech-Kleinmacher
Wies
Nennig
Foetz
Abweiler
Pontpierre
(Betebuerg)
Bettembourg
Fennange
Livange
Crauthem
Peppange
Hau
Aspelt
Ellange
Wellenstein
Schwebsange
Tettingen
Bergem
Huncherange
Frisange
Altwies
Parc Merveilleux
Hellange
Elvange
Noertzange
Évrange
Mondorf
Preisch
Mondorf-
les-Bains
(Munneréf)
Wintrange
Remerschen
Besch
Schifflange
(Schëffléng)
Budersberg
Hagen
Himeling
Burmerange
Esch-sur-A.
(Esch-U.)
Kayl
(Käl)
Burange
Haute-Rentgen
Halling
Basse-
Rentgen
Puttelange-
lès-Thionville
Emerange
Schengen
N.D.
des Mineurs
Dudelange
(Diddeleng)
Zoufftgen
Esing
Dodenom
Beyren-
lès-Sierck
Rodemack
Faulbach
Breistroff-
la-Grde
Semming
Haute-
Kontz
Contz-
les-Bains
Apach
Rumelange
(Rëmmeléng)
Roussy-
le-Bourg
144
145
Mosel
Moselle
Alzette
Gander
Syre
Mamer
Altbach
LUXEMBOURG

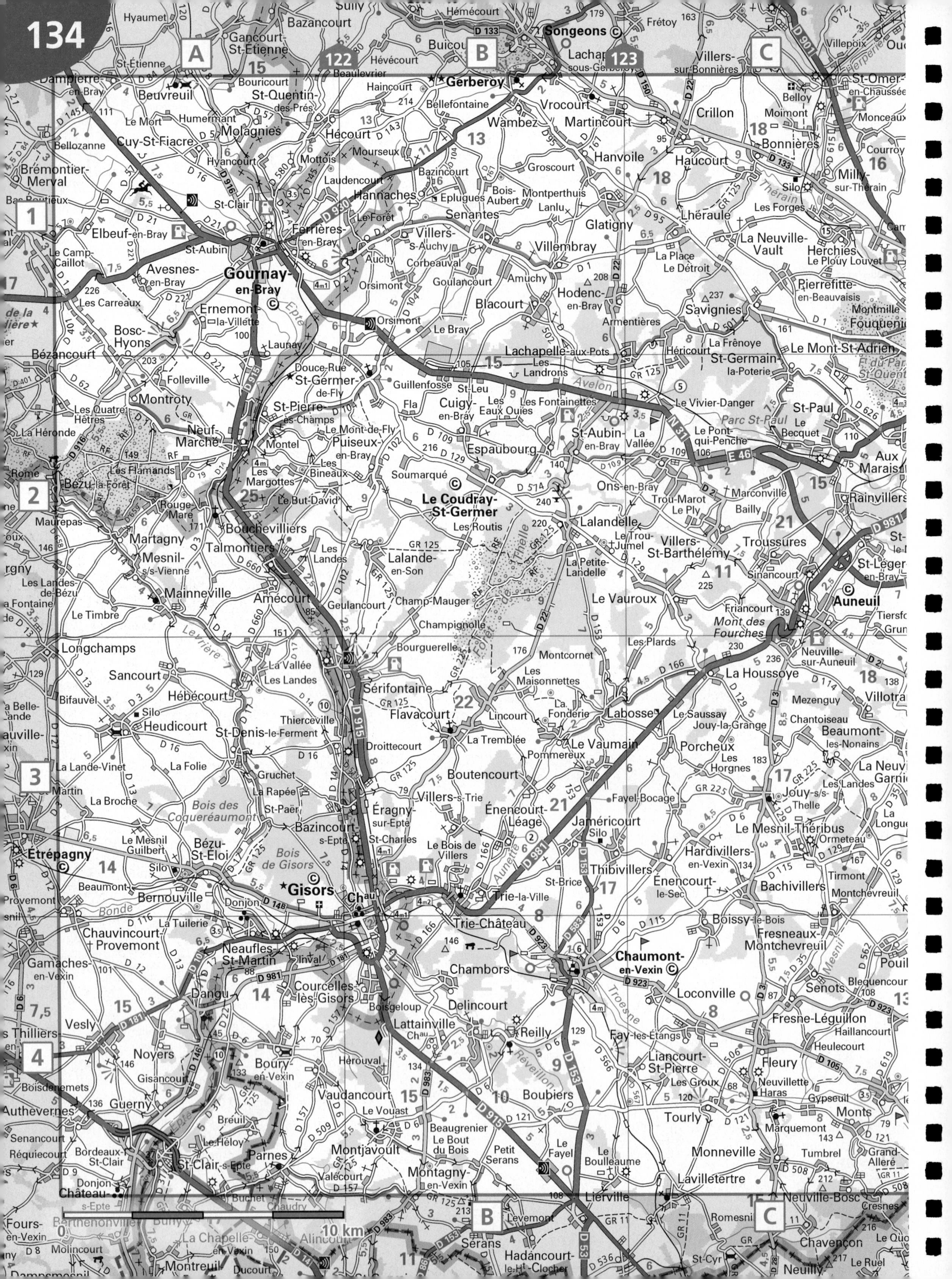
Songeons
Gerberoy
Hémécourt
Bazancourt
Gancourt-St-Étienne
St-Étienne
Hyaumet
Buicourt
Hévécourt
Frétoy
Villers-sur-Bonnières
Villepoix
Dampierre-en-Bray
Beuvreuil
Bouricourt
St-Quentin-des-Prés
Haincourt
Bellefontaine
Vrocourt
Martincourt
Crillon
St-Omer-en-Chaussée
Belloy
Moimont
Monceaux
Le Mort
Humermant
Molagnies
Hécourt
Wambez
Hanvoile
Haucourt
Bonnières
Courroy
Bellozanne
Cuy-St-Fiacre
Hyancourt
Mottois
Mourseux
Bazincourt
Groscourt
Brémontier-Merval
Laudencourt
Hannaches
Eplugues
Bois-Aubert
Montperthuis
Lanlu
Milly-sur-Thérain
Silo
Les Forges
St-Clair
Ferrières-en-Bray
La Forêt
Senantes
Glatigny
Lhéraule
Thérain
Elbeuf-en-Bray
Villers-s-Auchy
Villembray
La Neuville-Vault
Herchies
Le Plouy Louvet
Le Camp-Caillot
St-Aubin
Auchy
Corbeauval
La Place
Le Détroit
Avesnes-en-Bray
Gournay-en-Bray
Orsimont
Goulancourt
Amuchy
Hodenc-en-Bray
Pierrefitte-en-Beauvaisis
Les Carreaux
Ernemont-la-Villette
Epte
Blacourt
Savignies
Montmille
Fouquenies
Armentières
Bosc-Hyons
Le Bray
Lachapelle-aux-Pots
Héricourt
La Frênoye
Le Mont-St-Adrien
Bézancourt
Launay
Les Landrons
St-Germain-la-Poterie
Folleville
Douce-Rue
St-Germer-de-Fly
Guillenfosse
St-Leu
Avelon
Le Vivier-Danger
St-Paul
Montroty
Fla
Cuigy-en-Bray
Les Eaux Ouies
Les Fontainettes
Parc St-Paul
Le Becquet
Les Quatre Hêtres
St-Pierre-ès-Champs
Le Mont-de-Fly
St-Aubin-en-Bray
La Vallée
Le Pont-qui-Penche
La Héronde
Neuf-Marché
Montel
Puiseux-en-Bray
Espaubourg
Aux Marais
Rome
Bézu-la-Forêt
Les Flamands
Les Margottes
Les Bineaux
Soumarqué
Ons-en-Bray
Trou-Marot
Le Ply
Marconville
Bailly
Rainvillers
Le Coudray-St-Germer
Rouge-Mare
Le But-David
Les Routis
Lalandelle
Le Trou-Jumel
Villers-St-Barthélemy
Troussures
Maurepas
Bouchevilliers
Martagny
Talmontiers
Les Landes
Lalande-en-Son
La Petite-Landelle
St-Léger-en-Bray
Mesnil-s/s-Vienne
Sinancourt
Les Landes-de-Bézu
Mainneville
Amécourt
Geulancourt
Champ-Mauger
Le Vauroux
Auneuil
Friancourt
Le Timbre
Champignolle
Mont des Fourches
Les Plards
Tiersfo
Longchamps
Bourguerelle
Montcornet
Neuville-sur-Auneuil
Sancourt
La Vallée
Les Landes
Les Maisonnettes
La Houssoye
Hébécourt
Sérifontaine
Bifauvel
Silo
Flavacourt
Lincourt
La Fonderie
Labosse
Le Saussay
Jouy-la-Grange
Mezenguy
Villotran
Heudicourt
Thierceville
St-Denis-le-Ferment
La Tremblée
Le Vaumain
Chantoiseau
Beaumont-les-Nonains
Droittecourt
Pommereux
Porcheux
Les Horgnes
La Folie
La Lande-Vinet
Gruchet
Boutencourt
La Neuville-Garnier
St-Martin
La Rapée
Éragny-sur-Epte
Villers-s-Trie
Fayel-Bocage
Jouy-s/s-Thelle
Les Landes
La Broche
Bois des Coquéreaumont
St-Paër
Énencourt-Léage
Jaméricourt
Le Mesnil-Théribus
Ormeteau
Bazincourt-s-Epte
St-Charles
Le Mesnil Guilbert
Bézu-St-Éloi
Bois de Gisors
Le Bois de Villers
Silo
Hardivillers-en-Vexin
Étrépagny
Thibivillers
Énencourt-le-Sec
Bachivillers
Tirmont
Beaumont
Gisors
St-Brice
Trie-la-Ville
Montchevreuil
Provemont
Bernouville
Donjon
Bonde
Boissy-le-Bois
La Tuilerie
Trie-Château
Fresneaux-Montchevreuil
Chauvincourt-Provemont
Neaufles-St-Martin
Inval
Chambors
Chaumont-en-Vexin
Gamaches-en-Vexin
Courcelles-lès-Gisors
Loconville
Senots
Bléquencourt
Dangu
Delincourt
Fresne-Léguillon
Haillancourt
Boisgeloup
Lattainville
Reilly
Troesne
Fay-les-Étangs
Heulecourt
Vesly
Noyers
Bouy-en-Vexin
Hérouval
Réveillon
Liancourt-St-Pierre
Fleury
Gisancourt
Les Groux
Neuvillette
Haras
Boisdenemets
Vaudancourt
Boubiers
Autheverne
Guerny
Tourly
Gypseuil
Monts
Le Vouast
Marquemont
Breuil
Beaugrenier
Le Bout du Bois
Senancourt
Le Héloy
Grand-Allere
Réquiecourt
Bordeaux-St-Clair
Parnes
Montjavoult
Petit Serans
Le Fayel
Monneville
Tumbrel
St-Clair-s-Epte
Le Boulleaume
Donjon
Valécourt
Montagny-en-Vexin
Lavilletertre
Château-s-Epte
Buchet
Chaudry
Lierville
Neuville-Bosc
Cresnes
Fours-en-Vexin
Berthenonville
Bully
Levemont
Romesnil
La Chapelle-en-Vexin
Alincourt
Chavençon
Le Quo
Molincourt
Serans
Hadancourt-le-Ht-Clocher
St-Cyr
Le Ruel
Dampsmesnil
Montreuil
Ducourt
Neuilly
10 km
Forêt de Thelle
Lévrière
Aunette
Mesnil
Ft du Parc St-Quentin
Le Ploy
Épte
Le Ht Clocher

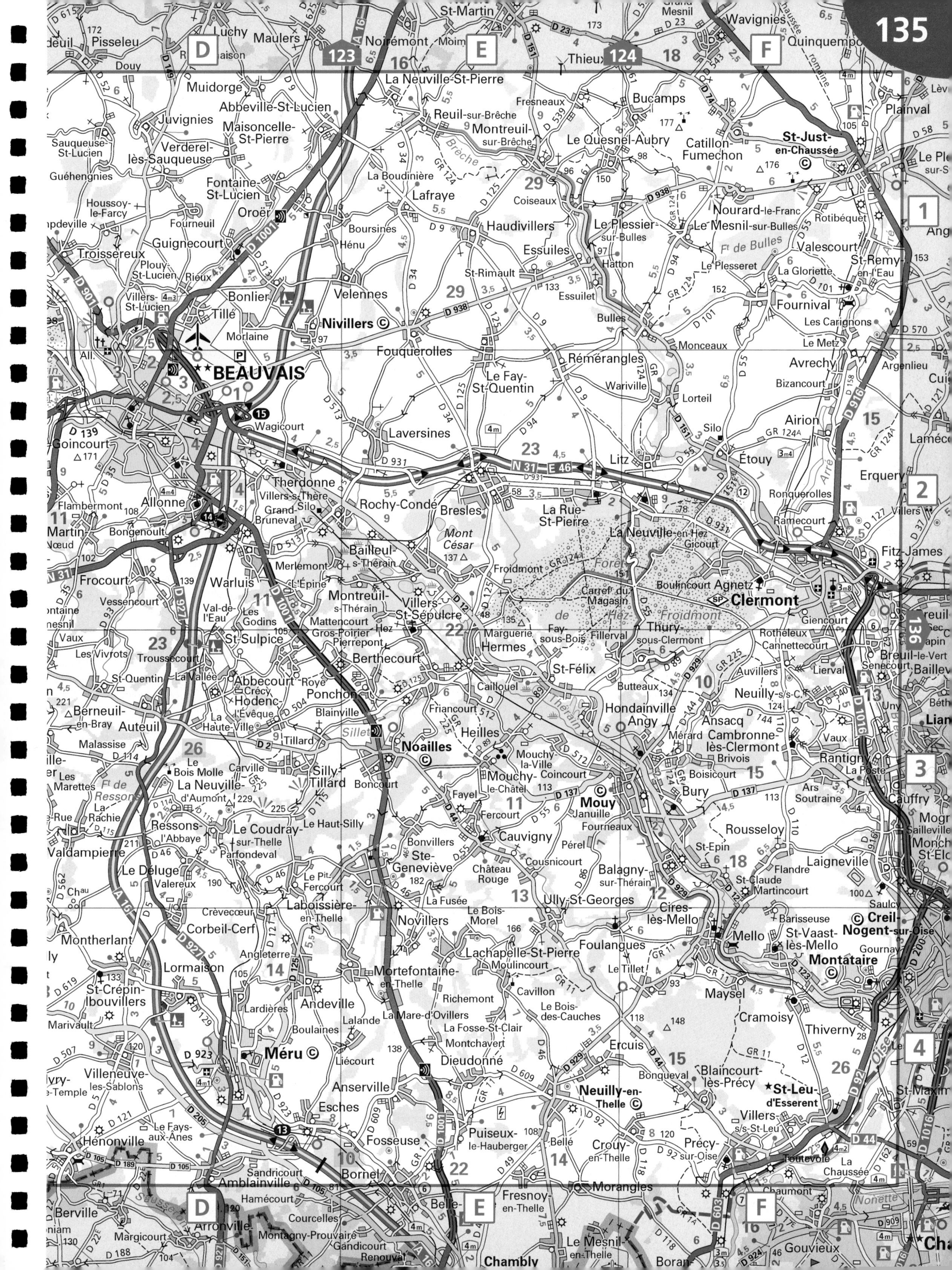
St-Martin
Luchy
Maulers
Noirémont
Wavignies
Quinquempoix
Pisseleu
Thieux
La Neuville-St-Pierre
Muidorge
Abbeville-St-Lucien
Reuil-sur-Brêche
Montreuil-sur-Brêche
Fresneaux
Bucamps
Juvignies
Maisoncelle-St-Pierre
Sauqueuse-St-Lucien
Verderel-lès-Sauqueuse
Le Quesnel-Aubry
Catillon-Fumechon
St-Just-en-Chaussée
Plainval
Guéhengnies
Fontaine-St-Lucien
La Boudinière
Lafraye
Coiseaux
Nourard-le-Franc
Le Mesnil-sur-Bulles
Rotibéquet
Houssoy-le-Farcy
Oroër
Haudivillers
Le Plessier-sur-Bulles
Fourneuil
Boursines
Hénu
Essuiles
Hatton
Valescourt
St-Remy-en-l'Eau
Troissereux
Guignecourt
Le Plesseret
La Gloriette
Plouy-St-Lucien
Rieux
St-Rimault
Essuilet
Fournival
Villers-St-Lucien
Bonlier
Tillé
Velennes
Nivillers
Bulles
Les Carignons
Morlaine
Monceaux
Le Metz
Fouquerolles
Rémérangles
Avrechy
Argenlieu
BEAUVAIS
Le Fay-St-Quentin
Wariville
Bizancourt
Lorteil
Airion
Wagicourt
Laversines
Silo
Goincourt
Litz
Étouy
Erquery
Therdonne
Villers-s-Thère
Allonne
Rochy-Condé
Bresles
La Rue-St-Pierre
Ronquerolles
Flambermont
Grand-Bruneval
Martin-Nœud
Bongenoult
Mont César
La Neuville-en-Hez
Gicourt
Ramecourt
Fitz-James
Bailleul-s-Thérain
Merlemont
Froidmont
Forêt
Frocourt
L'Épine
Warluis
Carref. du Magasin
Boulincourt
Agnetz
Clermont
Vessencourt
Montreuil-s-Thérain
Villers-St-Sépulcre
Val-de-l'Eau
Les Godins
Mattencourt
Gros-Poirier
Pierrepont
Hez
de Hez
Froidmont
Thury-sous-Clermont
Giencourt
Fay-sous-Bois
Fillerval
Marguerie
Hermes
Vaux
Les Vivrots
St-Sulpice
Troussecourt
Berthecourt
Rothéleux
Cannettecourt
Breuil-le-Vert
St-Quentin
La Vallée
Abbecourt
Crécy
Roye
Ponchon
St-Félix
Cailloüel
Butteaux
Auvilliers
Lierval
Neuilly-s/s-C.
Berneuil-en-Bray
Auteuil
Hodenc-l'Évêque
La Haute-Ville
Blainville
Friancourt
Hondainville
Angy
Ansacq
Tillard
Sillet
Heilles
Noailles
Mérard
Cambronne-lès-Clermont
Brivois
Malassise
Vaux
Rantigny
La Poste
Le Bois Molle
Carville
Les Marettes
Silly-Tillard
Mouchy-la-Ville
Mouchy-le-Châtel
Coincourt
Boisicourt
La Neuville-d'Aumont
Ft de Resson
Boncourt
Bury
Ars
Soutraine
Cauffry
La Rachie
Fayel
Mouy
Fercourt
Janville
Ressons-l'Abbaye
Le Coudray-sur-Thelle
Le Haut-Silly
Fourneaux
Rousseloy
Cauvigny
Bonvillers
Valdampierre
Parfondeval
Pérel
St-Epin
Laigneville
Le Déluge
Ste-Geneviève
Cousnicourt
Flandre
Valereux
Le Pit Fercourt
Château Rouge
Balagny-sur-Thérain
St-Claude
Martincourt
La Fusée
Ully-St-Georges
Laboissière-en-Thelle
Le Bois-Morel
Cires-lès-Mello
Barisseuse
Creil
Crèvecœur
Novillers
Nogent-sur-Oise
Corbeil-Cerf
Mello
St-Vaast-lès-Mello
Montherlant
Foulangues
Gournay
Angleterre
Lachapelle-St-Pierre
Montataire
Moulincourt
Le Tillet
Lormaison
Mortefontaine-en-Thelle
Cavillon
Maysel
St-Crépin-Ibouvillers
Richemont
Andeville
Lardières
Le Bois-des-Cauches
Cramoisy
Marivault
Lalande
La Mare-d'Ovillers
Thiverny
Boulaines
La Fosse-St-Clair
Montchavert
Ercuis
Méru
Liécourt
Dieudonné
Bonqueval
Blaincourt-lès-Précy
Villeneuve-les-Sablons
Anserville
Neuilly-en-Thelle
St-Leu-d'Esserent
Eschès
Villers-s/s-St-Leu
Le Fays-aux-Ânes
Hénonville
Fosseuse
Puiseux-le-Hauberger
Bellé
Crouy-en-Thelle
Précy-sur-Oise
Toutevoie
La Chaussée
Sandricourt
Amblainville
Bornel
Morangles
Chaumont
Hamécourt
Berville
Courcelles
Belle-Église
Fresnoy-en-Thelle
Arronville
Margicourt
Montagny-Prouvaire
Gandicourt
Renouval
Chambly
Le Mesnil-en-Thelle
Boran
Gouvieux
D
E
F
1
2
3
4
136

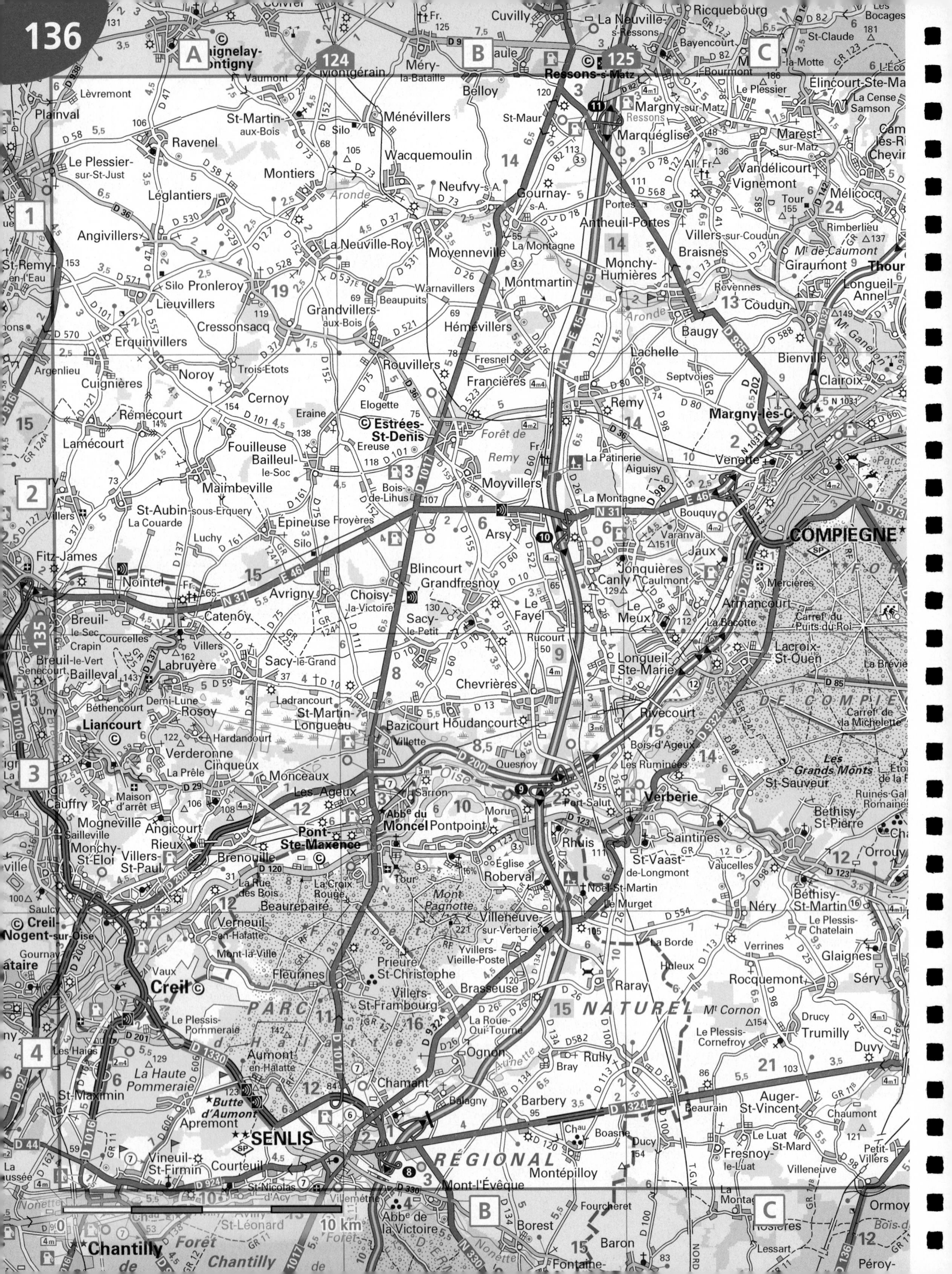
A
B
C
124
125
1
2
3
4
Ressons-s-Matz
Cuvilly
La Neuville-s-Ressons
Ricquebourg
Bayencourt
St-Claude
Montgérain
Méry-la-Bataille
Belloy
Lèvremont
Vaumont
Plainval
St-Martin-aux-Bois
Ménévillers
Margny-sur-Matz
Marquéglise
Marest-sur-Matz
Élincourt-Ste-Marguerite
Le Plessier
Ravenel
Wacquemoulin
Le Plessier-sur-St-Just
Montiers
Neufvy-s-A.
Gournay-s-A.
Léglantiers
Aronde
Vandélicourt
Vignemont
Mélicocq
Antheuil-Portes
Villers-sur-Coudun
Rimberlieu
Angivillers
La Neuville-Roy
Moyenneville
La Montagne
Braisnes
Mt de Caumont
Giraumont
St-Remy-en-l'Eau
Monchy-Humières
Montmartin
Longueil-Annel
Pronleroy
Lieuvillers
Warnavillers
Beaupuits
Coudun
Grandvillers-aux-Bois
Revennes
Cressonsacq
Hémévillers
Baugy
Erquinvillers
Lachelle
Bienville
Argenlieu
Trois-Etots
Rouvillers
Fresnel
Francières
Septvoies
Clairoix
Cuignières
Noroy
Cernoy
Remy
Margny-lès-C.
Elogette
Remécourt
Eraine
Estrées-St-Denis
Lamécourt
Fouilleuse
Ereuse
Forêt de Remy
La Patinerie
Aiguisy
Venette
Bailleul-le-Soc
Bois-de-Lihus
Moyvillers
Maimbeville
La Montagne
St-Aubin-sous-Erquery
La Couarde
Épineuse
Froyères
Arsy
Bouquy
Varanval
COMPIÈGNE
Luchy
Silo
Jaux
Fitz-James
Nointel
Blincourt
Grandfresnoy
Jonquières
Canly
Caulmont
Mercières
Avrigny
Choisy-la-Victoire
Le Fayel
Le Meux
Armancourt
Breuil-le-Sec
Crapin
Courcelles
Catenoy
Sacy-le-Petit
La Bacotte
Carref du Puits-du-Roi
Villers
Rucourt
Lacroix-St-Ouen
Breuil-le-Vert
Senecourt
Bailleval
Labruyère
Sacy-le-Grand
Longueil-Ste-Marie
La Brevière
Chevrières
Béthencourt
Demi-Lune
Ladrancourt
Rosoy
St-Martin-Longueau
Houdancourt
Rivecourt
Liancourt
Bazicourt
Villette
Hardancourt
Bois-d'Ageux
Carref de la Michelette
Verderonne
Cinqueux
Le Quesnoy
Les Ruminées
Les Grands Monts
La Prêle
Monceaux
St-Sauveur
Cauffry
Maison d'arrêt
Les Ageux
Sarron
Oise
Port-Salut
Verberie
Ruines Gallo-Romaines
Mogneville
Angicourt
Abbe du Moncel
Pontpoint
Moru
Béthisy-St-Pierre
Monchy-St-Éloi
Rieux
Pont-Ste-Maxence
Rhuis
Saintines
Orrouy
Villers-St-Paul
Brenouille
Église
St-Vaast-de-Longmont
Vaucelles
Tour
Roberval
Noël-St-Martin
La Rue des Bois
La Croix Rouge
Mont Pagnotte
Le Murget
Béthisy-St-Martin
Saulcy
Beaurepaire
Néry
Creil-Nogent-sur-Oise
Verneuil-en-Halatte
Villeneuve-sur-Verberie
Le Plessis-Chatelain
Yvillers-Vieille-Poste
La Borde
Verrines
Glaignes
Mont-la-Ville
Gournay
Fleurines
Prieuré St-Christophe
Huleux
Vaux
Rocquemont
Séry
Creil
Brasseuse
Raray
Villers-St-Frambourg
PARC NATUREL RÉGIONAL
Mt Cornon
Le Plessis-Pommeraie
La Roue-Qui-Tourne
Drucy
Trumilly
Le Plessis-Cornefroy
Duvy
Les Haies
Ognon
Rully
Aumont-en-Halatte
Bray
La Haute Pommeraie
Chamant
Auger-St-Vincent
Barbery
Beaurain
Chaumont
St-Maximin
Butte d'Aumont
Balagny
Apremont
SENLIS
Boasne
Ducy
Le Luat
St-Mard
Fresnoy-le-Luat
Petit-Villers
Vineuil-St-Firmin
Courteuil
Montépilloy
Villeneuve
St-Nicolas-d'Acy
Mont-l'Évêque
Villemétrie
Nonette
Fourcheret
La Montagne
Ormoy
Abbe de la Victoire
Borest
Rosières
St-Léonard
Chantilly
Forêt de Chantilly
Baron
Lessart
Péroy-
Fontaine-
10 km

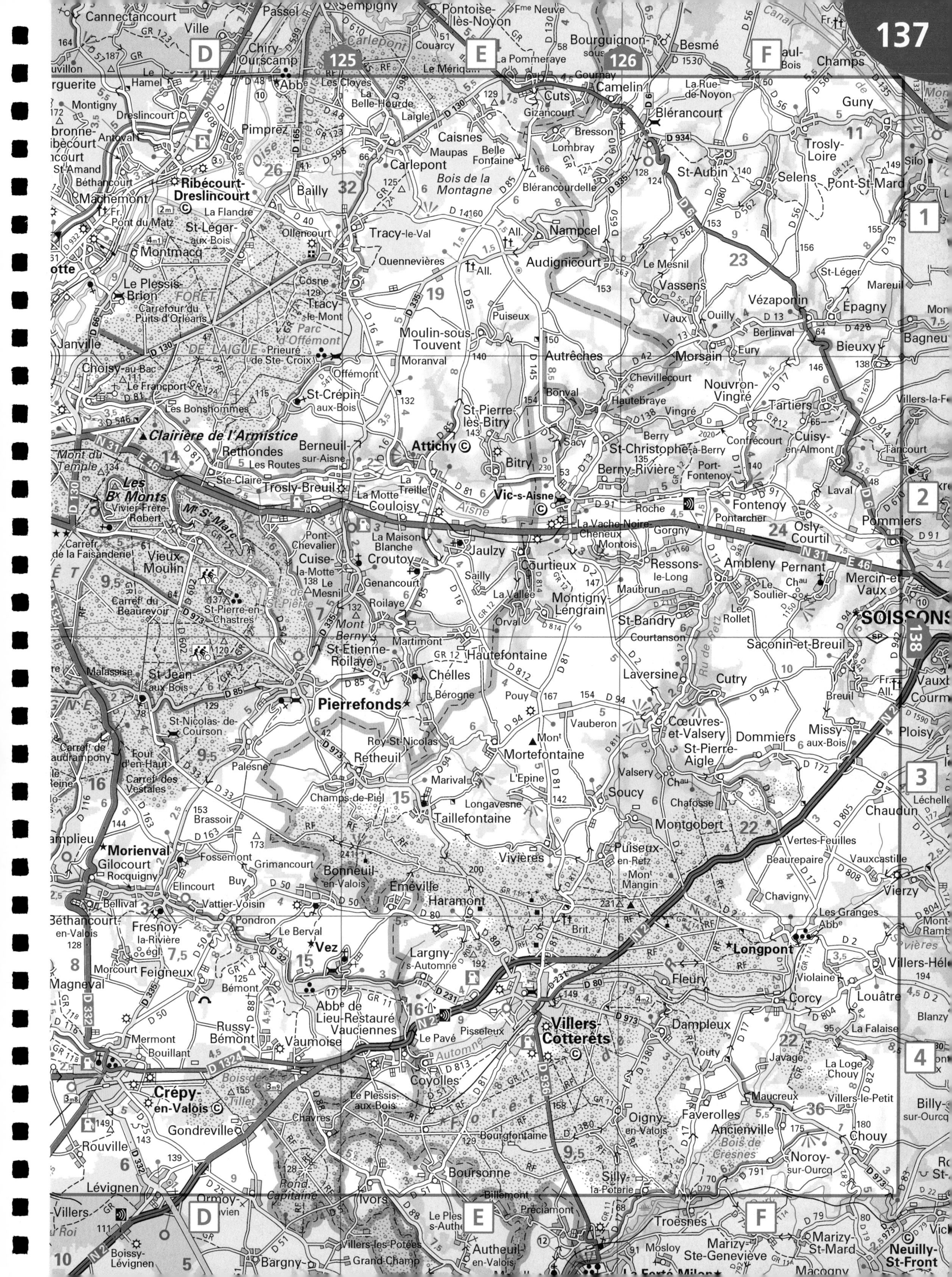
D
E
F
125
126
Cannectancourt
Passel
Ville
Sempigny
Pontoise-lès-Noyon
Chiry-Ourscamp
Couarcy
La Pommeraye
Bourguignon-sous
Besmé
Champs
Abbé
Les Cloyes
La Belle-Hourde
Laigle
Cuts
Camelin
Gizancourt
Blérancourt
Guny
Dreslincourt
Montigny
Antoval
Pimprez
Caisnes
Maupas
Belle Fontaine
Bresson
Lombray
St-Aubin
Trosly-Loire
Selens
Pont-St-Mard
Béthancourt
Machemont
Ribécourt-Dreslincourt
Carlepont
Bailly
Bois de la Montagne
Blérancourdelle
La Flandre
Pont du Matz
St-Léger-aux-Bois
Montmacq
Ollencourt
Tracy-le-Val
Nampcel
Quennevières
Audignicourt
Le Mesnil
Vassens
St-Léger
Mareuil
Le Plessis-Brion
Carrefour du Puits d'Orléans
Forêt de Laigue
Cosne
Tracy-le-Mont
Parc d'Offémont
Prieuré de Ste-Croix
Puiseux
Vézaponin
Épagny
Vaux
Ouilly
Berlinval
Janville
Moulin-sous-Touvent
Moranval
Autrêches
Morsain
Eury
Bieuxy
Bagneux
Choisy-au-Bac
Le Francport
Offémont
St-Crépin-aux-Bois
Chevillecourt
Nouvron-Vingré
Tartiers
Les Bonshommes
Bonval
Hautebraye
Vingré
Cuisy-en-Almont
Villers-la-Fosse
Clairière de l'Armistice
Rethondes
Berneuil-sur-Aisne
Attichy
St-Pierre-lès-Bitry
Bitry
Berry
Sacy
St-Christophe-à-Berry
Confrécourt
Tancourt
Mont du Temple
Les Routes
Berny-Rivière
Port-Fontenoy
Les Bx Monts
Ste-Claire
Trosly-Breuil
La Motte
La Treille
Couloisy
Vic-s-Aisne
Roche
Fontenoy
Laval
Vivier-Frère-Robert
Mt St Marc
Aisne
La Vache Noire
Gorgny
Pontarcher
Osly-Courtil
Pommiers
Carrefr de la Faisanderie
Pont-Chevalier
La Maison Blanche
Jaulzy
Cheneux
Montois
Ressons-le-Long
Ambleny
Pernant
Vieux-Moulin
Cuise-la-Motte
Croutoy
Sailly
Courtieux
Mercin-et-Vaux
Le Mesnil
Genancourt
La Vallée
Maubrun
Le Soulier
Carrefr du Beaurevoir
St-Pierre-en-Chastres
Roilaye
Montigny-Lengrain
Le Rollet
Mont Berny
Orval
St-Bandry
Courtanson
Soissons
Martimont
St-Etienne-Roilaye
Hautefontaine
Saconin-et-Breuil
Malassise
St-Jean-aux-Bois
Chelles
Laversine
Cutry
Bérogne
Pierrefonds
Pouy
Breuil
Vauxbuin
Courmelles
St-Nicolas-de-Courson
Vauberon
Cœuvres-et-Valsery
Dommiers
Missy-aux-Bois
Ploisy
Carrefr de Vaudrampont
Four d'en-Haut
Roy-St-Nicolas
Retheuil
Mont Mortefontaine
St-Pierre-Aigle
Palesne
Marival
L'Épine
Valsery
Soucy
Carrefr des Vestales
Champs-de-Piel
Longavesne
Taillefontaine
Chafosse
Chaudun
Léchelle
Brassoir
Montgobert
Vertes-Feuilles
Morienval
Fossemont
Grimancourt
Bonneuil-en-Valois
Vivières
Puiseux-en-Retz
Mont Mangin
Beaurepaire
Vauxcastille
Gilocourt
Rocquigny
Elincourt
Buy
Éméville
Chavigny
Vierzy
Bellival
Vattier-Voisin
Haramont
Béthancourt-en-Valois
Fresnoy-la-Rivière
Pondron
Le Berval
Brit
Les Granges
Vez
Largny-s-Automne
Longpont
Villers-Hélon
Morcourt
Feigneux
Bémont
Magneval
Fleury
Violaine
Abbe de Lieu-Restauré
Vauciennes
Corcy
Louâtre
Russy-Bémont
Pisseleux
Villers-Cotterêts
Dampleux
Blanzy
Mermont
Bouillant
Vaumoise
Le Pavé
Automne
La Falaise
Vouty
Javage
La Loge Chouy
Crépy-en-Valois
Bois du Tillet
Coyolles
Le Plessis-aux-Bois
Maucreux
Villers-le-Petit
Billy-sur-Ourcq
Gondreville
Chavres
Oigny-en-Valois
Faverolles
Ancienville
Chouy
Rouville
Bourgfontaine
Bois de Cresnes
Noroy-sur-Ourcq
Boursonne
Silly-la-Poterie
Lévignen
Rond Capitaine
Billemont
Ormoy-Villers
Ivors
Préciamont
Troësnes
Le Plessis-s-Autheuil
Marizy-Ste-Geneviève
Marizy-St-Mard
Neuilly-St-Front
Boissy-Lévignen
Bargny
Villers-les-Potées
Grand-Champ
Autheuil-en-Valois
Mosloy
La Ferté-Milon
Macogny
1
2
3
4

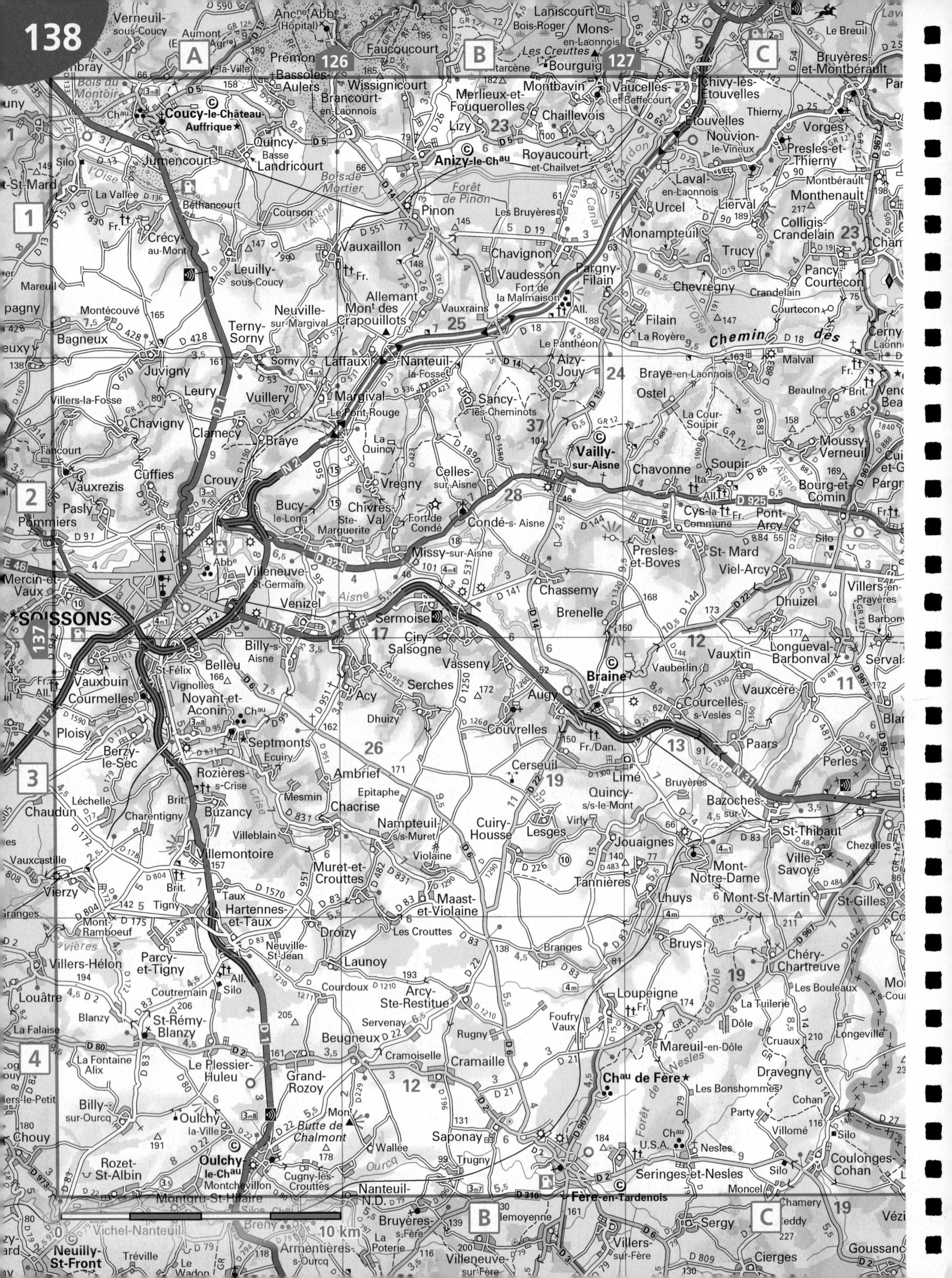

Verneuil-sous-Coucy
Aumont
Ancne Abbe (Hôpital)
Faucoucourt
Laniscourt
Bois-Roger
Mons-en-Laonnois
Les Creuttes
Bourguignon
Le Breuil
Bruyères-et-Montbérault
A
B
C
126
127
Premontré
Bassoles-Aulers
Wissignicourt
Brancourt-en-Laonnois
Merlieux-et-Fouquerolles
Montbavin
Vaucelles-et-Beffecourt
Chivy-lès-Étouvelles
Coucy-le-Château-Auffrique
Lizy
Chaillevois
Étouvelles
Thierny
Vorges
Nouvion-le-Vineux
Presles-et-Thierny
Quincy-Basse
Anizy-le-Château
Royaucourt-et-Chailvet
Jumencourt
Landricourt
Bois de Mortier
Laval-en-Laonnois
Montbérault
Monthenault
Forêt de Pinon
Béthancourt
Pinon
Urcel
Lierval
Courson
Les Bruyères
La Vallée
Colligis-Crandelain
Monampteuil
Crécy-au-Mont
Vauxaillon
Chavignon
Trucy
Leuilly-sous-Coucy
Vaudesson
Pargny-Filain
Pancy-Courtecon
Mareuil
Allemant
Fort de la Malmaison
Chevregny
Montécouvé
Neuville-sur-Margival
Mont des Crapouillots
Vauxrains
Filain
Crandelain
Courtecon
Bagneux
Terny-Sorny
La Royère
Chemin des Dames
Cerny-en-Laonnois
Le Panthéon
Sorny
Laffaux
Nanteuil-la-Fosse
Aizy-Jouy
Braye-en-Laonnois
Malval
Juvigny
Leury
Vuillery
Margival
Sancy-les-Cheminots
Ostel
Beaulne
Villers-la-Fosse
Le Pont-Rouge
La Cour-Soupir
Chavigny
Clamecy
Braye
La Quincy
Vailly-sur-Aisne
Moussy-Verneuil
Tancourt
Celles-sur-Aisne
Cuffies
Crouy
Vregny
Chavonne
Soupir
Bourg-et-Comin
Vauxrezis
Bucy-le-Long
Chivres-Val
Ste-Marguerite
Fort de Condé
Condé-s-Aisne
Cys-la-Commune
Pont-Arcy
Pasly
Pommiers
Missy-sur-Aisne
Presles-et-Boves
St-Mard
Viel-Arcy
Mercin-et-Vaux
Villeneuve-St-Germain
Chassemy
Villers-en-Prayères
Venizel
Brenelle
Dhuizel
SOISSONS
Sermoise
Ciry-Salsogne
Billy-s-Aisne
Longueval-Barbonval
Vauxtin
Vasseny
Braine
Vauberlin
St-Félix
Belleu
Serches
Vauxcéré
Vauxbuin
Vignolles
Courmelles
Noyant-et-Aconin
Acy
Augy
Courcelles-s-Vesles
Ploisy
Dhuizy
Couvrelles
Septmonts
Berzy-le-Sec
Ecuiry
Paars
Perles
Rozières-s-Crise
Ambrief
Cerseuil
Limé
Bruyères
Epitaphe
Quincy-s/s-le-Mont
Léchelle
Mesmin
Chacrise
Bazoches-sur-V.
Chaudun
Charentigny
Buzancy
Nampteuil-s/s-Muret
Cuiry-Housse
Lesges
Virly
St-Thibaut
Villeblain
Jouaignes
Chezelles
Vauxcastille
Villemontoire
Violaine
Ville-Savoye
Muret-et-Crouttes
Tannières
Mont-Notre-Dame
Vierzy
Tigny
Taux
Maast-et-Violaine
Lhuys
Mont-St-Martin
St-Gilles
Hartennes-et-Taux
Mont-Ramboeuf
Droizy
Les Crouttes
Parcy-et-Tigny
Neuville-St-Jean
Launoy
Branges
Bruys
Chéry-Chartreuve
Villers-Hélon
Courdoux
Arcy-Ste-Restitue
Loupeigne
Les Bouleaux
Louâtre
Coutremain
La Tuilerie
Blanzy
St-Rémy-Blanzy
Servenay
Foufry
Vaux
Bois de Dôle
Dôle
La Falaise
Beugneux
Rugny
Mareuil-en-Dôle
Cruaux
Longeville
La Fontaine Alix
Le Plessier-Huleu
Cramoiselle
Cramaille
Dravegny
Grand-Rozoy
Chau de Fère
Les Bonshommes
Billy-sur-Ourcq
Oulchy-la-Ville
Mont Butte de Chalmont
Forêt de Nesles
Cohan
Party
Villomé
Chouy
Saponay
Wallée
Trugny
Rozet-St-Albin
Oulchy-le-Château
Cugny-lès-Crouttes
Seringes-et-Nesles
Coulonges-Cohan
Montchevillon
Nanteuil-N.D.
Moncel
Montgru-St-Hilaire
Fère-en-Tardenois
Chamery
Bruyères-s-Fère
Lemoyenne
Sergy
Vichel-Nanteuil
Breny
La Poterie
Armentières-s-Ourcq
Villers-sur-Fère
Neuilly-St-Front
Tréville
Villeneuve-sur-Fère
Cierges
Goussancourt
10 km

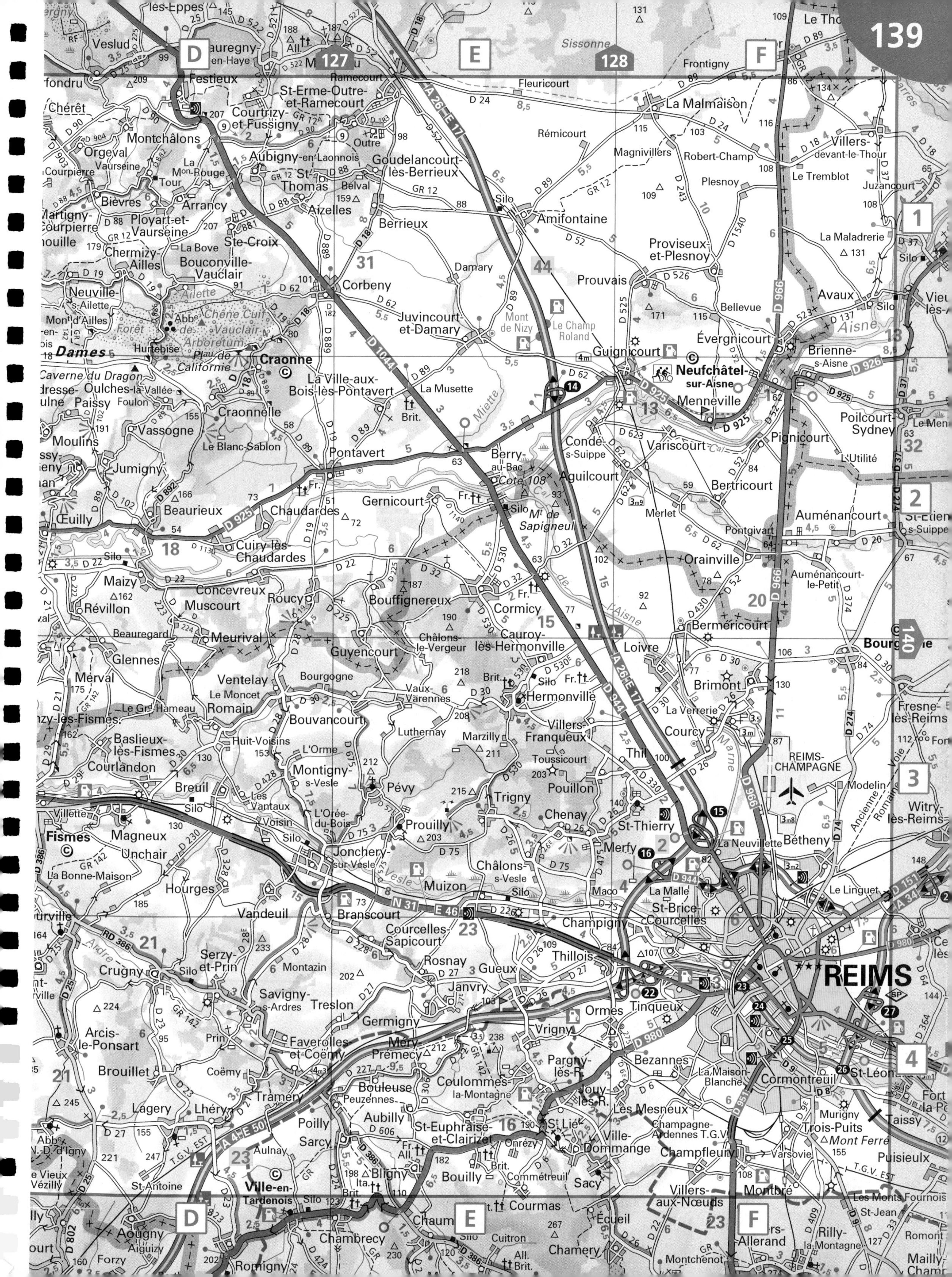
D
E
F
127
128
140
1
2
3
4
Veslud
Laurégny-en-Haye
Festieux
Sissonne
Frontigny
Le Thour
Fleuricourt
La Malmaison
St-Erme-Outre-et-Ramecourt
Ramecourt
Courtrizy-et-Fussigny
Chérêt
Montchâlons
Orgeval
Vaurseine
Outre
Aubigny-en-Laonnois
Goudelancourt-lès-Berrieux
Rémicourt
Magnivillers
Robert-Champ
Villers-devant-le-Thour
Le Tremblot
Juzancourt
Courpierre
Mon-Rouge
Tour
St-Thomas
Belval
Bièvres
Arrancy
Aizelles
Berrieux
Amifontaine
Plesnoy
Proviseux-et-Plesnoy
La Maladrerie
Martigny-Courpierre
Ployart-et-Vaurseine
Ste-Croix
Chermizy-Ailles
La Bove
Bouconville-Vauclair
Damary
Prouvais
Bellevue
Avaux
Neuville-s-Ailette
Mont d'Ailles
Corbeny
Juvincourt-et-Damary
Mont de Nizy
Le Champ Roland
Évergnicourt
Brienne-s-Aisne
Aisne
Ailette
Abbe
Chêne Cuif
Vauclair
Forêt
Arboretum
Dames
Hurtebise
Plau de Californie
Craonne
Guignicourt
Neufchâtel-sur-Aisne
Menneville
Caverne du Dragon
Oulches-la-Vallée-Foulon
Paissy
La Ville-aux-Bois-lès-Pontavert
La Musette
Brit.
Miette
Poilcourt-Sydney
Craonnelle
Vassogne
Le Blanc-Sablon
Moulins
Pontavert
Berry-au-Bac
Condé-s-Suippe
Variscourt
Pignicourt
L'Utilité
Jumigny
Cote 108
Aguilcourt
Bertricourt
Beaurieux
Chaudardes
Gernicourt
Mt de Sapigneul
Merlet
Auménancourt
St-Etienne-s-Suippe
Œuilly
Cuiry-lès-Chaudardes
Pontgivart
Orainville
Maizy
Concevreux
Roucy
Bouffignereux
Cormicy
Auménancourt-le-Petit
Révillon
Muscourt
Bermericourt
Beauregard
Meurival
Guyencourt
Châlons-le-Vergeur
Cauroy-lès-Hermonville
Loivre
Bourgogne
Glennes
Merval
Ventelay
Le Moncet
Romain
Vaux-Varennes
Hermonville
Brimont
Le Gd-Hameau
Bouvancourt
La Verrerie
Fresne-lès-Reims
Baslieux-lès-Fismes
Huit-Voisins
Luthernay
Marzilly
Villers-Franqueux
Courcy
Courlandon
L'Orme
Montigny-s-Vesle
Toussicourt
Thil
Reims-Champagne
Breuil
Pévy
Pouillon
Trigny
Modelin
Witry-lès-Reims
Les Vantaux
Voisin
Villette
Fismes
Magneux
L'Orée-du-Bois
Prouilly
Chenay
St-Thierry
Bétheny
Unchair
Jonchery-sur-Vesle
Châlons-s-Vesle
Merfy
La Neuvillette
La Bonne-Maison
Hourges
Vesle
Muizon
Maco
La Malle
Le Linguet
Vandeuil
Branscourt
St-Brice-Courcelles
Courcelles-Sapicourt
Champigny
Aisne
Ardre
Serzy-et-Prin
Montazin
Rosnay
Gueux
Thillois
Reims
Crugny
Janvry
Savigny-s-Ardres
Treslon
Ormes
Tinqueux
Germigny
Arcis-le-Ponsart
Prin
Faverolles-et-Coëmy
Méry-Prémecy
Vrigny
Pargny-lès-R.
Bezannes
Brouillet
Coëmy
Bouleuse
Coulommes-la-Montagne
La Maison-Blanche
Cormontreuil
St-Léonard
Tramery
Peuzennes
Jouy-lès-R.
Fort de la Pompelle
Lagery
Lhéry
Poilly
Aubilly
Les Mesneux
Murigny
Taissy
St-Euphraise-et-Clairizet
St Lié
Champagne-Ardennes T.G.V.
Trois-Puits
Abbe N.D. d'Igny
Sarcy
Onrézy
Ville-Dommange
Mont Ferré
Aulnay
Champfleury
Varsovie
Puisieulx
Le Vieux Vézilly
Bligny
Bouilly
Commétreuil
Sacy
Montbré
St-Antoine
Ville-en-Tardenois
Villers-aux-Nœuds
Courmas
Les Monts Fournois
St-Jean
Écueil
Chaumuzy
Aougny
Aiguizy
Chambrecy
Cuitron
Chamery
Rilly-la-Montagne
Romont
Forzy
Romigny
Montchenot
Mailly-Champagne

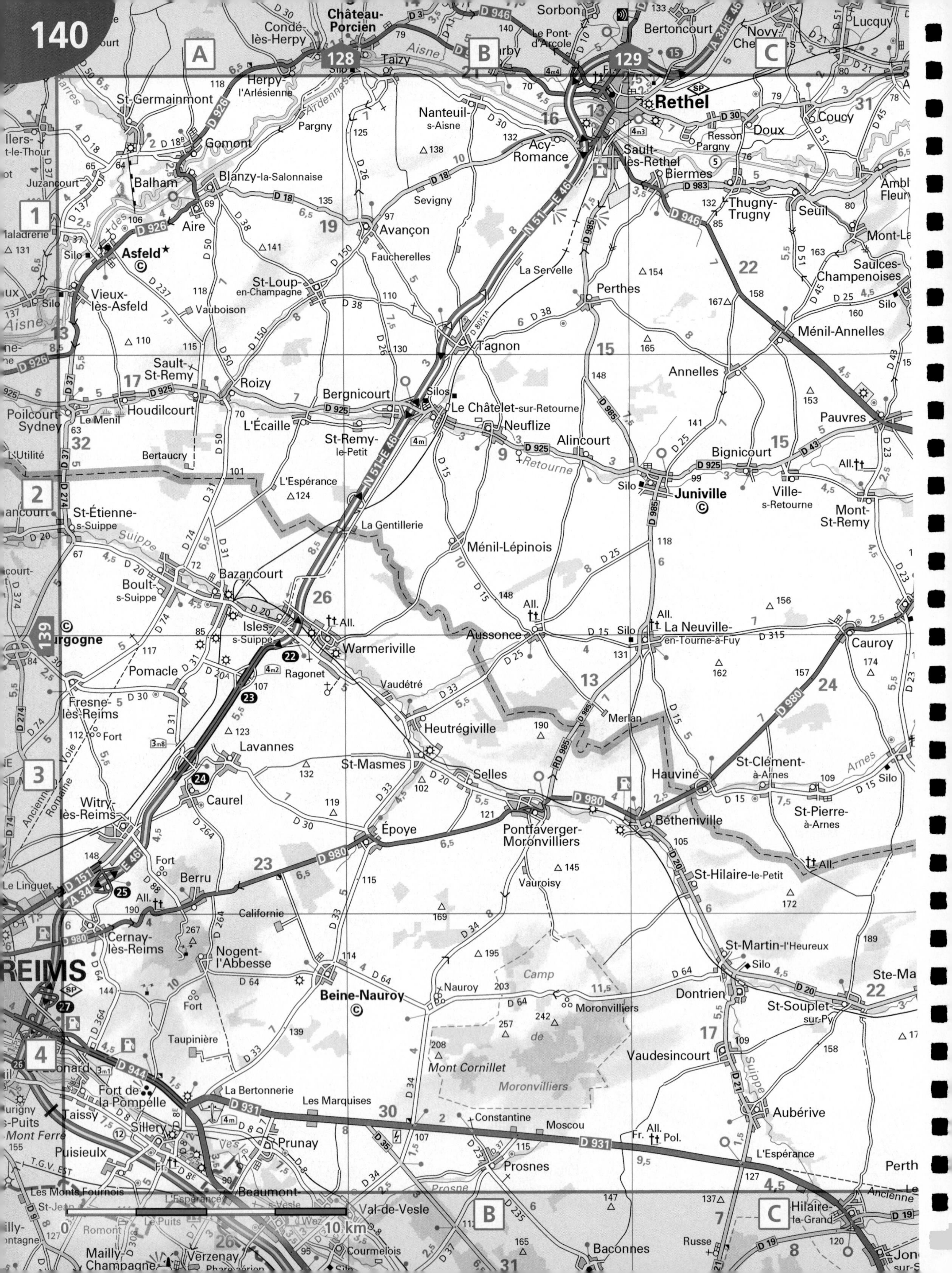

Château-Porcien
Condé-lès-Herpy
Sorbon
Bertoncourt
Novy-Chevrières
Lucquy
Le Pont-d'Arcole
Taizy
Aisne
Herpy-l'Arlésienne
St-Germainmont
Ardennes
Nanteuil-s-Aisne
Rethel
Coucy
Doux
Resson
Pargny
Acy-Romance
Sault-lès-Rethel
Biermes
Gomont
Balham
Blanzy-la-Salonnaise
Juzancourt
Sevigny
Thugny-Trugny
Seuil
Aire
Asfeld
Avançon
Faucherelles
Mont-Laurent
La Servelle
Saulces-Champenoises
Vieux-lès-Asfeld
St-Loup-en-Champagne
Perthes
Vauboison
Tagnon
Ménil-Annelles
Sault-St-Remy
Roizy
Annelles
Bergnicourt
Silos
Le Châtelet-sur-Retourne
Poilcourt-Sydney
Houdilcourt
Le Ménil
L'Écaille
Neuflize
Alincourt
Pauvres
St-Remy-le-Petit
Bignicourt
Bertaucry
Retourne
L'Utilité
L'Espérance
Juniville
Ville-s-Retourne
Mont-St-Remy
St-Étienne-s-Suippe
La Gentillerie
Suippe
Ménil-Lépinois
Bazancourt
Boult-s-Suippe
Isles-s-Suippe
Warmeriville
Aussonce
La Neuville-en-Tourne-à-Fuy
Cauroy
Bourgogne
Pomacle
Ragonet
Vaudétré
Fresne-lès-Reims
Fort
Heutrégiville
Merlan
Lavannes
St-Masmes
Selles
Hauviné
St-Clément-à-Arnes
Arnes
Witry-lès-Reims
Caurel
Ancienne Voie Romaine
Époye
Pontfaverger-Moronvilliers
Bétheniville
St-Pierre-à-Arnes
Berru
Vauroisy
St-Hilaire-le-Petit
Le Linguet
California
Cernay-lès-Reims
Nogent-l'Abbesse
St-Martin-l'Heureux
Camp
Ste-Marie
REIMS
Beine-Nauroy
Nauroy
Moronvilliers
Dontrien
St-Souplet-sur-Py
Taupinière
de
Vaudesincourt
Mont Cornillet
Moronvilliers
Fort de la Pompelle
La Bertonnerie
Les Marquises
Aubérive
Taissy
Sillery
Constantine
Moscou
Mont Ferré
Puisieux
Prunay
Vesle
L'Espérance
T.G.V. EST
Les Monts Fournois
Beaumont-s-Vesle
Prosnes
Perthes
St-Jean
L'Espérance
Le Puits
Val-de-Vesle
Hilaire-le-Grand
Romont
Wez
10 km
Mailly-Champagne
Verzenay
Courmelois
Baconnes
Russe
Jonchery-sur-Suippe
A
B
C
1
2
3
4
128
129
139

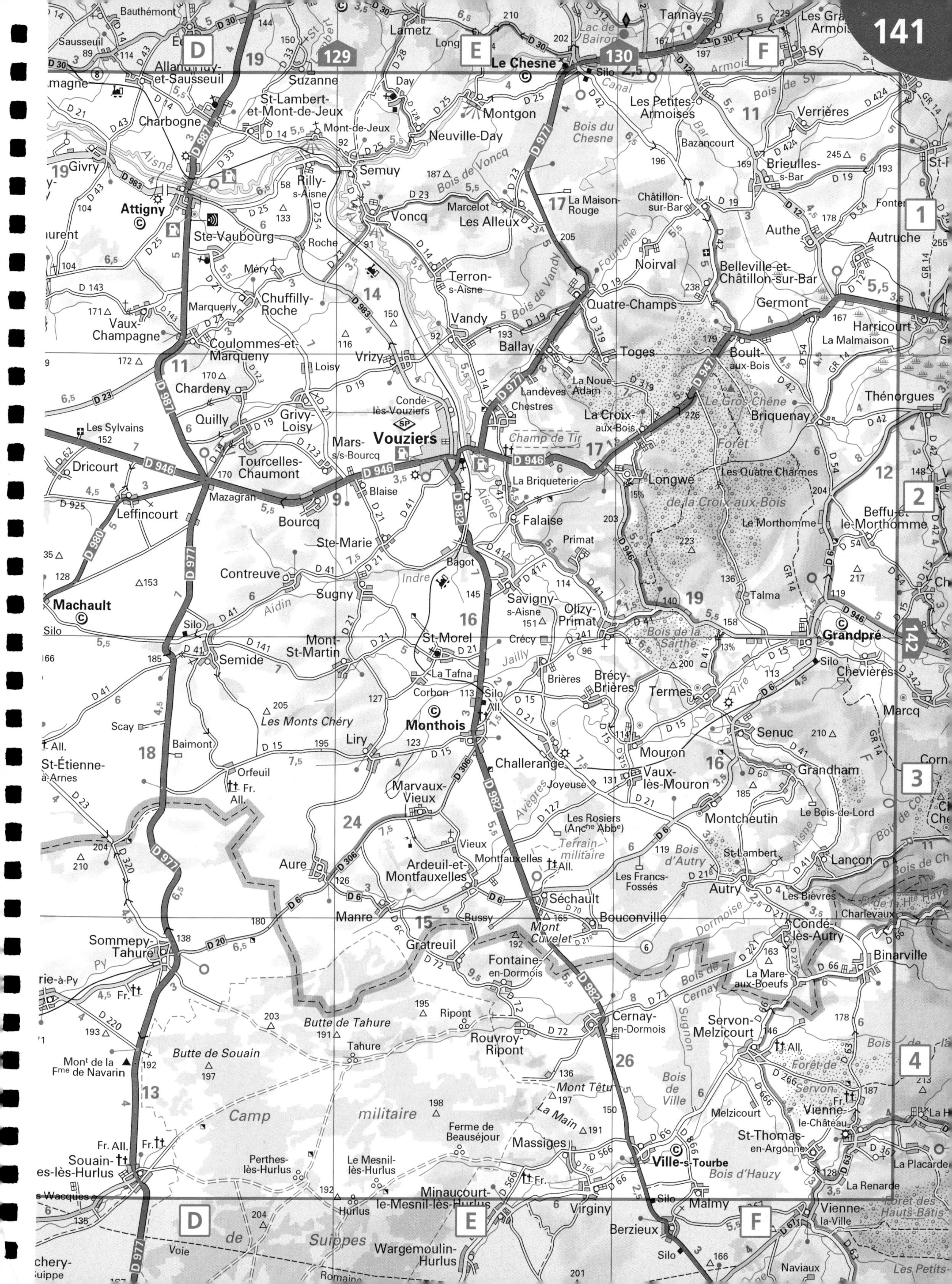
Bauthémont
Sausseuil
Allanduy-et-Sausseuil
Lametz
Long
Le Chesne
Lac de Bairon
Tannay
Les Grandes Armoises
Sy
Suzanne
St-Lambert-et-Mont-de-Jeux
Day
Montgon
Mont-de-Jeux
Neuville-Day
Les Petites-Armoises
Verrières
Bois du Chesne
Bazancourt
Charbogne
Givry
Semuy
Rilly-s-Aisne
Bois de Voncq
Brieulles-s-Bar
Attigny
Voncq
Marcelot
Les Alleux
La Maison-Rouge
Châtillon-sur-Bar
Ste-Vaubourg
Roche
Authe
Autruche
Terron-s-Aisne
Noirval
Belleville-et-Châtillon-sur-Bar
Méry
Chuffilly-Roche
Quatre-Champs
Germont
Marqueny
Vaux-Champagne
Coulommes-et-Marqueny
Vandy
Bois de Vandy
Ballay
Toges
Boult-aux-Bois
Harricourt
La Malmaison
Loisy
Vrizy
Chardeny
La Noue-Adam
Landèves
Thénorgues
Quilly
Grivy-Loisy
Condé-lès-Vouziers
Chestres
La Croix-aux-Bois
Le Gros Chêne
Briquenay
Les Sylvains
Vouziers
Mars-s/s-Bourcq
Champ de Tir
Forêt de la Croix-aux-Bois
Dricourt
Tourcelles-Chaumont
La Briqueterie
Longwé
Les Quatre Charmes
Mazagran
Blaise
Leffincourt
Bourcq
Falaise
Beffu-et-le-Morthomme
Le Morthomme
Primat
Ste-Marie
Bagot
Contreuve
Indre
Sugny
Savigny-s-Aisne
Olizy-Primat
Talma
Machault
Aidin
Silo
Mont-St-Martin
St-Morel
Crécy
Bois de la Sarthe
Grandpré
Semide
La Tafna
Jailly
Brières
Brécy-Brières
Termes
Chevières
Corbon
Monthois
Les Monts Chéry
Scay
Liry
Mouron
Senuc
Marcq
Baimont
Challerange
St-Étienne-à-Arnes
Orfeuil
Joyeuse
Vaux-lès-Mouron
Grandham
Marvaux-Vieux
Montcheutin
Les Rosiers (Anc^ne Abb^e)
Le Bois-de-Lord
Terrain militaire
Vieux
Bois d'Autry
St-Lambert
Aure
Ardeuil-et-Montfauxelles
Montfauxelles
Les Francs-Fossés
Autry
Lançon
Séchault
Les Bièvres
Manre
Bussy
Bouconville
Charlevaux
Mont Cuvelet
Dormoise
Condé-lès-Autry
Sommepy-Tahure
Gratreuil
Fontaine-en-Dormois
La Mare-aux-Boeufs
Binarville
Py
Bois de Cernay
Ripont
Cernay-en-Dormois
Servon-Melzicourt
Butte de Tahure
Tahure
Rouvroy-Ripont
Mont de la F^me de Navarin
Butte de Souain
Forêt de Servon
Mont Têtu
Bois de Ville
Camp militaire
La Main
Melzicourt
Vienne-le-Château
Ferme de Beauséjour
Massiges
St-Thomas-en-Argonne
Souain-Perthes-lès-Hurlus
Perthes-lès-Hurlus
Le Mesnil-lès-Hurlus
Ville-s-Tourbe
Bois d'Hauzy
La Placardelle
Hurlus
Minaucourt-le-Mesnil-lès-Hurlus
Virginy
Malmy
La Renarde
Forêt des Hauts-Batis
Vienne-la-Ville
Berzieux
Voie de Suippes
Wargemoulin-Hurlus
Naviaux
Romaine
Les Petites

A
B
C
130
131
1
2
3
4
Sommauthe
St-Pierremont
Vaux-en-Dieulet
Belval-Bois-des-Dames
Beaufort-en-Argonne
Laneuville-sur-Meuse
Stenay
Baâlon
Quincy-Landzécourt
Vigneul-s/s-Montmédy
Brouennes
Bronelle
Cesse
Autruche
Fossé
Les Champys
Beauclair
Wiseppe
Mouzay
Charmois
Forêt de Dieulet
Bar-lès-Buzancy
Nouart
Halles-s/s-les-Côtes
Les Forgettes
Tailly
Montigny-devant-Sassey
Villefranche
Saulmory-et-Villefranche
Sassey-sur-Meuse
Lion-devant-Dun
Harricourt
Buzancy
Barricourt
Thénorgues
Bayonville
Les Tuileries
Villers-devant-Dun
Mont-devant-Sassey
Côte de Châtel
Milly-sur-Bradon
Côte St Germain
Brandeville
Murvaux
Sivry-lès-Buzancy
Verpel
Chennery
Andevanne
Rémonville
Landreville
Doulcon
Dun-sur-Meuse
Cléry-le-Petit
Fontaines-St-Clair
Imécourt
Aincreville
Cléry-le-Grand
Liny-devant-Dun
Champigneulle
Ladhuy
Bantheville
Landres-et-St-Georges
St-Georges
Brieulles-sur-Meuse
Haraumont
St-Juvin
Cunel
Vilosnes-Haraumont
Romagne-s/s-Montfaucon
U.S.A
Sommerance
Marcq
Monument Américain
Sivry-sur-Meuse
Fléville
Gesnes-en-Argonne
Cierges-s/s-Montfaucon
Nantillois
Dannevoux
Cornay
Exermont
Septsarges
Gercourt-Drillancourt
Drillancourt
Consenvoye
Châtel-Chéhéry
Abbatiale
Les Granges
Eclisfontaine
Butte de Montfaucon
L'Espérance
Épinonville
Ivoiry
Montfaucon-d'Argonne
Cuisy
Le Mesnil
Apremont
Baulny
Charpentry
Forges-sur-Meuse
Béthincourt
Regnéville-sur-Meuse
Charlevaux
Montblainville
Véry
Malancourt
Haucourt
Cote 304
le Mort-Homme
Binarville
Varennes-en-Argonne
Cheppy
Chattancourt
Cumières-le-mort-homme
Bois de la Gruerie
Marre
Avocourt
Esnes-en-Argonne
La Claire
Vauquois
Butte de Vauquois
La Harazée
Boureuilles
Montzéville
Le Four-de-Paris
La Placardelle
Abancourt
Verrières-en-Hesse
Vignéville
Germonville
Forêt de Hesse
Forêt de Lachalade
La Renarde
La Forestière
Lachalade
Béthelainville
Neuvilly-en-Argonne
Aubréville
Récicourt
Dombasle-en-Argonne
Sivry-
Baleycourt
Carrefour de la Croix de Pierre
Le Claon
Les Petits-Bâtis
0
10 km

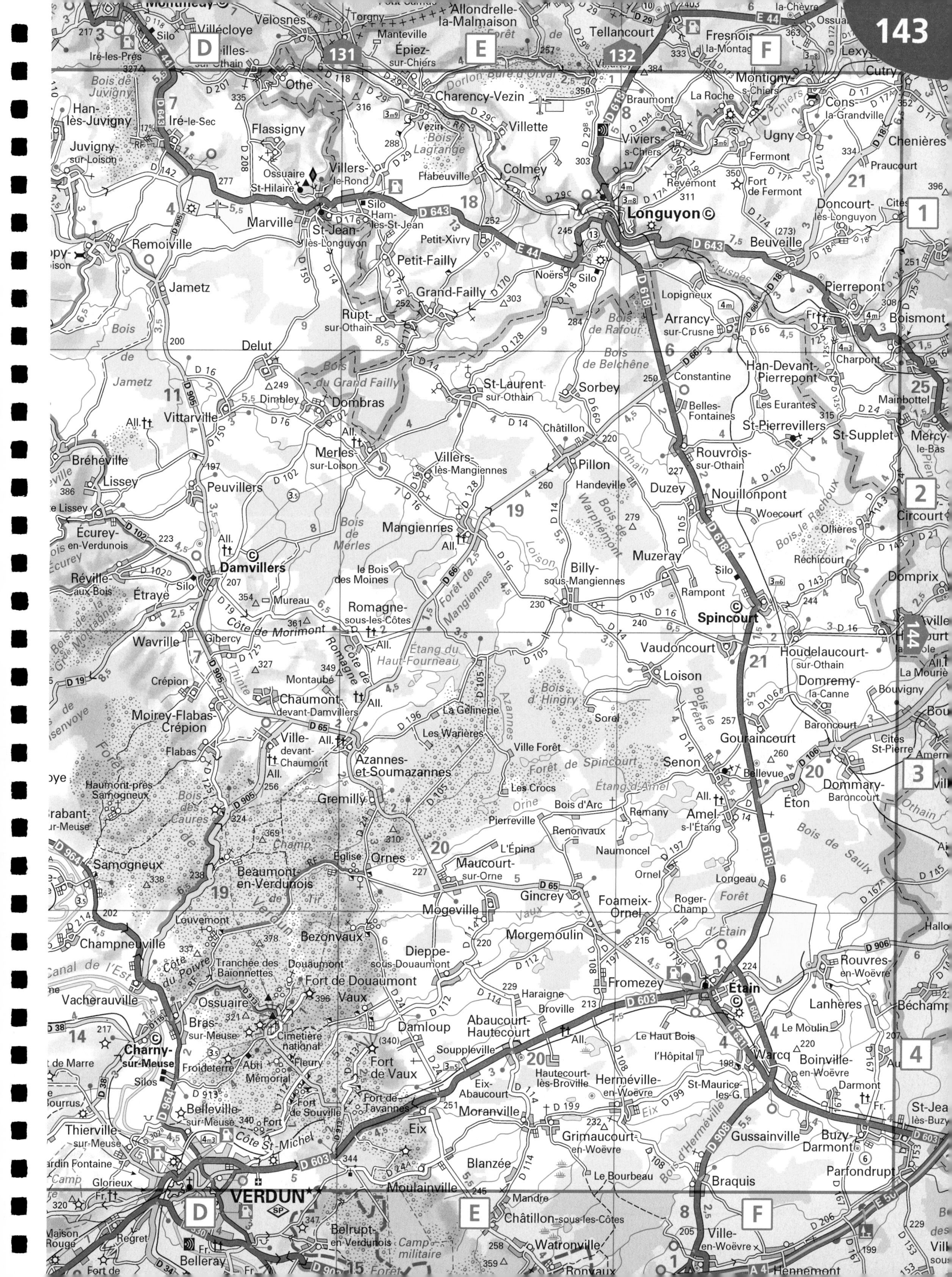

Velosnes
Villécloye
Allondrelle-la-Malmaison
Tellancourt
Fresnois
Manteville
Épiez-sur-Chiers
Othe
Charency-Vezin
Montigny-s-Chiers
La Roche
Braumont
Cons-la-Grandville
Cutry
Han-lès-Juvigny
Iré-le-Sec
Flassigny
Villette
Viviers-s-Chiers
Ugny
Chenières
Juvigny-sur-Loison
Villers-le-Rond
Flabeuville
Colmey
Fermont
Praucourt
Ossuaire
St-Hilaire
Revémont
Fort de Fermont
Marville
St-Jean-lès-Longuyon
Ham-lès-St-Jean
Petit-Xivry
Longuyon
Doncourt-lès-Longuyon
Remoiville
Petit-Failly
Beuveille
Jametz
Grand-Failly
Noërs
Pierrepont
Lopigneux
Rupt-sur-Othain
Arrancy-sur-Crusne
Boismont
Bois de Rafour
Delut
Bois de Belchêne
Charpont
Bois de Jametz
Bois du Grand Failly
Han-Devant-Pierrepont
Constantine
St-Laurent-sur-Othain
Sorbey
Dimbley
Dombras
Mainbottel
Belles-Fontaines
Les Eurantes
Vittarville
St-Pierrevillers
St-Supplet
Mercy-le-Bas
Châtillon
Merles-sur-Loison
Villers-lès-Mangiennes
Pillon
Bréhéville
Rouvrois-sur-Othain
Lissey
Handeville
Duzey
Peuvillers
Nouillonpont
Bois de Warphémont
Woecourt
Écurey-en-Verdunois
Mangiennes
Circourt
Ollières
Bois de Merles
Muzeray
Réchicourt
Damvillers
Billy-sous-Mangiennes
Réville-aux-Bois
Étraye
le Bois des Moines
Forêt de Mangiennes
Rampont
Dompix
Mureau
Romagne-sous-les-Côtes
Spincourt
Côte de Morimont
Wavrille
Gibercy
Vaudoncourt
Houdelaucourt-sur-Othain
Étang du Haut-Fourneau
Côte de Romagne
Loison
Crépion
Montaubé
Bois d'Hingry
Domremy-la-Canne
Bouvigny
Chaumont-devant-Damvillers
La Gélinerie
Sorel
Moirey-Flabas-Crépion
Les Warières
Gouraincourt
Baroncourt
Ville-devant-Chaumont
Ville Forêt
Cités St-Pierre
Flabas
Azannes-et-Soumazannes
Forêt de Spincourt
Senon
Bellevue
Haumont-près-Samogneux
Dommary-Baroncourt
Étang d'Amel
Les Crocs
Gremilly
Bois d'Arc
Éton
Bois des Caures
Pierreville
Remany
Amel-s-l'Étang
Renonvaux
Bois de Saulx
Naumoncel
L'Épina
Samogneux
Ornes
Maucourt-sur-Orne
Beaumont-en-Verdunois
Ornel
Longeau
Gincrey
Foameix-Ornel
Roger-Champ
Mogeville
Louvemont
Champneuville
Bezonvaux
Morgemoulin
Forêt d'Étain
Dieppe-sous-Douaumont
Tranchée des Baïonnettes
Douaumont
Fort de Douaumont
Fromezey
Rouvres-en-Woëvre
Vacherauville
Haraigne
Étain
Vaux
Broville
Lanhères
Ossuaire
Bras-sur-Meuse
Damloup
Abaucourt-Hautecourt
Le Moulin
Béchamp
Charny-sur-Meuse
Cimetière national
Le Haut Bois
Soupleville
Warcq
Boinville-en-Woëvre
Froideterre
Fleury
Abri
Mémorial
Fort de Vaux
l'Hôpital
Hautecourt-lès-Broville
Herméville-en-Woëvre
St-Maurice-les-G.
Darmont
Silos
Eix-Abaucourt
Fort de Tavannes
Fort de Souville
Belleville-sur-Meuse
Moranville
Thierville-sur-Meuse
Eix
Grimaucourt-en-Woëvre
Gussainville
Buzy-Darmont
Côte St-Michel
Blanzée
Parfondrupt
Glorieux
Moulainville
Le Bourbeau
Braquis
VERDUN
Mandre
Belrupt-en-Verdunois
Camp militaire
Châtillon-sous-les-Côtes
Ville-en-Woëvre
Regret
Belleray
Watronville
Ronvaux
Hennemont

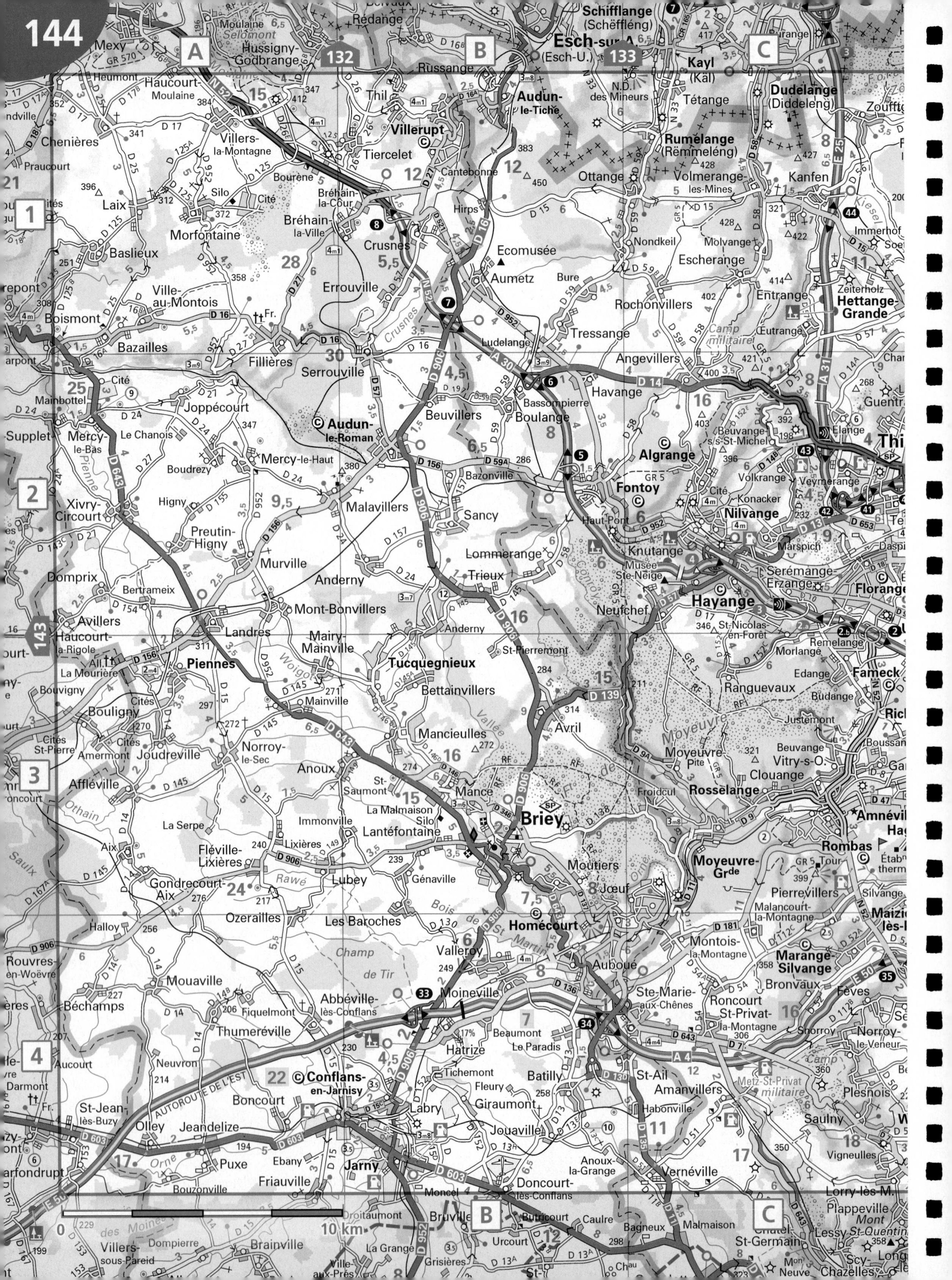
A
B
C
1
2
3
4
132
133
143
Mexy
Moulaine
Redange
Hussigny-Godbrange
Russange
Schifflange
(Schëffléng)
Esch-sur-A.
(Esch-U.)
Kayl
(Käl)
Dudelange
(Diddeleng)
Zoufftgen
Haucourt-Moulaine
Heumont
Thil
Audun-le-Tiche
Tétange
Villerupt
Tiercelet
Rumelange
(Rëmmeléng)
Chenières
Villers-la-Montagne
Praucourt
Bourène
Cantebonne
Ottange
Volmerange-les-Mines
Kanfen
Laix
Silo
Cité
Bréhain-la-Cour
Bréhain-la-Ville
Hirps
Morfontaine
Crusnes
Ecomusée
Nondkeil
Molvange
Immerhof
Baslieux
Escherange
Errouville
Aumetz
Bure
Ville-au-Montois
Rochonvillers
Entrange
Zeiterholz
Hettange-Grande
Boismont
Tressange
Camp militaire
Œutrange
Bazailles
Ludelange
Fillières
Serrouville
Angevillers
Havange
Bassompierre
Boulange
Cité
Mainbottel
Joppécourt
Beuvillers
Audun-le-Roman
Algrange
Beuvange-s/s-St-Michel
Elange
Supplet
Mercy-le-Bas
Le Chanois
Boudrezy
Mercy-le-Haut
Bazonville
Fontoy
Volkrange
Veymerange
Xivry-Circourt
Higny
Malavillers
Sancy
Konacker
Nilvange
Preutin-Higny
Haut-Pont
Knutange
Marspich
Murville
Lommerange
Musée Ste-Neige
Domprix
Bertrameix
Anderny
Trieux
Serémange-Erzange
Florange
Hayange
Neufchef
Mont-Bonvillers
Avillers
Haucourt-la-Rigole
Landres
Mairy-Mainville
Tucquegnieux
St-Nicolas-en-Forêt
Remelange
Morlange
St-Pierremont
Piennes
La Mourière
Bouvigny
Bettainvillers
Edange
Fameck
Ranguevaux
Budange
Bouligny
Cités
Mainville
Avril
Justemont
Cités St-Pierre
Amermont
Joudreville
Norroy-le-Sec
Mancieulles
Moyeuvre
Beuvange
Vitry-s-O.
Affléville
Anoux
St-Saumont
Mance
Clouange
Rosselange
Froidcul
Othain
La Serpe
Immonville
La Malmaison
Silo
Briey
Amnéville
Lantéfontaine
Lixières
Rombas
Aix
Fléville-Lixières
Moutiers
Moyeuvre-Grde
Gondrecourt-Aix
Rawé
Lubey
Génaville
Jœuf
Pierrevillers
Silvange
Homécourt
Malancourt-la-Montagne
Ozerailles
Les Baroches
Halloy
Valleroy
Montois-la-Montagne
Champ de Tir
Auboué
Marange-Silvange
Rouvres-en-Woëvre
Mouaville
Bronvaux
Abbéville-lès-Conflans
Moineville
Ste-Marie-aux-Chênes
Roncourt
Féves
Béchamps
Fiquelmont
St-Privat-la-Montagne
Norroy-le-Veneur
Thumeréville
Beaumont
Le Paradis
Aucourt
Neuvron
Hatrize
Batilly
Camp militaire
Metz-St-Privat
Darmont
Tichemont
St-Ail
Plesnois
Conflans-en-Jarnisy
Fleury
Amanvillers
Boncourt
Giraumont
Habonville
St-Jean-lès-Buzy
Olley
Jeandelize
Labry
Jouaville
Saulny
AUTOROUTE DE L'EST
Puxe
Ebany
Jarny
Anoux-la-Grange
Vigneulles
Orne
Friauville
Vernéville
Bouzonville
Moncel
Doncourt-lès-Conflans
Lorry-lès-M.
Plappeville
Droitaumont
Bruville
Butricourt
Caulre
Bagneux
Malmaison
Mont
St-Quentin
10 km
Dompierre
Urcourt
Châtel-St-Germain
Lessy
Villers-sous-Pareid
Brainville
La Grange
Grisières
Ville-aux-Prés
Scy-Chazelles
Mon Neuve
Woigot
Vallée
Saulx

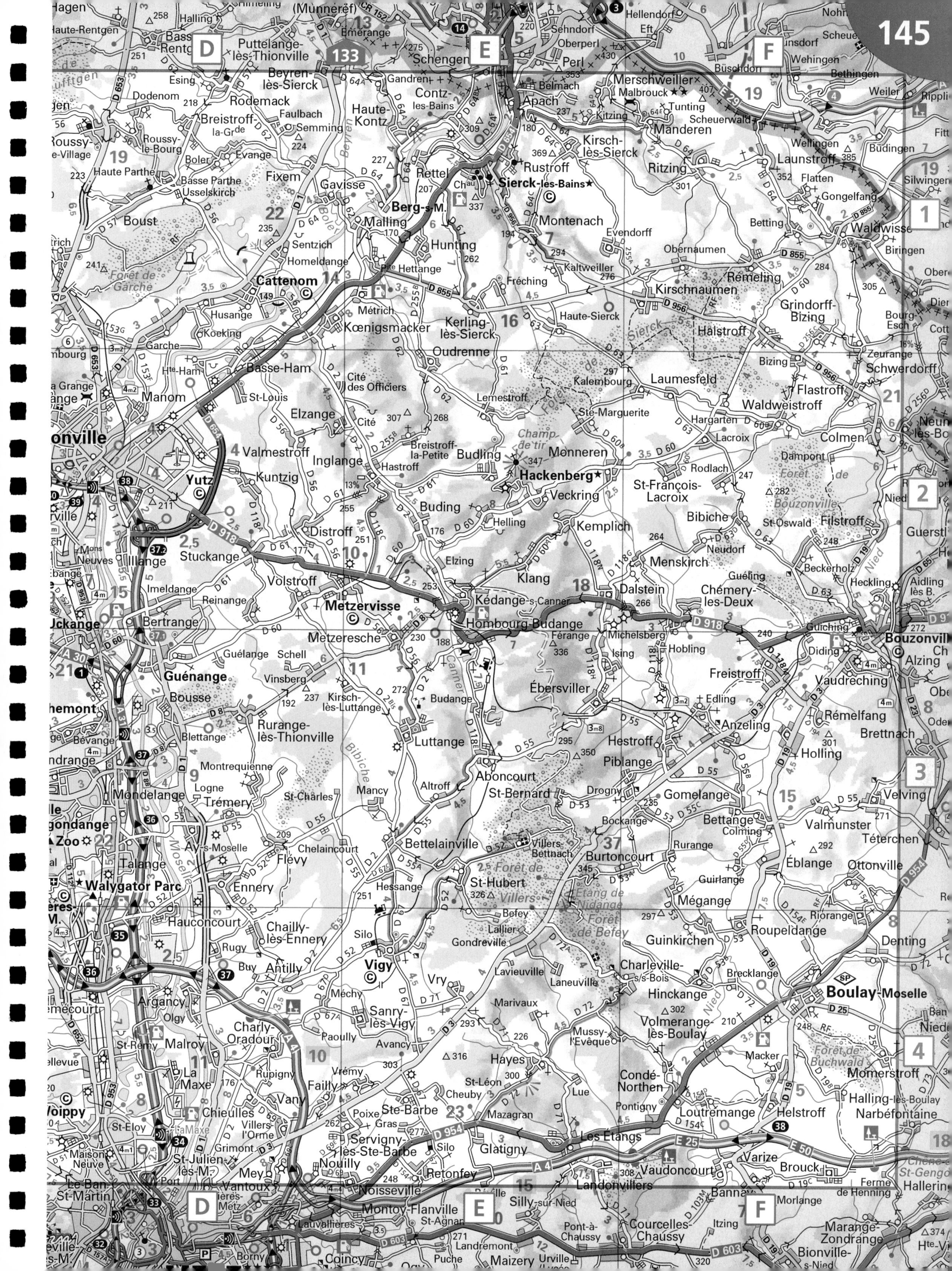
D
E
F
133
Schengen
Perl
Puttelange-lès-Thionville
Beyren-lès-Sierck
Contz-les-Bains
Haute-Kontz
Apach
Merschweiller
Kirsch-lès-Sierck
Manderen
Rodemack
Breistroff-la-Grde
Roussy-le-Bourg
Evange
Fixem
Gavisse
Rettel
Berg-s-M.
Sierck-les-Bains
Rustroff
Ritzing
Launstroff
Waldwisse
Boust
Malling
Hunting
Montenach
Cattenom
Kirschnaumen
Remeling
Grindorff-Bizing
Kerling-lès-Sierck
Koenigsmacker
Haute-Sierck
Halstroff
Oudrenne
Basse-Ham
Manom
Laumesfeld
Schwerdorff
Flastroff
Waldweistroff
Elzange
Valmestroff
Inglange
Budling
Monneren
Colmen
Thionville
Yutz
Kuntzig
Hackenberg
St-François-Lacroix
Veckring
Buding
Kemplich
Bibiche
Filstroff
Distroff
Stuckange
Illange
Volstroff
Metzervisse
Kédange-s-Canner
Klang
Menskirch
Dalstein
Chémery-les-Deux
Hombourg-Budange
Bouzonville
Metzeresche
Guénange
Bousse
Rurange-lès-Thionville
Luttange
Ébersviller
Freistroff
Vaudreching
Hestroff
Anzeling
Piblange
Rémelfang
Holling
Brettnach
Mondelange
Trémery
Aboncourt
St-Bernard
Gomelange
Bettange
Velving
Talange
Ay-s-Moselle
Flévy
Bettelainville
Burtoncourt
Valmunster
Téterchen
Éblange
Ottonville
Walygator Parc
Ennery
St-Hubert
Mégange
Hauconcourt
Chailly-lès-Ennery
Roupeldange
Guinkirchen
Denting
Vigy
Charleville-s/s-Bois
Hinckange
Boulay-Moselle
Antilly
Argancy
Sanry-lès-Vigy
Volmerange-lès-Boulay
Charly-Oradour
Malroy
Hayes
La Maxe
Condé-Northen
Momerstroff
Failly
Vany
Chieulles
Ste-Barbe
Loutremange
Helstroff
Narbéfontaine
Servigny-lès-Ste-Barbe
Glatigny
Les Étangs
St-Julien-lès-M.
Nouilly
Retonfey
Vaudoncourt
Varize
Brouck
Noisseville
Montoy-Flanville
Silly-sur-Nied
Courcelles-Chaussy
Marange-Zondrange
Bionville-s-Nied
A 4
A 31
E 25
E 50
D 918
D 954
D 603

- (A) Österreich
- (AL) Shqipëria
- (AND) Andorra
- (B) Belgique, België
- (BG) Bălgarija
- (BIH) Bosna i Hercegovina
- (BY) Belarus'
- (CH) Schweiz, Suisse, Svizzera
- (CY) Kýpros, Kibris
- (CZ) Česká Republika
- (D) Deutschland
- (DK) Danmark
- (E) España
- (EST) Eesti
- (F) France
- (FIN) Suomi, Finland
- (FL) Liechtenstein
- (GB) United Kingdom
- (GR) Elláda
- (H) Magyarország
- (HR) Hrvatska
- (I) Italia
- (IRL) Ireland
- (IS) Ísland
- (L) Luxembourg
- (LT) Lietuva
- (LV) Latvija
- (M) Malta
- (MC) Monaco
- (MD) Moldova
- (MK) Makedonija
- (MNE) Crna Gora
- (N) Norge
- (NL) Nederland
- (P) Portugal
- (PL) Polska
- (RO) România
- (RSM) San Marino
- (RUS) Rossija
- (S) Sverige
- (SK) Slovenská Republika
- (SLO) Slovenija
- (SRB) Srbija
- (TR) Türkiye
- (UA) Ukraïna
- (V) Vaticano

EUROPE
au 1/3 330 000

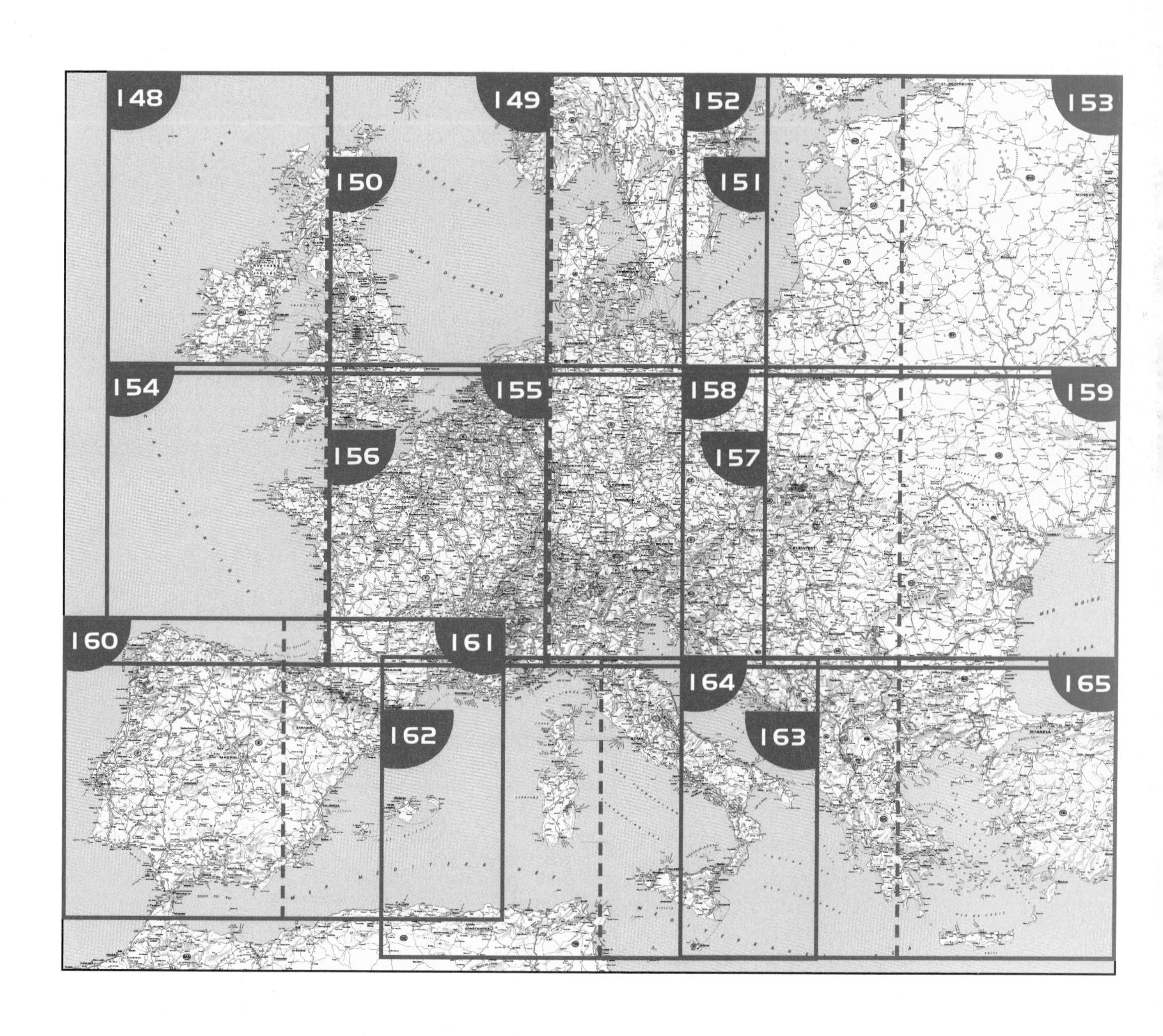

ATLANTIC OCEAN
Rockall (GB)
St. Kilda
Lewis
Stornoway
Tarbert
North Uist
Lochmaddy
Little Minch
Uig
Portree
Dunvegan
South Uist
Lochboisdale
Skye
Kyle of Lochalsh
Barra
Castlebay
Sea of the Hebrides
Rhum
Mallaig
HEBRIDES
Coll
Tiree
Tobermory
Fort William
Ben Nevis
Mull
Craignure
Loch Linnhe
Fionnphort
Oban
Firth of Lorn
Colonsay
Lochgilphead
Islay
Port Askaig
Jura
Dunoon
Greenock
Rothesay
Port Ellen
Kintyre
Brodick
GLASGOW
Ardrossan
Campbeltown
Arran
Firth of Clyde
Malin Head
Buncrana
Giant's Causeway
Portrush
Lough Foyle
Coleraine
Ballycastle
Letterkenny
Londonderry/Derry
Antrim Glens
Strabane
Donegal
NORTHERN IRELAND
Ballymena
Larne
Cairnryan
Stranraer
North Channel
Bundoran
Omagh
Lough Neagh
Lisburn
BELFAST
Bangor
Enniskillen
Armagh
Belmullet
Ballina
Sligo
Achill
Castlebar
Boyle
Monaghan
Newry
Newcastle
Westport
Knock
Cavan
Man
Peel
Ramsey
Douglas
Clifden
Lough Mask
Connemara
Lough Corrib
Longford
Dundalk
Roscommon
Lough Ree
Ardee
Drogheda
Galway
Athlone
Mullingar
Navan
Kinnegad
IRISH SEA
Aran
Ballinasloe
R. Boyne
Cliffs of Moher
Ennistimon
Loughrea
IRL
Tullamore
DUBLIN
Naas
Dún Laoghaire
Lough Derg
Birr
Portlaoise
Ennis
Nenagh
Roscrea
Bray
Anglesey
Holyhead
Llandudno
Bangor
Kilrush
River Shannon
Limerick
Glendalough
Wicklow
Listowel
Carlow
Caernarfon
Snowdon
Dingle
Tralee
Tipperary
Cashel
Kilkenny
Arklow
R. Barrow
R. Suir
Lakes of Killarney
Killarney
Clonmel
Cahir
New Ross
Enniscorthy
Cahersiveen
Macgillycuddy's Reeks
R. Blackwater
Mallow
Fermoy
Carrick-on-Suir
Kenmare
Ring of Kerry
Dungarvan
Waterford
Wexford
Rosslare
Dolgellau
Cardigan Bay
Cork
Youghal
Glengarriff
Bantry
Cobh
Skibbereen
Carnsore Point
Cherbourg
Octeville
Roscoff
Swansea
St. George's Channel
Aberystwyth
WALES
Cambrian Mountains
Fishguard
Cardigan

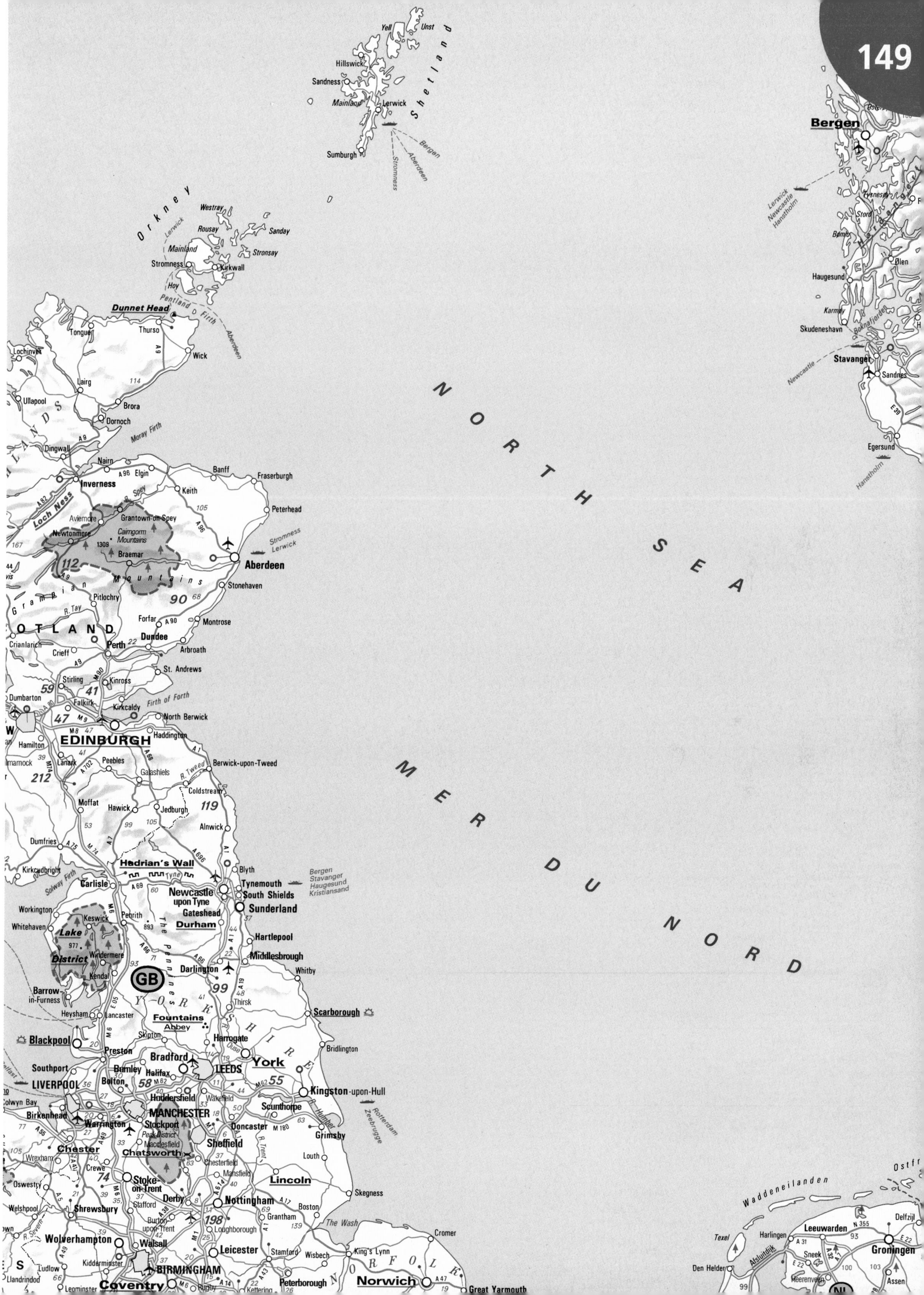

NORTH SEA

MER DU NORD

Shetland
Yell
Unst
Hillswick
Sandness
Mainland
Lerwick
Sumburgh
Bergen
Aberdeen
Stromness

Orkney
Westray
Rousay
Sanday
Stronsay
Mainland
Stromness
Kirkwall
Hoy
Pentland Firth
Dunnet Head
Thurso
Tongue
Wick
Lochinver
Lairg
Ullapool
Brora
Dornoch
Moray Firth
Dingwall
Nairn
Elgin
Banff
Fraserburgh
Inverness
Keith
Loch Ness
Peterhead
Aviemore
Grantown-on-Spey
Newtonmore
Cairngorm Mountains
Braemar
Aberdeen
Stonehaven
Grampian Mountains
Pitlochry
R. Tay
Forfar
Montrose
SCOTLAND
Dundee
Perth
Arbroath
Crianlarich
Crieff
St. Andrews
Stirling
Kinross
Dumbarton
Falkirk
Kirkcaldy
Firth of Forth
North Berwick
EDINBURGH
Haddington
Hamilton
Lanark
Berwick-upon-Tweed
Peebles
Galashiels
R. Tweed
Coldstream
Moffat
Hawick
Jedburgh
Alnwick
Dumfries
Hadrian's Wall
Blyth
Kirkcudbright
Solway Firth
Carlisle
Tynemouth
Newcastle upon Tyne
South Shields
Gateshead
Sunderland
Workington
Whitehaven
Keswick
Penrith
Durham
Lake District
Hartlepool
Windermere
Middlesbrough
Kendal
Darlington
Whitby
GB
Barrow-in-Furness
Thirsk
Heysham
Lancaster
Scarborough
Fountains Abbey
YORKSHIRE
The Pennines
Blackpool
Skipton
Harrogate
Bridlington
Preston
Bradford
Southport
Burnley
Halifax
LEEDS
York
LIVERPOOL
Bolton
Huddersfield
Wakefield
Kingston-upon-Hull
Colwyn Bay
Birkenhead
MANCHESTER
Scunthorpe
Warrington
Stockport
Doncaster
Humber
Peak District
Macclesfield
Grimsby
Chester
Sheffield
Chatsworth
Wrexham
Chesterfield
Louth
Crewe
Stoke-on-Trent
Mansfield
Lincoln
Oswestry
Derby
Skegness
Stafford
Nottingham
Welshpool
Shrewsbury
Boston
Grantham
Burton-upon-Trent
The Wash
Loughborough
Wolverhampton
Walsall
Cromer
King's Lynn
Leicester
Stamford
Wisbech
Kidderminster
BIRMINGHAM
Ludlow
Llandrindod
Leominster
Coventry
Rugby
Kettering
Peterborough
NORFOLK
Norwich
Great Yarmouth

Stavanger
Haugesund
Kristiansand
Rotterdam
Zeebrugge

Fitjar
Stord
Bømlo
Ølen
Haugesund
Karmøy
Boknafjorden
Skudeneshavn
Stavanger
Sandnes
Egersund
Hanstholm
Newcastle

Waddeneilanden
Texel
Harlingen
Leeuwarden
Groningen
Delfzijl
Den Helder
Afsluitdijk
Sneek
Heerenveen
Assen

NORTH SEA
MER DU NORD
Shetland
Yell
Unst
Hillswick
Sandness
Mainland
Lerwick
Sumburgh
Orkney
Westray
Sanday
Rousay
Stronsay
Stromness
Kirkwall
Hoy
Pentland Firth
Dunnet Head
Thurso
Wick
Brora
Dornoch
Moray Firth
Elgin
Banff
Fraserburgh
Keith
Peterhead
Grantown-on-Spey
Cairngorm Mountains
Braemar
Aberdeen
Stonehaven
Forfar
Montrose
Dundee
Perth
Arbroath
St. Andrews
Kinross
Kirkcaldy
Firth of Forth
North Berwick
Haddington
Peebles
Galashiels
Berwick-upon-Tweed
Coldstream
Hawick
Jedburgh
Alnwick
Hadrian's Wall
Blyth
Tynemouth
South Shields
Newcastle upon Tyne
Gateshead
Sunderland
Durham
Penrith
Hartlepool
Middlesbrough
Darlington
Whitby
GB
Thirsk
Scarborough
Lancaster
Fountains Abbey
Skipton
Harrogate
Bridlington
Preston
Bradford
York
LEEDS
Burnley
Halifax
Bolton
Kingston-upon-Hull
Huddersfield
Wakefield
MANCHESTER
Scunthorpe
Stockport
Doncaster
Grimsby
Sheffield
Chatsworth
Chesterfield
Louth
Mansfield
Stoke-on-Trent
Lincoln
Stafford
Skegness
Derby
Nottingham
Grantham
Boston
The Wash
Loughborough
Walsall
Leicester
Stamford
Wisbech
King's Lynn
Cromer
BIRMINGHAM
Peterborough
Norwich
Great Yarmouth
Coventry
Lavik
Brekke
Sognefjorden
Vangsnes
Gudvangen
Flåm
Voss
Dale
Bergen
Kinsarvik
Odda
Hardangervidda
Rosendal
Tysnes
Stord
Bømlo
Ølen
Sauda
Hovden
Haugesund
Sand
Karmøy
Skudeneshavn
Hjelmeland
Stavanger
Sandnes
Svartevatn
Tonstad
ROGALAND
Egersund
Flekkefjord
Farsund
Lindesnes
Mandal
Helgoland
Ostfriesische Inseln
Waddeneilanden
Norden
Wilhelmshaven
Aurich
Emden
Delfzijl
Texel
Harlingen
Leeuwarden
Groningen
Leer
Bad Zwischenahn
Oldenburg
Afsluitdijk
Sneek
Den Helder
Heerenveen
NL
Assen
Emmen
Cloppenburg
Newcastle
Hanstholm
Rotterdam
Zeebrugge
Kristiansand
Haugesund
Stavanger

Borgund
Lillehammer
Rena
Fagernes
Valdres
Dokka
Gjøvik
Hamar
Elverum
Gol
Geilo
Hallingdal
Nesbyen
Flisa
Brandbu
Eidsvoll
Uvdal
Rødberg
Nore
Hønefoss
Kløfta
Kongsvinger
OSLO
Rjukan
Haukeligrend
Gausta
Drammen
Øyeren
Magnor
Heddal
Kongsberg
Notodden
Åmot
Brunkeberg
Horten
Moss
Mysen
Årjäng
Skien
Tønsberg
Sarpsborg
Fredrikstad
Porsgrunn
Sandefjord
Halden
Larvik
Strömstad
Bengtsfors
Kragerø
Åmli
Evje
Arendal
Grimstad
Kristiansand
Skagerrak
TELEMARK
Sälen
Alvdalen
Orsa
Mora
Rättvik
Ockelbo
Siljan
Leksand
Malung
Vansbro
Falun
Gävle
Sandviken
Borlänge
Hedemora
Avesta
Vendel
Östhammar
SVEALAND
Torsby
Hagfors
Ludvika
Fagersta
Sala
Uppsala
Norrtälje
Kapellskär
Kopparberg
Sunne
Arvika
Filipstad
Lindesberg
Västerås
Enköping
Skokloster
Köping
Arboga
Mälaren
Drottningholm
STOCKHOLM
Karlstad
Karlskoga
Kristinehamn
Eskilstuna
Strängnäs
Gripsholm
Örebro
Kumla
Hjälmaren
Södertälje
Säffle
Åmål
Flen
Nynäshamn
Skagern
Katrineholm
Vänern
Askersund
Nyköping
Oxelösund
Kolmården
Mariestad
Karlsborg
Motala
Norrköping
Vadstena
Linköping
Lidköping
Skara
Skövde
Vättern
Mjölby
Valdemarsvik
Uddevalla
Vänersborg
Trollhättan
Lysekil
Orust
Falköping
Stenungsund
Tranås
Sommen
Gränna
Alingsås
Kungälv
Göteborg
Borås
Ulricehamn
Jönköping
Eksjö
Västervik
Visby
GÖTALAND
Vimmerby
Kungsbacka
Vetlanda
Oskarshamn
Byxelkrok
Gotland
Värnamo
Smålandsstenar
Högsby
Åseda
Varberg
Kattegat
Falkenberg
Ljungby
Växjö
Nybro
Kalmar
Borgholm
Öland
Halmstad
Älmhult
Laholm
Ronneby
Karlskrona
Ängelholm
Höganäs
Hässleholm
Kristianstad
Karlshamn
Sölvesborg
Helsingør
Helsingborg
Landskrona
Hörby
Lund
Malmö
Trelleborg
Ystad
Simrishamn
Falsterbo
Allinge
Bornholm (DK)
Rønne
Skagen
Hirtshals
Frederikshavn
Hjørring
Sæby
Læsø (DK)
Hanstholm
Ålborg
Thisted
Nykøbing M.
Anholt (DK)
Hobro
Skive
Viborg
Randers
Struer
Holstebro
Grenå
Herning
Silkeborg
Århus
Ringkøbing
Skjern
Skanderborg
Horsens
Samsø
Hundested
Hillerød
Nykøbing
KØBENHAVN
Kalundborg
Holbæk
Roskilde
Sjælland
Køge
Vejle
Varde
Fredericia
Esbjerg
Ribe
Odense
Kolding
Slagelse
Ringsted
Haderslev
Assens
Fyn
Nyborg
Korsør
Næstved
Faaborg
Svendborg
Rømø
Sylt
Åbenrå
Als
Sønderborg
Tønder
Vordingborg
Stege
Møn
Westerland
Rudkøbing
Langeland
Nakskov
Føhr
Niebüll
Flensburg
Bagenkop
Nykøbing F.
Rødbyhavn
Maribo
Lolland
Falster
Gedser
Schleswig
Puttgarden
Fehmarn
Husum
Rendsburg
Kiel
St. Peter-Ording
Heide
Oldenburg
Plön
Neustadt
Neumünster
Itzehoe
Cuxhaven
Bad Segeberg
Travemünde
Lübeck
Elmshorn
HAMBURG
Bremerhaven
Stade
Bremervörde
Nordenham
BREMEN
Rotenburg
Delmenhorst
Soltau
Verden
Ratzeburg
Schwerin
Boizenburg
Lauenburg
Lüneburg
Ludwigslust
Dannenberg
Perleberg
Wittenberge
Mecklenburger Bucht
Warnemünde
Rostock
Wismar
Ribnitz-Damgarten
Stralsund
Güstrow
Teterow
Parchim
Pritzwalk
Waren
Müritz
Wittstock
Neuruppin
Neustrelitz
Neubrandenburg
Demmin
Anklam
Greifswald
Wolgast
Bergen
Rügen
Göhren
Saßnitz
Pommersche Bucht
Stettiner Haff
Świnoujście
Kamień Pomorski
Pasewalk
Prenzlau
Schwedt
Szczecin
Goleniów
Stargard Szczeciński
Pyrzyce
Myślibórz
Gryfice
Nowogard
Płoty
Łobez
Drawsko Pomorskie
Kołobrzeg
Koszalin
Białogard
Połczyn Zdrój
Szczecinek
Choszczno
Barlinek
Strzelce Krajeńskie
Wałcz
Piła
Człopa
Czarnków
Darłowo
Ustka
Słupsk
Sławno
Bytów
Miastko
Czersk
Chojnice
Człuchów
Jastrowie
Nakło n. Notecią
Bydgoszcz
Łeba
Lębork
Wejherowo
Gdynia
Sopot
Kartuzy
Kościerzyna
Świecie
Pomorze
MER BALTIQUE
Bornholm (DK)
Kalmarsund
Gotska Sandön
Fårösund
Slite
Klintehamn
Ljugarn
Burgsvik
Gdańsk
Gdynia
Klaipeda
Turku
Tallinn
Kiel
Harwich
Newcastle
Egersund
Bergen
Deutsche Bucht
Nordfriesische Inseln

Bottenhavet
Åland (FIN)
FIN
EST
LV
LT
PL
(ROSSIJA)
BALTIC SEA
MER BALTIQUE
Rīgas Jūras Līcis
Soome laht
Turku
Helsinki
Tallinn
Stockholm
Uppsala
Vendel
Skokloster
Drottningholm
Gripsholm
Östhammar
Norrtälje
Kapellskär
Mariehamn
Eckerö
Hanko
Ekenäs
Porvoo
Loviisa
Kotka
Järvenpää
Hyvinkää
Kerava
Espoo
Lohja
Salo
Karkkila
Loimaa
Uusikaupunki
Naantali
Pargas
Narva
Kohtla-Järve
Rakvere
Tapa
Paldiski
Rapla
Paide
Türi
Mustvee
Jõgeva
Põltsamaa
Tartu
Viljandi
Põlva
Võru
Valga
Haapsalu
Kärdla
Hiiumaa
Vormsi
Muhu
Saaremaa
Orissaare
Kuressaare
Virtsu
Pärnu
Kilingi-Nõmme
Võrtsjärv
Rūjiena
Salacgrīva
Valmiera
Smiltene
Cēsis
Sigulda
Gulbene
Madona
Rīga
Jūrmala
Tukums
Talsi
Ventspils
Kolka
Kolkasrags
Irbes Šaurums
Kuldīga
Saldus
Dobele
Jelgava
Bauska
Ogre
Jēkabpils
Aizkraukle
Daugavpils
Daugava
Gauja
Liepāja
Mažeikiai
Joniškis
Biržai
Rokiškis
Skuodas
Kuršėnai
Šiauliai
Telšiai
Plungė
Panevėžys
Radviliškis
Utena
Palanga
Klaipėda
Raseiniai
Kėdainiai
Ukmergė
Šilutė
Tauragė
Jurbarkas
Kaunas
Vilnius
Trakai
Prienai
Alytus
Marijampolė
Vilkaviškis
Druskininkai
Eišiškės
Nemunas
Neris
Kuršskij Zaliv
Tilsit
Neman
Svetlogorsk
Kaliningrad
Polessk
Černʼachovsk
Gusev
Gvardejsk
Pravdinsk
Bagrationovsk
Mamonovo
Baltijsk
Zatoka Gdańska
Władysławowo
Łeba
Wejherowo
Gdynia
Sopot
Gdańsk
Ustka
Lębork
Słupsk
Darłowo
Sławno
Koszalin
Kartuzy
Kościerzyna
Bytów
Tczew
Elbląg
Malbork
Braniewo
Lidzbark Warmiński
Kętrzyn
Węgorzewo
Giżycko
Mrągowo
Olsztyn
Ostróda
Iława
Kwidzyn
Grudziądz
Chełmno
Toruń
Bydgoszcz
Inowrocław
Szczytno
Ełk
Suwałki
Augustów
Grajewo
Łomża
Ostrołęka
Białystok
Bielsk Podlaski
Hajnówka
Puszcza Białowieska
Hrodna
Lida
Ščučyn
Masty
Vaŭkavysk
Slonim
Ivacevičy
Pružany
Kobryn
Navahrudak
Smarhonʼ
Visby
Gotland
Fårö
Fårösund
Slite
Klintehamn
Ljugarn
Burgsvik
Gotska Sandön (S)
Öland
Borgholm
Byxelkrok
Kalmar
Nybro
Oskarshamn
Västervik
Vimmerby
Valdemarsvik
Norrköping
Nyköping
Oxelösund
Katrineholm
Flen
Nynäshamn
Södertälje
Strängnäs
Enköping
Västerås
Sala
Avesta
Gränhögen
Karlskrona

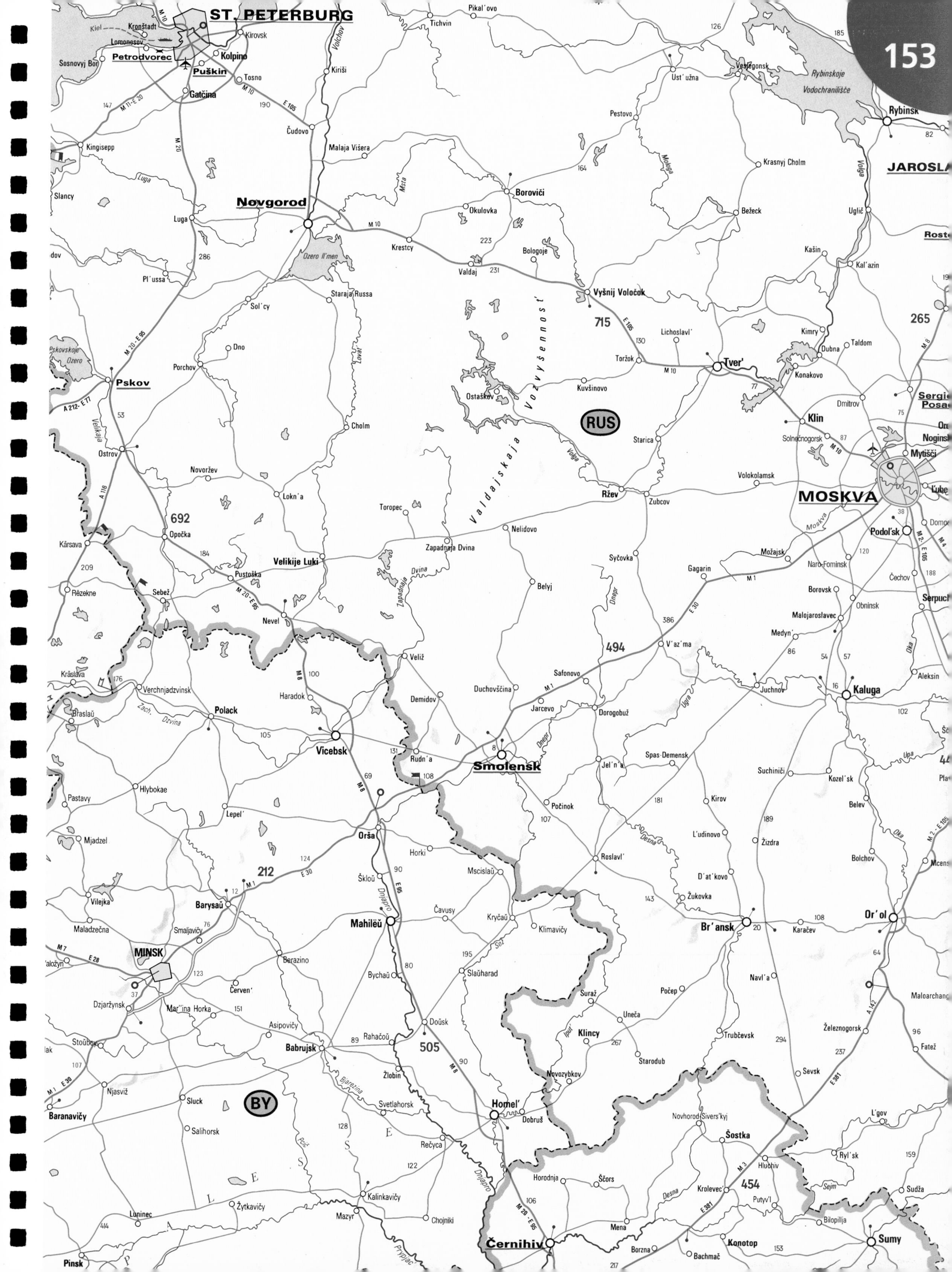
ST. PETERBURG
Kronštadt
Kiel
Lomonosov
Petrodvorec
Sosnovyj Bor
Kirovsk
Kolpino
Puškin
Tosno
Gatčina
Pikal'ovo
Tichvin
Volchov
Kiriši
Čudovo
Malaja Višera
Kingisepp
Slancy
Luga
Novgorod
Ozero Il'men
Krestcy
Okulovka
Boroviči
Bologoje
Valdaj
Pl'ussa
Staraja Russa
Sol'cy
Dno
Porchov
Pskovskoje Ozero
Pskov
Cholm
Ostrov
Velikaja
Novoržev
Lokn'a
Toropec
Opočka
692
Kårsava
Rēzekne
Pustoška
Sebež
Velikije Luki
Zapadnaja Dvina
Nevel
Nelidovo
Belyj
Ust'užna
Vesjegonsk
Rybinskoje Vodochranilišče
Rybinsk
Pestovo
Krasnyj Cholm
JAROSLA
Bežeck
Uglič
Kašin
Kal'azin
Vyšnij Voloček
715
Lichoslavl'
Toržok
Tver'
Kimry
Dubna
Taldom
265
Konakovo
Kuvšinovo
Ostaškov
Vozvyšennost'
Valdajskaja
RUS
Klin
Dmitrov
Sergiev Posad
Solnečnogorsk
Starica
Volga
Volokolamsk
Mytišči
Noginsk
Ržev
Zubcov
MOSKVA
Podol'sk
Možajsk
Syčovka
Gagarin
Naro-Fominsk
Čechov
Borovsk
Obninsk
Serpuchov
Malojaroslavec
Medyn'
386
494
V'az'ma
Safonovo
Juchnov
Kaluga
Aleksin
Dnepr
Veliž
Demidov
Duchovščina
Jarcevo
Dorogobuž
Kräslava
Verchnjadzvinsk
Haradok
Polack
Braslaŭ
Vicebsk
Rudn'a
Smolensk
Jel'n'a
Spas-Demensk
Suchiniči
Kozel'sk
Belev
Počinok
Kirov
L'udinovo
Žizdra
Roslavl'
D'at'kovo
Žukovka
Bolchov
Mcensk
Pastavy
Hlybokae
Lepel'
Orša
Horki
Mjadzel
Škloŭ
Mscislaŭ
212
Vilejka
Barysaŭ
Smaljavičy
Maladzečna
Mahilëŭ
Čavusy
Kryčaŭ
Klimavičy
Br'ansk
Karačev
Or'ol
MINSK
Berazino
Bychaŭ
Slaŭharad
Navl'a
Počep
Červen'
Dzjaržynsk
Mar''ina Horka
Asipovičy
Surаž
Uneča
Maloarchangel'sk
Stoŭbcy
Babrujsk
Rahačoŭ
Doŭsk
505
Klincy
Trubčevsk
Železnogorsk
Starodub
Fatež
Žlobin
Novozybkov
Sevsk
Njasviž
Baranavičy
Sluck
BY
Svetlahorsk
Homel'
Dobruš
Novhorod Sivers'kyj
L'gov
Salihorsk
Rečyca
Šostka
Ryl'sk
Hluchiv
Horodnja
Ščors
454
Krolevec'
Sudža
Kalinkavičy
Žytkavičy
Luninec
Mazyr
Chojniki
Putyvl'
Bilopillja
Černihiv
Mena
Konotop
Sumy
Borzna
Bachmač
Pinsk
Prypjac'
Dnjapro

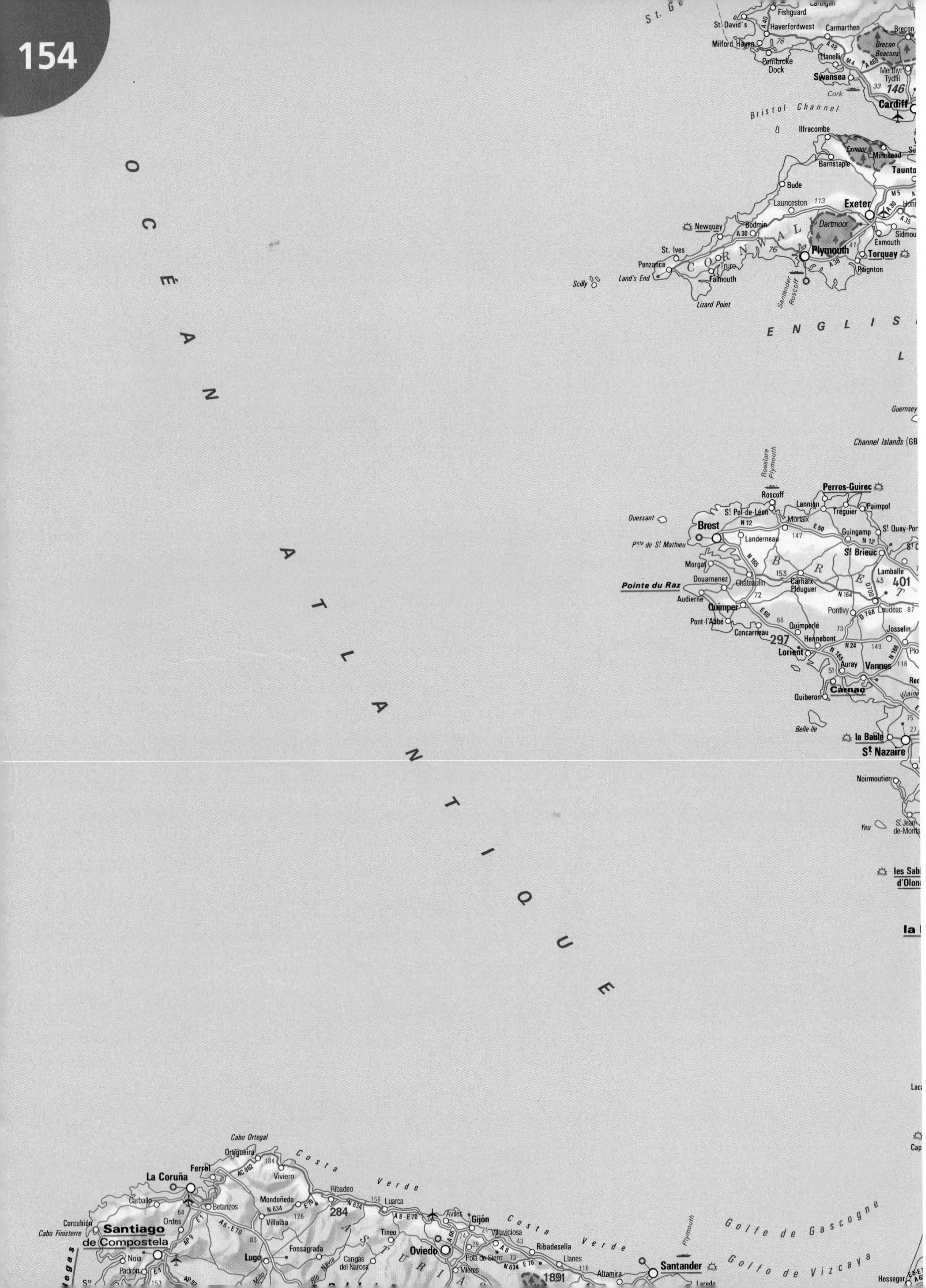

OCÉAN ATLANTIQUE

Fishguard
St. David's
Haverfordwest
Carmarthen
Brecon
Milford Haven
Pembroke Dock
Llanelli
Brecon Beacons
Swansea
Merthyr Tydfil
146
Cardiff
Cork
Bristol Channel
Ilfracombe
Exmoor
Minehead
Barnstaple
Taunton
Bude
Launceston
Exeter
Dartmoor
Newquay
Bodmin
St. Ives
Penzance
CORNWALL
Truro
Falmouth
Plymouth
Torquay
Paignton
Exmouth
Sidmouth
Scilly
Land's End
Lizard Point
Santander
Roscoff
ENGLISH
Guernsey
Channel Islands (GB)
Rosslare
Plymouth
Roscoff
Perros-Guirec
Lannion
Tréguier
Paimpol
Ouessant
Brest
St. Pol-de-Léon
Morlaix
Guingamp
St. Quay-Portrieux
Pte de St. Mathieu
Landerneau
St. Brieuc
Morgat
BRETAGNE
Lamballe
Douarnenez
Châteaulin
Carhaix-Plouguer
401
Pointe du Raz
Audierne
Quimper
Pontivy
Loudéac
Pont-l'Abbé
Quimperlé
Josselin
Concarneau
Hennebont
297
Lorient
Auray
Vannes
Quiberon
Carnac
Vilaine
Belle-Île
la Baule
St. Nazaire
Noirmoutier
Yeu
St. Jean-de-Monts
les Sables-d'Olonne

Cabo Ortegal
Ortigueira
Costa Verde
La Coruña
Ferrol
Viviero
Ribadeo
Carballo
Betanzos
Mondoñedo
Luarca
284
Corcubión
Cabo Finisterre
Santiago de Compostela
Ordes
Villalba
Avilés
Gijón
Villaviciosa
Tineo
ASTURIAS
Oviedo
Ribadesella
Golfe de Gascogne
Golfo de Vizcaya
Noia
Lugo
Fonsagrada
Cangas del Narcea
Pola de Siero
Mieres
Llanes
Padrón
1891
Altamira
Santander
Laredo
Hossegor

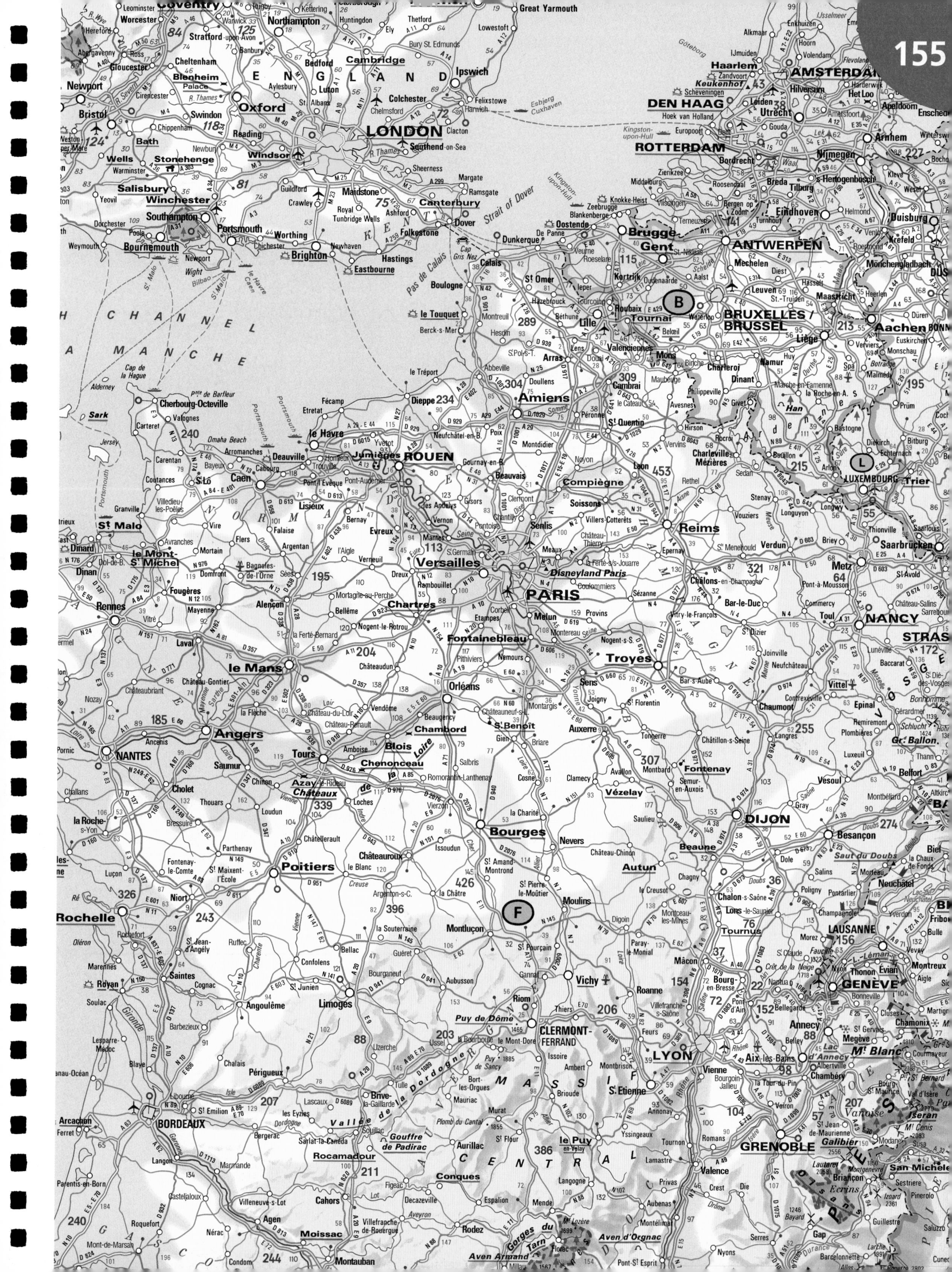
ENGLAND
LONDON
Coventry
Northampton
Great Yarmouth
Cambridge
Ipswich
Oxford
Bristol
Newport
Bath
Reading
Windsor
Southend-on-Sea
Canterbury
Dover
Brighton
Eastbourne
Southampton
Portsmouth
Bournemouth
Salisbury
Winchester
Stonehenge
Blenheim Palace
Strait of Dover
Pas de Calais
CHANNEL
LA MANCHE
AMSTERDAM
DEN HAAG
ROTTERDAM
Utrecht
Haarlem
Keukenhof
Arnhem
Nijmegen
Eindhoven
Breda
Tilburg
ANTWERPEN
Brugge
Gent
Oostende
BRUXELLES / BRUSSEL
Liège
Aachen
Maastricht
Charleroi
Namur
Mons
Tournai
Lille
Calais
Dunkerque
Boulogne
le Touquet
Amiens
Dieppe
le Havre
ROUEN
Caen
Cherbourg-Octeville
St Malo
le Mont-St Michel
Rennes
le Mans
Laval
Angers
NANTES
Tours
Blois
Chambord
Chenonceau
Châteaux de la Loire
Orléans
Chartres
Versailles
PARIS
Disneyland Paris
Fontainebleau
Beauvais
Compiègne
Reims
Troyes
Châlons-en-Champagne
Verdun
Metz
NANCY
LUXEMBOURG
Trier
Saarbrücken
Dijon
Besançon
Poitiers
Bourges
Vézelay
Fontenay
Autun
Beaune
Tournus
LYON
Vichy
CLERMONT-FERRAND
Puy de Dôme
Limoges
Angoulême
la Rochelle
Royan
Périgueux
BORDEAUX
Arcachon
Vallée de la Dordogne
Gouffre de Padirac
Rocamadour
Conques
Cahors
Moissac
Montauban
Agen
Rodez
Aurillac
le Puy
MASSIF CENTRAL
Gorges du Tarn
Aven Armand
Aven d'Orgnac
St Étienne
GRENOBLE
Valence
Chambéry
Annecy
Aix-les-Bains
GENÈVE
LAUSANNE
Mt Blanc
Chamonix
Vosges
Épinal
Vittel
Belfort
Gr d Ballon

ENGLAND
Northampton
Cambridge
Bedford
Ipswich
Oxford
Colchester
Harwich
LONDON
Reading
Windsor
Southend-on-Sea
Canterbury
Maidstone
Dover
Strait of Dover
Portsmouth
Worthing
Brighton
Eastbourne
Hastings
Folkestone
KENT
Wight
Pas de Calais
Calais
Dunkerque
Boulogne
le Touquet
Dieppe
Fécamp
le Havre
Deauville
ROUEN
Caen
Cherbourg-Octeville
Amiens
Abbeville
Arras
Lille
Valenciennes
Cambrai
St. Quentin
Beauvais
Compiègne
Soissons
Laon
Reims
Evreux
Versailles
PARIS
Disneyland Paris
Chartres
Fontainebleau
Melun
Troyes
Châlons-en-Champagne
Verdun
Metz
NANCY
STRASBOURG
Colmar
Mulhouse
Freiburg
BASEL
Luzern
BERN
Fribourg
LAUSANNE
GENÈVE
Montreux
Interlaken
Zermatt
Chamonix
Mt Blanc
Annecy
Aix-les-Bains
Chambéry
GRENOBLE
LYON
St. Etienne
Valence
Vienne
Mâcon
Bourg-en-Bresse
DIJON
Besançon
Beaune
Vichy
CLERMONT-FERRAND
Puy de Dôme
MASSIF CENTRAL
le Puy
Moulins
Nevers
Bourges
Orléans
Blois
Chambord
Tours
Chenonceau
Angers
le Mans
Laval
Poitiers
Limoges
Angoulême
Périgueux
BORDEAUX
Agen
Cahors
Rocamadour
Conques
Gorges du Tarn
Aven Armand
Aven d'Orgnac
Vézelay
Fontenay
Auxerre
Sens
Vittel
Épinal
Luxembourg
Trier
Saarbrücken
Kaiserslautern
Koblenz
BRUXELLES / BRUSSEL
ANTWERPEN
Brugge
Gent
Oostende
Liège
Namur
Charleroi
Mons
Tournai
Maastricht
Aachen
KÖLN
DÜSSELDORF
Wuppertal
Essen
Dortmund
Duisburg
Eindhoven
Breda
's-Hertogenbosch
Nijmegen
Arnhem
Utrecht
ROTTERDAM
DEN HAAG
AMSTERDAM
Haarlem
Keukenhof
Zwolle
Apeldoorn
Enschede
Münster
TORINO
Gran Paradiso
Aosta
NL
B
L
F
CH

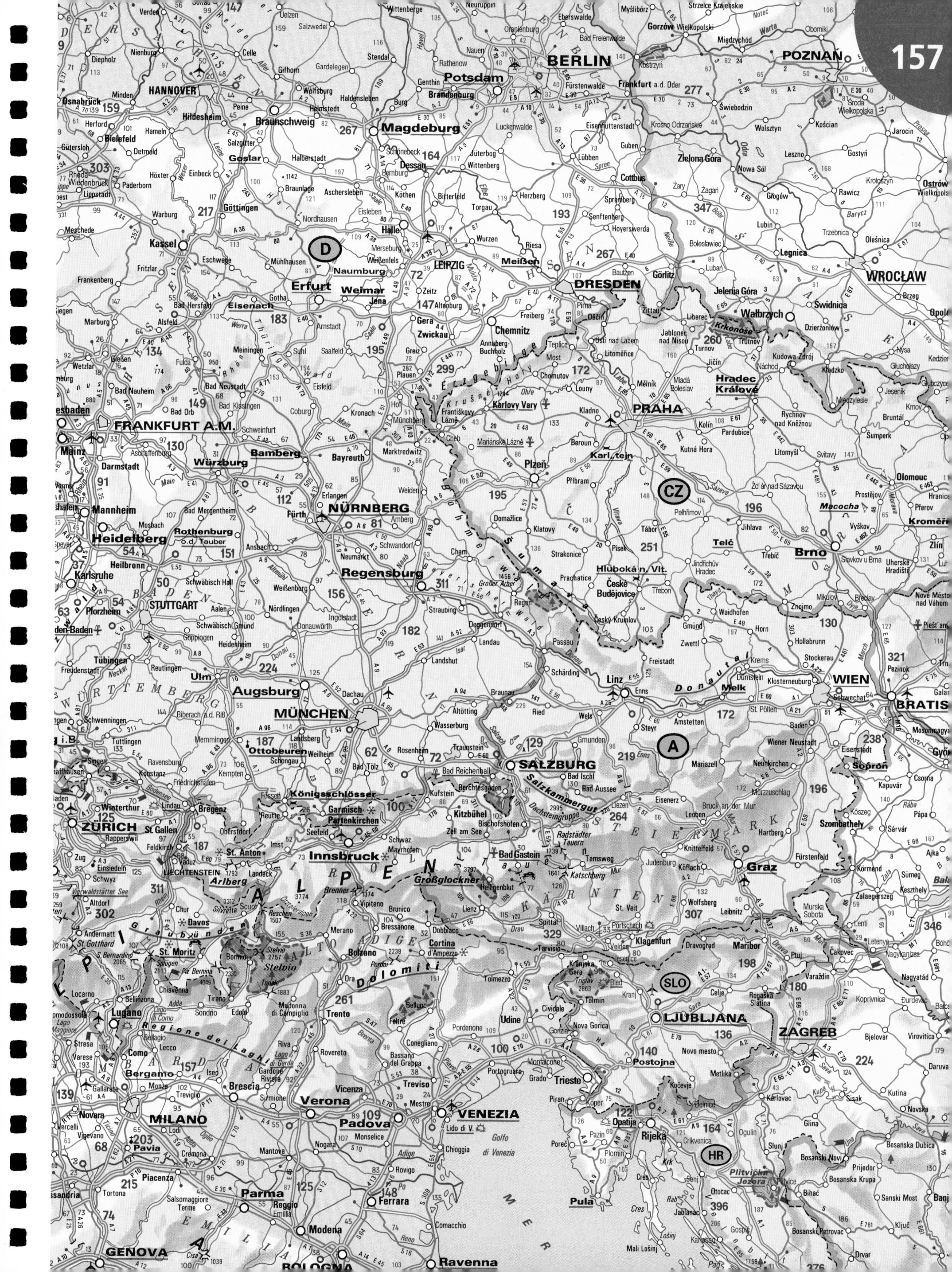
BERLIN
Potsdam
Magdeburg
HANNOVER
Braunschweig
Kassel
Göttingen
Halle
LEIPZIG
DRESDEN
Erfurt
Weimar
Jena
Chemnitz
Zwickau
Frankfurt a.d. Oder
POZNAŃ
WROCŁAW
Legnica
Zielona Góra
Cottbus
PRAHA
Plzeň
Karlovy Vary
Hradec Králové
Brno
Olomouc
České Budějovice
FRANKFURT A.M.
Würzburg
Bamberg
Bayreuth
NÜRNBERG
Regensburg
Heidelberg
Mannheim
Karlsruhe
STUTTGART
Ulm
Augsburg
MÜNCHEN
SALZBURG
Linz
WIEN
BRATIS
Graz
Innsbruck
ZÜRICH
Klagenfurt
LJUBLJANA
ZAGREB
Maribor
Trieste
Rijeka
Pula
Udine
VENEZIA
Padova
Verona
Brescia
Bergamo
MILANO
Pavia
Parma
Modena
BOLOGNA
Ferrara
Ravenna
GENOVA
Trento
Bolzano
Lugano
Dolomiti
Großglockner
Salzkammergut
Donautal
Erzgebirge
Šumava
Krkonoše
D
CZ
A
SLO
HR

PL
WARSZAWA
Płock
Włocławek
Inowrocław
Gniezno
Konin
Kutno
Łowicz
Skierniewice
Żyrardów
Sochaczew
Mińsk Mazowiecki
Siedlce
Sokołów Podlaski
Terespol
Brest
Biała Podlaska
Międzyrzec Podlaski
Radzyń Podlaski
Włodawa
Kobryn
Kovel'
Ljuboml'
Dęblin
Puławy
Radom
Lublin
Chełm
Krasnystaw
Zamość
Tomaszów Lubelski
Biłgoraj
Kraśnik
Volodymyr-Volyns'kyj
Novovolyns'k
Červonohrad
Radechiv
Žovkva
Zoločiv
L'VIV
Horodok
Mostys'ka
Przemyśl
Jarosław
Javoriv
Rzeszów
Dębica
Mielec
Tarnobrzeg
Stalowa Wola
Sandomierz
Ostrowiec Świętokrzyski
Starachowice
Skarżysko-Kamienna
Kielce
Jędrzejów
Busko-Zdrój
Kazimierz Dolny
Tomaszów Mazowiecki
Piotrków Trybunalski
Bełchatów
Radomsko
ŁÓDŹ
Pabianice
Zduńska Wola
Sieradz
Kalisz
Ostrów Wielkopolski
Jarocin
Krotoszyn
Września
Środa Wielkopolska
Kościan
Leszno
Gostyń
Rawicz
Wolsztyn
Nowa Sól
Głogów
Lubin
Legnica
Trzebnica
Oleśnica
WROCŁAW
Kluczbork
Wieluń
Częstochowa
Lubliniec
Zawiercie
Bytom
Sosnowiec
Katowice
Gliwice
Tychy
Oświęcim
KRAKÓW
Wieliczka
Tarnów
Jasło
Krosno
Sanok
Gorlice
Nowy Sącz
Krynica
Rabka
Nowy Targ
Zakopane
Bielsko-Biała
Żywiec
Wisła
Cieszyn
Karviná
Ostrava
Frýdek-Místek
Třinec
Nový Jičín
Opava
Racibórz
Kędzierzyn-Koźle
Opole
Brzeg
Nysa
Głuchołazy
Jeseník
Krnov
Bruntál
Šumperk
Olomouc
Prostějov
Přerov
Hranice
Valašské Meziříčí
Kroměříž
Zlín
Vyškov
Brno
Slavkov u Brna
Uherské Hradiště
Luhačovice
Świdnica
Wałbrzych
Jelenia Góra
Dzierżoniów
Kłodzko
Kudowa-Zdrój
Náchod
Trutnov
Krkonoše
Hradec Králové
Pardubice
Rychnov nad Kněžnou
Litomyšl
Svitavy
Žďár nad Sázavou
Jihlava
Třebíč
Telč
Macocha
Znojmo
Mikulov
Břeclav
Waidhofen
Horn
Hollabrunn
Stockerau
Krems
Melk
Klosterneuburg
St. Pölten
WIEN
Schwechat
Baden
Wiener Neustadt
Eisenstadt
Neunkirchen
Mürzzuschlag
Bruck an der Mur
Hartberg
Fürstenfeld
Graz
Leibnitz
Maribor
Ptuj
Celje
BRATISLAVA
Trnava
Piešťany
Nové Mesto nad Váhom
Trenčín
SK
Považská Bystrica
Žilina
Martin
Ružomberok
Liptovský Mikuláš
Poprad
Kežmarok
Levoča
Spišská Nová Ves
Dobšiná
Prešov
Bardejov
Svidník
Humenné
Michalovce
Trebišov
Košice
Rožňava
Brezno
Banská Bystrica
Prievidza
Kremnica
Zvolen
Banská Štiavnica
Lučenec
Rimavská Sobota
Topoľčany
Nitra
Levice
Nové Zámky
Komárno
Galanta
K A R P A T Y
Užhorod
Mukačeve
Svaljava
Sambir
Drohobyč
Stryj
Kaluš
Dolyna
Rohatyn
Mykolaїv
Chust
Rachiv
Berehove
Sighetu Marmaţiei
Baia Mare
Satu Mare
Carei
Sátoraljaújhely
Sárospatak
Kisvárda
Záhony
Vásárosnamény
Mátészalka
Nyíregyháza
Nagykálló
Nyírbátor
Tokaj
Miskolc
Kazincbarcika
Edelény
Baradla
Ózd
Eger
Salgótarján
Gyöngyös
Hatvan
Szécsény
Balassagyarmat
Vác
Esztergom
Szentendre
Gödöllő
Jászberény
BUDAPEST
Tatabánya
Tata
Győr
Mosonmagyaróvár
Sopron
Kapuvár
Csorna
Pápa
Kőszeg
Szombathely
Sárvár
Ajka
Veszprém
Várpalota
Székesfehérvár
Mór
H
Balatonfüred
Siófok
Keszthely
Sümeg
Zalaegerszeg
Körmend
Lenti
Nagykanizsa
Čakovec
Varaždin
Kaposvár
Dombóvár
Tamási
Paks
Kalocsa
Kecskemét
Cegléd
Szolnok
Abony
Nagykőrös
Kiskunfélegyháza
Kiskőrös
Kiskunhalas
Csongrád
Szentes
Hódmezővásárhely
Szeged
Makó
Békéscsaba
Gyula
Orosháza
Szarvas
Mezőtúr
Karcag
Püspökladány
Hajdúszoboszló
Debrecen
Tiszafüred
Mezőkövesd
Berettyóújfalu
Oradea
Salonta
Cluj-Napoca
Turda
Alba Iulia
Arad
Lipova
Deva
Hunedoara
Timişoara
Lugoj
Caransebeș
Reşiţa
Oraviţa
Vršac
Zrenjanin
Pančevo
BEOGRAD
Smederevo
Požarevac
Novi Sad
Ruma
Šid
Vukovar
Vinkovci
Osijek
Đakovo
Našice
Sombor
Subotica
Kikinda
Senta
Bečej
Vrbas
Srbobran
Temerin
Baja
Mohács
Pécs
Szigetvár
Komló
Szekszárd
Dunaújváros
Zagreb
Karlovac
Sisak
Bjelovar
Virovitica
Koprivnica
Daruvar
Kutina
Požega
Nova Gradiška
Slavonski Brod
Bosanska Dubica
Prijedor
Bihać
Banja Luka
Doboj
Tuzla
Brčko
Bijeljina
Zvornik
Šabac
Loznica
Valjevo
Obrenovac
Mladenovac
Aranđelovac
Kragujevac
Jagodina
Sremska Mitrovica
HR
BIH
SRB
Negotin
Kladovo
Drobeta-Turnu Severin
Orşova
Portile de Fier
Moldova Nouă
Băile Herculane
Calafat
Vidin
Craiova
Târgu Jiu
Petroşani
Haţeg
Orăştie
Sebeş
Câmpeni
Brad
Beiuş
Chişineu-Criş
Huedin
CARPAŢII MERIDIONALI
Tatry
Balaton
Dunaj
Tisza
Wisła
Maramureş

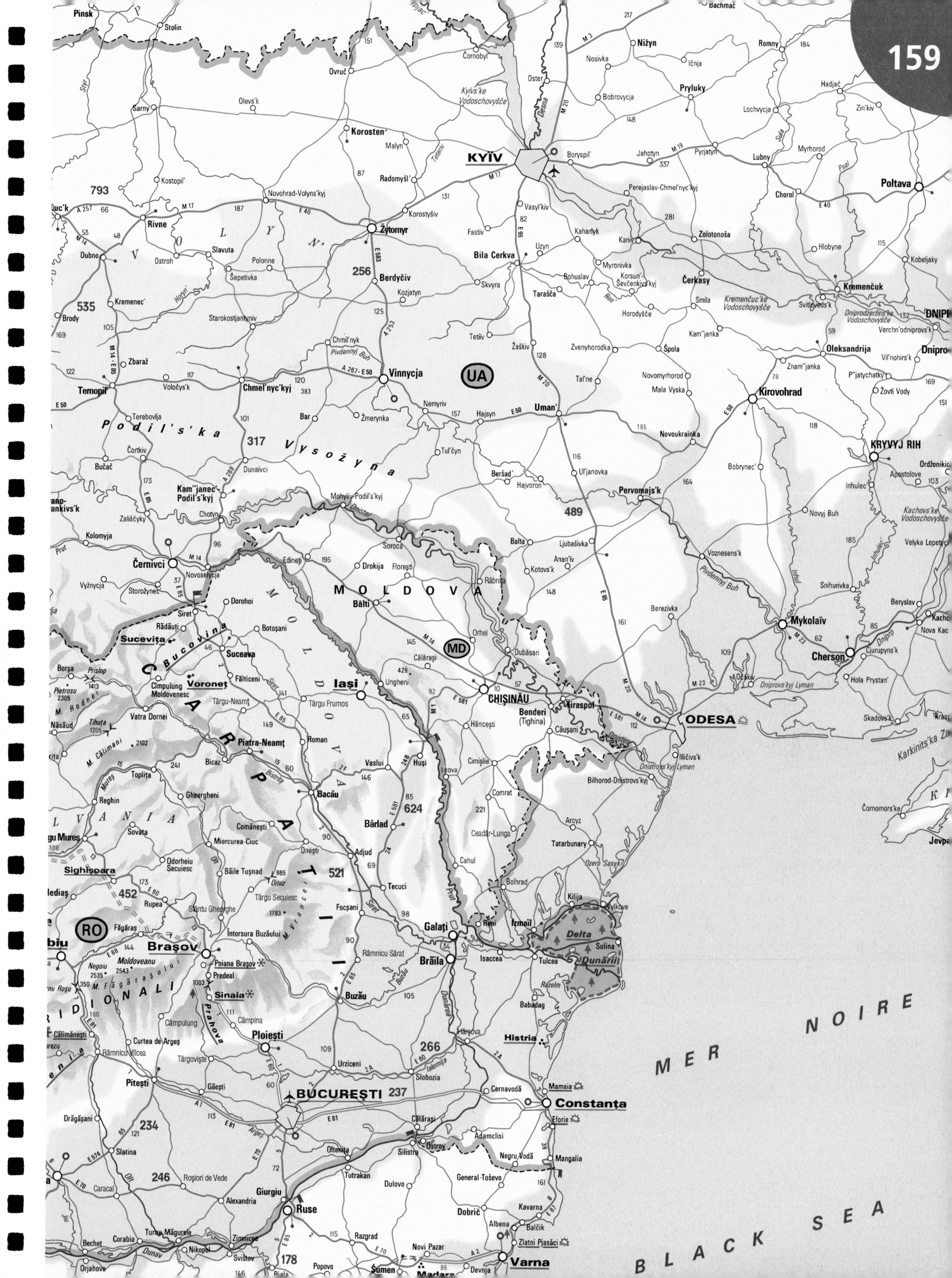

KYÏV
Pinsk
Stolin
Ovruč
Čornobyl'
Nižyn
Romny
Bachmač
Nosivka
Ičnja
Oster
Kyïvs'ke Vodoschovyšče
Desna
Bobrovycja
Pryluky
Hadjač
Lochvycja
Zin'kiv
Sarny
Olevs'k
Korosten'
Malyn
Boryspil'
Jahotyn
Pyrjatyn
Lubny
Myrhorod
Poltava
Kostopil'
Radomyšl'
Perejaslav-Chmel'nyc'kyj
Chorol
Novohrad-Volyns'kyj
Luc'k
Rivne
Korostyšiv
Vasyl'kiv
Žytomyr
Fastiv
Kaharlyk
Kaniv
Zolotonoša
Hlobyne
Kobeljaky
Dubno
Ostroh
Slavuta
Polonne
Šepetivka
Bila Cerkva
Uzyn
Myronivka
Korsun'-Ševčenkivs'kyj
Čerkasy
Kremenčuk
Berdyčiv
Skvyra
Bohuslav
Tarašča
Kozjatyn
Smila
Kremenčuc'ke Vodoschovyšče
Svitlovods'k
Dniprodzeržyns'ke Vodoschovyšče
Kremenec'
Brody
Starokostjantyniv
Horodyšče
Kam''janka
Verchn'odniprovs'k
Chmil'nyk
Pivdennyj Buh
Tetiiv
Žaškiv
Zvenyhorodka
Špola
Oleksandrija
Dnipro
Zbaraž
Vil'nohirs'k
Znam''janka
Vinnycja
UA
Novomyrhorod
P''jatychatky
Ternopil'
Voločys'k
Chmel'nyc'kyj
Mala Vyska
Žovti Vody
Tal'ne
Kirovohrad
Nemyriv
Hajsyn
Uman'
Bar
Žmerynka
Terebovlja
Podil's'ka Vysočyna
Novoukrainka
Čortkiv
Tul'čyn
Bučač
Dunaïvci
Kam''janec'-Podil's'kyj
Ul'janovka
Bobrynec'
Kryvyj Rih
Ordžonikidze
Apostolove
Inhulec'
Beršad'
Hajvoron
Pervomajs'k
Mohyliv-Podil's'kyj
Dnister
Novyj Buh
Kachovs'ke Vodoschovyšče
Zališčyky
Chotyn
Kolomyja
Prut
Soroca
Balta
Ljubašivka
Velyka Lepetycha
Černivci
Edineţi
Drokija
Floreşti
Ananiv
Kotovs'k
Voznesens'k
Inhul
Vyžnycja
Storožynec'
Novoselycja
Rîbniţa
MOLDOVA
Dorohoi
Bălţi
Snihurivka
Beryslav
Siret
Rădăuţi
Botoşani
Berezivka
Mykolaïv
Kachovka
Nova Kachovka
Suceviţa
Bucovina
Suceava
MD
Orhei
Dubăsari
Cherson
Ciurupyns'k
Dnipro
Borşa
Prislop
Voroneţ
Fălticeni
Călăraşi
Ungheni
Iaşi
Ungheni
CHIŞINĂU
Očakiv
Dniprovs'kyj Lyman
Hola Prystan'
Pietrosu
Cîmpulung Moldovenesc
Târgu-Neamţ
Târgu Frumos
Benderi (Tighina)
Tiraspol
ODESA
Năsăud
Tihuţa
Vatra Dornei
Hânceşti
Căuşani
Skadovs'k
Karkinits'ka Zatoka
Piatra-Neamţ
Roman
M. Călimani
Bicaz
Vaslui
Huşi
Leova
Cimişlia
Illičivs'k
Dnistrovs'kyj Lyman
Toplita
Mureş
Bistriţa
Bacău
Comrat
Bilhorod-Dnistrovs'kyj
Reghin
Gheorgheni
Bârlad
Čornomors'ke
Arcyz
Tîrgu Mureş
Sovata
Comăneşti
Miercurea-Ciuc
Ceadâr-Lunga
Tatarbunary
Jevpatorija
Oneşti
Adjud
Odorheiu Secuiesc
Băile Tuşnad
Sighişoara
Oituz
Cahul
Ozero Sasyk
Tecuci
Mediaş
Rupea
Târgu Secuiesc
Bolhrad
Sfântu Gheorghe
Focşani
Kilija
Vylkove
Făgăraş
RO
Întorsura Buzăului
Galaţi
Reni
Izmaïl
Delta Dunării
Sibiu
Braşov
Sulina
Poiana Braşov
Negoiu
Moldoveanu
Râmnicu Sărat
Brăila
Isaccea
Tulcea
Predeal
M. Făgăraşului
Razelm
Sinaia
Buzău
Buzău
Prahova
Babadag
NOIRE
Câmpina
Câmpulung
Dunărea
Hârşova
Histria
Curtea de Argeş
Ploieşti
MER
Călimăneşti
Râmnicu Vâlcea
Târgovişte
Urziceni
Ialomiţa
Slobozia
Piteşti
Găeşti
Cernavodă
Mamaia
BUCUREŞTI
Constanţa
Drăgăşani
Argeş
Călăraşi
Eforie
Adamclisi
Slatina
Olteniţa
Ostrov
Silistra
Negru Vodă
Mangalia
Olt
Roşiori de Vede
Tutrakan
General-Toševo
Caracal
Dulovo
Giurgiu
Alexandria
Ruse
Kavarna
Dobrič
Albena
Balčik
Turnu Măgurele
Zimnicea
Razgrad
Zlatni Pjasăci
Corabia
Bechet
Nikopol
Svištov
Novi Pazar
Dunav
Orjahovo
Popovo
Šumen
Madara
Devnja
Varna
BLACK SEA

Cabo Ortegal
Ortigueira
Costa Verde
Ferrol
La Coruña
Viviero
Ribadeo
Luarca
Avilés
Gijón
Villaviciosa
Ribadesella
Llanes
Golfo
Carballo
Betanzos
Mondoñedo
Villalba
Corcubión
Cabo Finisterre
Santiago de Compostela
Ordes
Tineo
Oviedo
Pola de Siero
Mieres
Santander
Laredo
Castro-Urdiales
Rías Gallegas
Noia
Padrón
Lugo
Fonsagrada
Cangas del Narcea
Picos de Europa
Altamira
Torrelavega
Sta Eugenia
Cambados
Lalín
CORDILLERA CANTÁBRICA
ASTURIAS
Villafranca del Bierzo
Villager
Riaño
Reinosa
el Escudo
BILBAO
Pontevedra
Monforte de Lemos
Cervera de Pisuerga
VIGO
Baiona
Orense
Ponferrada
León
Tui
Puebla de Trives
Rio Miño
Rio Sil
Montes de León
Astorga
Valença do Minho
Xinzo de Limia
Sierra de la Cabrera
La Bañeza
Osorno la Mayor
Vitoria
Verín
Puebla de Sanabria
Miranda de Ebro
Viana do Castelo
Ponte da Barca
Rio Ebro
Póvoa de Varzim
Braga
Guimarães
Chaves
Bragança
Benavente
Burgos
Sto Domingo de la Calzada
Matosinhos
PORTO
Amarante
Rio Tâmega
Medina de Rioseco
Palencia
Rio Pisuerga
Santo Domingo de Silos
Sierra de la Demanda
Salas de los Infantes
Espinho
Vila Real
Mirandela
Miranda do Douro
Zamora
VALLADOLID
Rio Douro
Lamego
Torre de Moncorvo
Toro
Tordesillas
Peñafiel
Rio Duero
Aranda de Duero
El Burgo de Osma
Soria
Albergaria-a-Velha
Aveiro
Medina del Campo
Cuéllar
Almazán
Viseu
R. Tormes
Salamanca
Riaza
Somosierra
Celorico da Beira
Vilar Formoso
Ciudad Rodrigo
Buçaco
Arévalo
Segovia
Medinaceli
Rio Mondego
Seia
Serra da Estrela
Guarda
Peñaranda de Bracamonte
Figueira da Foz
Coimbra
Peña de Francia
Sigüenza
Covilhã
La Alberca
Ávila
Sierra de Guadarrama
Navacerrada
Alcolea del Pinar
Pombal
Fundão
El Barco de Ávila
El Escorial
Leiria
Rio Zêzere
Béjar
Sierra de Gredos
Arenas de S. Pedro
Guadalajara
Batalha
Nazaré
Alcobaça
Fátima
Sertã
Castelo Branco
Coria
Plasencia
MADRID
Alcalá de Henares
Sacedón
Berlenga
Tomar
Rio Alagón
Jarandilla de la Vera
Peniche
Caldas da Rainha
Abrantes
Alcántara
Navalmoral de la Mata
Talavera de la Reina
Maqueda
Aranjuez
Torres Vedras
Santarém
Rio Tajo
Marvão
Toledo
Ocaña
Ponte de Sor
Valencia de Alcántara
Cáceres
Tarancón
Cuenca
Vila Franca de Xira
Portalegre
Trujillo
Sierra de Guadalupe
Guadalupe
Navahermosa
Cabo da Roca
Sintra
Coruche
Cascais
Estoril
LISBOA
Almada
Vendas Novas
Estremoz
Montes de Toledo
Mora
Quintanar de la Orden
Elvas
Badajoz
Mérida
Herrera del Duque
Madridejos
Alcázar de S. Juan
Belmonte
Alarcón
Setúbal
Montemor-o-Novo
Funchal
Évora
Villanueva de la Serena
Alcácer do Sal
Almendralejo
Castuera
Almadén
Ciudad Real
Daimiel
Tomelloso
La Roda
Villanueva del Fresno
Santiago do Cacém
Ferreira do Alentejo
Manzanares
La Mancha
Sines
Zafra
Puertollano
Munera
Beja
Moura
Jerez de los Caballeros
Peñarroya-Pueblonuevo
Valdepeñas
Albacete
Aljustrel
Serpa
Rio Guadiana
Rio Zújar
Pozoblanco
Sierra Morena
Odemira
Castro Verde
Rosal de la Frontera
Llerena
Fuente Obejuna
Villanueva de Córdoba
Alcaraz
Ourique
Aracena
Mértola
Sierra
La Carolina
Hellín
Riotinto
Constantina
Montoro
Bailén
Linares
Villacarrillo
Villanueva de los Castillejos
Valverde del Camino
Andújar
ALGARVE
Lora del Río
CÓRDOBA
Baeza
Úbeda
Caravaca
Lagos
Cabo de S. Vicente
Sagres
Portimão
Guadalquivir
Cazorla
Albufeira
Faro
Tavira
Vila Real de Sto António
Ayamonte
Huelva
Carmona
Baena
Jaén
SEVILLA
Alcalá de Guadaira
Écija
Martos
Huéscar
Golfo de Cádiz
Utrera
Osuna
Lucena
Priego de Córdoba
Alcalá la Real
Puerto Lumbreras
Lorca
Morón de la Frontera
Campillos
Loja
Baza
ANDALUCÍA
Sanlúcar de Barrameda
Arcos de la Frontera
Antequera
Alhama de Granada
GRANADA
Guadix
Huércal-Overa
Águilas
El Puerto de Sta María
Jerez de la Frontera
Ronda
Sierra Nevada
Cádiz
MÁLAGA
Vélez-Málaga
Lanjarón
San Fernando
Medina-Sidonia
Estepona
Torremolinos
Fuengirola
Nerja
Motril
Adra
Almería
Islas Canarias
Marbella
Melilla
Cabo de Gata
Vejer de la Frontera
Algeciras
La Línea de la Concepción
Gibraltar (GB)
Tarifa
Costa del Sol
Estrecho de Gibraltar
Genova
Cap Spartel
Ceuta (E)
Tanger
Alborán (E)

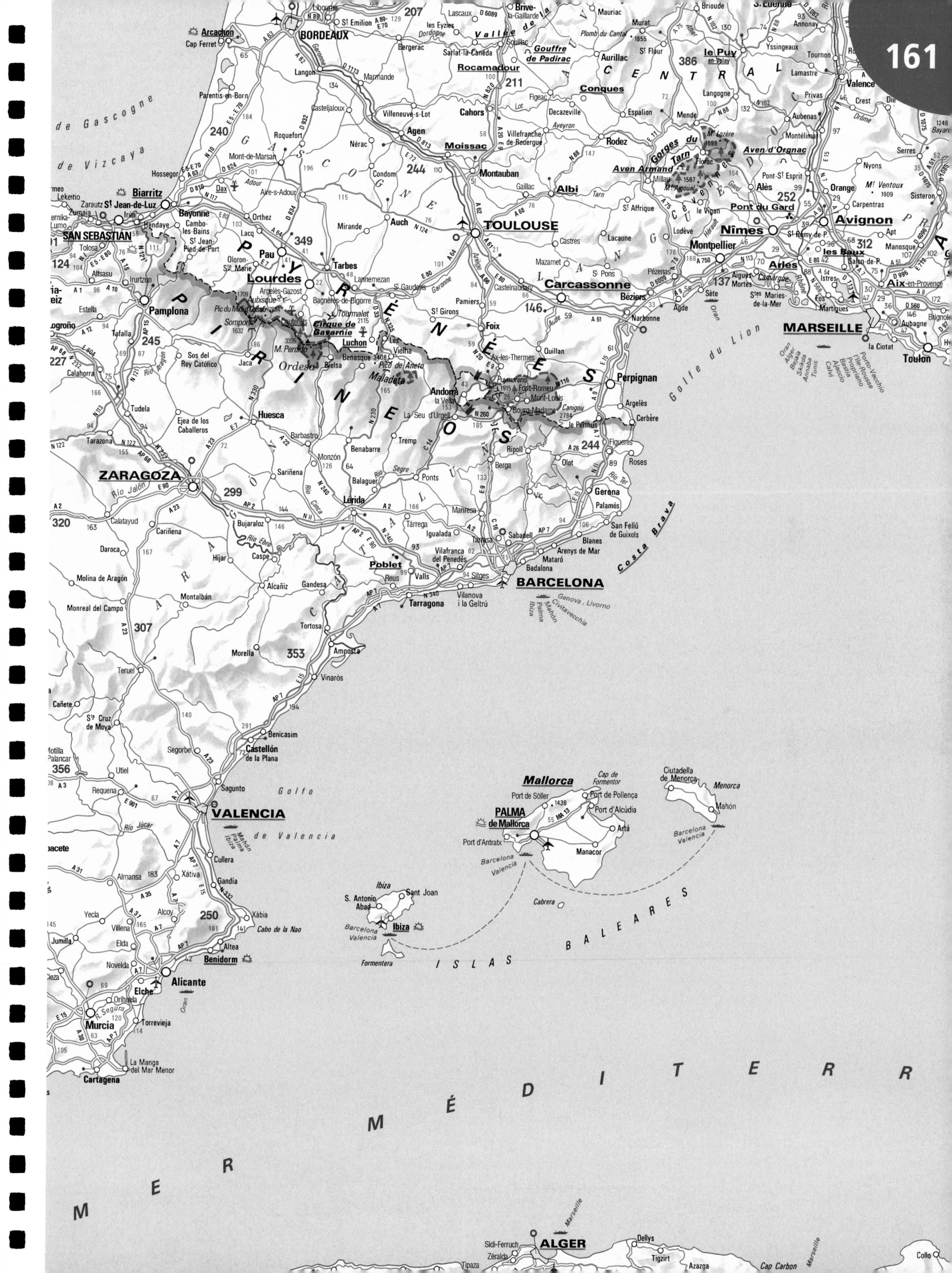
BORDEAUX
TOULOUSE
MARSEILLE
ZARAGOZA
BARCELONA
VALENCIA
ALGER
SAN SEBASTIÁN
Avignon
Nîmes
Montpellier
Carcassonne
Perpignan
Lourdes
Pamplona
Huesca
Lérida
Tarragona
Castellón de la Plana
Alicante
Murcia
Cartagena
PALMA de Mallorca
Mallorca
Menorca
Ibiza
Formentera
P Y R É N É E S
P I R I N E O S
Golfe du Lion
Golfo de Valencia
Costa Brava
I S L A S   B A L E A R E S
M E R   M É D I T E R R

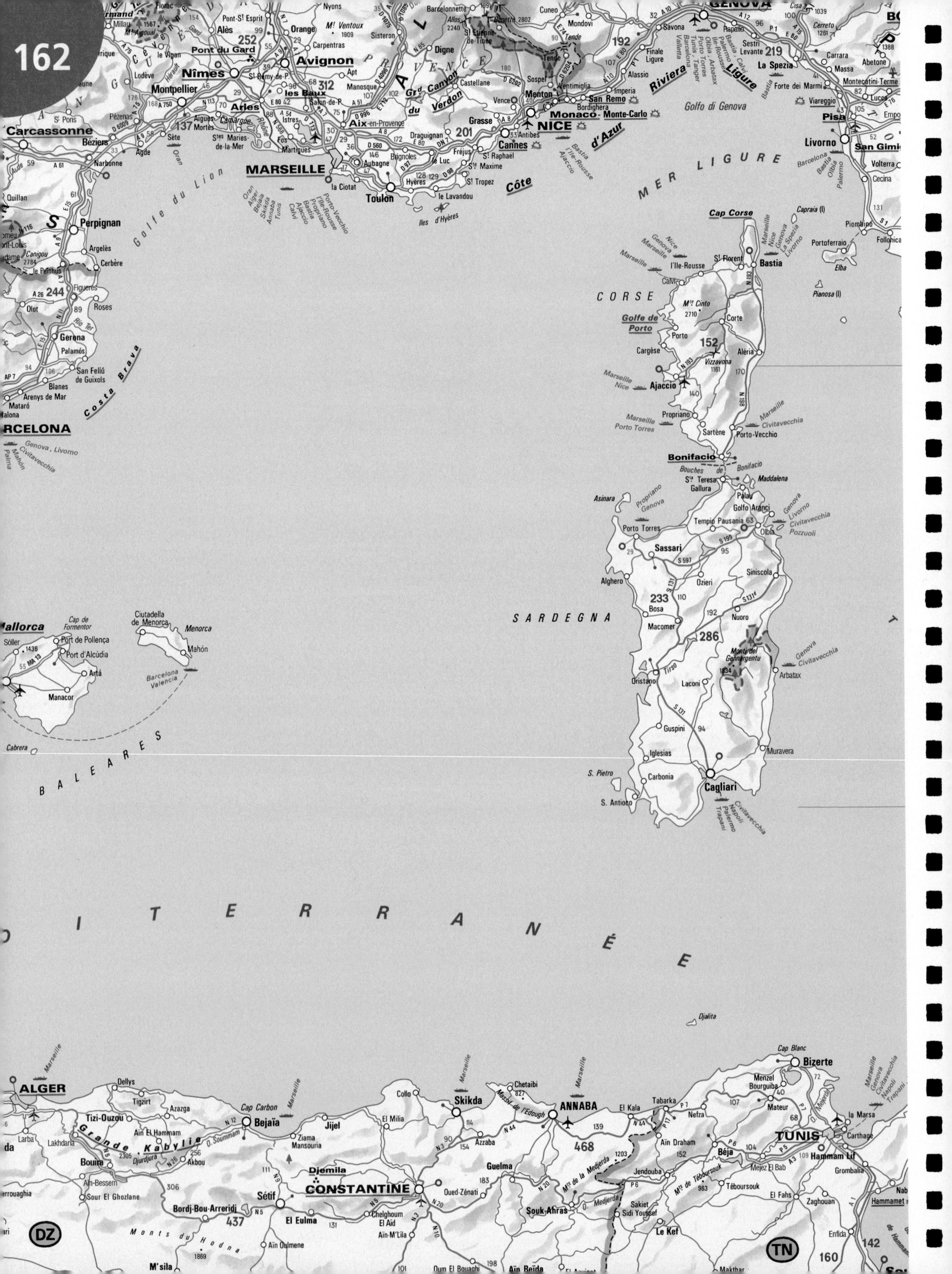

Nyons
Pont-St Esprit
Alès
Orange
Mt Ventoux
1909
Sisteron
Barcelonnette
Cuneo
Mondovì
GENOVA
Savona
Rapallo
Sestri Levante
La Spezia
Carrara
Massa
Abetone
Millau
Le Vigan
Pont du Gard
Carpentras
Digne
Avignon
Nîmes
St Rémy-de-P.
Apt
les Baux
Manosque
Grd Canyon du Verdon
Castellane
Sospel
Menton
Ventimiglia
San Remo
Imperia
Alassio
Finale Ligure
Riviera Ligure
Forte dei Marmi
Viareggio
Montecatini-Terme
Lucca
Lodève
Montpellier
Arles
Salon-de-P.
Vence
Bordighera
Monaco - Monte-Carlo
Golfo di Genova
Pisa
Carcassonne
St Pons
Pézenas
Aigues Mortes
Camargue
Rhône
Istres
Aix-en-Provence
Grasse
NICE
Antibes
Cannes
Livorno
San Gimi
Béziers
Sète
Stes Maries-de-la-Mer
Fos
Martigues
Draguignan
Fréjus
St Raphael
Côte d'Azur
Agde
Narbonne
MARSEILLE
Aubagne
Brignoles
le Luc
Ste Maxime
St Tropez
la Ciotat
Toulon
Hyères
le Lavandou
Iles d'Hyères
MER LIGURE
Volterra
Cecina
Quillan
Golfe du Lion
Perpignan
Argelès
Cerbère
le Perthus
Canigou
2784
Figueres
Roses
Olot
Girona
Palamós
San Feliú de Guixols
Blanes
Arenys de Mar
Mataró
Costa Brava
RCELONA
Genova, Livorno
Civitavecchia
Palma
Mahón
Cap Corse
Capraia (I)
Piombino
Follonica
Portoferraio
Elba
Pianosa (I)
St Florent
Bastia
l'Ile-Rousse
Calvi
CORSE
Mt Cinto
2710
Corte
Golfe de Porto
Porto
Cargèse
Vizzavona
1161
Aléria
Ajaccio
Propriano
Sartène
Porto-Vecchio
Bonifacio
Bouches de Bonifacio
Ste Teresa Gallura
Maddalena
Palau
Asinara
Golfo Aranci
Tempio Pausania
Olbia
Porto Torres
Sassari
Alghero
Ozieri
Siniscola
Bosa
Macomer
Nuoro
SARDEGNA
Monti del Gennargentu
1834
Oristano
Laconi
Arbatax
Tirso
Guspini
Iglesias
Muravera
Carbonia
Cagliari
S. Pietro
S. Antioco
Civitavecchia
Napoli
Palermo
Trapani
Mallorca
Cap de Formentor
Ciutadella de Menorca
Menorca
Mahón
Sóller
Port de Pollença
Port d'Alcúdia
Artá
Manacor
Barcelona
Valencia
Cabrera
BALEARES
ITERRANÉE
Djalita
Cap Blanc
Bizerte
Menzel Bourguiba
Mateur
ALGER
Dellys
Tigzirt
Azazga
Tizi-Ouzou
Cap Carbon
Bejaïa
Collo
Skikda
Chetaibi
ANNABA
El Kala
Tabarka
Nefza
la Marsa
Carthage
TUNIS
Hammam Lif
Grombalia
Larba
Lakhdaria
Grande Kabylie
Aïn El Hammam
Djurdjura
Akbou
Jijel
Ziama Mansouria
El Milia
Azzaba
Aïn Draham
Béja
Mejez El Bab
Bouira
Aïn-Bessem
Sour El Ghozlane
Djemila
CONSTANTINE
Guelma
Jendouba
Téboursouk
Sétif
Bordj-Bou-Arreridj
El Eulma
Chelghoum El Aïd
Aïn-M'Lila
Oued-Zénati
Souk-Ahras
Sakiet Sidi Youssef
Le Kef
El Fahs
Zaghouan
Hammamet
Enfida
Monts du Hodna
Aïn Oulmene
M'sila
Oum El Bouaghi
Aïn Beïda
DZ
TN

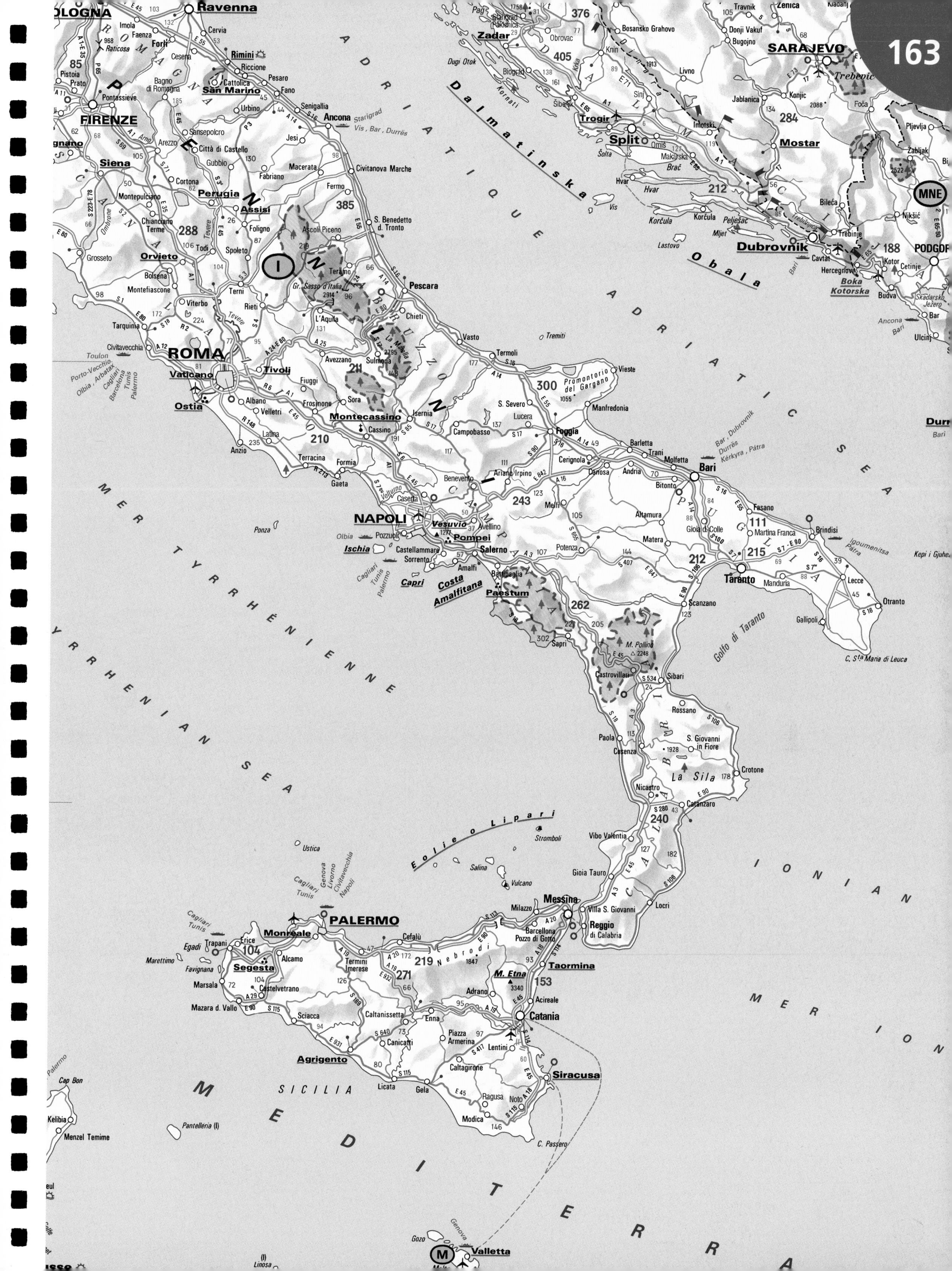

Ravenna
Imola
Faenza
Forlì
Cervia
Rimini
Riccione
Cattolica
San Marino
Cesena
Bagno di Romagna
Pesaro
Fano
Senigallia
Ancona
Pistoia
Prato
Pontassieve
FIRENZE
Urbino
Sansepolcro
Jesi
Arezzo
Città di Castello
Gubbio
Fabriano
Macerata
Civitanova Marche
Siena
Cortona
Perugia
Fermo
Montepulciano
Assisi
Chianciano Terme
Foligno
S. Benedetto d. Tronto
Ascoli Piceno
Todi
Spoleto
Grosseto
Orvieto
Bolsena
Teramo
Montefiascone
Terni
Gr. Sasso d'Italia
Pescara
Viterbo
Rieti
L'Aquila
Chieti
Tarquinia
Vasto
Civitavecchia
ROMA
Vaticano
Tivoli
Avezzano
Sulmona
Termoli
Tremiti
Vieste
Promontorio del Gargano
Fiuggi
Ostia
Albano
Velletri
Frosinone
Sora
Isernia
S. Severo
Lucera
Manfredonia
Montecassino
Cassino
Campobasso
Foggia
Latina
Anzio
Terracina
Formia
Gaeta
Barletta
Trani
Molfetta
Bari
Cerignola
Canosa
Andria
Bitonto
Benevento
Ariano Irpino
Caserta
Melfi
NAPOLI
Vesuvio
Pompei
Avellino
Altamura
Gioia d. Colle
Fasano
Brindisi
Martina Franca
Ponza
Pozzuoli
Ischia
Castellammare
Sorrento
Salerno
Amalfi
Capri
Costa Amalfitana
Potenza
Matera
Taranto
Manduria
Lecce
Otranto
Battipaglia
Paestum
Scanzano
Gallipoli
Sapri
M. Pollino
Castrovillari
Sibari
C. S.ta Maria di Leuca
Golfo di Taranto
Rossano
Paola
Cosenza
S. Giovanni in Fiore
La Sila
Crotone
Nicastro
Catanzaro
Eolie o Lipari
Stromboli
Vibo Valentia
Ustica
Salina
Vulcano
Gioia Tauro
Messina
Villa S. Giovanni
Reggio di Calabria
Locri
PALERMO
Monreale
Cefalù
Milazzo
Barcellona Pozzo di Gotto
Trapani
Erice
Egadi
Marettimo
Favignana
Alcamo
Segesta
Termini Imerese
Nebrodi
Taormina
M. Etna
Marsala
Castelvetrano
Adrano
Acireale
Mazara d. Vallo
Sciacca
Caltanissetta
Enna
Catania
Piazza Armerina
Canicattì
Lentini
Agrigento
Caltagirone
Siracusa
Licata
Gela
Ragusa
Noto
Modica
C. Passero
SICILIA
Pantelleria (I)
Cap Bon
Kelibia
Menzel Temime
Gozo
Valletta
Linosa
Pag
Zadar
Obrovac
Dugi Otok
Biograd
Kornati
Knin
Bosansko Grahovo
Šibenik
Sinj
Trogir
Split
Omiš
Šolta
Makarska
Brač
Hvar
Vis
Livno
Imotski
Travnik
Zenica
Donji Vakuf
Bugojno
SARAJEVO
Trebević
Jablanica
Konjic
Foča
Mostar
Pljevlja
Žabljak
Korčula
Pelješac
Mljet
Lastovo
Dubrovnik
Bileća
Trebinje
Nikšić
MNE
PODGORICA
Cavtat
Herceg Novi
Kotor
Cetinje
Boka Kotorska
Budva
Skadarsko Jezero
Bar
Ulcinj
Dalmatinska Obala
MER ADRIATIQUE
ADRIATIC SEA
MER TYRRHÉNIENNE
TYRRHENIAN SEA
IONIAN SEA
MER IONIENNE
MEDITERRANEAN
APENNINI
ABRUZZO
CAMPANIA
PUGLIA
CALABRIA

SARAJEVO
Trebević
Mostar
Split
Trogir
Šibenik
Knin
Livno
Sinj
Imotski
Omiš
Makarska
Šolta
Brač
Hvar
Vis
Korčula
Lastovo
Mljet
Pelješac
Dubrovnik
Cavtat
Trebinje
Bileća
Herceg Novi
Boka Kotorska
Kotor
Budva
Cetinje
Bar
Ulcinj
Nikšić
Žabljak
Pljevlja
Bijelo Polje
Foča
Konjic
Jablanica
Višegrad
Rogatica
Vlasenica
Travnik
Zenica
Donji Vakuf
Bugojno
Bosansko Grahovo
Užice
Čačak
Kragujevac
Ćuprija
Kraljevo
Kruševac
Vrnjačka Banja
Ivanjica
Prijepolje
Studenica
Novi Pazar
Aleksinac
Niš
Prokuplje
Leskovac
Soko Banja
Knjaževac
Belogradčik
Montana
Berkovica
Pirot
Bela Palanka
Dimitrovgrad
Dragoman
Trăn
SOFIA
Pernik
Surdulica
Vranje
Kjustendil
Dupnica
Kriva Palanka
Kumanovo
Delčevo
Štip
Strumica
Veles
SKOPJE
Tetovo
Kičevo
Prilep
Gevgelija
Ohrid
Struga
Resen
Bitola
Ohridsko Ezero
Prespansko Ezero
Debar
Mavrovo
MK
MNE
PODGORICA
Berane
Andrijevica
Peć/Pejë
Dečani
Đakovica/Gjakovë
Prizren
Pristina/Prishtinë
Gračanica
Gnjilane/Gjilan
Kosovska Mitrovica/Mitrovicë
KOSOVO
Prokletije
Shkodër
Skadarsko Jezero
Kukës
Pukë
Shëngjin
Lezhë
Burrel
Peshkopi
Zerqan
Kruje
Tiranë
Durrës
Shijak
Kavajë
Elbasan
Rrogozhine
Cërrik
Lushnjë
Pogradec
Fier
Berat
Korçë
Vlorë
Këlcyrë
Permet
Tepelene
Gjirokastër
Sarande
Buthrotum
AL
Kepi i Gjuhezës
Kastoriá
Flórina
Édessa
Giannitsá
Náousa
Alexándreia
Véroia
Ptolemaïda
Kozáni
Árgos Orestikó
Kateríni
Litochóro
Ólympos
Elassóna
Grevená
Tírnavos
Lárisa
Metéora
Kalampáka
Trikala
Métsovo
Ioánnina
Karditsa
Fársala
GR
Igoumenitsa
Párga
Árta
Préveza
Amfilochia
Vónitsa
Lefkáda
Agrínio
Karpenísi
Lamía
Náfpaktos
Mesolóngi
Pátra
Aigio
K. Achaïa
Kalávryta
Itháki
Kefalloniá
Sámi
Argostóli
Zákynthos
Amaliáda
Pyrgos
Olympia
Lagkádia
Andritsaina
Kyparissía
Messíni
Kalamá
Gargaliánoi
Pýlos
Kérkyra
Palaiokastritsa
Paxoí
Ionia Nisiá
Dalmatinska Obala
ADRIATIC SEA
Tremiti
Vasto
Termoli
Vieste
Promontorio del Gargano
Manfredonia
S. Severo
Lucera
Foggia
Campobasso
Barletta
Trani
Molfetta
Bari
Cerignola
Canosa
Andria
Bitonto
Ariano Irpino
Melfi
Altamura
Gioia d. Colle
Fasano
Brindisi
Martina Franca
Matera
Potenza
Salerno
Pompei
Amalfi
Battipaglia
Paestum
Taranto
Manduria
Lecce
Otranto
Gallipoli
C. Sta Maria di Leuca
Golfo di Taranto
PUGLIA
Scanzano
Sapri
M. Pollino
Castrovillari
Sibari
Rossano
S. Giovanni in Fiore
Paola
Cosenza
La Sila
Crotone
Nicastro
Catanzaro
Vibo Valentia
Gioia Tauro
Locri
Villa S. Giovanni
Reggio di Calabria
Messina
Stromboli
Salina
Vulcano
Milazzo
Barcellona Pozzo di Gotto
Taormina
M. Etna
Adrano
Acireale
Catania
Piazza Armerina
Lentini
Caltagirone
Siracusa
Ragusa
Noto
Modica
C. Passero
Valletta
IONIAN SEA
MER IONIENNE
TERRA

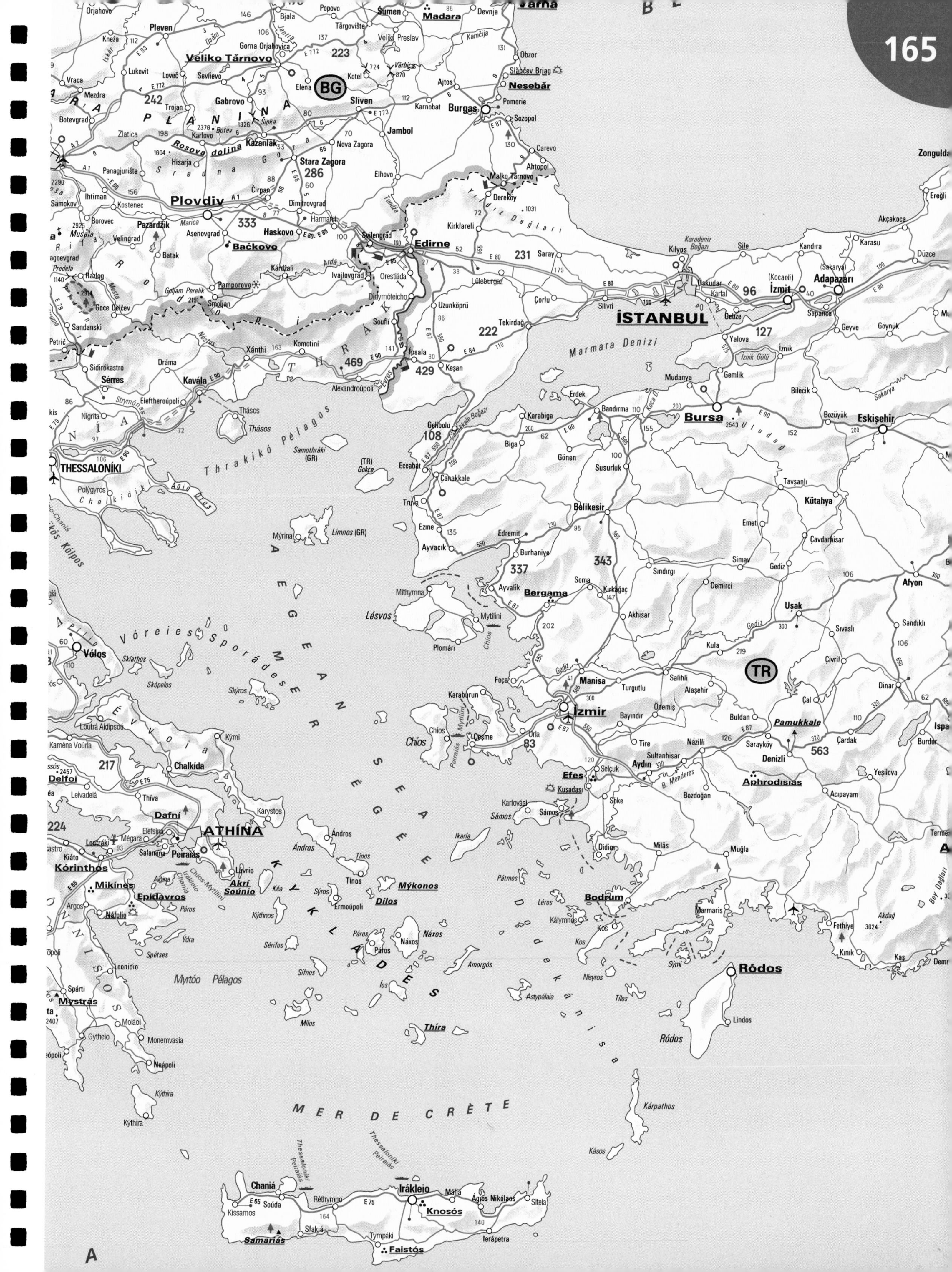
Pleven
Veliko Tărnovo
BG
Šumen
Madara
Devnja
Varna
Gabrovo
Sliven
Burgas
Nesebăr
Pomorie
Sozopol
Jambol
Kazanlăk
Stara Zagora
Nova Zagora
Plovdiv
Pazardžik
Haskovo
Bačkovo
Edirne
Kirklareli
Lüleburgaz
Saray
Kilyos
Şile
İSTANBUL
Üsküdar
İzmit
Adapazarı
Zonguldak
Ereğli
Akçakoca
Karasu
Düzce
Tekirdağ
Çorlu
Silivri
Uzunköprü
Keşan
Ipsala
Marmara Denizi
Yalova
Gemlik
İznik
Mudanya
Bursa
Uludağ
Bilecik
Eskişehir
Bandırma
Erdek
Karabiga
Biga
Gönen
Susurluk
Balıkesir
Kütahya
Tavşanlı
Gelibolu
Eceabat
Çanakkale
Truva
Ezine
Ayvacık
Edremit
Burhaniye
Ayvalık
Bergama
Soma
Kırkağaç
Akhisar
Manisa
Turgutlu
Salihli
Alaşehir
İzmir
Çeşme
Urla
Foça
Karaburun
Efes
Selçuk
Kuşadası
Aydın
Nazilli
Denizli
Pamukkale
Aphrodisias
Uşak
Afyon
Sandıklı
Dinar
Burdur
Muğla
Milâs
Didim
Bodrum
Marmaris
Fethiye
Kaş
Ródos
Líndos
TR
Xánthi
Komotiní
Alexandroúpoli
Dráma
Kavála
Sérres
Thásos
THESSALONÍKI
Thrakikó Pélagos
Samothráki
Límnos
Mýrina
Lésvos
Mytilíni
Chíos
Sámos
Ikaría
Pátmos
Léros
Kálymnos
Kos
Sými
Tílos
Nísyros
Astypálaia
Vólos
Skíathos
Skópelos
Skýros
Vóreies Sporádes
Chalkída
Delfoí
Thíva
Dafní
ATHÍNA
Peiraiás
Kórinthos
Mikínes
Epídavros
Náfplio
Akrí Soúnio
Ándros
Tínos
Mýkonos
Dílos
Sýros
Ermoúpoli
Kéa
Kýthnos
Sérifos
Sífnos
Páros
Náxos
Amorgós
Íos
Mílos
Thíra
Kykládes
Dodekánisa
Myrtóo Pélagos
Mystrás
Monemvasía
Gytheio
Neápoli
Kýthira
Kárpathos
Kásos
MER DE CRÈTE
Chaniá
Réthymno
Iráklejo
Knosós
Mália
Ágios Nikólaos
Siteía
Ierápetra
Samariás
Faistós
Kissamos
AEGEAN SEA
MER EGÉE

Nederland

A

Straat	Vak	Nr.
Appelsteeg	Y	3
Boterstr.	Z	4
Dijk	Y	5
Gasthuisstr.	Y	6
Gedempte Nieuwesloot	Y	7
Houttil	Y	8
Huigbrouwerstr.	Z	9
Juliana van Stolberglaan	Z	10
Kooltuin	Y	13
Laat	Z	
Langestr.	Y	
Luttik Oudorp	Y	15
Mient	Z	18
Nieuwe Schermerweg	Y	19
Paternosterstr.	Y	22
Payglop	Y	24
Randersdijk	Y	26
Ridderstr.	Z	27
Ritsevoort	Z	28
Scharlo	Y	30
Schoutenstr.	Y	31
Waagpl.	Y	34
Wageweg	Y	36
Zevenhuizen	Y	37
Zilverstr.	Z	38

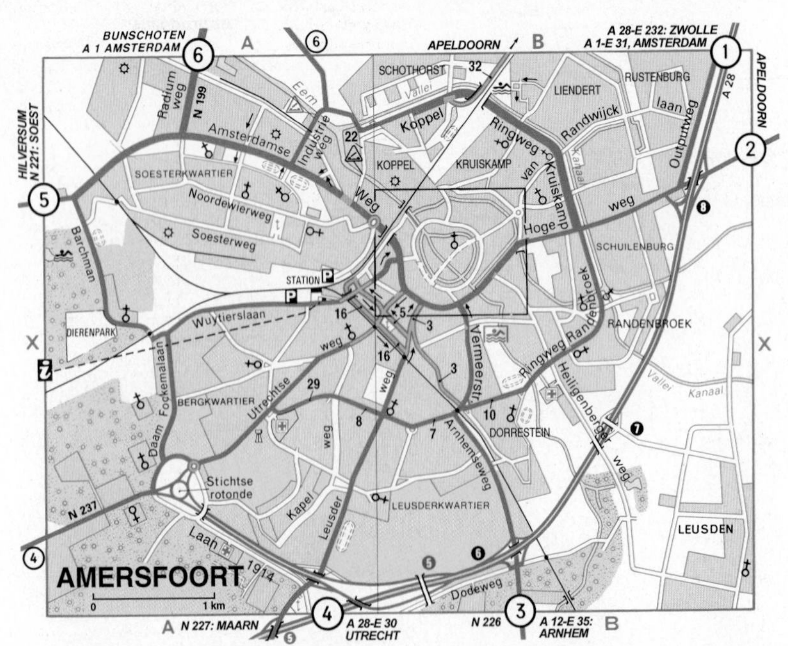

Straat	Vak	Nr.
Appelmarkt	BY	2
Arnhemsestr.	AZ	4
Arnhemseweg	BX	3
Bergstr.	BX	5
Bloemendalse Binnenpoort	ABY	6
Everard Meysterweg	BX	7
Gasthuislaan	BX	10
Groenmarkt	BY	12
Grote Spui	AY	14
Herenstr.	BZ	15
Kersenbaan	ABX	16
Kleine Spui	AY	17
Krankeledenstr.	AZ	18
Krommestr.	AY	20
Kwekersweg	AX	22
Langestr.	ABZ	
Lieve Vrouwekerkhof	AZBY	23
Lieve Vrouwestr.	AZ	24
Nieuweweg	AY	9
Utrechtsestr.	AZ	26
van Campenstr.	AX	8
Varkensmarkt	AZ	27
Vondellaan	AX	29
Windsteeg	BY	30
't Zand	AY	21
Zielhorsterweg	BX	32

APELDOORN

Straat	Vak	Nr.
Hoofdstr.	Z	
Kapelstr.	Z	13
Korenstr.	Z	17
Marktpl.	Z	30
Molenstr-centrum	Z	32
Mr van Rhemenslaan	Z	34
Paul Krügerstr.	Z	35
Sprengenweg	Z	43
Stationspl.	Z	44

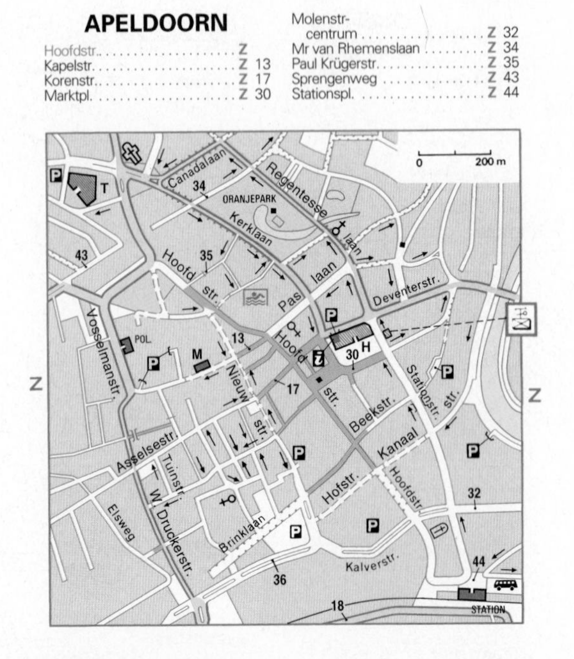

B

ARNHEM

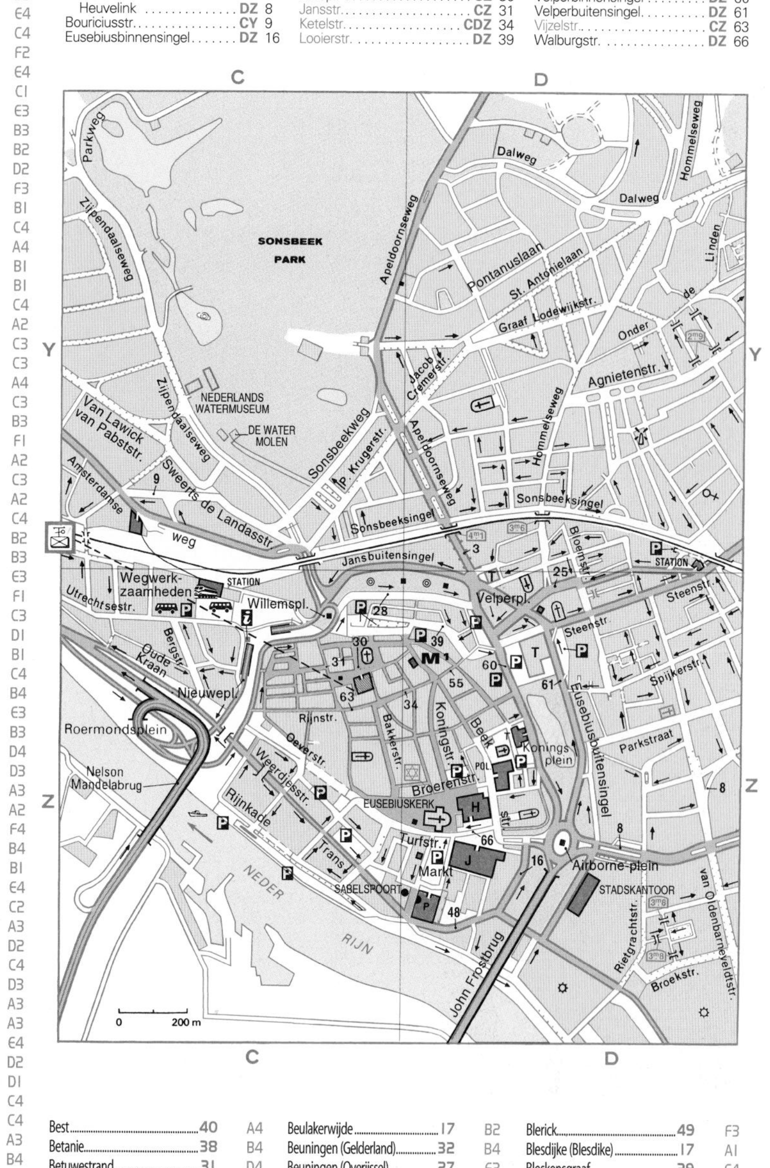

ASSEN

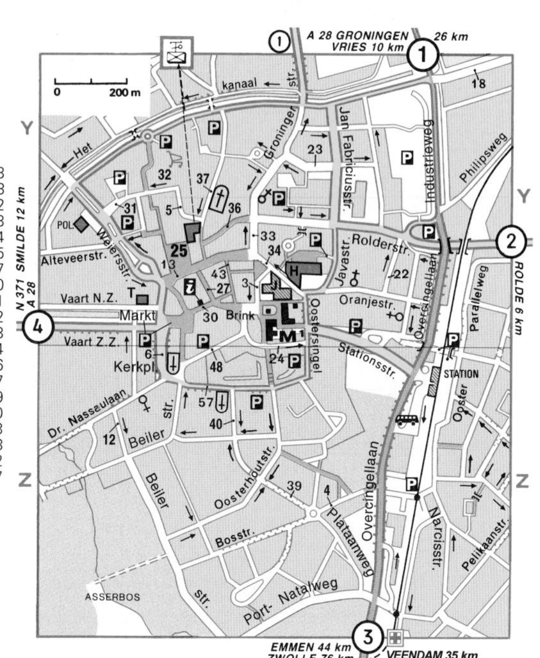

BERGEN OP ZOOM

Street	Grid	No.
Antwerpsestraatweg	BZ	3
Arn. Asselbergsstr.	BY	4
Auvergnestr.	AZ	6
Blauwehandstr.	BY	7
Boutershemstr.	AZ	8
Burg. Stulemeijerlaan	AY	9
Burg. van Hasseltstr.	BZ	10
De Boulevard Noord	AZ	12
Fortuinstr.	AY	13
Glymesstr.	AZ	14
Grote Markt	AY	15
Halsterseweg	AY	16
Kerkstr.	BZ	20
Kloosterstr.	BZ	22
Kortemeestr.	AY	23
Kremerstr.	AY	24
Lange Parkstr.	BY	25
Lieve Vrouwestr.	AY	26
Minderbroedersstr.	ABY	28
Rooseveltlaan	BZ	39
St-Josephstr.	BYZ	34
Stationsstr.	BY	36
Steenbergsestr.	AY	37
van der Rijtstr.	BY	32
van Overstratenlaan	AY	30
Wouwsestraatweg	BY	41
Zuivelstr.	BY	43

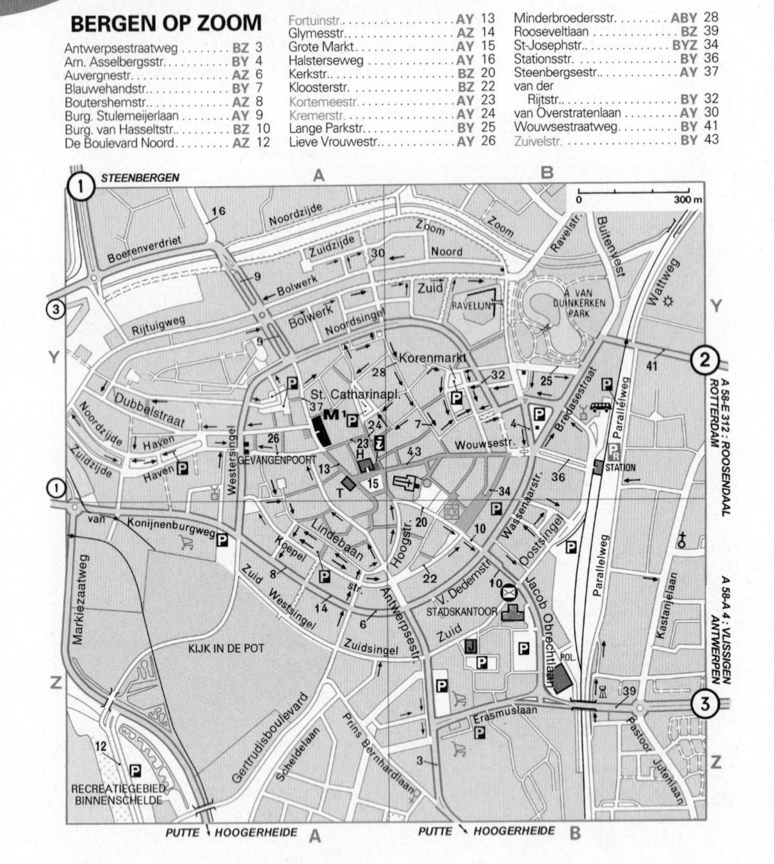

Place	Page	Grid
Bonnerveen	13	A2
Bontebok	11	A3
Bontebrug	34	C4
Boomkamp	35	D2
Boompjesdijk	37	E3
Boornbergum (Boarnburgum)	11	A2
Boornzwaag (Boarnsweach)	10	E3
Borculo	35	D1
Borger	13	A3
Borgercompagnie	13	A1
Borgharen	68	B1
Borgsweer	7	E3
Borkel	47	C4
Born	58	C3
Borne	27	D3
Bornerbroek	26	C3
Bornwird	5	D3
Borssele	43	C3
Borteldonk	45	B2
Bosbad Hoeven	38	A4
Bosch (Het)	47	A3
Bosch en Duin	31	E1
Boschheurne	34	C1
Boschplaat (De)	3	C1
Boschweg	40	A4
Boshoek	25	E3
Boshoven (Limburg)	48	B4
Boshoven (Noord-Brabant)	46	E2
Boskamp	25	E3
Boskant	40	A4
Boskoop	29	B2
Bosschenhoofd	38	A4
Boswijk	31	E2
Botlek	28	C4
Botlektunnel	28	C4
Botshoofd	37	E4
Boudewijnskerke	43	A2
Boukoul	59	E1
Bourtange	13	C2
Bouvigne	38	B4
Boven-Haastrecht	29	C3
Boven-Hardinxveld	38	C1
Boven-Leeuwen	32	A4
Boven Pekela	13	B2
Bovenboer	17	C2
Boveneind	40	A1
Bovenkarspel	15	B2
Bovenkerk (Noord-Holland)	21	A3
Bovenkerk (Zuid-Holland)	29	C3
Bovensluis	37	F3
Bovensmilde	12	E3
Boxmeer	41	E3
Boxtel	39	F3
Bozum (Boazum)	10	E2
Braakman	43	C4
Braam (Den)	27	D4
Braamt	33	F3
Braassemermeer	29	B1
Brabantse Biesbosch	38	B2
Brakel	39	E1
Bramel (Den)	33	F1
Brammelo	26	C4
Brandwijk	30	B4
Brantgum	5	D2
Breda	38	C4
Brederode	20	C2
Bredevoort	35	E3
Bredeweg	41	E1
Breedenbroek	35	D4
Breehees	46	F2
Breemortel	48	C2
Breezand (Noord-Holland)	8	B4
Breezand (Zeeland)	43	B1
Breezanddijk	9	B3
Breklenkamp	27	E1
Bremberg	38	B4
Bremerbergstrand	24	C2
Breskens	43	B3
Breugel	40	B4
Breukelen	30	C1
Breukeleveen	30	C1
Brielle	28	B4
Brienenoordbrug (Van)	29	B4
Brigdamme	43	B2
Brijdorpe	36	B2
Briltil	6	A4
Brinkheurne	35	E3
Brinkmanshoek	35	D1
Britsum	4	C4
Britswert	10	C4
Broek (Groningen)	6	A2
Broek (Noord-Brabant)	40	B4
Broek (Zuid-Holland)	30	C4
Broek (Het)	33	E4
Broek in Waterland	21	B2
Broek op Langedijk	14	B3
Broekenseind	47	B3
Broekhoven	47	C3
Broekhuizen (Limburg)	41	F4
Broekhuizen (Utrecht)	31	F3
Broekhuizenvorst	41	F4
Broekland	25	F2
Broeksittard	59	D3
Broeksterwoude (Broeksterwâld)	5	D3
Broekzijde	39	E4
Bronckhorst	33	F2
Bronkhorst	33	E1
Bronneger	13	A3
Bronsbergen	33	E1
Brouwersdam	36	B2
Brouwershaven	36	B2
Brouwershavense Gat	36	B2
Brouwhuis	48	B2
Bruchem	39	F1
Brucht	18	F4
Bruchterveld	18	F4
Bruggen	40	C2
Bruil	34	C1
Bruinisse	37	D3
Bruisterbosch	68	C2
Brummen	33	E1
Brunssum	59	E4
Brunsting	12	E4
Bruntinge	18	E1
Buchten	58	C3
Budel	48	E4
Budel-Dorplein	58	B1
Budel-Schoot	48	B4
Buggenum	49	D4
Buiksloot	21	B2
Buinen	13	A3
Buinerveen	13	A3
Buitenkaag	20	B4
Buitenpost (Bûtenpost)	5	E4
Buitenveldert	21	A3
Bult (De)	17	B1
Bunde	68	B1
Bunne	12	E1
Bunnik	31	D2
Bunschoten	23	E4
Burdaard (Birdaard)	4	C3
Buren	31	E4
Buren (Bueren) (Fryslân)	4	C1
Burg (Den)	8	B2
Burgerbrug	14	B2
Burgermeester Beinsdorp	13	C4
Burgerveen	22	A4
Burgervlotbrug	14	A2
Burgh	36	A3
Burgh-Haamstede	36	A3
Burghsluis	36	A3
Burgum (Bergum)	5	D4
Burgwerd (Burchwert)	10	D2
Burum (Boerum)	5	F3
Bussereind	49	E4
Bussloo	25	F4
Bussum	21	C3
Buttinge	43	B2
Buurmalsen	31	E4
Buurse	27	D4
Buurserzand	27	D4

C

Place	Page	Grid
Cabauw	30	B3
Cadier en Keer	68	B1
Cadzand	43	A3
Cadzand-Bad	42	C3
Calfven	45	A3
Callantsoog	14	B1
Caluna	49	D4
Camperduin	14	A2
Cannenburgh	25	D3
Capelle	39	D2
Capelle aan den IJssel	29	B4
Capelle-West	29	B4
Cartils	68	C1
Castenray	41	E4
Casteren	47	B3
Castricum	14	A4
Castricum aan Zee	14	A4
Catrijp	14	B3
Catsop	58	C4
Centrum	45	A2
Chaam	46	E2
Chaamdijk	46	E2
Chaamse Bossen	38	C4
Cillaarshoek	38	A1
Clinge	53	E1
Cocksdorp (De)	8	C1
Coendersborg	6	B4
Coentunnel	21	A2
Coevorden	19	A2
Coldenhove	33	D1
Colijnsplaat	36	B4
Collendoorn	18	F3
Colmont	69	D1
Colmschate	25	F3
Corle	35	E3
Cornjum	4	C4
Cornwerd	9	C2
Corpus den Hoorn	6	B4
Cothen	31	E3
Craailo	23	D4
Crapoel	68	C2
Craubeek	68	C1
Creil	16	E2
Cromvoirt	39	F3
Croy	40	B4
Cruquius (Museum)	20	C3
Cuijk	41	D2
Culemborg	31	D3

D

Place	Page	Grid
Daarle	26	B1
Daarlerveen	26	C1
Dale	35	D3
Dalem	47	B3
Dalen	19	A2
Dalerpeel	18	F2
Dalerveen	19	A2
Dalfsen	17	C4
Damwoude (Damwâld)	5	D3
Darp	17	C1
Darthuizen	31	F3
Dassemus	46	E1
Dearsum	10	E2
Dedemsvaart	18	E3
Dedgum	10	D3
Deelen	32	C2
Deest	32	B4
Deil	31	E4
Deinum	4	B4
Delden (Gelderland)	33	F1
Delden (Overijssel)	27	D3
Delerwoud	32	C1
Delfgauw	29	A3
Delfstrahuizen (Dolsterhuzen)	10	F4
Delft	28	C3
Delftse Hout	29	D3
Delftse Schie	29	A3
Delfzijl	7	D2
Delwijnen	39	E1
Demen	40	B1
Demmerik	21	B4
Denekamp	27	F2
Deurne	48	C2
Deurningen	27	D3
Deursen-Dennenburg	40	B1
Deurze	12	E3
Deventer	25	F3
Dever	20	B4
Dichteren	33	F3
Dickninge	17	C3
Didam	33	E3
Diefdijk	31	D4
Diemen	21	B3
Diepenheim	26	C4
Diepenveen	25	F3
Dieren	33	D2
Diessen	47	A2
Dieteren	59	D2
Diever	11	C4
Dieverbrug	12	D4
Diffelen	18	E4
Dijken	10	E3
Dijkerhoek	26	A3
Dijkerstraat	58	C1
Dijkhuizen	17	C2
Dintel	37	F3
Dinteloord	37	F3
Dintelsas	37	F3
Dinthersehoek	40	B3
Dinxperlo	35	D4
Diphoorn	19	A1
Dirkshorn	14	B2
Dirksland	37	D2
Dishoek	43	A2
Distelberg	39	E3
Dodewaard	32	A4
Doenrade	59	D4
Doesburg	33	E2
Doesburgerbuurt	32	A2
Doetinchem	33	F3
Doeveren	39	E2
Doezum	5	F4
Dokkum	5	D3
Dokkumer Ee	4	C3
Dokkumer Nieuwe Zijlen	5	E3
Dolder (Den)	31	E1
Doldersum	11	C4
Dollard	7	F3
Dolphia	27	E4
Domburg	43	A1
Domme Aanleg	35	D3
Dommel	58	A2
Dommelen	47	C3
Domwier	10	F1
Donderen	12	E1
Dongen	39	D3
Dongjum (Doanjum)	3	C4
Doniaga	10	F4
Donk	47	B2
Donk (De)	29	C4
Donkerbroek	11	C2
Doodstil	6	C2
Doonheide	40	C4
Doorn	31	E2

BREDA

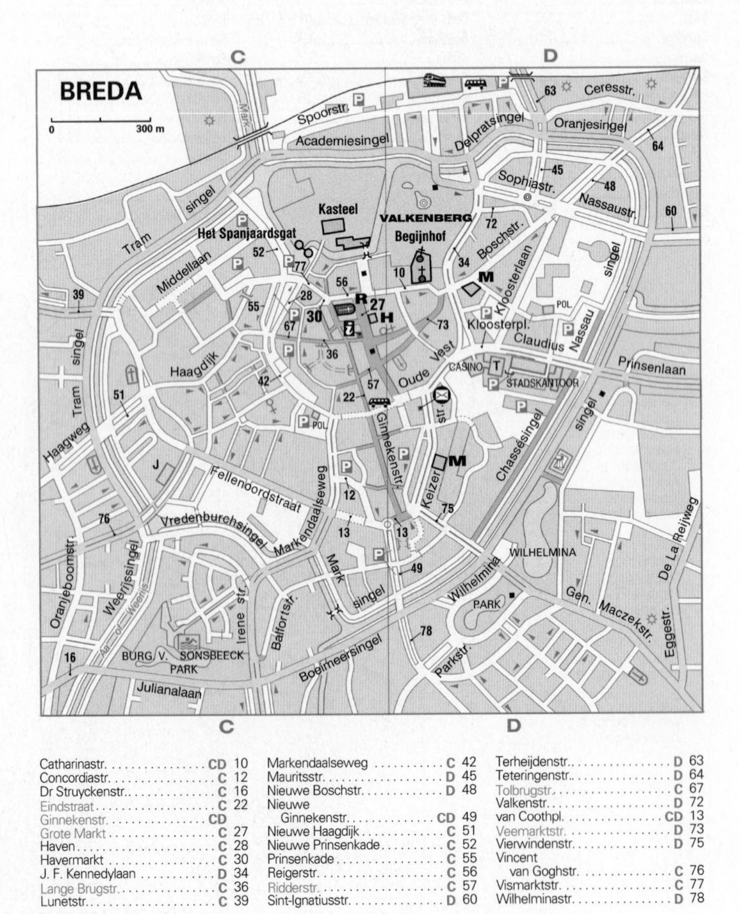

Street	Grid	No.
Catharinastr.	CD	10
Concordiastr.	C	12
Dr Struyckenstr.	C	16
Eindstraat	C	22
Ginnekenstr.	CD	
Grote Markt	C	27
Haven	C	28
Havermarkt	C	30
J. F. Kennedylaan	D	34
Lange Brugstr.	C	36
Lunetstr.	C	39
Markendaalseweg	C	42
Mauritsstr.	D	45
Nieuwe Boschstr.	D	48
Nieuwe Ginnekenstr.	CD	49
Nieuwe Haagdijk	C	51
Nieuwe Prinsenkade	C	52
Prinsenkade	C	55
Reigerstr.	C	56
Ridderstr.	C	57
Sint-Ignatiusstr.	D	60
Terheijdenstr.	D	63
Teteringenstr.	D	64
Tolbrugstr.	C	67
Valkenstr.	D	72
van Coothpl.	CD	13
Veemarktstr.	D	73
Vierwindenstr.	D	75
Vincent van Goghstr.	C	76
Vismarktstr.	C	77
Wilhelminastr.	D	78

E

DELFT

Delftgauwseweg BV 9
Delftsestraatweg BV 10
Hof van Delftlaan AV 16
Hoornseweg AV 18
Krakeelpolderweg BV 24
Martinus Nijhofflaan BV 28
Nassaulaan BV 30
Papsouwselaan BV 42
Ruys de Beerenbrouckstr. AV 43
Voorhofdreef BV 52
Westplantsoen AV 57

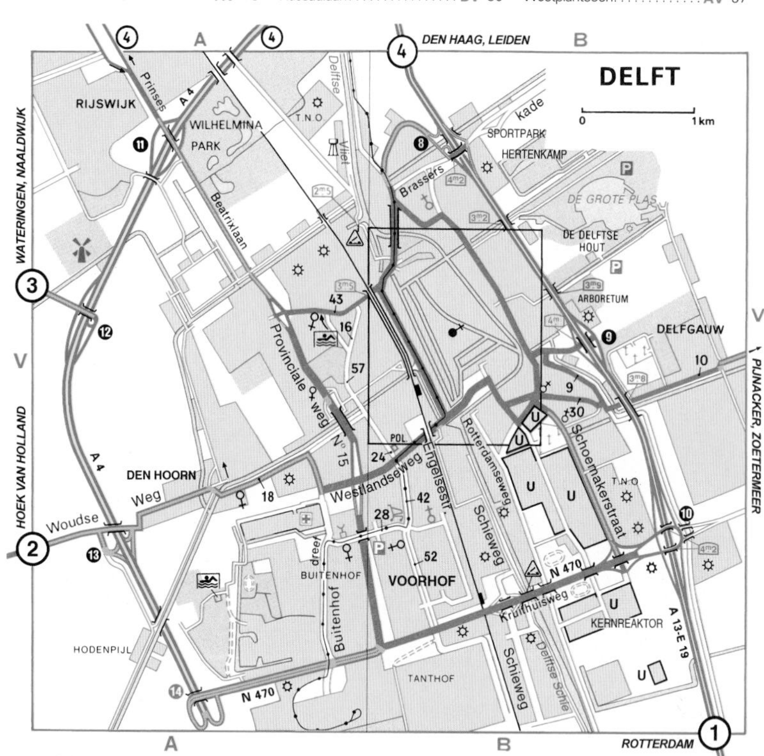

DELFT

Brabantse Turfmarkt DZ 3
Breestr. CZ 4
Camaretten CY 6
Choorstr. CY 7
Engelsestr. CZ 12
Havenstr. CZ 13
Hippolytusbuurt CY 15
Jacob Gerritstr. CYZ 19
Koornmarkt CZ 22
Lange Geer CDZ 25
Markt CY 27
Nassaulaan DZ 30
Nieuwe Langendijk DY 33
Nieuwstr. CY 34
Noordeinde CY 36
Oostpoortweg DZ 37
Oude Kerkstr. CY 39
Oude Langendijk CYZ 40
Schoemakerstr. DZ 45
Schoolstr. CY 46
Sint-Agathapl. CY 48
Sint-Jorisweg DY 49
Stalpaert v. d. Wieleweg DY 50
Voldersgracht CY 51
Voorstr. CY 54
Westlandseweg CZ 55
Wijnhaven CYZ 58

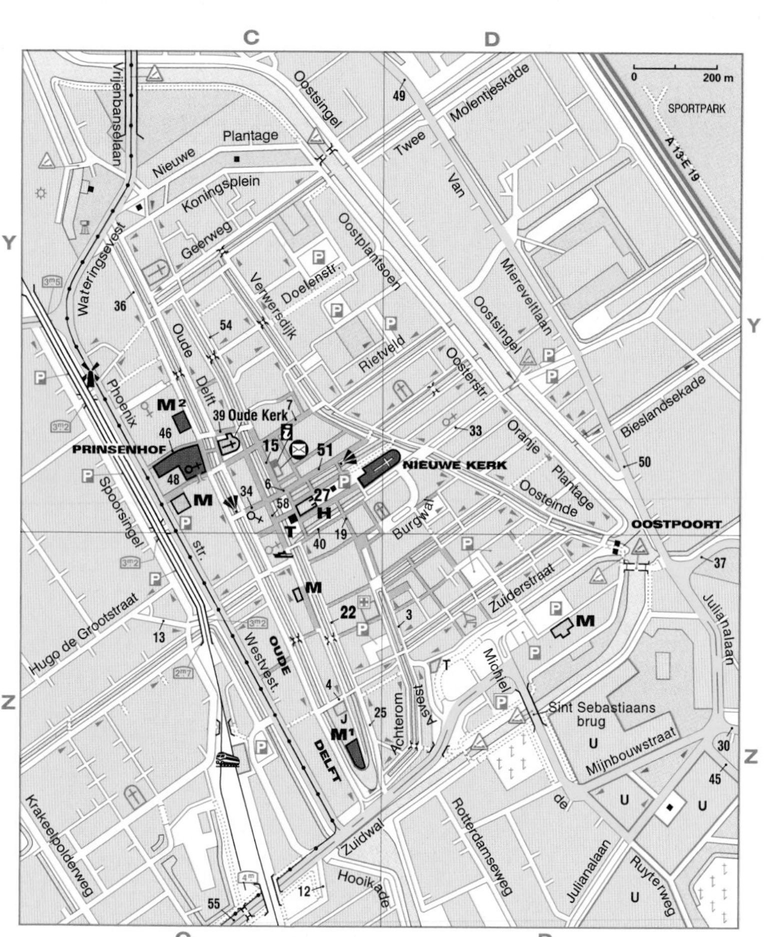

DEVENTER

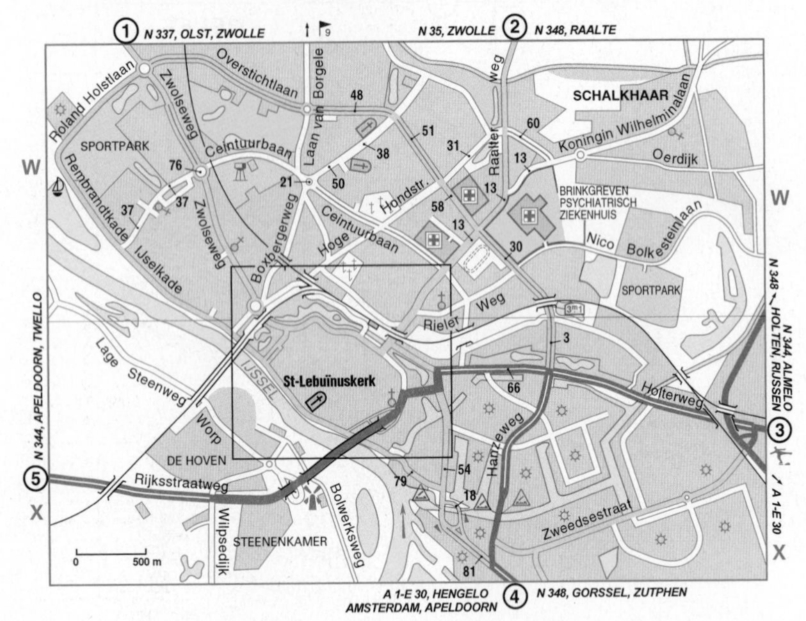

DEVENTER

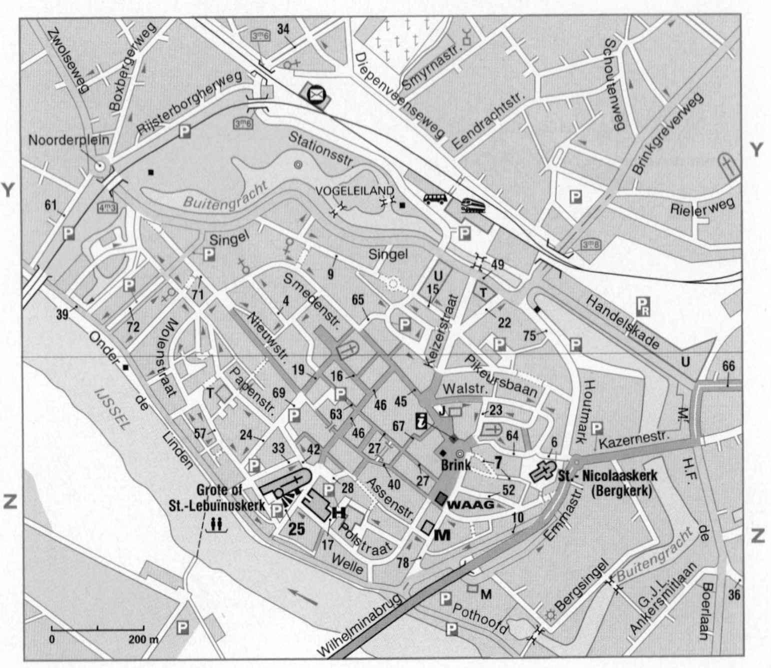

DORDRECHT

Brouwersdijk	AZ	10
Burgemeester Jaslaan	BZ	12
Dubbelsteynlaan	BZ	15
Jan Vethkade	AZ	24
Kapteynweg	BZ	27
Kotterstr.	AZ	28
Krispijnseweg	AZ	30
Laan der Verenigde Naties	AZ	31
Maarten Harpertszoon Trompweg	AZ	33
Overkampweg	BZ	37
Pieter Zeemanstr.	AY	40
Rechte Zandweg	BZ	43
Reeweg Oost	BY	45
Stevensweg	BZ	54
S. M. Hugo van Gijnweg	BZ	49
Viottakade	AZ	57
Weeskinderendijk Beneden	AY	58

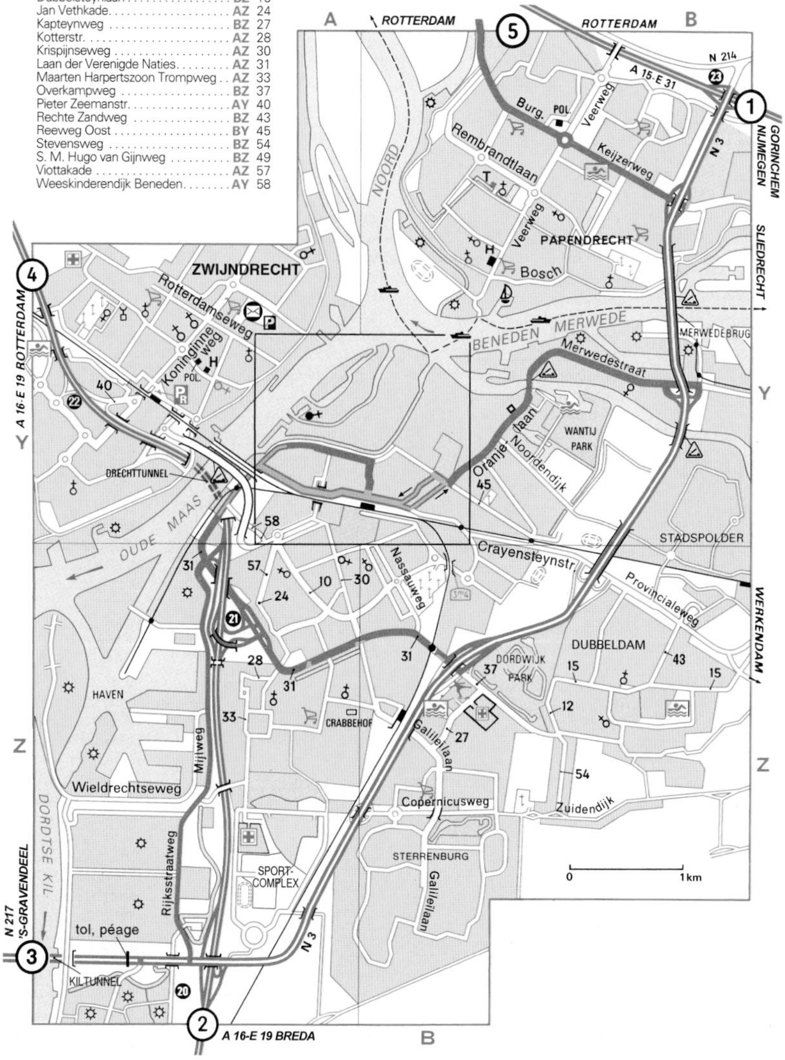

DORDRECHT

Achterhakkers	CX	3
Aert de Gelderstr.	CX	4
Bagijnhof	DV	6
Blauwpoortspl.	CV	7
Bleijenhoek	DV	9
Dubbeldamseweg	DX	13
Groenmarkt	CV	16
Groothoofd	DV	18
Grote Kerksbuurt	CV	19
Grote Spuistr.	CV	21
Hoogstratensingel	DVX	22
Johan de Wittstr.	DX	25
Korte Engelenburgerkade	CV	26
Lange Geldersekade	CV	32
Museumstr.	DV	34
Oranjelaan	DX	36
Papeterspad	CX	39
Prinsenstr.	CV	42
Riedijk	DV	46
Scheffersp.	CDV	48
Spuiweg	CX	
Stationsweg	DX	51
Steegoversloot	DV	52
Twintighuizen	CX	55
Visstr.	CV	57
Voorstr.	CDV	
Vriesestr.	DV	
Wilgenbos	CX	60
Wolwevershaven	CV	61

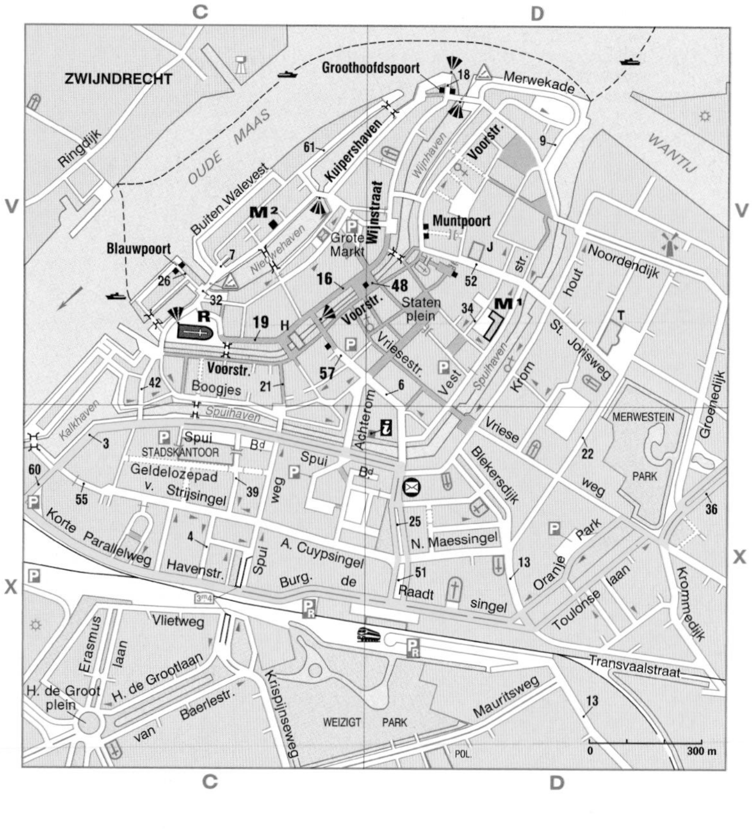

EINDHOVEN

Bilderdijklaan . . . BZ 3	Kerkstr. . . . . BY 28	Stadhuispl. . . . . . BZ 50
Demer . . . . BY	Kleine Berg . . . . BY 27	Stationspl. . . . . . BY 51
Hermanus Boexstr. . . . . . BY 16	Lardinoisstr. . . . . BY 31	Stationsweg . . . BY 53
Keizersgracht. . . BY 25	Mecklenburgstr. BZ 34	Stratumseind. . . BY 54
	P. C. Hooftlaan. . BZ 42	Ten Hagestr. . . . BY 57
	Rechtestr. . . . . . BY 45	Vrijstr. . . . . BY
	St-Jorislaan . . . . BZ 48	18 Septemberpl. BY 60

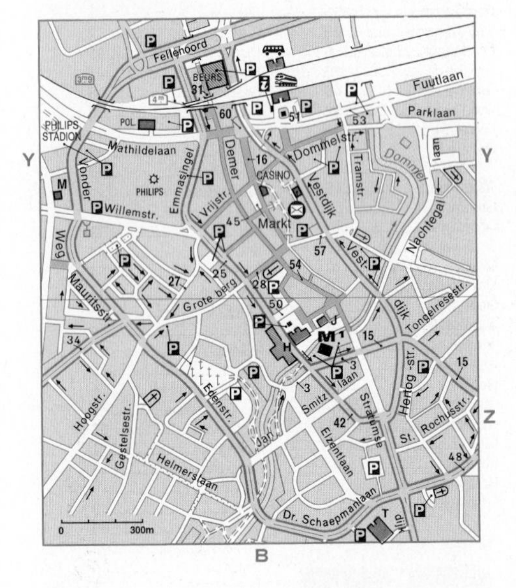

Harkstede 6 C4
Harlingen (Harns) 9 C1
Harmelen 30 C2
Harmienehoeve 35 E3
Harpel 13 C2
Harreveld 35 D3
Harskamp 32 B1
Harskampse Zand 32 B1
Hartelkanaal 28 C4
Hartwerd 10 D2
Haskerdijken 10 F3
Haskerhorne 10 F3
Haspel 31 F2
Hasselderheide 49 F2
Hasseler 27 D3
Hasselt (Limburg) 49 F2
Hasselt (Overijssel) 17 B4
Hatert 41 D1
Hattem 25 E1
Hattemerbroek 25 E1
Haule 11 C2
Haulerwijk (Haulerwyk) 11 C2
Hauwert 15 A2
Have (Ten) 11 C4
Havelte 17 C1
Havelterberg 17 C1
Havenbuurt 21 C1
Havenhoofd 36 C1
Havixhorst 17 C2
Hazelaar 37 F4
Hazerswoude-Dorp 29 B2
Hazerswoude-Rijndijk 29 B1
Hedel 39 F2
Hedenesse 43 A3
Hedikhuizen 39 E2
Hee 3 A2
Heechsân (It) 5 E4
Heeg (Heech) 10 E3
Heel 59 D1
Heelsum 32 B3
Heelweg-Oost 35 D3
Heelweg-West 34 C3
Heemse 18 F4
Heemserveen 18 E3
Heemskerk 20 C1
Heemstede
(Noord-Holland) 20 C3
Heemstede (Utrecht) 31 D2
Heen (De) 37 E4
Heensche Molen 37 E4
Heenvliet 28 C4
Heenweg 28 B3
Heer 68 B1
Heer Abtskerke ('s-) 44 D2
Heer Arendskerke ('s-) 44 D2
Heer Hendrikskinderen ('s-) 44 D2
Heerde 25 E2
Heerderstrand 25 E2
Heerenberg ('s-) 33 F4
Heerenbroek ('s-) 17 B4
Heerenhoek ('s-) 43 C2
Heerenveen (It Hearrenfean) 11 A3
Heerewaarden 40 A1
Heerhugowaard 14 B3
Heerjansdam 38 A1
Heerle 45 A1
Heerlen 59 E4
Heerlerbaan 69 D1
Hees 18 D1
Heesbeen 39 E2
Heesch 40 B2
Heescheind 40 A2
Heesselt 39 F1
Heeswijk 40 A3
Heeswijk-Dinther 40 A3
Heetdelle Zeesserbos (De) 18 E4
Heeten 26 A2
Heetveld 17 B3
Heeze 48 B3
Heezerenbosch 48 A3
Hefswal 6 C1
Hegebeintum
(Hogebeintum) 4 C3
Hegelsom 49 E2
Hei 58 C1
Hei-en Boeicop 30 C3
Heibloem 49 D4
Heide 49 D4
Heide (Susteren) 59 D2
Heide (Venray) 41 E4
Heidenhoek 33 F3
Heidenskip (It) 10 D3
Heidveld 48 C2
Heijen 41 E2
Heijenrath 68 C2
Heijningen 37 F3
Heijplaat 29 A4
Heikant (Noord-Brabant) 46 F2
Heikant (Zeeland) 53 E1
Heilig Land Stichting 41 D1
Heiligerlee 7 E4
Heille 52 A1
Heiloo 14 B4
Heimolen 45 A2
Heinenoord 37 F1
Heinenoordtunnel 37 F1
Heinkenszand 43 C2
Heino 25 F1
Heitrak 49 D3
Hekelingen 37 E1
Hekendorp 30 B3
Heksenberg 59 E4
Helden 49 E4
Helder (Den) 8 B4
Helenaveen 49 D3
Helhoek 28 B4
Helhuizen 26 A3
Helkant 38 B3
Hellegat 38 B4
Hellenburg 44 D3
Hellendoorn 26 B2
Hellendoornseberg 26 A2
Hellevoetsluis 37 D1
Hellouw 39 E1
Hellum 7 D4
Helmond 48 B2
Helvoirt 39 F3
Helwijk 37 F3
Hem 15 B3
Hemelrijk 40 C3
Hemelum (Himmelum) 10 D4
Hemmen 32 B3
Hempens 10 F1
Hemrik (De Himrik) 11 B2
Hendrik-Ido-Ambacht 38 A1
Hengelo (Gelderland) 33 F2
Hengelo (Overijssel) 27 D3
Hengevelde 26 C4
Hengstdijk 44 E4
Hensbroek 14 C3
Henschotermeer 31 E2
Henxel 35 F2
Herbaijum (Hjerbeam) 3 C4
Herfte 17 C4
Herikerberg 26 B4
Herinckhave 27 D2
Herkenbosch 59 E1
Herkenrade 68 C2
Herkingen 36 C2
Hernen 32 B4
Herpen 40 B1
Herpt 39 E2
Herten 59 D1
Hertme 27 D2
Hertogenbosch ('s-) 39 F2
Herwen 33 E4
Herwijnen 39 E1
Herxen 25 E1
Hessum 18 D4
Heteren 32 B3
Heugem 68 B1
Heukelom (Limburg) 41 E3
Heukelom (Noord-Brabant) 39 E4
Heukelum 30 C4
Heumen 41 D1
Heurne (Aalten) 35 D3
Heurne (Berkelland) 34 C2
Heurne (De) (Aalten) 35 D4
Heurne (De) (Rheden) 33 D2
Heusden (Asten) 48 C3
Heusden (Heusden) 39 E2
Heythuysen 49 D4
Hiaure 5 D3
Hichtum 10 D2
Hidaard 10 D2
Hien 32 B4
Hierden 24 B2
Hieslum 10 D3
Hijken 12 E4
Hijkersmilde 12 D3
Hijum 4 B3
Hilaard 10 E1
Hilgelo ('t) 35 E2
Hillegersberg 29 A3
Hillegom 20 B3
Hilvarenbeek 47 A2
Hilversum 21 C4
Hilversumse Meent 21 C4
Hindeloopen (Hylpen) 9 C4
Hingen 59 D2
Hinnaard 10 E1
Hintham 39 F2
Hippolytushoef 8 C4
Hitzum 10 D1
Hoedekenskerke 44 D3
Hoef (De) 21 A4
Hoek 43 C4
Hoek van Holland 28 B3
Hoekske (Het) 45 B1
Hoenderloo 32 C1
Hoenkoop 30 B3
Hoenlo 25 E3
Hoensbroek 59 D4
Hoenzadriel 39 F2
Hoeve 32 C3
Hoeve (De) 11 B4
Hoevelaken 31 F1
Hoeven 38 A4
Hoeven (In de) 49 D3
Hoevestein 45 B2
Hoge Enk 25 D1
Hoge Hexel 26 B2
Hoge Vaart 23 E3
Hoge Veluwe
(Nationaal Park De) 32 C1
Hogebrug 29 C3
Hole (Ter) 44 E4
Holk 23 F4
Hollander 49 D4
Hollands Diep 37 F2
Hollandsche Rading 31 D1
Hollandscheveld 18 E2
Hollandse Biesbosch (De) 38 B1
Hollandse Brug 21 C3
Hollandse IJssel 30 C2
Holle Poarte 9 C2
Hollum 4 B2
Holset 69 D2
Holsloot 19 A2
Holst 59 E2
Holte 13 B2
Holten 26 B3
Holterberg 26 B3
Holterberg (Natuurdiorama) 26 A3
Holterhoek 35 E1
Holthe 12 E4
Holthees 41 E3
Holtheme 18 F3
Holtum 58 C3
Holwerd 4 C2
Holwierde 7 D2
Holy 28 C4
Holysloot 21 B2
Hommelheide 59 D2
Hommerts (De Hommerts) 10 E3
Homoet 32 B3
Hongerige Wolf 7 F4
Honselersdijk 28 C3
Honthem 68 C1
Hoofddorp 22 A3
Hoofdplaat 43 B3
Hoog Keppel 33 E2
Hoog Soeren 25 D4
Hoogblokland 30 C4
Hoogcasteren 47 B3
Hoogcruts 68 C2
Hooge (Ter) 43 B2
Hooge Berkt 47 B4
Hooge Mierde 47 A3
Hooge Platen 43 B3
Hooge Polder 38 C1
Hooge Vuursche (Kasteel De) 23 D4
Hooge Wegen (De) 25 F3
Hooge Zwaluwe 38 B2
Hoogeind (Noord-Brabant) 47 A2
Hoogeind (Zuid-Holland) 31 D3
Hoogeloon 47 B3
Hoogengraven 18 E4
Hoogenweg 18 F4
Hoogerheide 45 A3
Hoogersmilde 12 D4
Hoogeveen 18 E2
Hoogeveense Vaart 18 D2
Hoogezand-Sappemeer 6 C4
Hooghalen 12 E3
Hooghalen (Boswachterij) 12 E3
Hooghuis ('t) 47 B4
Hoogkarspel 15 B3
Hoogkerk 6 B4
Hoogland 23 E4
Hooglanderveen 23 F4
Hoogmade 29 B1
Hoogvliet 28 C4
Hoogwoud 14 C2
Hoonhorst 25 F1
Hoorn (Gelderland) 25 E2
Hoorn (Noord-Holland) 15 A3
Hoorn (Den) (Noord-Holland) 8 B3
Hoorn (Den)
(Zuid-Holland) 28 C3
Hoorn (Hoarne) 3 B2
Hoornaar 30 C4
Hoornsterzwaag
(Hoarnstersweach) 11 B3
Hoornsterzwaagcompagnie
(Hoarnstersweach
Kompenije) 11 B2
Horck (De) 49 D4
Horickheide 48 C4
Horn 59 D1
Horn (Den) 6 A4
Hornhuizen 5 F2
Horntje ('t) 8 B3
Horssen 32 A4
Horst (Gelderland) 24 B3
Horst (Limburg) 49 E2
Horst (De) (Drenthe) 12 E1
Horst (De) (Gelderland) 41 E1
Horst (Strand) 24 B3
Horst (Ter) 33 D1
Horstermeer 21 C4
Horsterwold 23 F3
Houdringe 31 D1
Hout 49 E4
Hout (Den) 38 C3
Hout ('t) 48 B2
Houtakker 47 A1
Houtdorp 24 C4
Houten 31 D2
Houterd 40 A3
Houtgoor 46 E2
Houthem 68 C1
Houthuizen 49 F2
Houtigehage
(De Houtigehage) 11 B1
Houtribsluizen 15 C3
Houwerzijl 5 F3
Hoven 33 E1
Hoven (De) 25 F4
Hugten 48 B4
Huijbergen 45 A2
Huis ten Bosch 28 C2
Huis ter Heide 39 D3
Huisduinen 8 B4
Huisseling 40 B1
Huissen 32 C3
Huisvenner 46 E2
Huize-Padua 40 C3
Huizen 23 D3
Huizinge 6 C2
Hulhuizen 33 D4
Hulkesteinse Bos 23 F4
Hulsbeek (Het) 27 E3
Hulsberg 68 C1
Hulsel 47 A3
Hulsen 26 B2
Hulshorst 24 C2
Hulst 44 E4
Hulten 39 D4
Hummelo 33 E2
Húns 10 E1
Hunsel 58 C1
Huppel 35 E2
Hupsel 35 E1
Hurdegaryp (Hardegarijp) 5 D4
Hurkske 40 B3

ENKHUIZEN

Bocht . . . . B 3	Nieuwstr. . . . . B 13	Vijzelstr. . . . . B
Driebanen . . . . B 4	Noorder Havendijk . . . . B 15	Waagstr. . . . . B 27
Hoornseveer . . . . A 6	Oosterhavenstr. . . . . . B 16	Wegje . . . . B 28
Kaasmarkt . . . . B 7	Sijbrandspl. . . . . B 24	Westerstr. . . . . AB
Karnemelksluis . . . . . B 9	St-Janstr. . . . . B 19	Zuiderspui . . . . B 33
Klopperstr. . . . . A 10	Spijtbroeksburgwal . . . A 21	Zuider Boerenvaart . . . A 30
Melkmarkt . . . . B 12	Staeleversgracht . . . . B 22	Zuider Havendijk . . . . B 31
	Venedie . . . . B 25	Zwaanstr. . . . . B 34

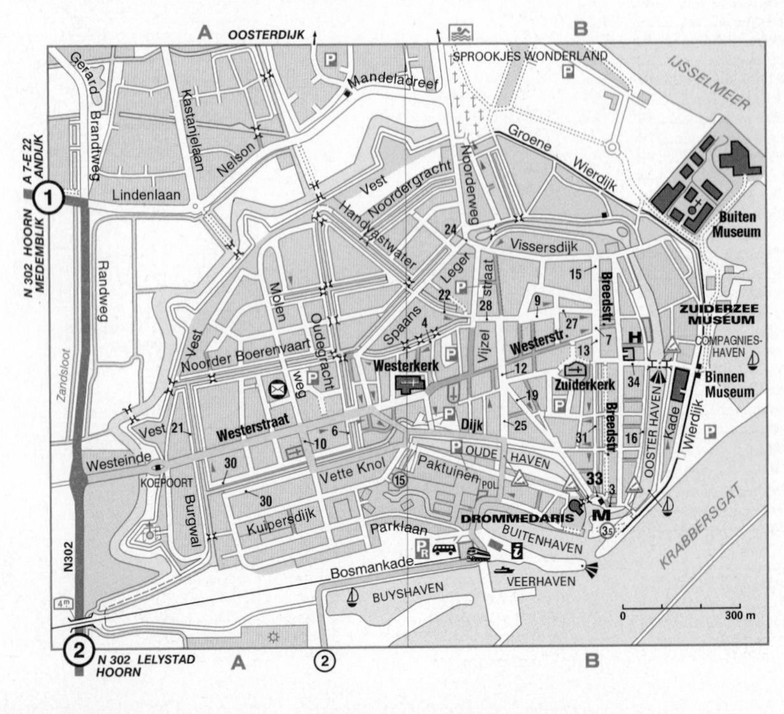

ENSCHEDE

Achter't Hofje . . . . Z 3
Brammelerstr. . . . . Y 7
Haverstraatpassage . . Z 10
Hendrik Jan van Heekpl. . . . . Z 12
Hofpassage . . . . Z 13
Kalanderstr. . . . . Z 16
Klokkenplas . . . . YZ 18
Korte Haaksbergerstr. . . YZ 19
Korte Hengelosestr. . . . . . Y 21
Langestr. . . . . Z 22
Marktstr. . . . . Y 27
Nijverheidstr. . . . . Z 31
Piet Heinstr. . . . . Y 33
Pijpenstr. . . . . Z 34
Raadhuisstr. . . . . Z 36
Stadsgravenstr. . . . . . . Y 39
van Lochemstr. . . . . Y 24
van Loenshof . . . . Z 25
Visserijstr. . . . . Y 40
Walstr. . . . . YZ 43
Windbrugstr. . . . . Z 46

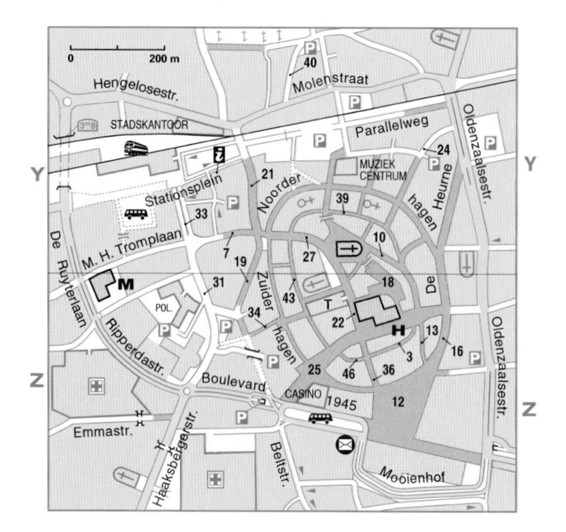

GOUDA

Boelekade . . . . BY 2
Doelenstr. . . . . BZ 4
Dubbele Buurt . . . . BY 5
Goejanverwelledijk. BZ 6
Hoogstr. . . . . BY 7
Jeruzalemstr. . . . . . BY 8
Kerkhoflaan. . . . . . . BZ 9
Kleiweg. . . . . BY
Korte Groenendaal. BY 10
Korte Tiendeweg . . BY 12
Lange Noodgodsstr. BZ 13
Lange Tiendeweg . BY 14
Lazaruskade . . . . . AYZ 16
Nieuwe Markt . . . . BY 17
Nieuwe Veerstal. . . . . BZ 19
Onder de Boompjes . . . AY 2
Reigerstr. . . . . AZ 2
Sint-Anthoniestr. . . . . BY 2
Vossenburchkade . BY 2
Vredebest . . . . BY 2
Walestr. . . . . BZ 2
Wijdstr. . . . . BY 2

GRONINGEN

A-Kerkhof . . . . Z 3
A-Str. . . . . Z 4
Brugstr. . . . . Z 9
de Brink . . . . Z 7
Eeldersingel . . . . Z 10
Eendrachtskade N. Z. . . . . Z 8
Eendrachtskade Z. Z. . . . . Z 12
Emmaviaduct . . . . Z 13
Gedempte Zuiderdiep . . . . Z 18
Grote Markt . . . . Z
Herestr. . . . . Z
Lopende Diep . . . . Y 33
Martinikerkhof . . . . YZ 34
Noorderhaven N. Z. . . . . Y 37
Noorderhaven Z. Z. . . . . Z 39
Oosterstr. . . . . Z
Ossenmarkt . . . . Y 43
Oude Boteringestr. . . . . Z 45
Oude Ebbingestr. . . . . Y 46
Paterswoldseweg . . . . Z 49
Rademarkt . . . . Z 55
Radesingel . . . . Z 57
Schuitendiep . . . . Z 58
St-Jansstr. . . . . Z 60
Spilsluizen . . . . Y 63
Verlengde Oosterstr. . . . . Z 66
Vismarkt . . . . Z 67
Westerhaven . . . . Z 70
Westersingel . . . . Z 72
Zuiderpark . . . . Z 76

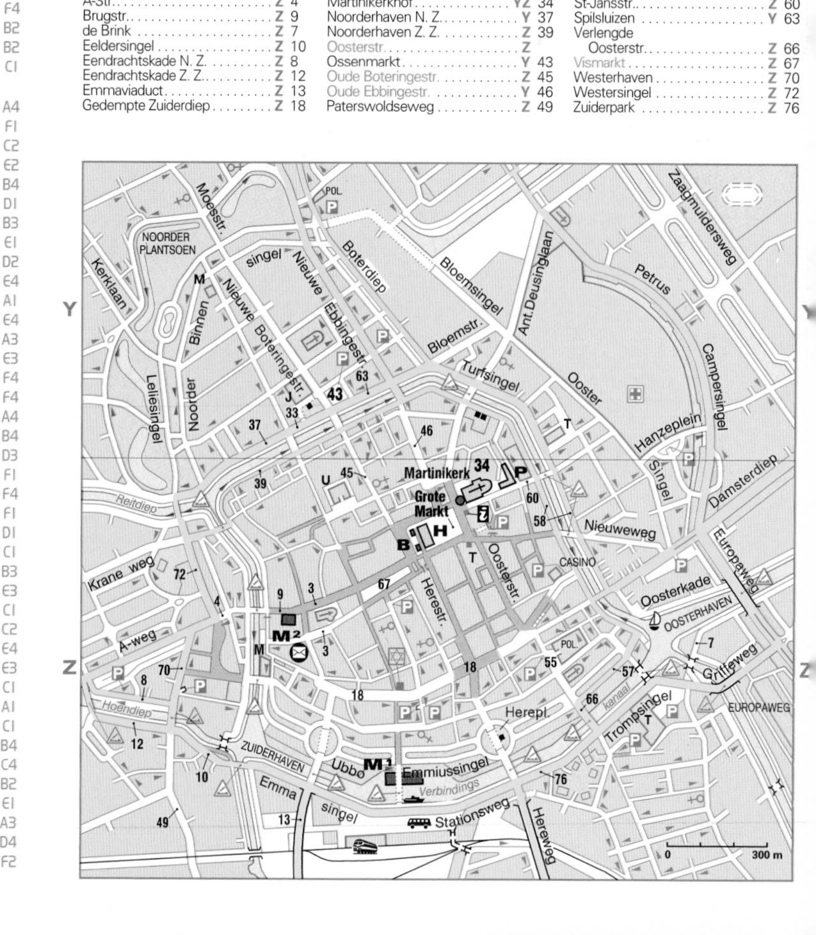

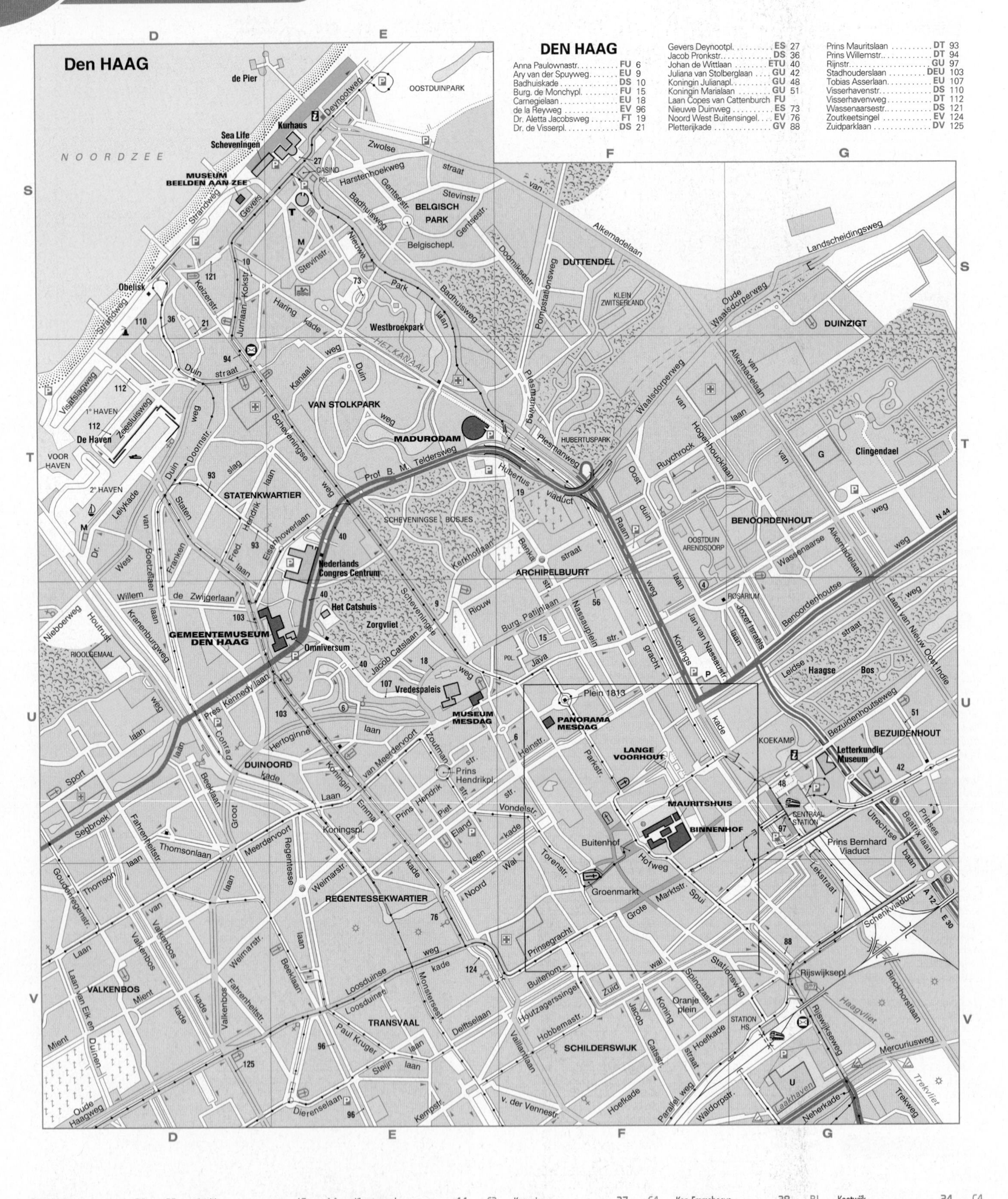
Den HAAG
DEN HAAG
Anna Paulownastr. FU 6
Ary van der Spuyweg EU 9
Badhuiskade DS 10
Burg. de Monchypl. FU 15
Carnegielaan EU 18
de la Reyweg EV 96
Dr. Aletta Jacobsweg FT 19
Dr. de Visserpl. DS 21
Gevers Deynootpl. ES 27
Jacob Pronkstr. DS 36
Johan de Wittlaan ETU 40
Juliana van Stolberglaan GU 42
Koningin Julianapl. GU 48
Koningin Marialaan GU 51
Laan Copes van Cattenburch FU
Nieuwe Duinweg ES 73
Noord West Buitensingel EV 76
Pletterijkade GV 88
Prins Mauritslaan DT 93
Prins Willemstr. DT 94
Rijnstr. GU 97
Stadhouderslaan DEU 103
Tobias Asserlaan EU 107
Visserhavenstr. DS 110
Visserhavenweg DT 112
Wassenaarsestr. DS 121
Zoutkeetsingel EV 124
Zuidparklaan DV 125
NOORDZEE
de Pier
Kurhaus
Sea Life Scheveningen
MUSEUM BEELDEN AAN ZEE
OOSTDUINPARK
BELGISCH PARK
DUTTENDEL
KLEIN ZWITSERLAND
DUINZIGT
Westbroekpark
HET KANAAL
VAN STOLKPARK
MADURODAM
HUBERTUSPARK
Clingendael
De Haven
VOOR HAVEN
STATENKWARTIER
SCHEVENINGSE BOSJES
Nederlands Congres Centrum
Het Catshuis
Zorgvliet
ARCHIPELBUURT
BENOORDENHOUT
OOSTDUIN ARENDSDORP
ROSARIUM
Haagse Bos
GEMEENTEMUSEUM DEN HAAG
Omniversum
Vredespaleis
MUSEUM MESDAG
Plein 1813
PANORAMA MESDAG
LANGE VOORHOUT
MAURITSHUIS
BINNENHOF
Buitenhof
Groenmarkt
BEZUIDENHOUT
Letterkundig Museum
CENTRAAL STATION
Prins Bernhard Viaduct
DUINOORD
Koningspl.
Prins Hendrikpl.
REGENTESSEKWARTIER
VALKENBOS
TRANSVAAL
SCHILDERSWIJK
STATION HS
Oranje plein
Rijswijksepl.
Laakhaven
Obelisk
RIOOLGEMAAL

HAARLEM

Street	Grid	No.
Anegang	BCY	
Bakenessergracht	CY	6
Barrevoetestr.	BY	7
Barteljorisstr.	BY	9
Botermarkt	BYZ	13
Damstr.	CY	18
Donkere Spaarne	CY	19
Frans Halsstr.	CX	25
Friese Varkenmarkt	CXY	27
Gasthuisvest	BZ	28
Ged. Voldersgracht	BY	30
Gierstr.	BZ	31
Groot Heiligland	BZ	33
Grote Houtstr.	BYZ	
Hagestr.	CZ	34
Hoogstr.	CZ	39
Jacobstr.	BY	40
Keizerstr.	BY	45
Klokhuispl.	CY	48
Koningstr.	BY	49
Kruisstr.	BY	
Nassaustr.	BY	54
Nieuwe Groenmarkt	BY	55
Ostadestr.	BX	57
Oude Groenmarkt	BCY	58
Smedestr.	BY	66
Spaarndamseweg	CX	67
Spaarnwouderstr.	CZ	69
Tuchthuisstr.	BZ	72
Verwulft	BYZ	75
Zijlsingel	BY	79
Zijlstr.	BY	

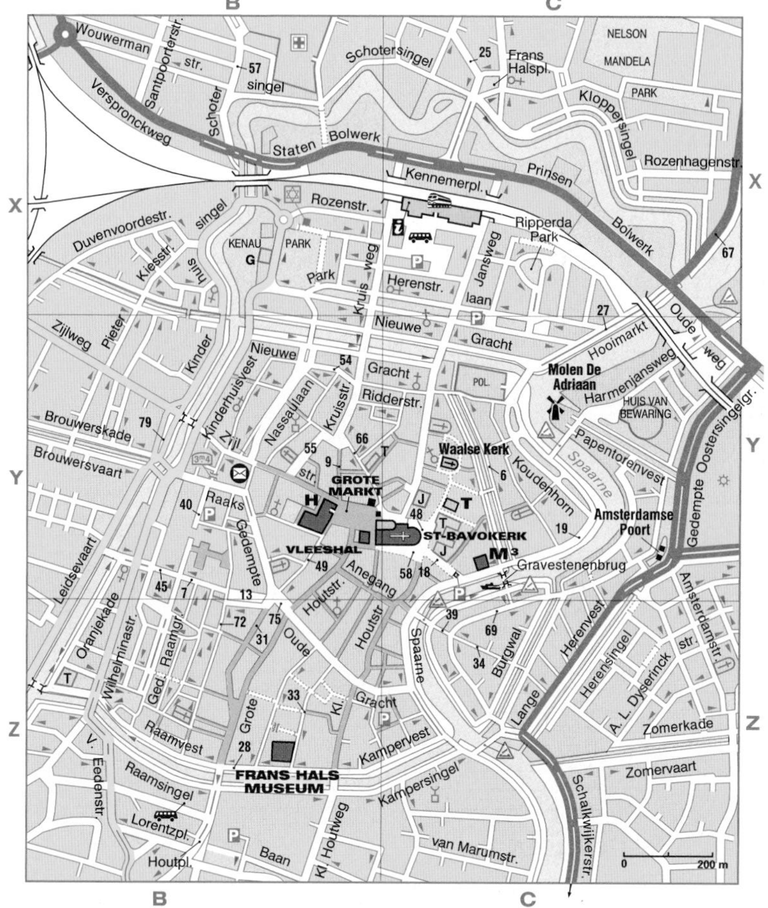

's-HERTOGENBOSCH

Street	Grid	No.
Bethaniestr.	Z	4
Burg. Loeffpl.	YZ	9
de Bossche Pad	Z	7
Emmapl.	Y	10
Geert van Woustr.	Y	12
Graafseweg	Y	16
Havensingel	Y	22
Hinthamereinde	Z	24
Hinthamerstr.	Z	
Hoge Steenweg	Z	25
Jan Heinsstr.	Y	28
Kerkstr.	Z	30
Koninginnenlaan	Y	31
Maastrichtseweg	Z	34
Muntelbolwerk	Y	39
Oostwal	Z	42
Oranje Nassaulaan	Z	43
Orthenstr.	Y	46
Schapenmarkt	Z	54
Sint-Jacobstr.	Z	57
Sint-Josephstr.	Z	58
Spinhuiswal	Z	60
Stationsweg	Z	62
Torenstr.	Z	65
van der Weeghensingel	Y	73
van Noremborghstr.	Y	40
Visstr.	Z	67
Vlijmenseweg	Z	69
Vughterstr.	Z	
Vughterweg	Z	70
Wilhelminapl.	Z	75
Willemspl.	Z	76

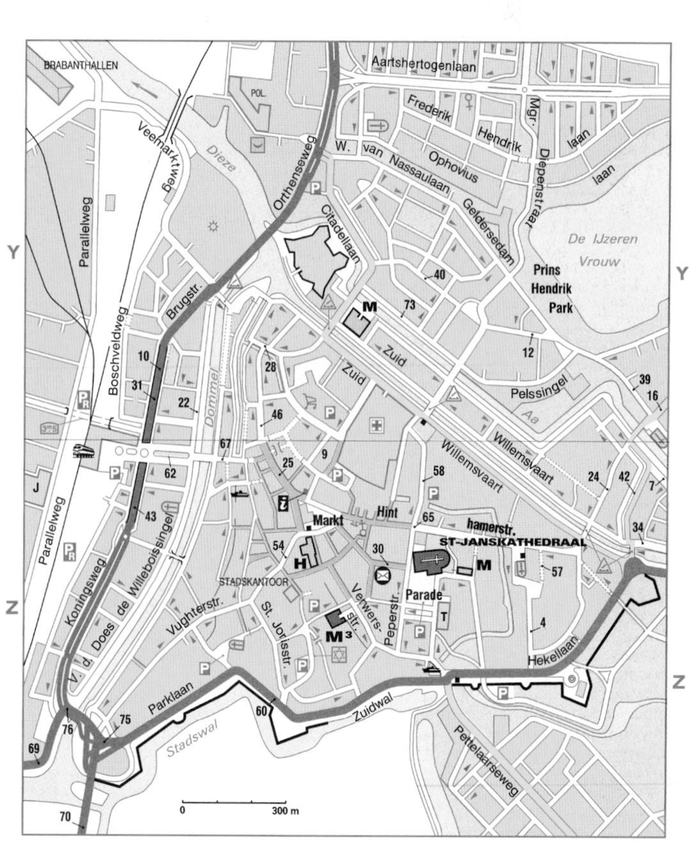

L

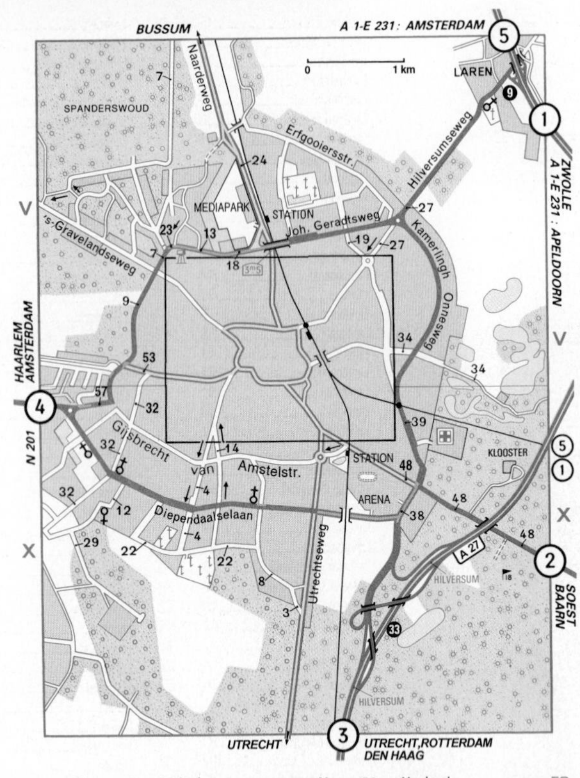

HILVERSUM

M

LEEUWARDEN

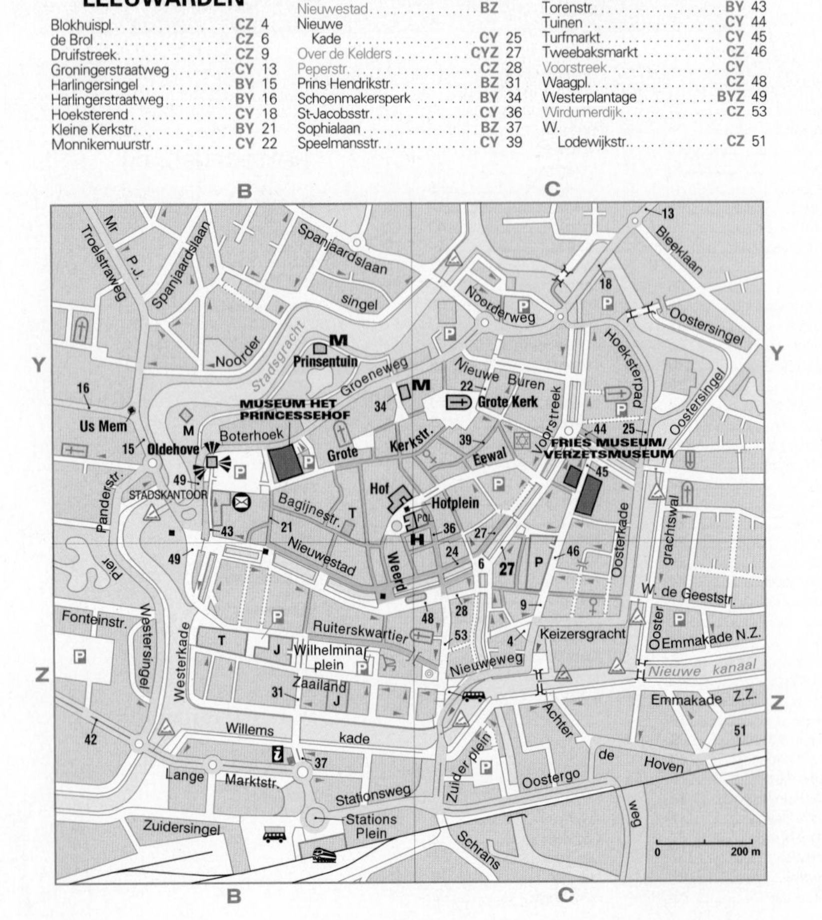

LEIDEN

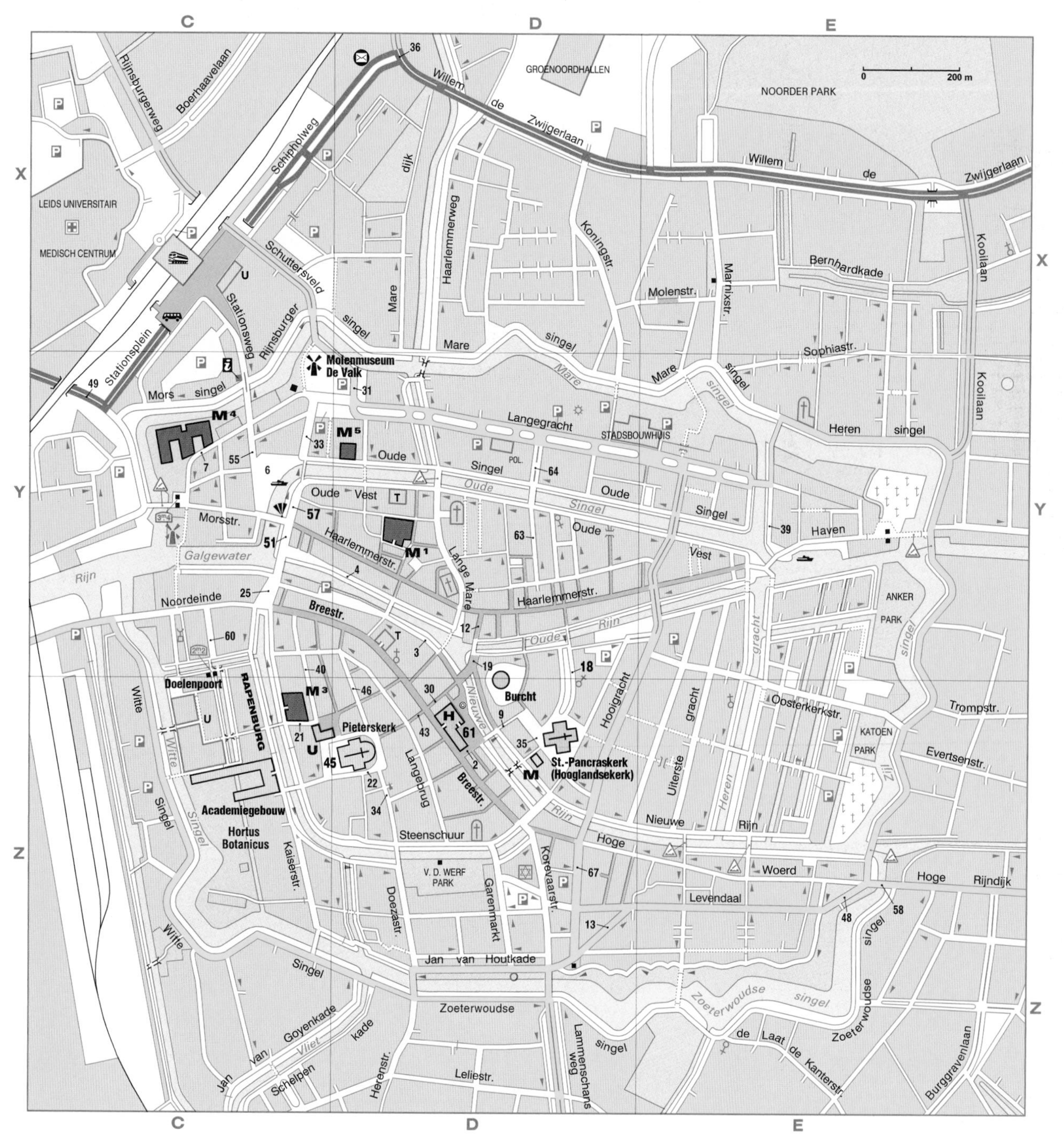

C
D
E
X
Y
Z
GROENOORDHALLEN
NOORDER PARK
0
200 m
Willem de Zwijgerlaan
Rijnsburgerweg
Boerhaavelaan
Schipholweg
LEIDS UNIVERSITAIR
MEDISCH CENTRUM
Schuttersveld
Stationsweg
Stationsplein
Rijnsburger singel
Haarlemmerweg
Mare
Koningstr.
Marnixstr.
Molenstr.
Bernhardkade
Kooilaan
Sophiastr.
Molenmuseum De Valk
Mors singel
Langegracht
STADSBOUWHUIS
Heren singel
Oude Singel
Oude Vest
Morsstr.
Galgewater
Rijn
Haarlemmerstr.
Lange Mare
Haven
ANKER PARK
Noordeinde
Breestr.
Doelenpoort
RAPENBURG
Pieterskerk
Burcht
St.-Pancraskerk (Hooglandsekerk)
Hooigracht
Oosterkerkstr.
KATOEN PARK
Trompstr.
Evertsenstr.
Witte Singel
Academiegebouw
Hortus Botanicus
Kaiserstr.
Steenschuur
Langebrug
Nieuwe Rijn
Hoge Woerd
Hoge Rijndijk
V. D. WERF PARK
Garenmarkt
Korevaarstr.
Levendaal
Doezastr.
Jan van Houtkade
Zoeterwoudse singel
Jan van Goyenkade
Vliet
Schelpenkade
Herenstr.
Leiliestr.
Lammenschans weg
de Laat de Kanterstr.
Burggravenlaan

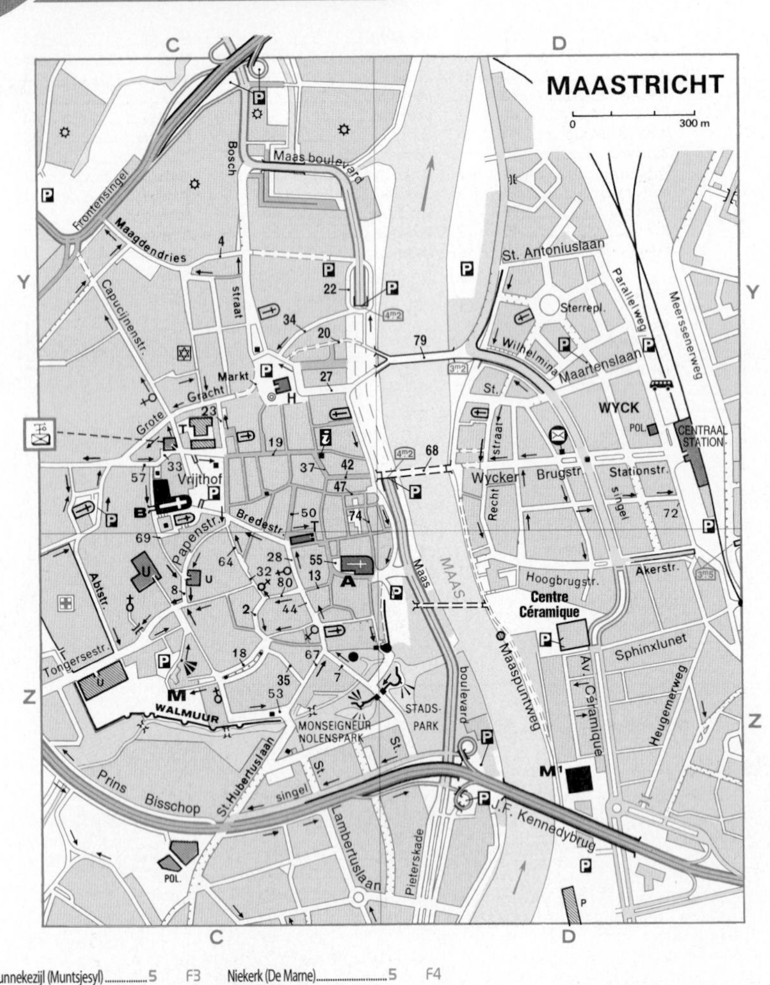

N

MIDDELBURG

NIJMEGEN

Augustinenstr.	B	4
Barbarossastr.	C	6
Bisschop Hamerstr.	B	10
Bloemerstr.	B	
Broerstr.	B	
Burchstr.	C	
Ganzenheuvel	B	2
Gerard Noodstr.	C	15
Graadt Roggenstr.	C	16
Groesbeekseweg	B	18
Grotestr.	C	21
Grote Markt	B	19
in de Betouwstr.	B	9
Julianapl.	C	28
Keizer Traianuspl.	C	30
Kelfkensbos	C	31
Kitty de Wijzepl.	B	8
Lange Hezelstr.	B	
Marienburgsestr.	C	34
Molenstr.	B	
Mr Franckenstr.	C	35
Nassausingel	B	37
Nonnenstr.	B	40
Passage Molenpoort	B	45
Plein 1944	B	
Prins Bernhardstr.	C	46
Prins Hendrikstr.	C	48
Regulierstr.	B	49
Stationspl.	B	55
Stikke Hezelstr.	B	57
Tunnelweg	B	60
Tweede Walstr.	B	61
van Berchenstr.	B	7
van Broeckhuysenstr.	C	12
van Demerbroeckstr.	B	13
van Oldenbarneveltstr.	B	42
van Schevichavenstr.	C	51
van Triestr.	B	58
Wilhelminasingel	B	64
Ziekerstr.	BC	

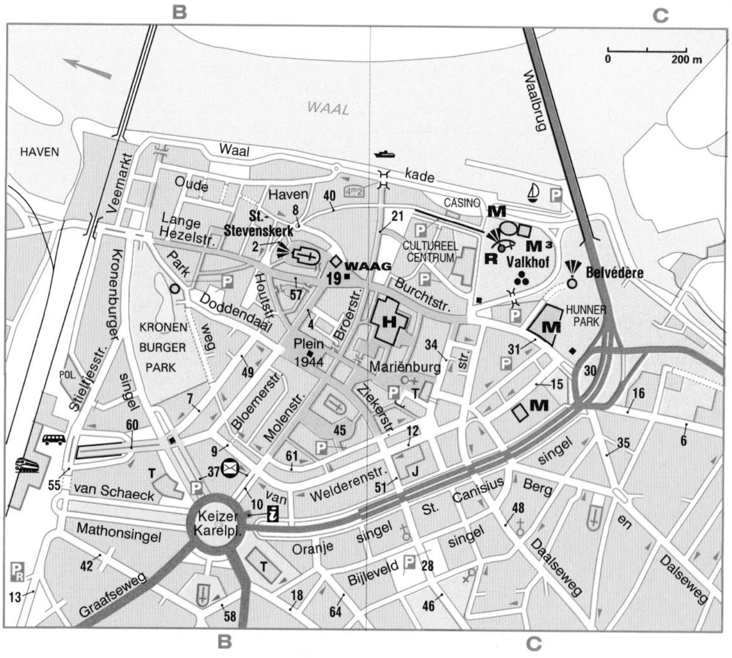

ROERMOND

Bergstr.	Y	2
Brugstr.	Y	3
Dr Leursstr.	Z	5
Hamstr.	Z	
Julianalaan	Y	6
Kapellerpoort	Z	7
Kloosterwandstr.	Z	9
Kraanpoort	Y	10
Leliestr.	YZ	12
Lindanusstr.	Y	14
Markt	Y	
Marktstr.	Y	15
Mgr Driessenstr.	Z	18
Mgr Evertsstr.	Z	19
Molenstr.	Z	16
Munsterpl.	Z	
Neerstr.	Z	
Notenboomlaan	YZ	21
Parédisstr.	Z	22
Pollartstr.	Y	23
Roerkade	Y	25
Roersingel	Z	26
St-Christoffelstr.	Z	28
Slachthuisstr.	Y	29
Spoorlaan-Zuid	Z	30
Steegstr.	Y	31
Steenweg	Y	32
Thorbeckestr.	Y	33
Varkensmarkt	Y	35

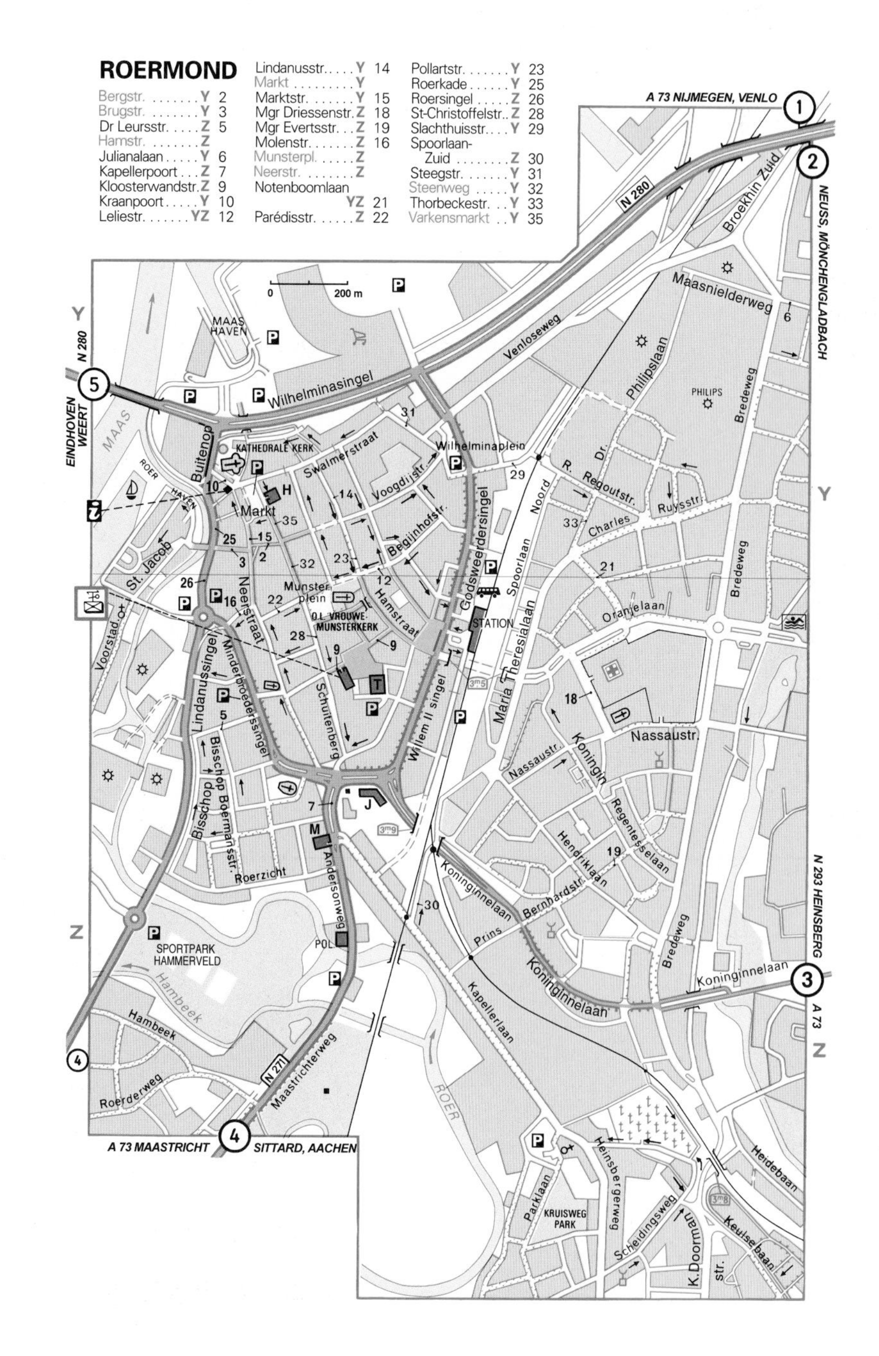

P

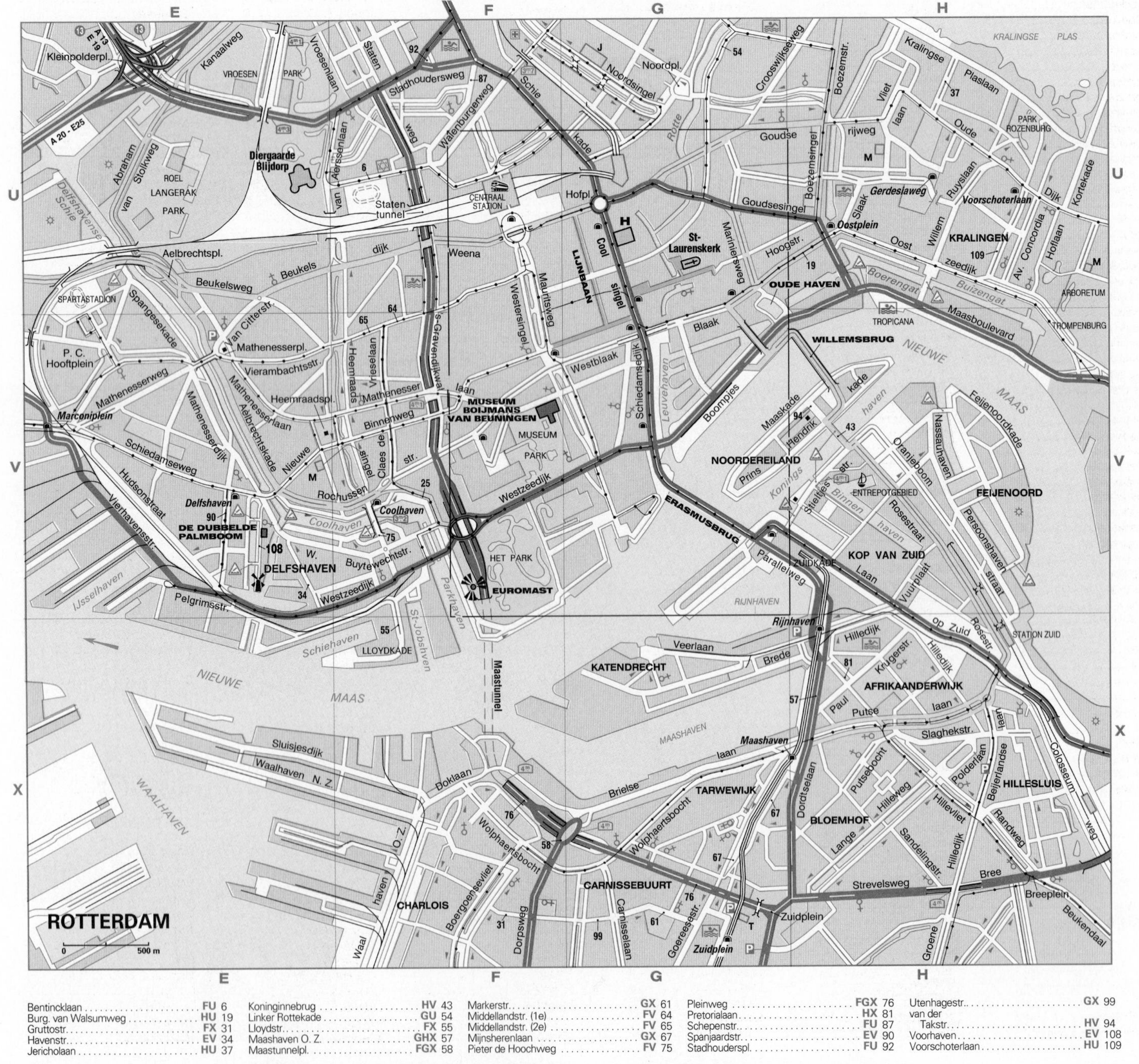

ROTTERDAM
0
500 m
E
F
G
H
U
V
X
Kleinpolderpl.
Kanaalweg
VROESEN
PARK
Vroesenlaan
Staten
Stadhoudersweg
Walenburgerweg
Schie
kade
Noordpl.
Noordsingel
Crooswijkseweg
Boezemstr.
Kralingse
Plaslaan
KRALINGSE PLAS
PARK ROZENBURG
A 20 - E25
Abraham
van
Stolkweg
Diergaarde Blijdorp
ROEL LANGERAK PARK
Statentunnel
CENTRAAL STATION
Hofpl.
Goudse
rijweg
Gerdesiaweg
Ruyslaan
Voorschoterlaan
Kortekade
Dijk
Goudsesingel
Oostplein
Weena
Westersingel
Mauritsweg
Coolsingel
LIJNBAAN
St-Laurenskerk
Mariniersweg
Hoogstr.
OUDE HAVEN
Oost
Willem
KRALINGEN
Av. Concordia
Hoflaan
Boerengat
Buizengat
Maasboulevard
ARBORETUM
TROPICANA
TROMPENBURG
Aelbrechtspl.
Beukels
Beukelsweg
dijk
SPARTASTADION
Spangesekade
Van Cittersstr.
Mathenesserpl.
P. C. Hooftplein
Mathenesserweg
Vierambachtsstr.
Heemraadspl.
Heemraads
Mathenesser
laan
Binnenweg
MUSEUM BOIJMANS VAN BEUNINGEN
MUSEUM PARK
Westblaak
Blaak
WILLEMSBRUG
NIEUWE
MAAS
Boompjes
Leuvehaven
Schiedamsedijk
Maaskade
Feijenoordkade
Marconiplein
Schiedamseweg
Mathenesserdijk
Aelbrechtskade
Nieuwe
Rochussen
Claes de
Westzeedijk
NOORDEREILAND
Prins Hendrik
Oranjeboom
Nassauhaven
FEIJENOORD
Hudsonstraat
Vierhavensstr.
Delfshaven
DE DUBBELDE PALMBOOM
DELFSHAVEN
Coolhaven
Buytewechstr.
HET PARK
EUROMAST
ERASMUSBRUG
Parallelweg
ZUIDKADE
Laan
KOP VAN ZUID
Rosestraat
ENTREPOTGEBIED
Persoonshaven
straat
Vuurplaat
op Zuid
STATION ZUID
RIJNHAVEN
Rijnhaven
Pelgrimsstr.
IJsselhaven
Schiehaven
LLOYDKADE
St-Jobshaven
Parkhaven
Maastunnel
Veerlaan
Brede
Hilledijk
Krugerstr.
KATENDRECHT
AFRIKAANDERWIJK
Paul
Putsee
laan
Slaghekstr.
MAASHAVEN
Maashaven
Sluisjesdijk
Waalhaven N. Z.
WAALHAVEN
Doklaan
Brielse
TARWEWIJK
Dordtselaan
BLOEMHOF
HILLESLUIS
Colosseum
Randweg
Beijerlandse
Polderlaan
Putsebocht
Lange
Hilleweg
Hillevliet
Sandelingstr.
Strevelsweg
Bree
Breeplein
Beukendaal
Wolphaertsbocht
CARNISSEBUURT
Carnisselaan
Goereesestr.
Zuidplein
Groene
CHARLOIS
Boergoensevliet
Dorpsweg
Waal

TILBURG

Besterdring Y 3
Enschotsestr. Y 16
Heuvel Y 20
Heuvelstr. YZ
Juliana van Stolbergstr. Y 25
Kloosterstr. Z 27
Koningspl. Z 30
Korte Schijfstr. Y 31
Lange Schijfstr. Z 35
Nazarethstr. Z 36
Oude Markt Z 45
Paleisring Z 46
Pieter Vreedepl. Y 50
Piuspl. Z 51
Schouwburgring Z
St-Josephstr. Y 63
Stadhuispl. Z 64
Tivolistr. Y 66
Zomerstr. Z 75

UTRECHT

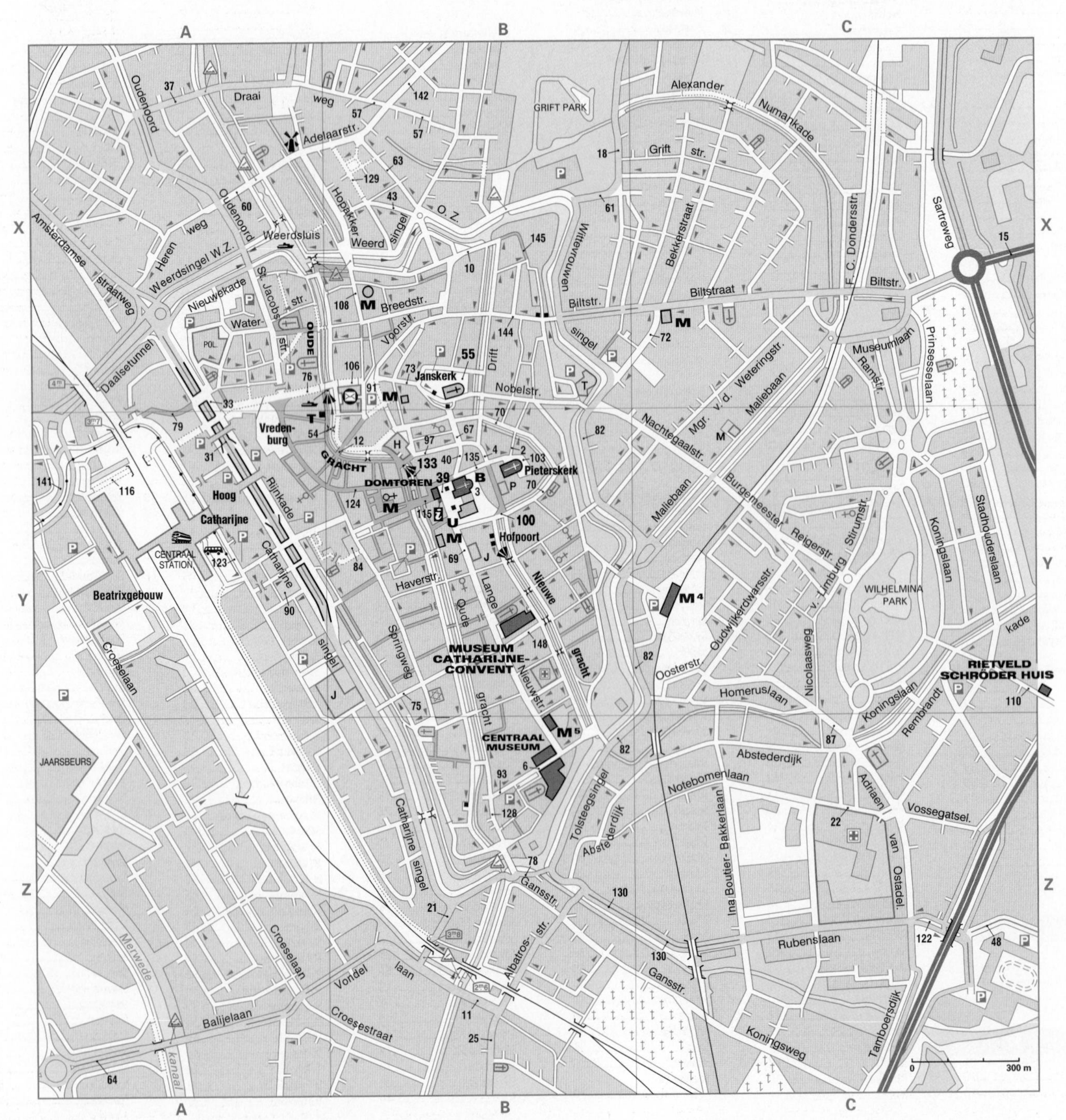

A
B
C
X
Y
Z
Alexander
Numankade
GRIFT PARK
Grift str.
Draai weg
Adelaarstr.
Oudenoord
Amsterdamse straatweg
Heren weg
Weerdsingel W.Z.
Weerdsluis
Hopakker
Weerd singel
O.Z.
Wittevrouwen
Bakkerstraat
F.C. Donderstr.
Sartreweg
Biltstraat
Biltstr.
Nieuwekade
Water-
St. Jacobs str.
OUDE
Breedstr.
Voorstr.
Janskerk
Nobelstr.
Drift
singel
Daalsetunnel
Vreden-burg
GRACHT
DOMTOREN
Pieterskerk
Hofpoort
Hoog Catharijne
CENTRAAL STATION
Beatrixgebouw
Rijnkade
Catharijne
singel
Haverstr.
Oude
Lange
Nieuwe
gracht
Springweg
MUSEUM CATHARIJNE-CONVENT
CENTRAAL MUSEUM
Nieuwstr.
Museumlaan
Prinsesselaan
Ramstr.
Weteringstr.
Mgr. v.d.
Maliebaan
Nachtegaalstr.
Burgemeester Reigerstr.
Strumstr.
v. Limburg
Oudwijkerdwarsstr.
Nicolaasweg
Koningslaan
Stadhouderslaan
WILHELMINA PARK
RIETVELD SCHRÖDER HUIS
kade
Oosterstr.
Homeruslaan
Rembrandt.
Abstederdijk
Notebomenlaan
Vossegatsel.
Adriaen van Ostadel.
Tolsteegsingel
Ina Boutier-Bakkerlaan
Gansstr.
Rubenslaan
Koningsweg
Tamboersdijk
Albatros-str.
Vondel laan
Croeselaan
Croesestraat
Baliejaan
Merwede kanaal
JAARSBEURS
0
300 m

VALKENBURG

Berkelstr.	Z 3	Hekerbeekstr.	Y 12	Plenkertstr.	YZ		
Dr Erensstr.	Y 4	Jan Dekkerstr.	Y 13	Poststr.	Y 24		
Emmalaan	Y 6	Kerkstr.	Z 15	Prinses Margrietlaan	Y 25		
Grendelpl.	Z 7	Kloosterweg	Y 16	Sittarderweg	Y 27		
Grotestr.	Z 9	Louis van der Maessenstr.	Y 18	Theodoor Dorrenpl.	Y 28		
Halderstr.	Z 10	Muntstr.	Z 19	Walrampl.	Z 30		
		Oranjelaan	Y 21	Walravenstr.	Z 31		
		Palankastr.	Z 22	Wilhelminalaan	YZ		

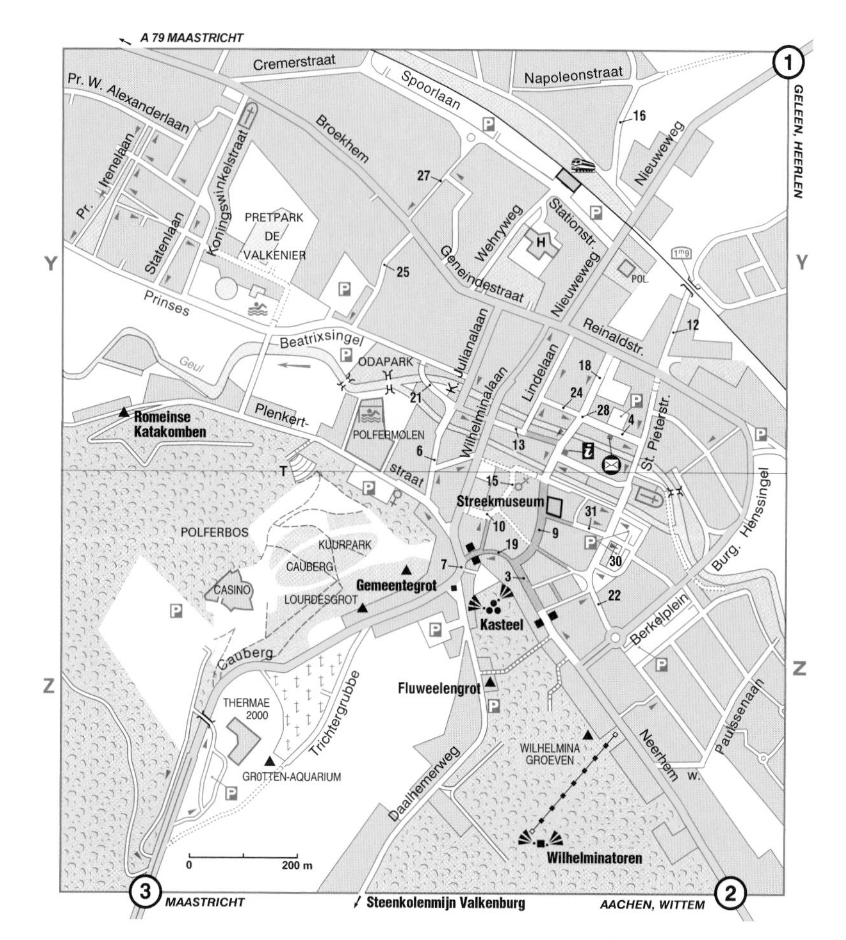

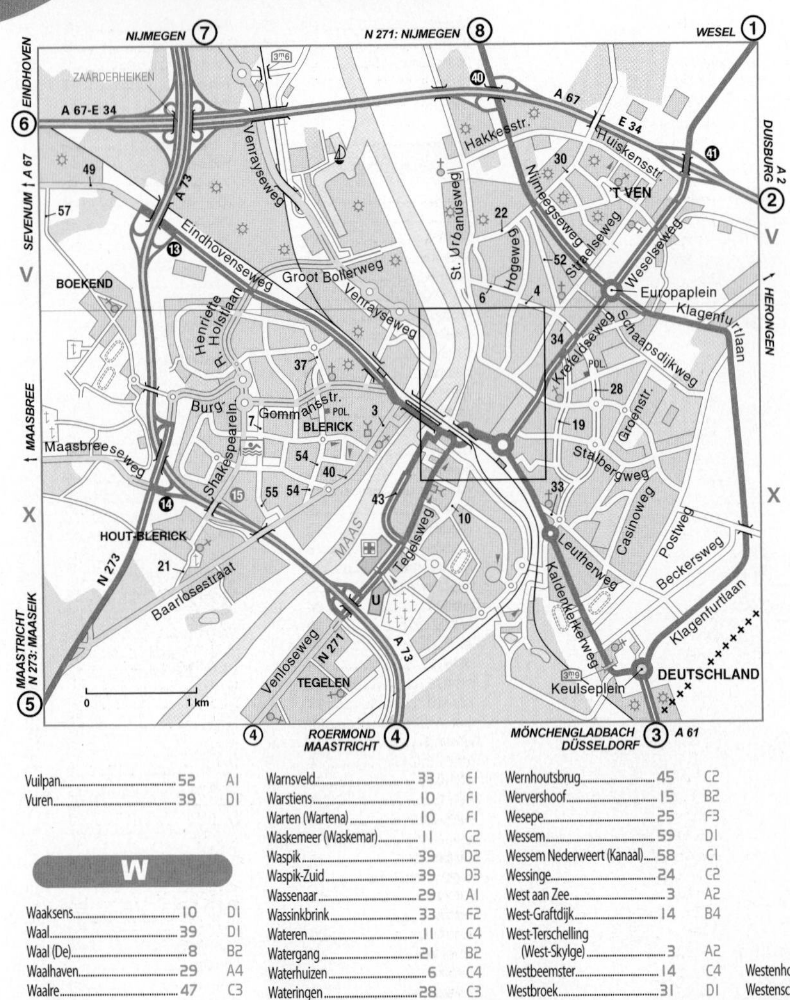

Vuilpan	52	A1
Vuren	39	D1

W

VENLO

Antoniuslaan	X	3
Bisschop Schrijnenstr.	V	4
Drie Decembersingel	X	7
Dr Blumenkampstr.	V	6
Eindhovenseweg	Z	9
Emmastr.	X	10
Gasthuisstr.	Y	12
Goltziusstr.	Y	13
Grote Beekstr.	Z	15
Grote Kerkstr.	Y	16
Hertog Reinoudsingel	X	19
Holleweg	X	21
Karbindersstr.	V	22
Klaasstr.	Z	24
Koninginnepl.	Z	25
Koninginnesingel	Z	27
Laaghuissingel	X	28
Lomstr.	Y	31
L. Janszoon Costerstr.	V	30
Maagdenbergweg	X	33
Molenstr.	X	34
Nassaustr.	Z	36
Nieuwborgstr.	X	37
Parade	Z	
Peperstr.	Y	39
Pontanusstr.	Y	40
Prinsessesingel	Z	42
Prof. Gelissensingel	Z	43
Puteanusstr.	Y	45
Roermondsepoort	Z	46
Roermondsestr.	Z	48
Sevenumseweg	V	49
Sint-Jorisstr.	Y	51
Veldenseweg	V	52
Vleesstr.	Z	
Vliegenkampstr.	X	54
Willem de Zwijgerstr.	X	55
2e Romerweg	V	57

ZWOLLE

Achter de Broeren	CY	3
Bagijnesingel	CY	6
Buitenkant	BY	8
Diezerpoortenplas	CY	10
Diezerstr.	CY	
Grote Kerkpl.	BY	12
Harm Smeengekade	BZ	15
Kamperstr.	BY	18
Luttekestr.	BY	19
Nieuwe Markt	CYZ	24
Oude Vismarkt	BY	25
Potgietersingel	BZ	27
Roggenstr.	BY	30
Sassenstr.	BYCZ	31
Ter Pelkwijkstr.	CY	34
Thomas a Kempisstr.	CY	36
van Wevelinkhovenstr.	CY	40
Voorstr.	BY	39

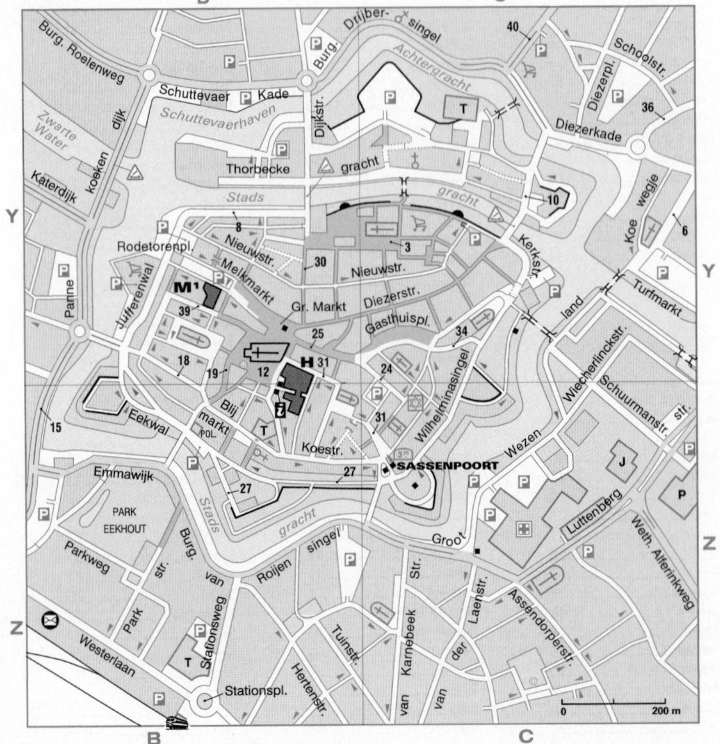

Y

Z

Belgique/België

A

AALST

B

ARLON

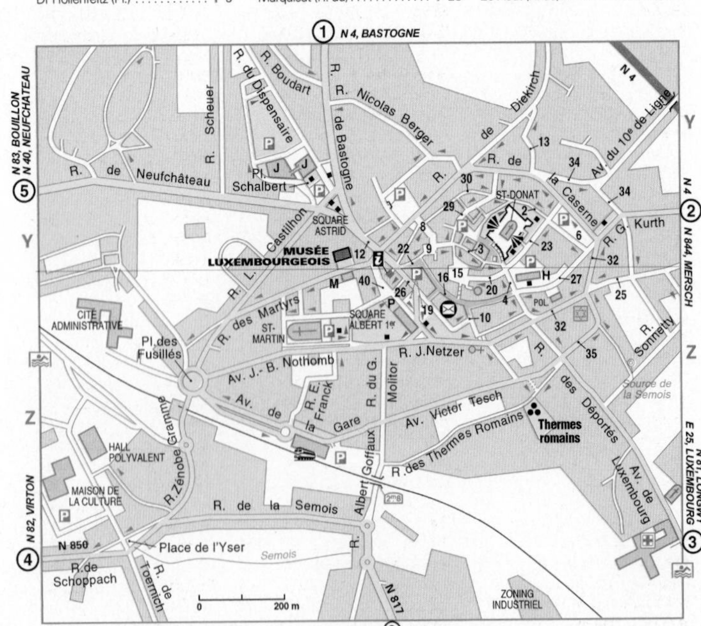

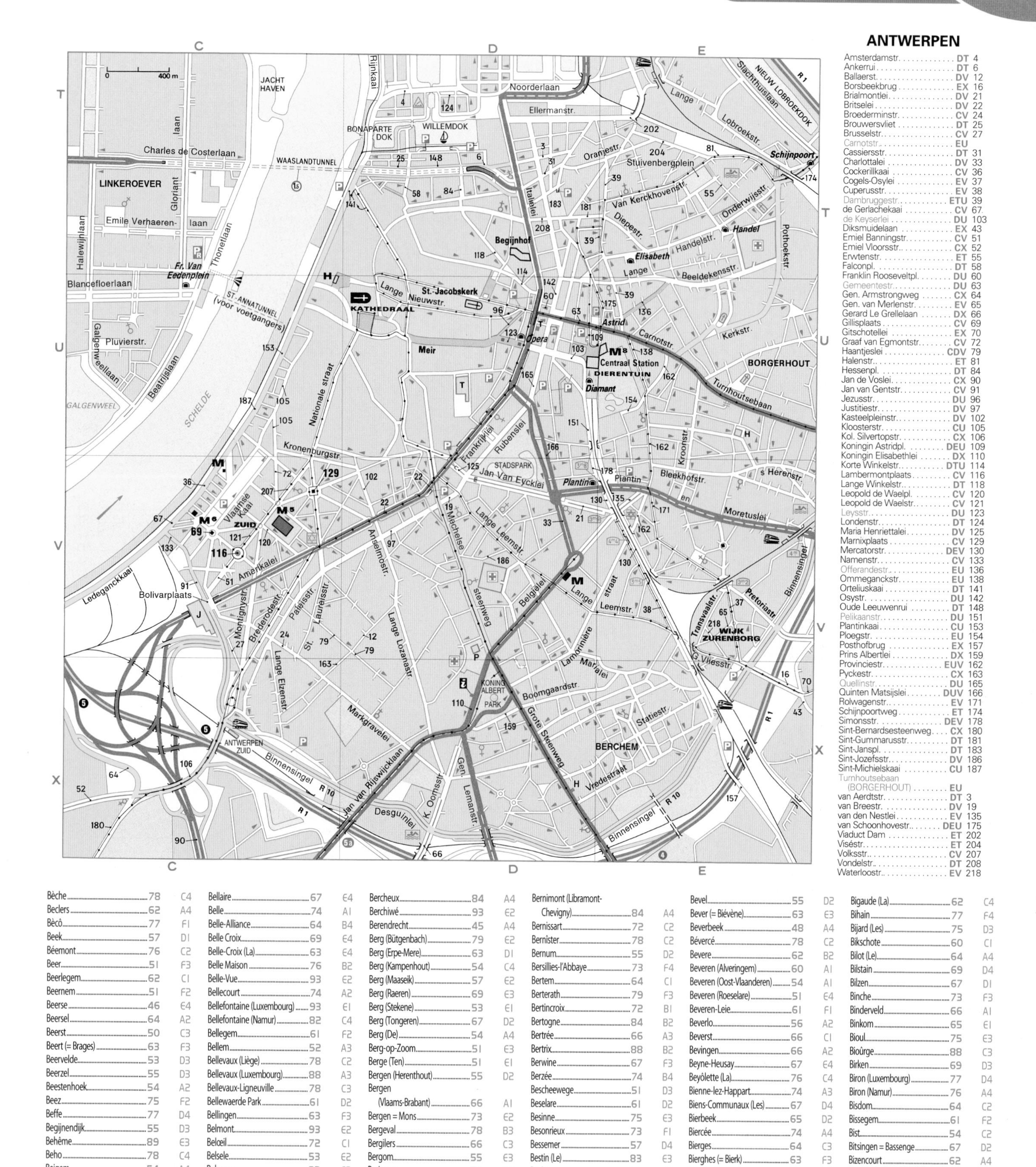
ANTWERPEN
Amsterdamstr. DT 4
Ankerrui DT 6
Ballaerst. DV 12
Borsbeekbrug EX 16
Brialmontlei DV 21
Britselei DV 22
Broederminstr. CV 24
Brouwersvliet DT 25
Brusselstr. CV 27
Carnotstr. EU
Cassiersstr. DT 31
Charlottalei DV 33
Cockerillkaai CV 36
Cogels-Osylei EV 37
Cuperusstr. EV 38
Dambruggestr. ETU 39
de Gerlachekaai CV 67
de Keyserlei DU 103
Diksmuidelaan EX 43
Emiel Banningstr. CV 51
Emiel Vloorsstr. CX 52
Erwtenstr. ET 55
Falconpl. DT 58
Franklin Rooseveltpl. DU 60
Gemeentestr. DU 63
Gen. Armstrongweg CX 64
Gen. van Merlenstr. EV 65
Gerard Le Grellelaan DX 66
Gillisplaats CV 69
Gitschotellei EX 70
Graaf van Egmontstr. CV 72
Haantjeslei CDV 79
Halenstr. ET 81
Hessenpl. DT 84
Jan de Voslei CX 90
Jan van Gentstr. CV 91
Jezusstr. DU 96
Justitiestr. DV 97
Kasteelpleinstr. DV 102
Kloosterstr. CU 105
Kol. Silvertopstr. CX 106
Koningin Astridpl. DEU 109
Koningin Elisabethlei DX 110
Korte Winkelstr. DTU 114
Lambermontplaats CV 116
Lange Winkelstr. DT 118
Leopold de Waelpl. CV 120
Leopold de Waelstr. CV 121
Leysstr. DU 123
Londenstr. DT 124
Maria Henriettalei DV 125
Marnixplaats CV 129
Mercatorstr. DEV 130
Namenstr. CV 133
Offerandestr. EU 136
Ommeganckstr. EU 138
Orteliuskaai DT 141
Osystr. DU 142
Oude Leeuwenrui DT 148
Pelikaanstr. DU 151
Plantinkaai CU 153
Ploegstr. EU 154
Posthofbrug EX 157
Prins Albertlei DX 159
Provinciestr. EUV 162
Pyckestr. CX 163
Quellinstr. DU 165
Quinten Matsijslei DUV 166
Rolwagenstr. EV 171
Schijnpoortweg ET 174
Simonsstr. DEV 178
Sint-Bernardsesteenweg CX 180
Sint-Gummarusstr. DT 181
Sint-Jansp1. DT 183
Sint-Jozefsstr. DV 186
Sint-Michielskaai CU 187
Turnhoutsebaan (BORGERHOUT) EU
van Aerdtstr. DT 3
van Breestr. DV 19
van den Nestlei EV 135
van Schoonhovestr. DEU 175
Viaduct Dam ET 202
Viséstr. ET 204
Volksstr. CV 207
Vondelstr. DT 208
Waterloostr. EV 218
400 m
LINKEROEVER
KATHEDRAAL
BORGERHOUT
BERCHEM
WIJK ZURENBORG
Centraal Station
DIERENTUIN
STADSPARK
SCHELDE
GALGENWEEL
WAASLANDTUNNEL
ST.-ANNATUNNEL (voor voetgangers)
WILLEMDOK
BONAPARTE DOK
JACHT HAVEN
KONING ALBERT PARK
ANTWERPEN ZUID
Meir
Binnensingel
Noorderlaan
Turnhoutsebaan
Bolivarplaats
Amerikalei
Plantin
Astrid
Opera
Diamant
Elisabeth
Handel
Schijnpoort
Begijnhof
St.-Jacobskerk

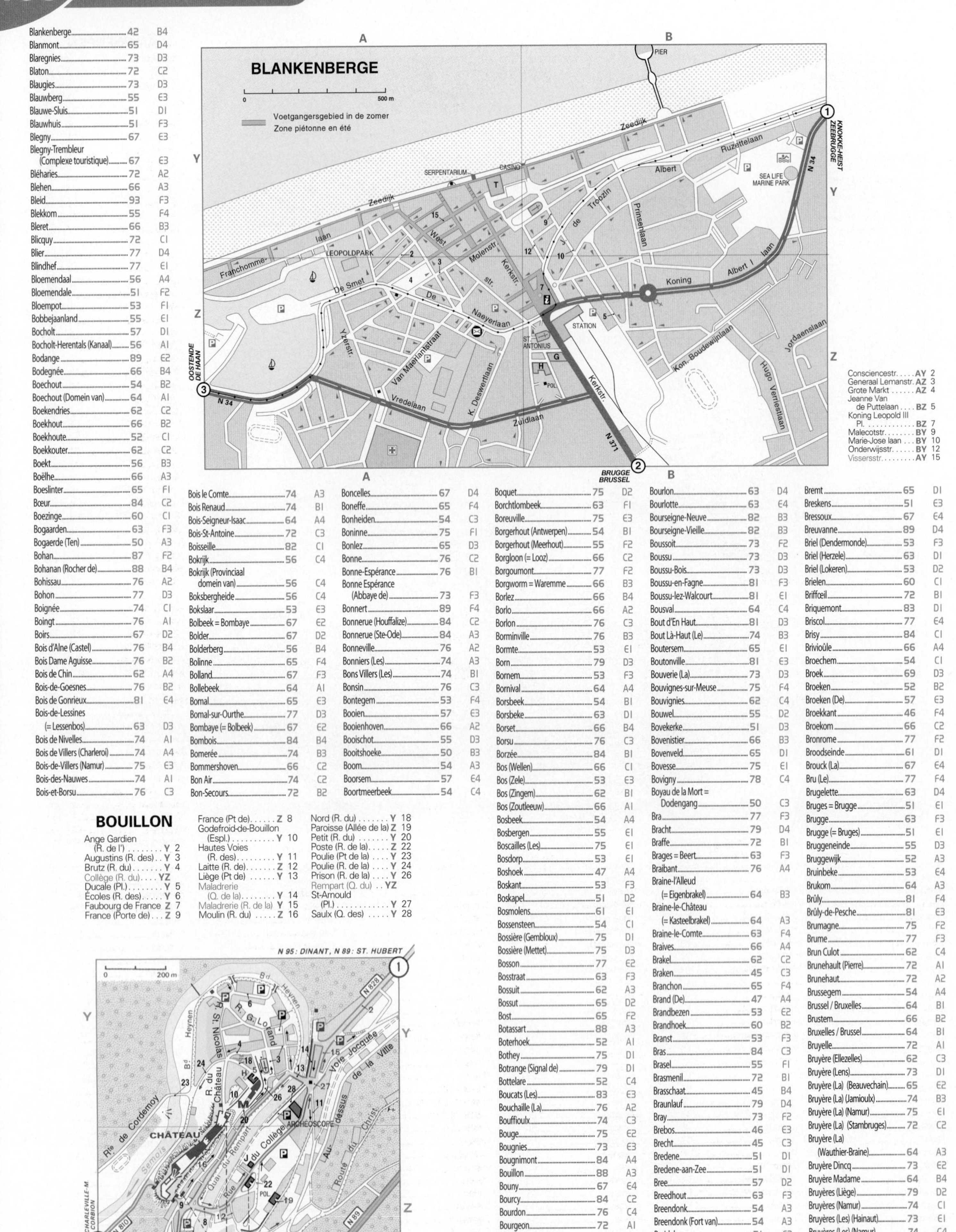
BLANKENBERGE
0
500 m
Voetgangersgebied in de zomer
Zone piétonne en été
PIER
Zeedijk
Ruzettelaan
Albert
SEA LIFE MARINE PARK
SERPENTARIUM
CASINO
de Troozln
Prinsenlaan
Franchomme-laan
LEOPOLDPARK
West
Molenstr.
Kerkstr.
Albert I laan
Koning
De Smet De Naeyerlaan
STATION
ST-ANTONIUS
Yzerstr.
Van Maerlantstraat
K. Deswertlaan
Vredelaan
Zuidlaan
Kon. Boudewijnlaan
Hugo Verriestlaan
Jordaenslaan
N 34
N 371
OOSTENDE DE HAAN
KNOKKE-HEIST ZEEBRUGGE
BRUGGE BRUSSEL
Conscienceestr. AY 2
Generaal Lemanstr. AZ 3
Grote Markt AZ 4
Jeanne Van de Puttelaan BZ 5
Koning Leopold III Pl. BZ 7
Malecotstr. BY 9
Marie-Jose laan BY 10
Onderwijsstr. BY 12
Vissersstr. AY 15
BOUILLON
Ange Gardien (R. de l') Y 2
Augustins (R. des) Y 3
Brutz (R. du) Y 4
Collège (R. du) YZ
Ducale (Pl.) Y 5
Écoles (R. des) Y 6
Faubourg de France Z 7
France (Porte de) Z 9
France (Pt de) Z 8
Godefroid-de-Bouillon (Espl.) Y 10
Hautes Voies (R. des) Y 11
Laitte (R. de) Z 12
Liège (Pt de) Y 13
Maladrerie (Q. de la) Y 14
Maladrerie (R. de la) Y 15
Moulin (R. du) Z 16
Nord (R. du) Y 18
Paroisse (Allée de la) Z 19
Petit (R. du) Y 20
Poste (R. de la) Z 22
Poulie (Pt de la) Y 23
Poulie (R. de la) Y 24
Prison (R. de la) Y 26
Rempart (Q. du) YZ
St-Arnould (Pl.) Y 27
Saulx (Q. des) Y 28
N 95: DINANT, N 89: ST. HUBERT
0
200 m
Bd Heynen
R. St. Nicolas
R. G. Lorand
R. du Château
CHÂTEAU
Rte de Cordemoy
Semois
Quai du Rempart
Rue du Collège
ARCHÉOSCOPE
Voie Jocquée
Au-dessus de la Ville
Route du Christ
CHARLEVILLE-M. CORBION
N 89: SEDAN
N 83: ARLON

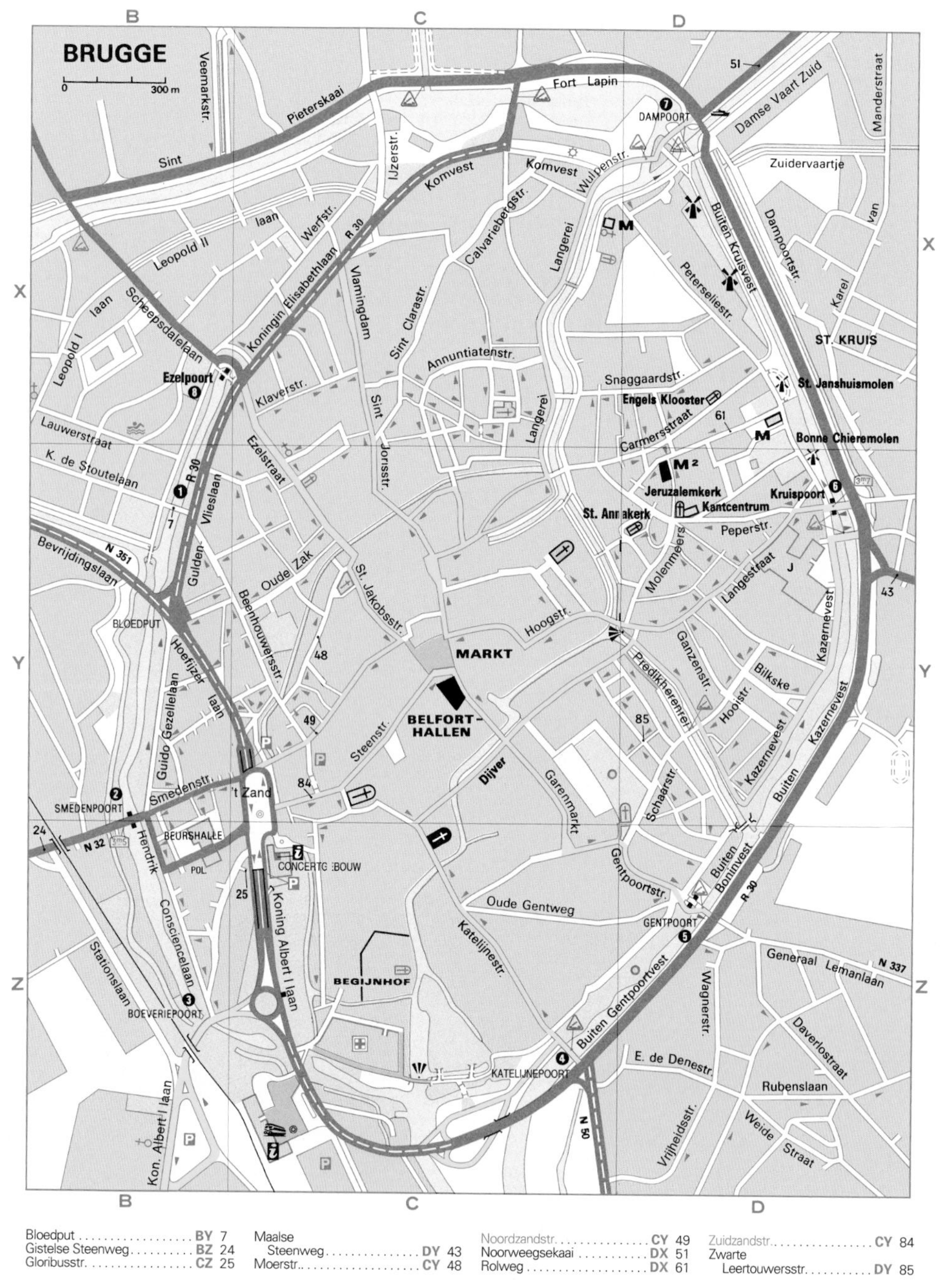

Bloedput	BY	7
Gistelse Steenweg	BZ	24
Gloribusstr.	CZ	25
Maalse Steenweg	DY	43
Moerstr.	CY	48
Noordzandstr.	CY	49
Noorweegsekaai	DX	51
Rolweg	DX	61
Zuidzandstr.	CY	84
Zwarte Leertouwersstr.	DY	85

C

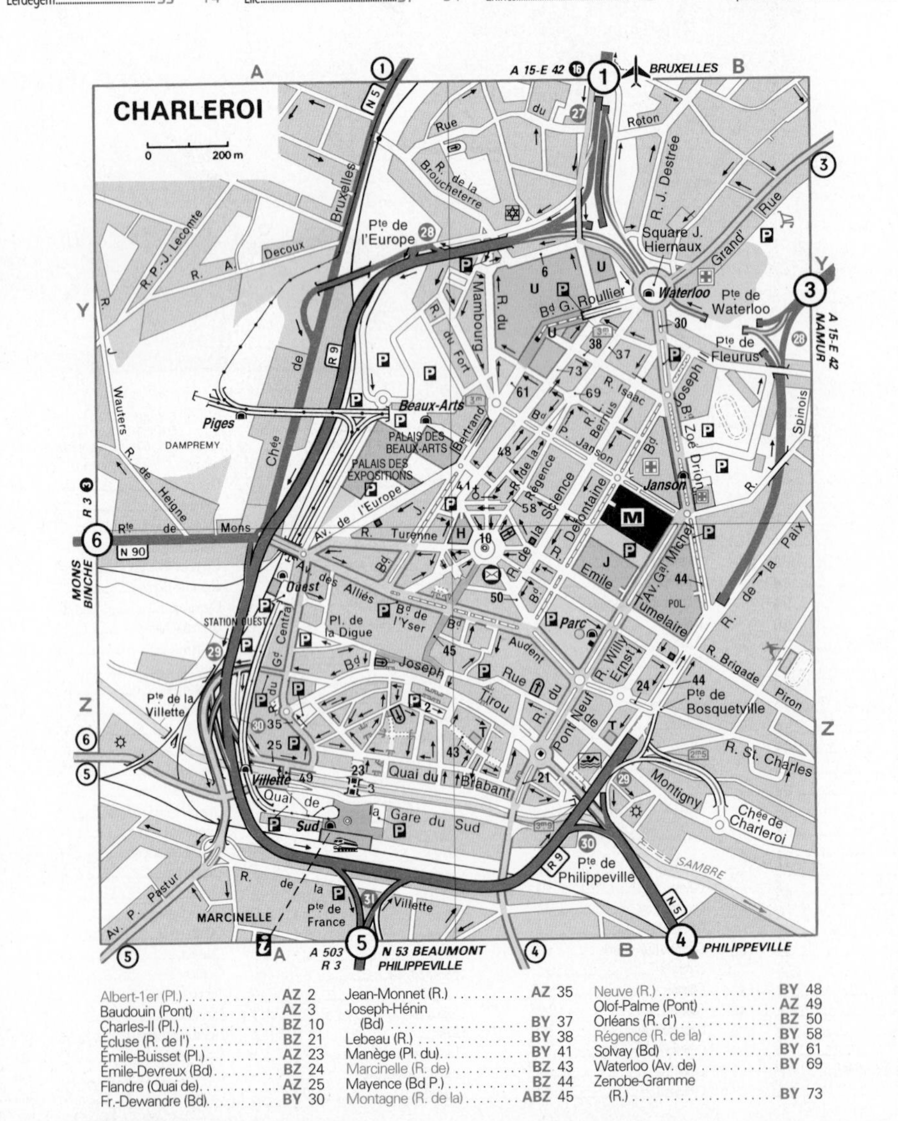

CHARLEROI
0
200 m
A 15-E 42
BRUXELLES
A 15-E 42 NAMUR
MONS BINCHE
N 90
R 3
N 53 BEAUMONT PHILIPPEVILLE
A 503 R 3
PHILIPPEVILLE
Pte de l'Europe
Square J. Hiernaux
Waterloo
Pte de Waterloo
Pte de Fleurus
Beaux-Arts
PALAIS DES BEAUX-ARTS
PALAIS DES EXPOSITIONS
Piges
DAMPREMY
Janson
Parc
POL
STATION OUEST
Ouest
Pl. de la Digue
Pte de la Villette
Villette
Quai du Brabant
Gare du Sud
Sud
Pte de Philippeville
Pte de Bosquetville
Pte de France
MARCINELLE
SAMBRE
Chée de Charleroi
Montigny
R. St. Charles
Albert-1er (Pl.) AZ 2
Baudouin (Pont) AZ 3
Charles-II (Pl.) BZ 10
Écluse (R. de l') BZ 21
Émile-Buisset (Pl.) AZ 23
Émile-Devreux (Bd) BZ 24
Flandre (Quai de) AZ 25
Fr.-Dewandre (Bd) BY 30
Jean-Monnet (R.) AZ 35
Joseph-Hénin (Bd) BY 37
Lebeau (R.) BY 38
Manège (Pl. du) BY 41
Marcinelle (R. de) BZ 43
Mayence (Bd P.) BZ 44
Montagne (R. de la) ABZ 45
Neuve (R.) BY 48
Olof-Palme (Pont) AZ 49
Orléans (R. d') BZ 50
Régence (R. de la) BY 58
Solvay (Bd) BY 61
Waterloo (Av. de) BY 69
Zenobe-Gramme (R.) BY 73

DIEST

Botermarkt	AZ	2
Delphine Alenuslaan	AZ	3
Ed. Robeynslaan	BZ	4
F. Moonsstr.	AZ	5
Graanmarkt	BZ	6
Grote Markt	AZ	7
Guido Gezellestr.	BZ	8
H. Verstappenpl.	BZ	9
Kattenstr.	BZ	10
Ketelstr.	AZ	12
Koestr.	BZ	13
Koning Albertstr.	BY	
Overstr.	BY	14
Pesthuizenstr.	BY	1
Refugiestr.	AY	1
Schotelstr.	AZ	1
St-Janstr.	BZ	1
St-Jan Berchmansstr.	AZ	1
Vestenstr.	BY	2
Wolvenstr.	ABY	2

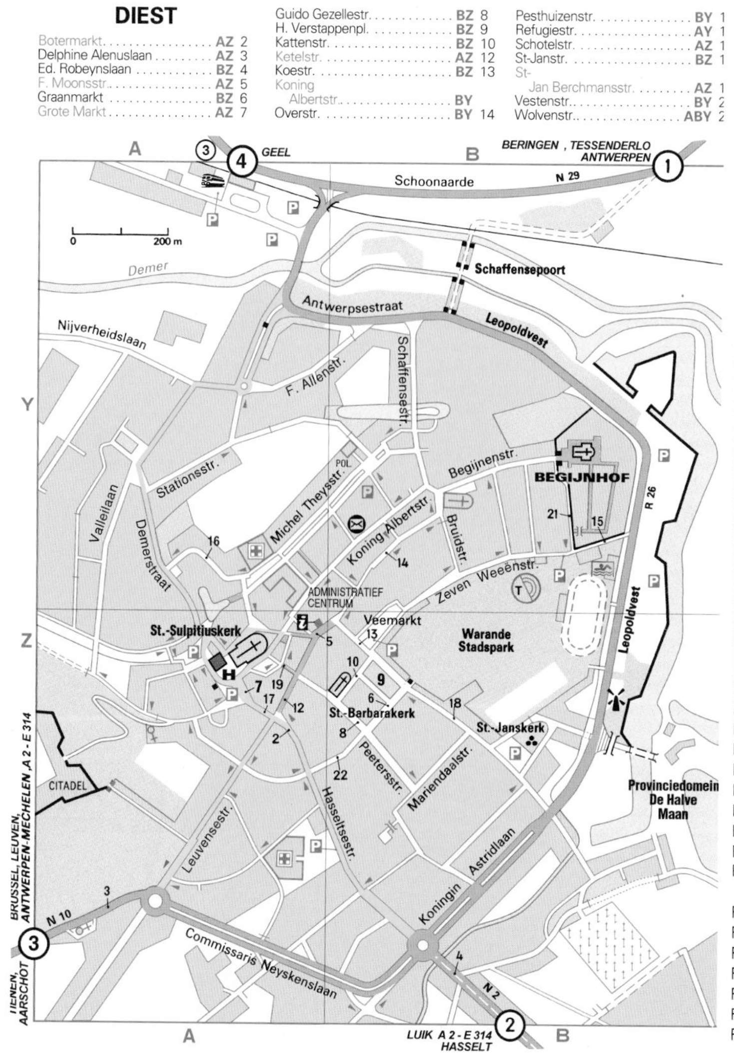

F

EUPEN

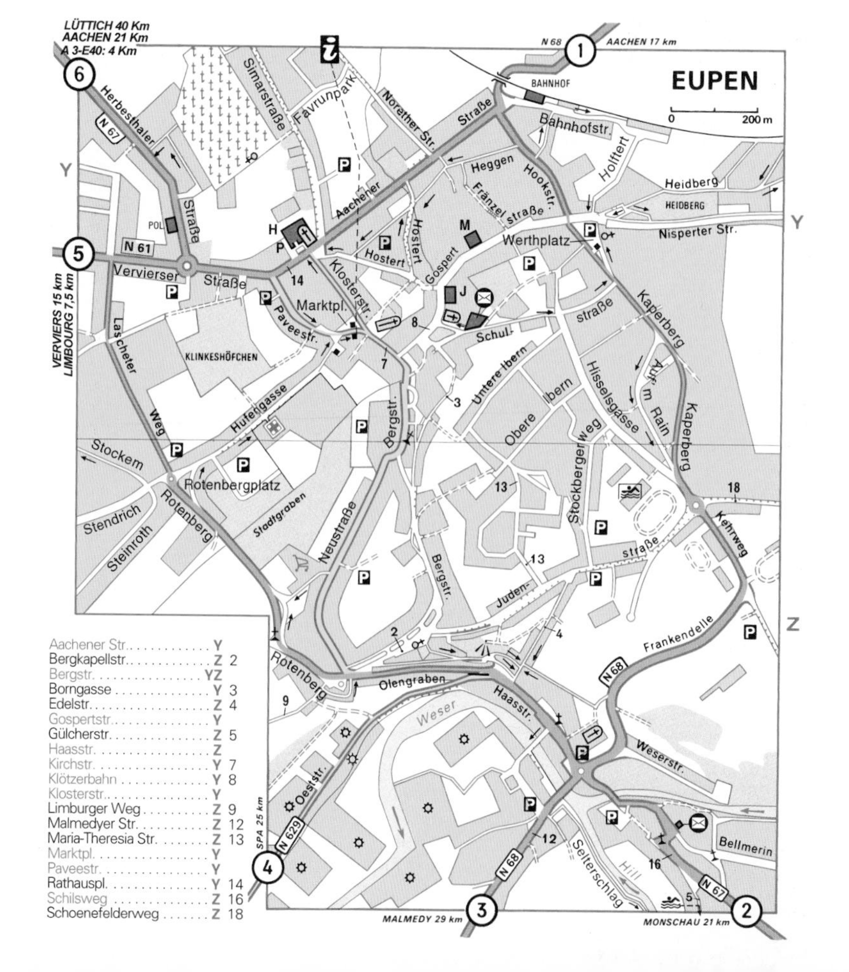

Aachener Str.	Y	
Bergkapellstr.	Z	2
Bergstr.	YZ	
Borngasse	Y	3
Edelstr.	Z	4
Gospertstr.	Y	
Gülcherstr.	Z	5
Haasstr.	Z	
Kirchstr.	Y	7
Klötzerbahn	Y	8
Klosterstr.	Y	
Limburger Weg	Z	9
Malmedyer Str.	Z	12
Maria-Theresia Str.	Z	13
Marktpl.	Y	
Paveestr.	Y	
Rathauspl.	Y	14
Schilsweg	Z	16
Schoenefelderweg	Z	18

GENK

Berglaan . . . . X 6
Eerste cyclistenlaan . . . . X 8
Eindgracht . . . . X 9
Fruitmarkt . . . . X 16
Jaarbeurslaan . . . . X 28
Klokstr. X 31
Markstr. . . . . X 39
Marktpl. . . . . X 40
Pastoor Raeymaekersstr. . . . . . . X 51
Schietboomstr. . . . . X 54
Sint-Martinuspl. . . . . X 55
Stoffelbergstr. . . . . X 60
Winterslagstr. . . . . X 69

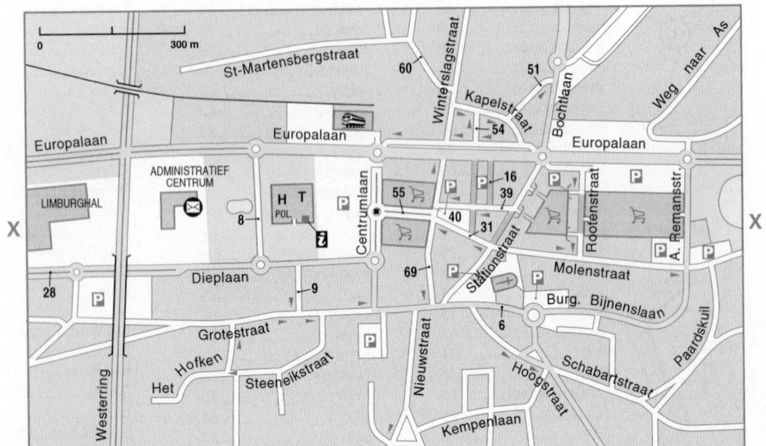

G

Annonciadenstr. . . . . CV 6
Antwerpenpl. . . . . DV 8
A. Heyndrickxlaan . . . . DX 5
Brugsepoortstr. . . . . CV 23
Brusselsepoortstr. . . . . DX 28
Brusselsesteenweg . . . . DX 30
Citadellaan . . . . CDX 33
Coupure links . . . . CVX 34
Dampoortstr. . . . . DV 35
Dendermondsesteenweg . . . . DV 36
Gaston Crommenlaan . . . . DX 44
Godshuizenlaan . . . . CX 46
Graaf van Vlaanderenpl. . . . . . DX 53
Groot Brittanniëlaan . . . . CX 62
Hagelandkaai . . . . DV 67
Hundelgemse steenweg . . . . . DX 77
IJzerlaan . . . . CX 78
Joz. Wauterstr. . . . . CX 81
Keizervest . . . . DX 83
Koekoeklaan . . . . CX 86
Koningin Fabiolalaan . . . . CX 88
K. van Hulthemstr. . . . . CX 85
Land van Waaslaan . . . . DV 100
Lange Steenstr. . . . . CV 103
Noordstr. . . . . CV 116
Normaalschoolstr. . . . . CX 117
Peperstr. . . . . CV 130
Rodelijvekensstr. . . . . CV 133
Rozemarijnstr. . . . . CV 136
Sint-Joriskaai . . . . DV 146
Sint-Pietersnieuwstr. . . . . CX 153
Sint-Pieterspl. . . . . CX 154
Tweebruggenstr. . . . . DVX 159
Voskenslaan . . . . CX 172
Woodrow Wilsonpl. . . . . DX 186
Zuidparklaan . . . . DX 193

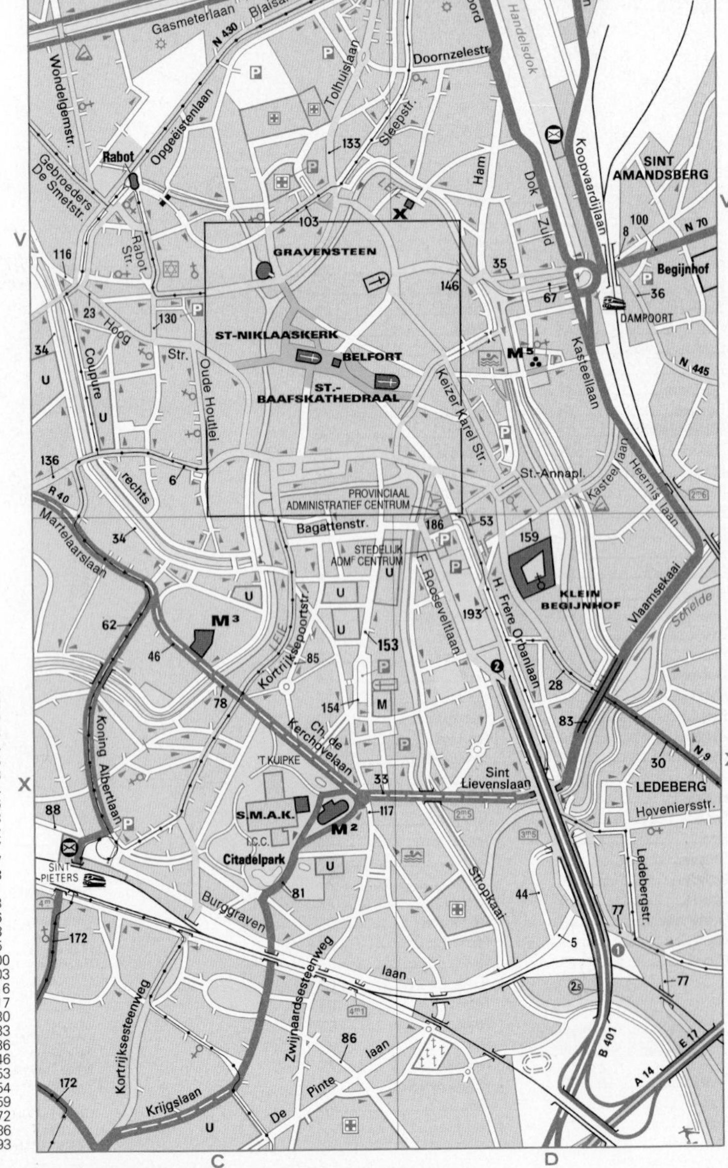

HALLE

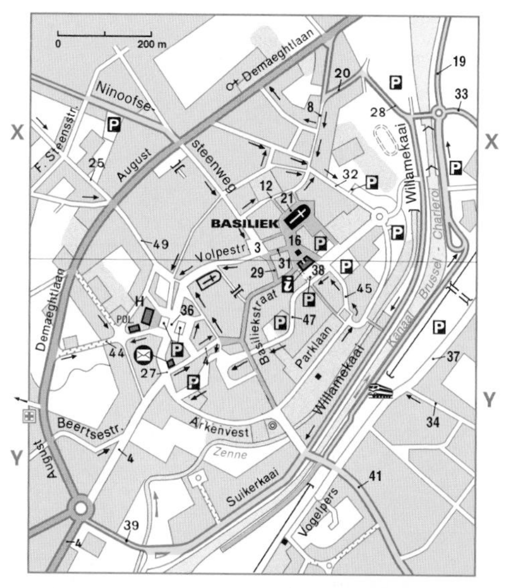

H

HASSELT

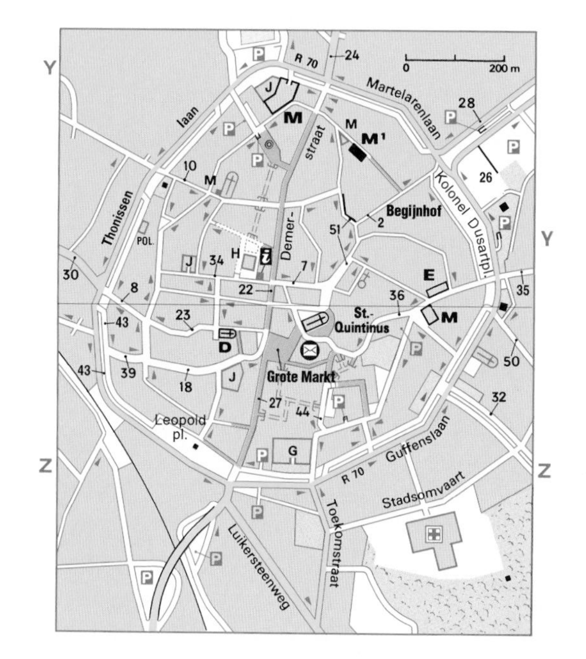

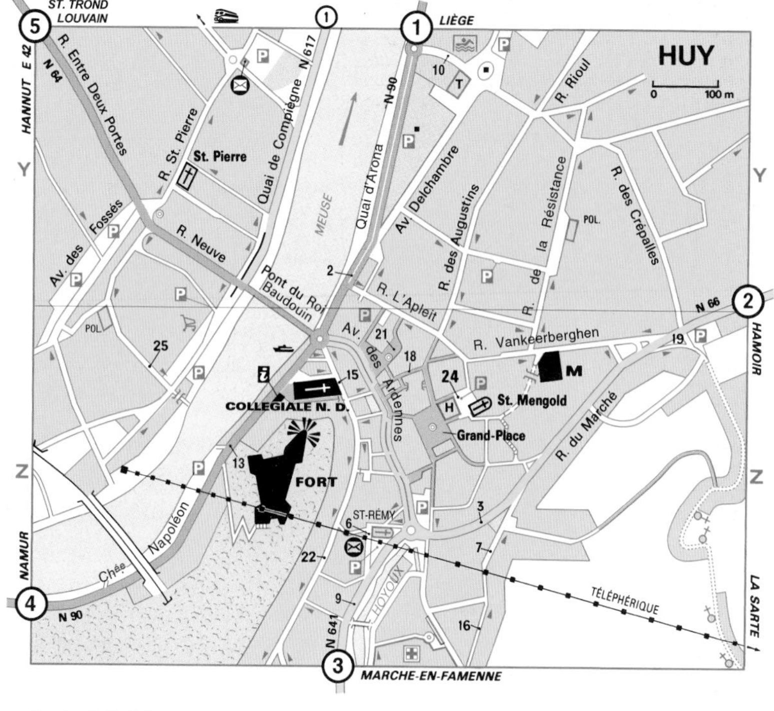

IEPER

Adj. Masscheleinlaan . . . . BX 2
Arsenaalstr. . . . . AY 4
A. Stoffelstr. . . . . BX 5
A. Vandenpeereboompl. . . . . . AX 6
Bollingstr. . . . . BX 7
Boterstr. . . . . AX 8
de Montstr. . . . . AY 29
Diksmuidestr. . . . . BX
Grote Markt . . . . BX 9
G. de Stuersstr. . . . . AX
Hoge Wieltjesgracht . . . . ABX 10
J. Capronstr. . . . . AX 12
J. Coomansstr. . . . . AX 13
J. Picanollaan . . . . BY 14
Kalfvaartstr. . . . . BX 15
Kanonweg . . . . BY 17
Kauwekijnstr. . . . . BX 18
Lange Torhoutstr. . . . . BX 22
Maarschalk Fochlaan . . . . AX 23
Maarschalk Frenchlaan . . . . . . BX 24
Meensestr. . . . . BX 26
Meenseweg . . . . BX 27
Oude Houtmarktstr. . . . . BX 30
Patersstr. . . . . AX 31
Poperingseweg . . . . AX 32
Rijselsestr. . . . . BXY
Rijselseweg . . . . BY 33
Stationsstr. . . . . AXY 35
Surmont de Volsbergestr. . . . ABX 36
Tempelstr. . . . . AX 38
Wateringsstr. . . . . BY 40

KNOKKE-HEIST CENTRE

Albertpl. . . . . BY 3
Burgemeester Frans Desmidtpl. . . . . BY 12
Canada Square . . . . AY 14
Charles de Costerlaan . . . . BY 15
Driehoekspl. . . . . BY 18
Dumortierlaan . . . . BY
Koningslaan . . . . AY 29
Kustlaan . . . . BCY 34
Lichttorenpl. . . . . BY 38
Lippenslaan . . . . ABY
Maurice Lippenspl. . . . . AY 43
Meerminlaan . . . . AY 44
Pastoor Opdedrinckpl. . . . . AY 48
Rubenspl. . . . . AY 53
Van Bunnenlaan . . . . BY 10

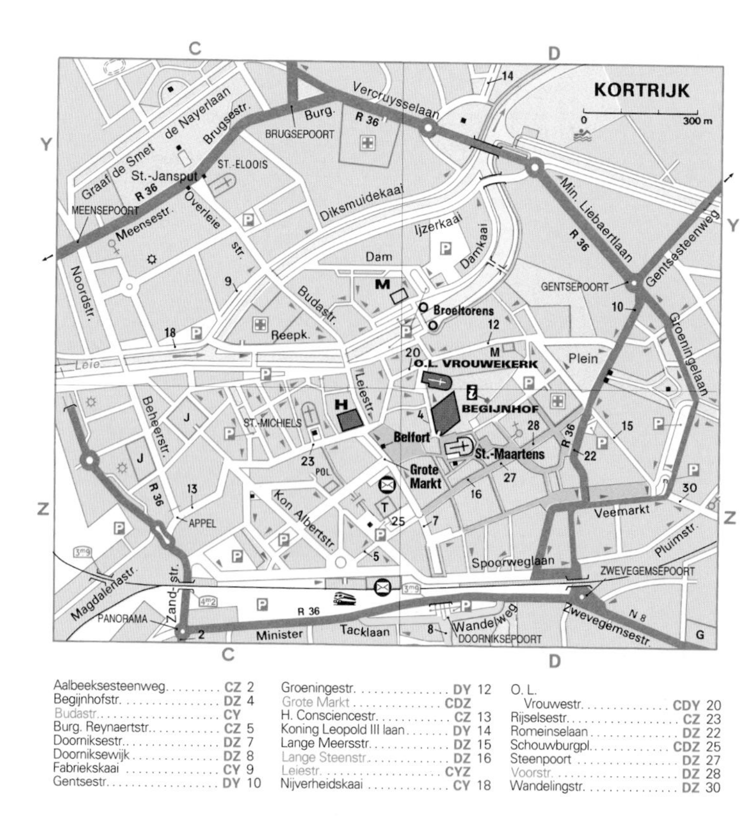

Aalbeeksesteenweg . . . . CZ 2	Groeningestr. . . . . DY 12	O. L. Vrouwestr. . . . . CDY 20
Begijnhofstr. . . . . DZ 4	Grote Markt . . . . CDZ	Rijselsestr. . . . . CZ 23
Budastr. . . . . CY	H. Consciencestr. . . . . CZ 13	Romeinselaan . . . . DZ 22
Burg. Reynaertstr. . . . . CZ 5	Koning Leopold III laan . . . . DY 14	Schouwburgpl. . . . . CDZ 25
Doorniksestr. . . . . DZ 7	Lange Meersstr. . . . . DZ 15	Steenpoort . . . . DZ 27
Doorniksewijk . . . . DZ 8	Lange Steenstr. . . . . DZ 16	Voorstr. . . . . DZ 28
Fabriekskaai . . . . CY 9	Leiestr. . . . . CYZ	Wandelingstr. . . . . DZ 30
Gentsestr. . . . . DY 10	Nijverheidskaai . . . . CY 18	

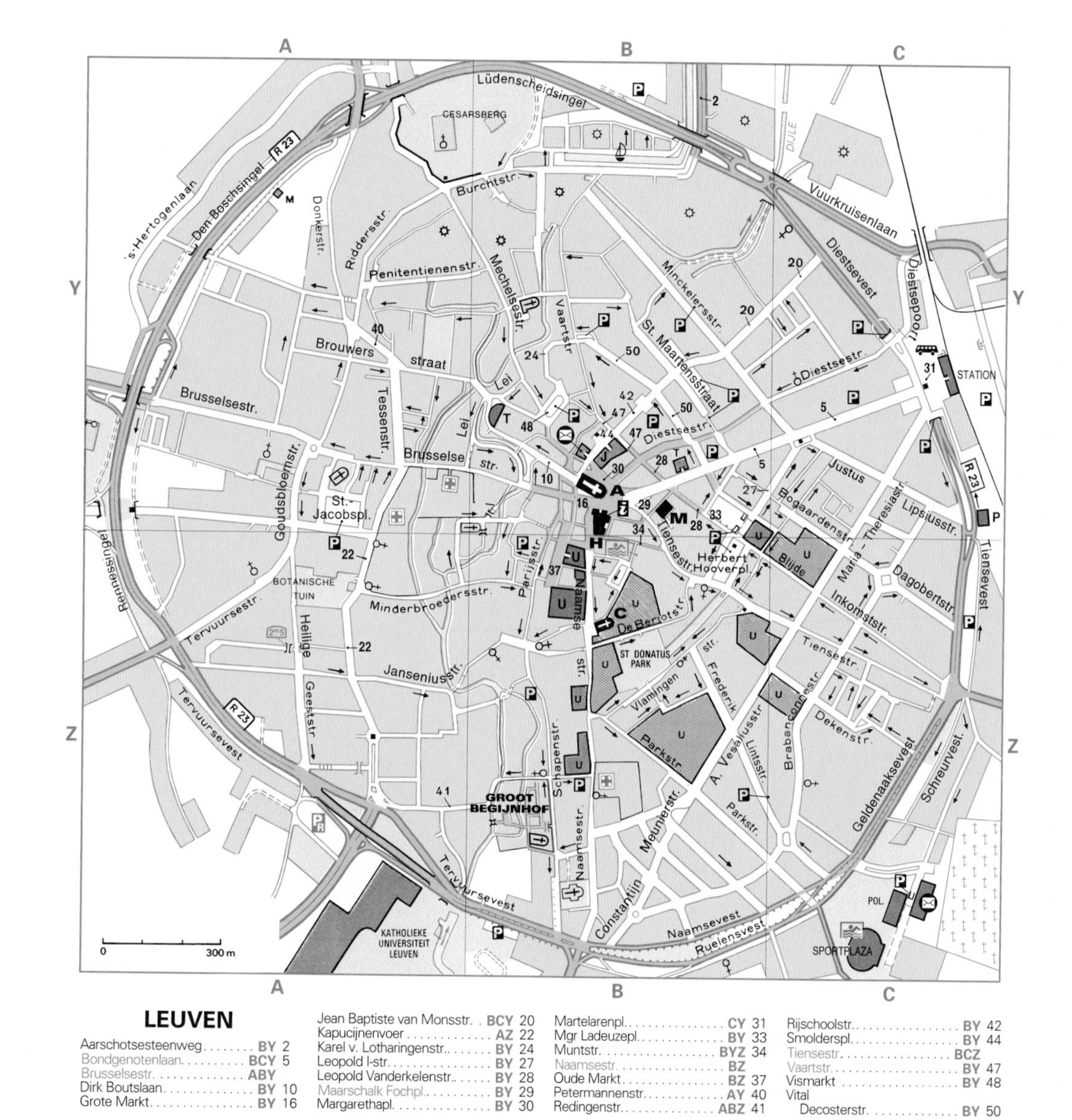

LEUVEN

Aarschotsesteenweg . . . . BY 2	Jean Baptiste van Monsstr. . BCY 20	Martelarenpl. . . . . CY 31	Rijschoolstr. . . . . BY 42
Bondgenotenlaan . . . . BCY 5	Kapucijnenvoer . . . . AZ 22	Mgr Ladeuzepl. . . . . BY 33	Smolderspl. . . . . BY 44
Brusselsestr. . . . . ABY	Karel v. Lotharingenstr. . . . . . . BY 24	Muntstr. . . . . BYZ 34	Tiensestr. . . . . BCZ
Dirk Boutslaan . . . . BY 10	Leopold I-str. . . . . BY 27	Naamsestr. . . . . BZ	Vaartstr. . . . . BY 47
Grote Markt . . . . BY 16	Leopold Vanderkelenstr. . . . . . BY 28	Oude Markt . . . . BZ 37	Vismarkt . . . . BY 48
	Maarschalk Fochpl. . . . . BY 29	Petermannenstr. . . . . AY 40	Vital Decosterstr. . . . . BY 50
	Margarethapl. . . . . BY 30	Redingenstr. . . . . ABZ 41	

LIÈGE

0 300m

Académie (R. de l')	EY	4
Adolphe-Maréchal (R.)	FY	7
Amercœur (Pont d')	DW	9
Amercœur (R. d')	DW	10
Bois-l'Evêque (R.)	CX	15
Bonaparte (Quai)	DW	16
Bonnes Villes (R. des)	DW	18
Boverie (Quai de la)	DX	21
Bressoux (Pont de)	DW	22
Casquette (R. de la)	EYZ	28
Cathédrale (R. de la)	EZ	
Charles-Magnette (R.)	EZ	31
Churchill (Quai)	FZ	33
Clarisses (R. des)	EZ	34
Commissaire Maigret (Pl. du)	EY	35
Croisiers (R. des)	EZ	39
Dartois (R.)	CX	40
Déportés (Pl. des)	FY	42
Dérivation (Quai de la)	DW	43
Emile-de-Laveleye (Bd.)	DX	49
En Féronstrée	FY	
Est (Bd de l')	FYZ	51
Fer (R. du)	DX	54
Fétinne (Pont de)	DX	57
Gérardrie (R.)	EY	63
Goffe (Quai de la)	FY	64
Guillemins (R. des)	CX	66
Hauteurs (Bd des)	CW	69
Huy (Pont de)	DX	73
Joffre (R.)	EY	75
Lairesse (R.)	DX	84
Léon-Philippet (Bd)	CW	87
Léopold (R.)	EFY	
Liberté (R. de la)	FZ	88
Longdoz (Pont de)	FZ	90
Longdoz (Quai de)	FZ	91
Maastricht (Quai de)	FY	93
Maghin (R.)	DW	94
Marché (Pl. du)	EY	96
Notger (Square)	EY	107
Orban (Quai)	DX	108
Ourthe (Quai de l')	FZ	112
Palais (R. du)	EY	114
Parc (R. du)	DX	115
Paul van Hoegaerden (Quai)	EZ	119
Pitteurs (R. des)	FZ	120
Pont d'Avroy (R.)	EZ	121
Pont d'Ile	EY	123
Prémontrés (R. des)	EZ	124
Puits en Sock (R.)	FZ	126
Ransonnet (R.)	FY	127
Régence (R. de la)	EYZ	129
Rép. Française (Pl.)	EY	130
Saint-Etienne (Place)	EY	134
Saint-Gilles (R.)	EZ	
Saint-Hubert (R.)	EY	136
Saint-Lambert (Pl.)	EY	138
Saint-Léonard (Quai)	FY	139
Saint-Léonard (R.)	DW	141
Saint-Pholien (R. et Pl.)	FY	142
Serbie (R. de)	CX	148
Trappé (R.)	CW	156
Université (R. de l')	EZ	157
Ursulines (Imp. des)	FY	159
Vennes (Pont des)	DX	162
Victor-Hugo (Av.)	CW	163
Vinâve d'Ile	EZ	
20-Août (Pl. du)	EZ	169

Houx	75	F4
Houyet	82	C1
Hove	54	B2
Hoven (De)	57	D4
Hoves	63	E4
Hovorst	55	D1
Howardries	71	C2
Hôyemont	77	E2
Hozémont	66	C4
Hubermont	73	E1
Hubinne	76	B3
Huccorgne	76	A1
Huise	62	B1
Huissignies	72	C1
Huivelde	53	E3
Huizingen	64	A3
Hul	53	D3
Huldenberg	64	C2
Hulleke	52	C2
Hulpe (La) (= Terhulpen)	64	B3
Hulsen (Antwerpen)	56	A2
Hulsen (Limburg)	66	B1
Hulshout	55	D3
Hulsonniaux	82	C1
Hulst	56	A3
Hulste	61	F1
Humain	83	E1
Humbeek	54	B4
Humerée	75	D1
Hun	75	E3
Hundelgem	62	C1
Hünningen (Büllingen)	79	E2
Hünningen (St.Vith)	79	D4
Huppaye	65	E3
Hurdebise	78	C2
Hurdumont	62	C3
Hurtebise	83	F3
Hussevelde	53	D3
Hutte (La)	84	A4
Huy (= Hoei)	76	B1
Hymiée	74	C4
Hyon	73	E2

I

Ichtegem	51	D3
Iddergem	63	E1
Idegem	63	D2
Iepenburg	54	B1
Ieper (= Ypres)	60	C2
IJzer	50	B4
IJzertoren	50	C3
Impde	54	A4
Impe	53	E4
Impegem	63	E1
Incourt	65	E3
Ingelmunster	61	F1
Ingooigem	62	A2
Inzègottes	77	D2
Ipsvoorde	54	A4
Irchonwelz	62	C4
Isières	63	D4
Isnes	75	D1
Itegem	55	D2
Itterbeek (Antwerpen)	54	C2
Itterbeek (Vlaams-Brabant)	64	A2
Ittre	64	A4
Iveldingen	79	D3
Ivoi	75	F3
Ivoz-Ramet	67	D4
Izegem	61	E1
Izel	88	C4
Izenberge	50	A4
Izier	77	D3

J

Jabbeke	51	D2
Jagersborg Natuurreservaat	57	E2
Jalhay	69	D4
Jallet	76	B2
Jamagne (Liège)	76	B2
Jamagne (Namur)	81	F1
Jambes	75	E2
Jamblinne	83	D1
Jamiolle	81	F1
Jamioulx	74	B3
Jamodenne	83	E1
Jamoigne	88	C4
Jandrain	65	F3
Jandrenouille	65	F4
Jannée	76	B4
Jardin (Le)	84	A3
Jauche	65	F3
Jauchelette	65	E3
Javingue	82	C2
Jehanster	69	D4
Jehay	66	C4
Jehonville	83	E4
Jemappes	73	D2
Jemelle	83	E1
Jemeppe (Liège)	67	D4
Jemeppe (Luxembourg)	83	F1
Jemeppe-sur-Sambre	75	D2
Jeneffe (Liège)	66	C4
Jeneffe (Namur)	76	B3
Jenneret	76	C2
Jennevau	75	E1
Jenneville	84	A3
Jeruzalem	52	A4
Jesseren	66	C2
Jette	64	A1
Jeuk (= Goyer)	66	B3
Jeuk-Roost	66	B3
Jevigné	77	F4
Jevoumont	77	F1
Jezus-Eik (= N.D. au Bois)	64	B2
Jodenville	84	B4
Jodion	75	D2
Jodoigne (= Geldenaken)	65	E3
Jodoigne-Souveraine	65	E3
Joli-Bois	64	B3
Jollain-Merlin	72	A1
Joncret	74	C3
Jonkershove	50	C4
Journal	84	A2
Jubiéval	77	F4
Julémont	67	F3
Jumet	74	B2
Jupille	84	A1
Jupille-sur-Meuse	67	E4
Juprelle	67	D3
Jurbise	73	D1
Juseret	89	D2
Juzaine	77	D3

K

Kaaskerke	50	C3
Kachtem	61	E1
Kaggevinne	55	F4
Kain	62	A4
Kaiserbaracke	79	D3
Kalberg	61	F1
Kaleinje	53	D2
Kaleshoek	51	F1
Kalfort	54	A3
Kalken	53	D3
Kalle	63	D1
Kallo	54	A1
Kalmthout	45	B3
Kalmthoutse Heide (De)	45	B3
Kalve	53	D2
Kammershoek	53	E3
Kampenhout	54	C4
Kanegem	52	A4
Kanne	67	E1
Kapelle-op-den-Bos	54	A4
Kapellen (Antwerpen)	45	B4
Kapellen (Liège)	78	C4
Kapellen (Vlaams-Brabant)	65	F1
Kapellenbos	45	B3
Kaprijke	52	B1
Karmenhoek	52	A3
Kasteelbrakel = Braine-le-Château	64	A3
Kasteelhoek	51	F2
Kastel	53	F3
Kaster	62	A2
Kasterlee	55	F1
Kat (De)	63	D2
Katermeer	56	A3
Katte	52	C1
Kattem	63	F2
Kattenbos	56	B1
Kattenbos (Natuurreservaat)	56	B1
Kaulen	69	D3
Kaulille	57	D1
Keer (De)	62	A1
Keerbergen	54	C4
Keerken	53	E2
Keersmaker	53	D2
Keiberg (Scherpenheuvel)	55	F4
Keiberg (Zonnebeke)	61	D1
Keiberg (Zwevegem)	62	A2
Keiem	50	C3
Keiheuvel	56	B1
Kelchterhoeve	56	C3
Kelderke	62	A1
Kelfs	55	D4
Kelmis (= la Calamine)	69	D3
Kemel	53	E1
Kemexhe	66	C3
Kemmel	60	C2
Kemmelberg	60	C2
Kempen (De)	57	D1
Kemphoek (Kruibeke)	54	A2
Kemphoek (St-Gillis-Waas)	53	F1
Kemzeke	53	E1
Kerkbrugge	52	C2
Kerkem	62	C2
Kerkhove	62	A2
Kerkhoven	56	B2
Kerkom	65	E1
Kerkom-bij-St-Truiden	66	A2
Kerksken	63	E1
Kermt	56	B4
Kerniel	66	C2

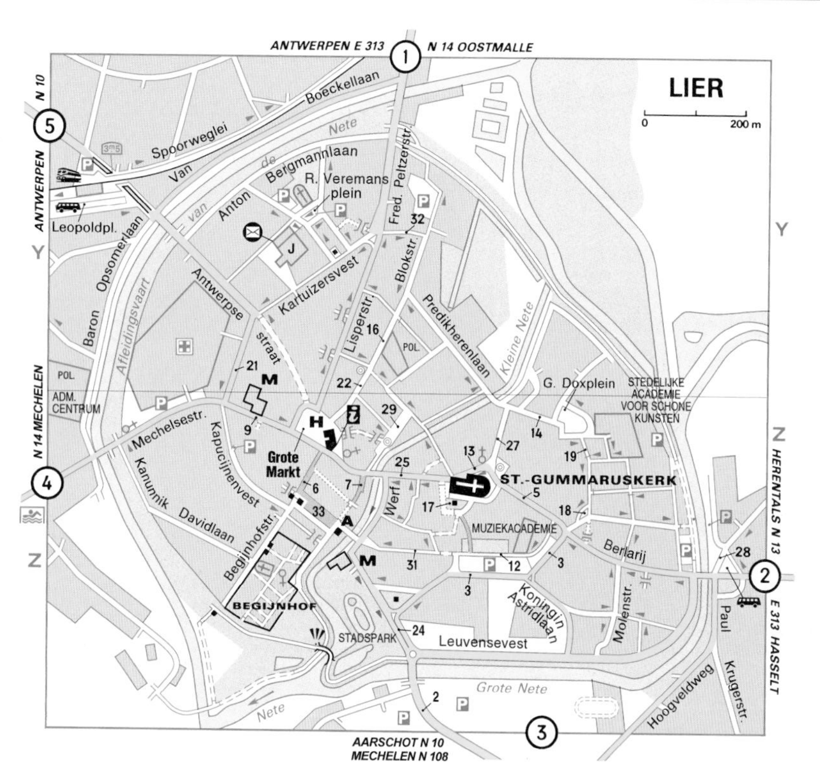

ANTWERPEN E 313
N 14 OOSTMALLE
LIER
200 m
N 10
ANTWERPEN
Spoorweglei
Boeckellaan
Nete
Bergmannlaan
R. Veremans plein
Leopoldpl.
Opsomerlaan
Anton
Van
Antwerpse straat
Kartuizersvest
Fred. Peitzerstr.
Blokstr.
Lisperstr.
Predikherenlaan
Kleine Nete
Baron
Afleidingsvaart
POL.
ADM. CENTRUM
G. Doxplein
STEDELIJKE ACADEMIE VOOR SCHONE KUNSTEN
N 14 MECHELEN
Mechelsestr.
Kapucijnenvest
Grote Markt
Kanunnik Davidlaan
Begijnhofstr.
BEGIJNHOF
ST.-GUMMARUSKERK
Werf
MUZIEKACADEMIE
Berlarij
Koningin Astridlaan
Molenstr.
Paul
HERENTALS N 13
E 313 HASSELT
STADSPARK
Leuvensevest
Grote Nete
Hoogveldweg
Krugerstr.
AARSCHOT N 10
MECHELEN N 108

L

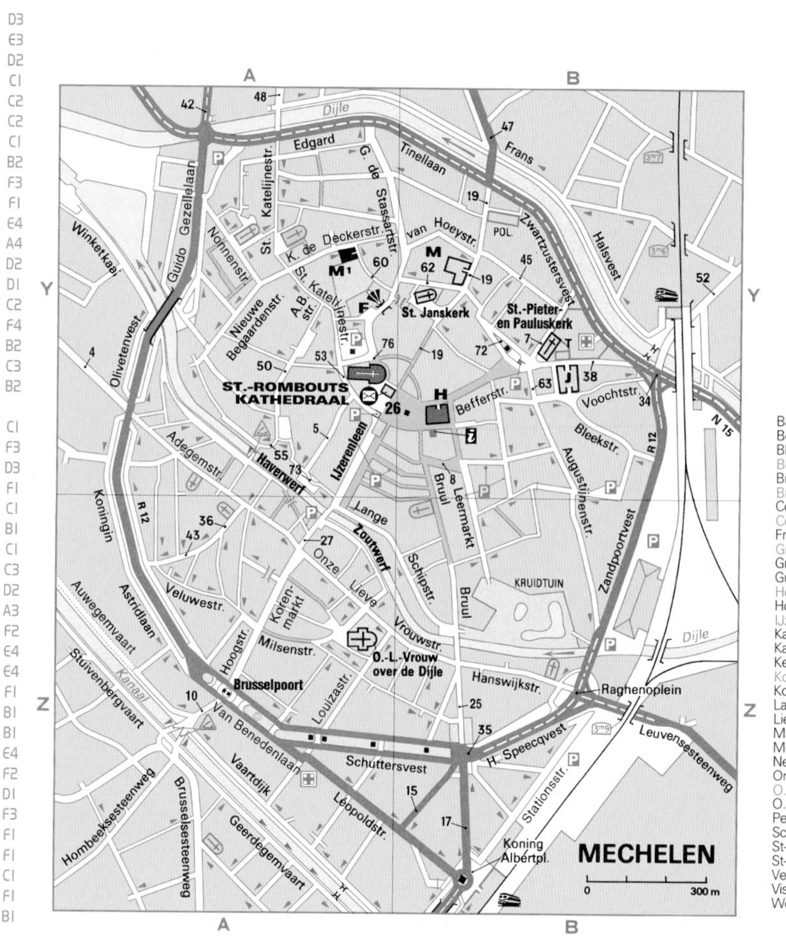

Dijle
Edgard
Tinellaan
Frans
Winketkaai
Guido Gezellelaan
Nonnenstr.
St. Katelijnestr.
K. de Deckerstr.
G. de Stassartstr.
van Hoeystr.
POL.
Zwartzustersvest
Halsvest
St. Janskerk
St.-Pieter- en Pauluskerk
Nieuwe Begijnenstr.
Olivetenvest
ST.-ROMBOUTS KATHEDRAAL
Befferstr.
Voochtstr.
Bleekstr.
Adegemstr.
Haverwerf
IJzerenleen
Augustijnenstr.
Zandpoortvest
Koningin
R 12
Lange
Zoutwerf
Schipstr.
Leermarkt
Bruul
KRUIDTUIN
Onze Lieve Vrouwstr.
Veluwestr.
Korenmarkt
Auwegemvaart
Astridlaan
Hoogstr.
Milsenstr.
O.-L.-Vrouw over de Dijle
Stuivenbergvaart
Kanaal
Brusselpoort
Louizastr.
Hanswijkstr.
Raghenoplein
Leuvensesteenweg
Van Benedenlaan
Schuttersvest
H. Speecqvest
Stationsstr.
Vaartdijk
Leopoldstr.
Hombeeksesteenweg
Brusselsesteenweg
Geerdegemvaart
Koning Albertpl.
MECHELEN
300 m

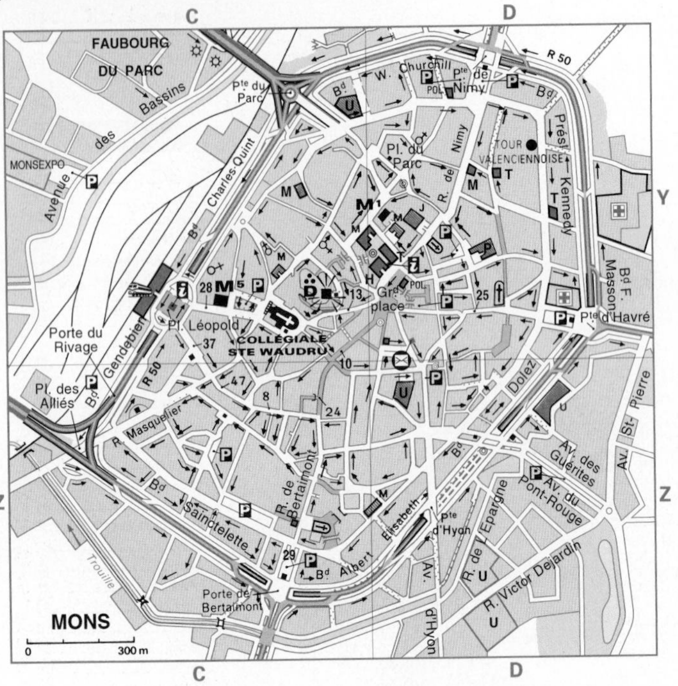

MONS

Capucins (R. des) . . . . CZ 8
Chaussée (R. de la) . . . . . CYZ 10
Clercs (R. des) . . . . CY 13
Grand Rue . . . . CZ 24
Havré (R. d') . . . . DY 25
Houssière (R. de la) . . . . . . CY 28
Jean-d'Avesnes (Av.) . . . . . CZ 29
Léopold-II (R.) . . . . CY 37
Pte Guirlande (R.) . . . . CZ 47

M

MOUSCRON

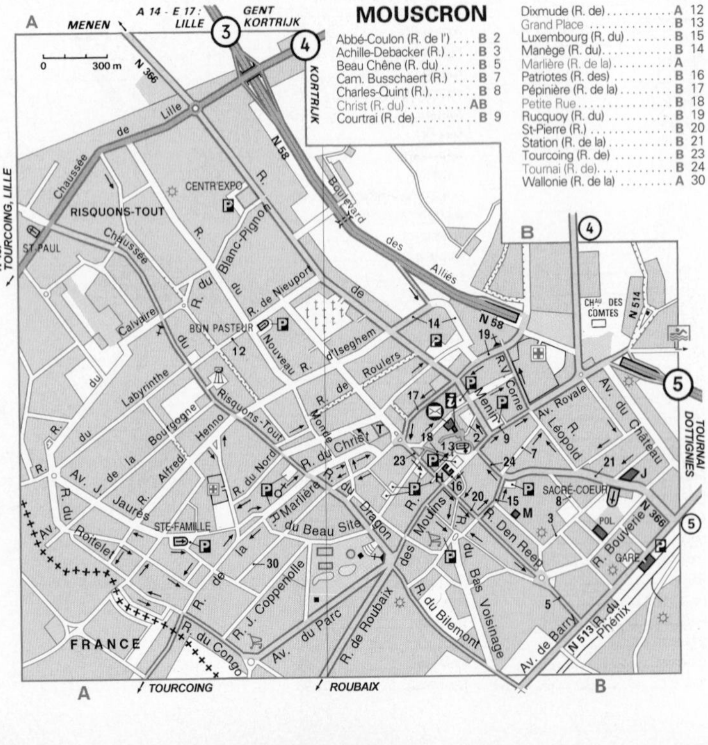

Abbé-Coulon (R. de l') . . . . B 2
Achille-Debacker (R.) . . . . . B 3
Beau Chêne (R. du) . . . . . B 5
Cam. Busschaert (R.) . . . . B 7
Charles-Quint (R.) . . . . B 8
Christ (R. du) . . . . AB
Courtrai (R. de) . . . . B 9
Dixmude (R. de) . . . . A 12
Grand Place . . . . B 13
Luxembourg (R. du) . . . . B 15
Manège (R. du) . . . . B 14
Marlière (R. de la) . . . . A
Patriotes (R. des) . . . . B 16
Pépinière (R. de la) . . . . B 17
Petite Rue . . . . B 18
Rucquoy (R. du) . . . . B 19
St-Pierre (R.) . . . . B 20
Station (R. de la) . . . . B 21
Tourcoing (R. de) . . . . B 23
Tournai (R. de) . . . . B 24
Wallonie (R. de la) . . . . A 30

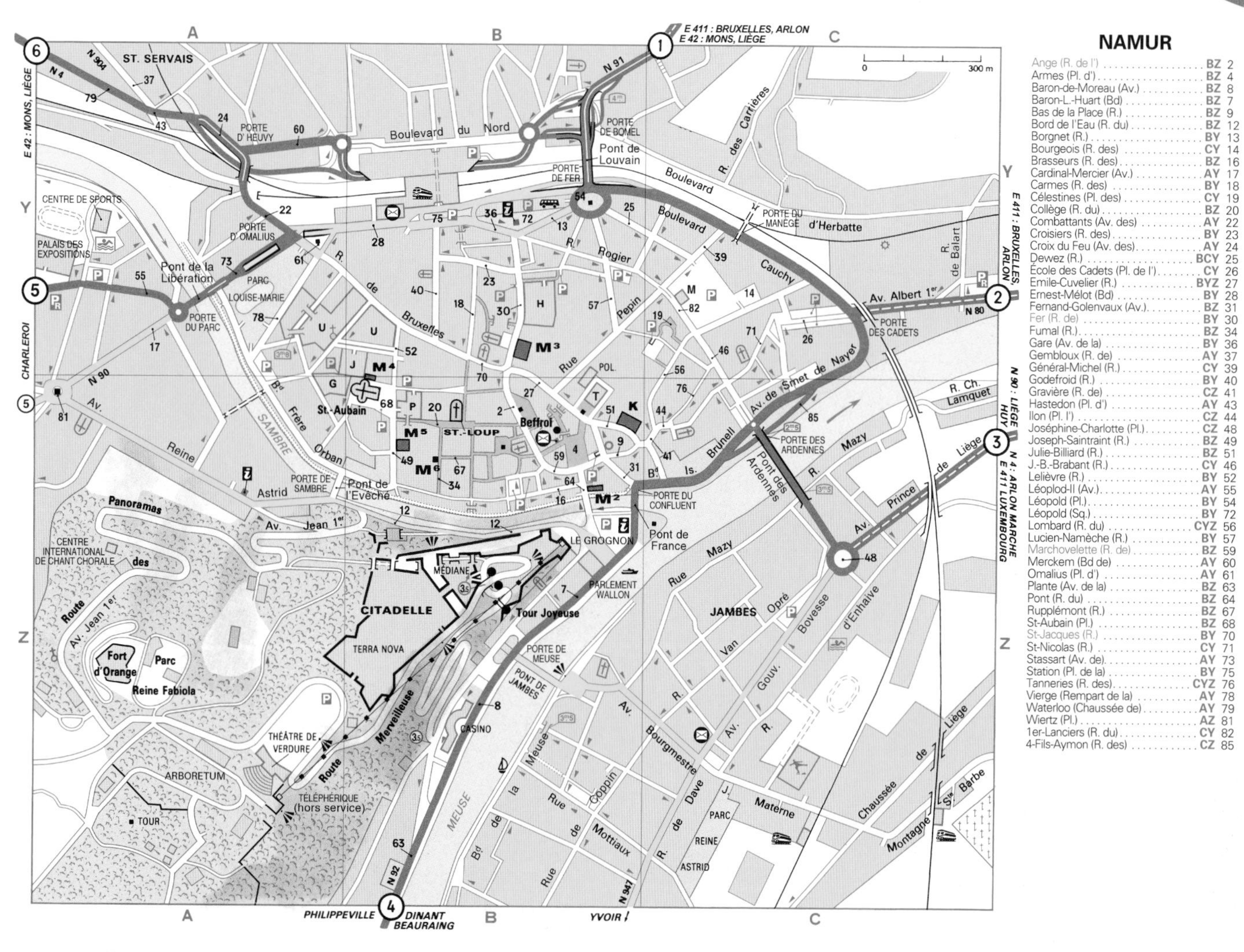
NAMUR
E 411 : BRUXELLES, ARLON
E 42 : MONS, LIÈGE
E 42 : MONS, LIÈGE
E 411 : BRUXELLES, ARLON
N 90 : LIÈGE HUY
N 4 : ARLON MARCHE E 411 LUXEMBOURG
CHARLEROI
PHILIPPEVILLE
DINANT BEAURAING
YVOIR
ST. SERVAIS
PORTE D'HEUVY
Boulevard du Nord
PORTE DE BOMEL
Pont de Louvain
PORTE DE FER
CENTRE DE SPORTS
PALAIS DES EXPOSITIONS
PORTE D'OMALIUS
Pont de la Libération
PARC LOUISE-MARIE
PORTE DU PARC
PORTE DU MANÈGE
Boulevard d'Herbatte
Boulevard Cauchy
R. des Carrières
Av. Albert 1er
PORTE DES CADETS
St.-Aubain
ST.-LOUP
Beffroi
PORTE DES ARDENNES
Pont des Ardennes
PORTE DE SAMBRE
Pont de l'Evêché
PORTE DU CONFLUENT
Pont de France
LE GROGNON
PARLEMENT WALLON
SAMBRE
MEUSE
Panoramas
CENTRE INTERNATIONAL DE CHANT CHORALE
CITADELLE
MÉDIANE
TERRA NOVA
Tour Joyeuse
PORTE DE MEUSE
PONT DE JAMBES
CASINO
THÉÂTRE DE VERDURE
ARBORETUM
TÉLÉPHÉRIQUE (hors service)
TOUR
Fort d'Orange
Parc Reine Fabiola
Route Merveilleuse
JAMBES
Chaussée de Liège
Montagne Ste Barbe
Av. Prince de Liège
Av. Bourgmestre Jean Materne

NAMUR
Ange (R. de l') ... BZ 2
Armes (Pl. d') ... BZ 4
Baron-de-Moreau (Av.) ... BZ 8
Baron-L.-Huart (Bd) ... BZ 7
Bas de la Place (R.) ... BZ 9
Bord de l'Eau (R. du) ... BZ 12
Borgnet (R.) ... BY 13
Bourgeois (R. des) ... CY 14
Brasseurs (R. des) ... BZ 16
Cardinal-Mercier (Av.) ... AY 17
Carmes (R. des) ... BY 18
Célestines (Pl. des) ... CY 19
Collège (R. du) ... BZ 20
Combattants (Av. des) ... AY 22
Croisiers (R. des) ... BY 23
Croix du Feu (Av. des) ... AY 24
Dewez (R.) ... BCY 25
École des Cadets (Pl. de l') ... CY 26
Emile-Cuvelier (R.) ... BYZ 27
Ernest-Mélot (Bd) ... BY 28
Fernand-Golenvaux (Av.) ... BZ 31
Fer (R. de) ... BY 30
Fumal (R.) ... BZ 34
Gare (Av. de la) ... BY 36
Gembloux (R. de) ... AY 37
Général-Michel (R.) ... CY 39
Godefroid (R.) ... BY 40
Gravière (R. de) ... CZ 41
Hastedon (Pl. d') ... AY 43
Ilon (Pl. l') ... CZ 44
Joséphine-Charlotte (Pl.) ... CZ 48
Joseph-Saintraint (R.) ... BZ 49
Julie-Billiard (R.) ... BZ 51
J.-B.-Brabant (R.) ... CY 46
Lelièvre (R.) ... BY 52
Léoplod-II (Av.) ... AY 55
Léopold (Pl.) ... BY 54
Léopold (Sq.) ... BY 72
Lombard (R. du) ... CYZ 56
Lucien-Namèche (R.) ... BY 57
Marchovelette (R. de) ... BZ 59
Merckem (Bd de) ... AY 60
Omalius (Pl. d') ... AY 61
Plante (Av. de la) ... BZ 63
Pont (R. du) ... BZ 64
Rupplémont (R.) ... BZ 67
St-Aubain (Pl.) ... BZ 68
St-Jacques (R.) ... BY 70
St-Nicolas (R.) ... CY 71
Stassart (Av. de) ... AY 73
Station (Pl. de la) ... BY 75
Tanneries (R. des) ... CYZ 76
Vierge (Rempart de la) ... AY 78
Waterloo (Chaussée de) ... AY 79
Wiertz (Pl.) ... AZ 81
1er-Lanciers (R. du) ... CY 82
4-Fils-Aymon (R. des) ... CZ 85

N

OOSTENDE

Adolf Buylstr. CY 2
Alfons Pieterslaan CZ
Edith Cavellstr. CZ 4
Ernest Feyspl. CZ 6
Filip Van Maestrichtpl. CZ 8
Graaf de Smet de Naeyerlaan CZ 9
Groentemarkt CY 10
Hendrik Serruyslaan CZ 13
Kanunnik Dr Louis Colensstr. CZ 14
Kapellestr. CZ
Koninginnelaan CZ 18
Nieuwpoortsesteenweg CZ 22
Oesterbankstr. CZ 24
Sir Winston Churchill Kaai CY 27
Stockholmstr. CZ 28
Vlaanderenstr. CY 30
Wapenpl. CY 32
Warschaustr. CZ 33
Wellingtonstr. CZ 35
Wittenonnenstr. CZ 36

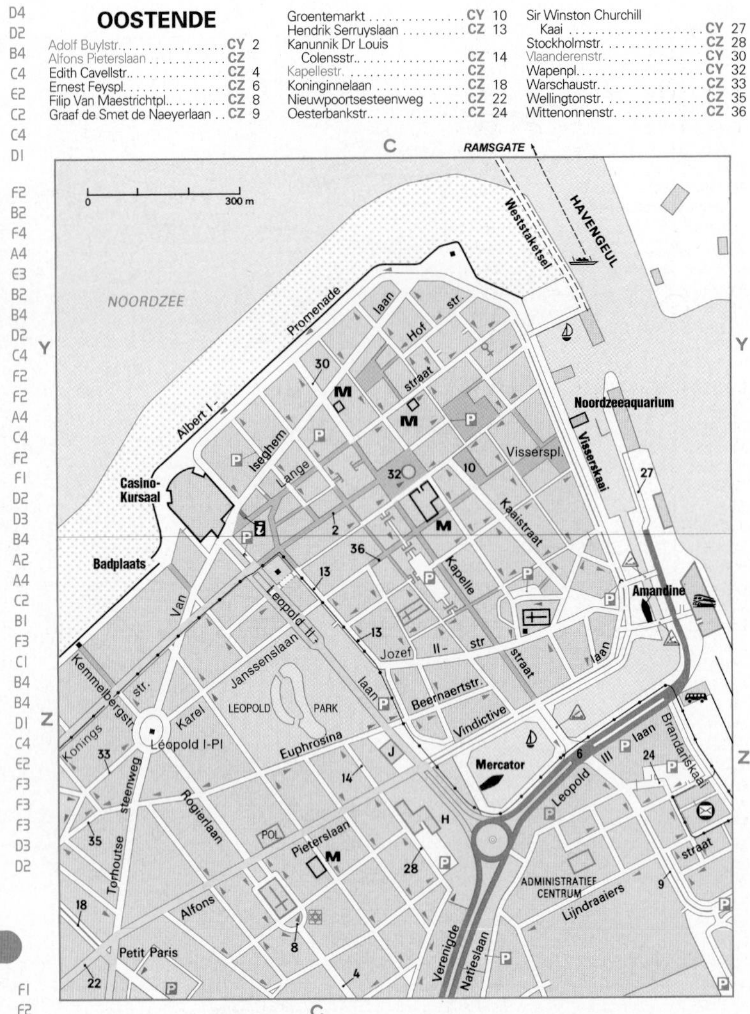

ROESELARE

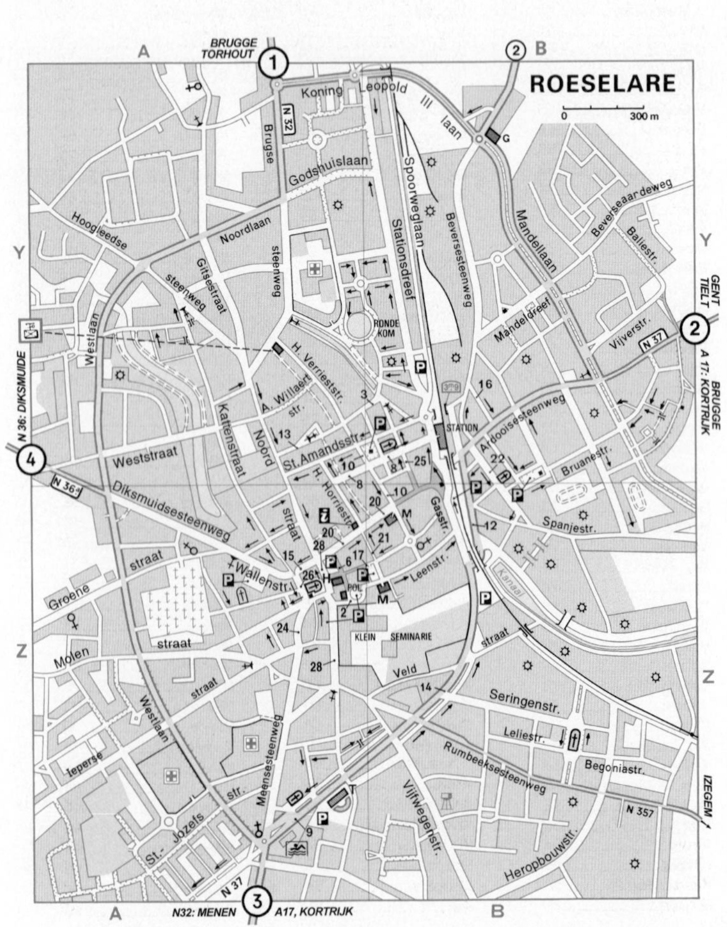

Botermarkt AZ 2
Cichoreistr. ABY 3
Grote Markt AZ 6
Hendrik Consciencestr. ABY 8
Hippoliet Spilleboutdreef AZ 9
Jan Mahieustr. AYBZ 10
Jules Lagaelaan BZ 12
Kokelaarstr. AY 13
Koning Albert I-laan BZ 14
Manestr. AZ 15
Mariastr. BY 16
Nonnenstr. AZ 17
Noordstr. AYZ
Ooststr. ABZ 20
Poststr. BZ 21
St-Hubrechtsstr. BY 22
St-Michielsstr. AZ 24
Vlamingstr. BY 25
Vrouwenstr. AZ 26
Zuidstr. AZ 28

O

ST-TRUIDEN

Straat	Vak	Nr.
Abdijstr.	A	2
Breekstr.	AB	3
Breendonkstr.	A	5
Capucienessenstr.	B	6
Cl. Cartuyvelsstr.	A	8
Diestersteenweg	A	9
Fabriekstr.	A	10
Gazometerstr.	B	12
Gootstr.	B	13
Grevensmolenweg	A	15
Grote Markt	B	
Houtmarkt	A	17
Kazernestr.	B	18
Luikerstr.	B	20
Minderbroedersstr.	B	21
Naamsestr.	B	23
Naamsevest	B	24
Noord Oostelijke Omleiding	B	25
Parkstr.	A	26
Plankstr.	AB	28
Ridderstr.	B	29
Schurhoven	A	31
Slachthuisstr.	A	33
Sluisbergstr.	B	34
Stapelstr.	B	
Stationsstr.	AB	35
Tiensesteenweg	B	37
Tongersesteenweg	B	38
Vissegatstr.	A	40
Zoutstr.	AB	42

P

Q

R

S

SINT-NIKLAAS

Ankerstr. BY
Apostelstr. AZ 2
Collegestr. AY 3
Grote Markt AZ 5
Guido Gezellelaan AY 6
Houtbriel AY 7
Kokkelbeekstr. AZ 10
O.-L.-Vrouwstr. AY 13
Prinses Josephine Charlottelaan BZ 18
Prins Albertstr. AY 15
Prins Boudewijnlaan BZ 16
Stationsstr. AY
Vermorgenstr. BY 20
Walburgstr. BZ 21

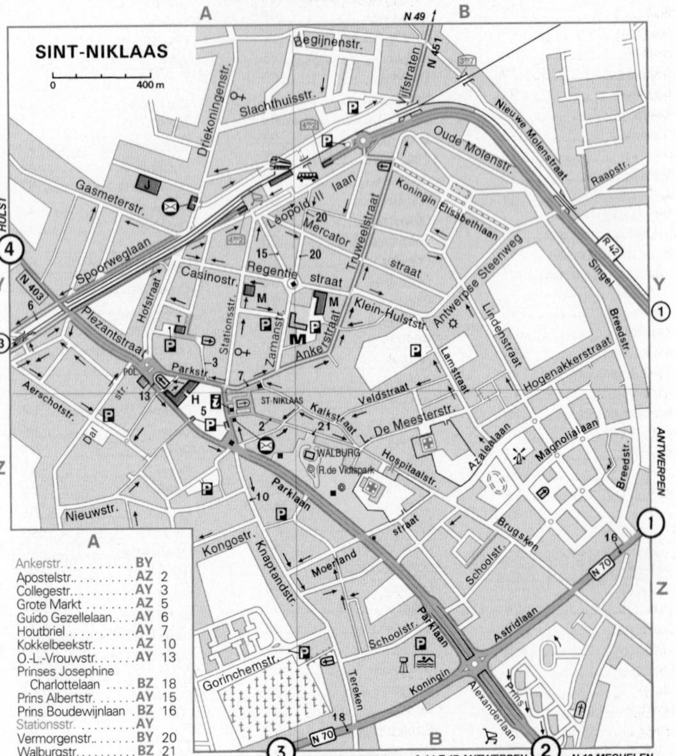

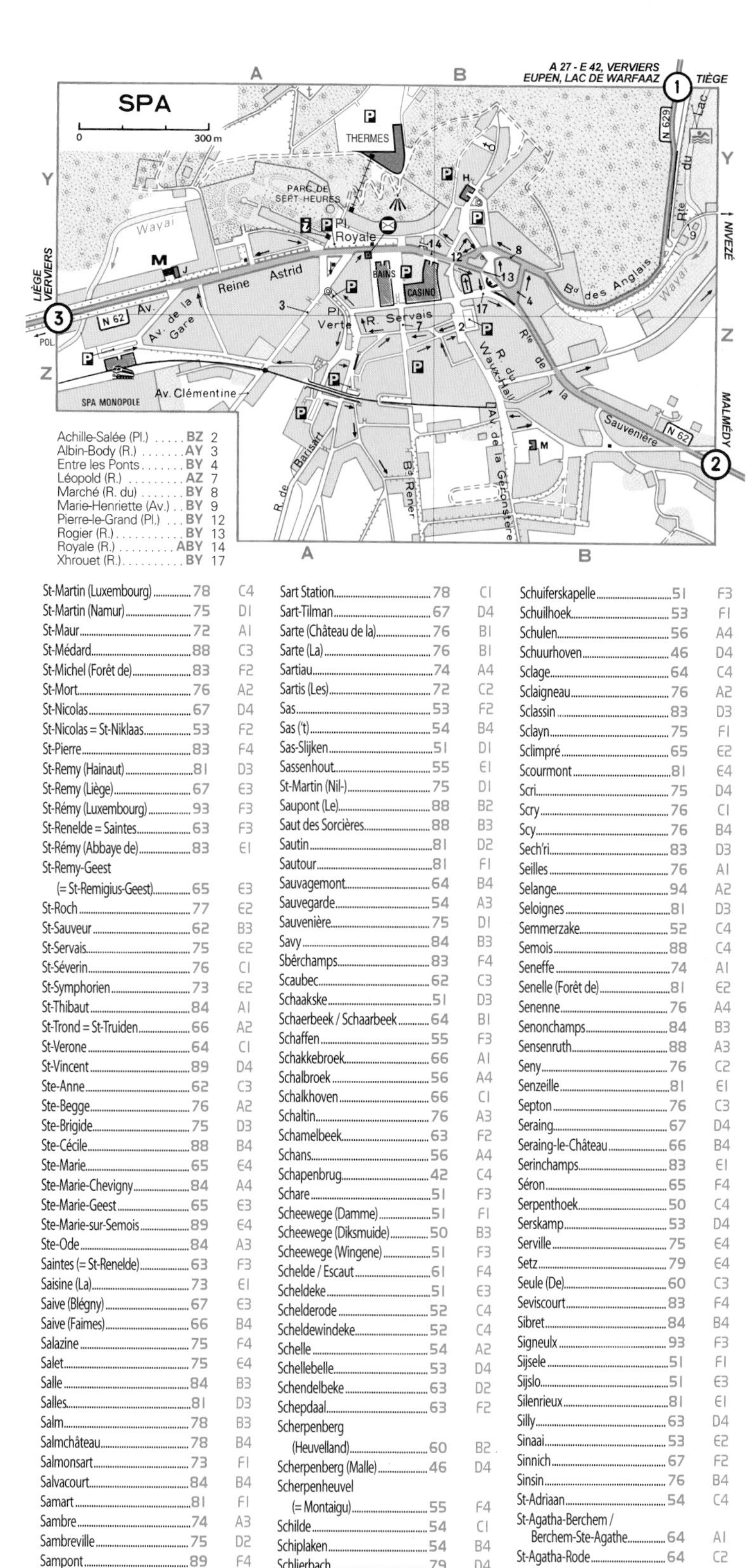

Achille-Salée (Pl.) BZ 2
Albin-Body (R.) AY 3
Entre les Ponts BY 4
Léopold (R.) AZ 7
Marché (R. du) BY 8
Marie-Henriette (Av.) BY 9
Pierre-le-Grand (Pl.) BY 12
Rogier (R.) BY 13
Royale (R.) ABY 14
Xhrouet (R.) BY 17

St-Martin (Luxembourg) 78 C4
St-Martin (Namur) 75 D1
St-Maur 72 A1
St-Médard 88 C3
St-Michel (Forêt de) 83 F2
St-Mort 76 A2
St-Nicolas 67 D4
St-Nicolas = St-Niklaas 53 F2
St-Pierre 83 F4
St-Remy (Hainaut) 81 D3
St-Remy (Liège) 67 E3
St-Rémy (Luxembourg) 93 F3
St-Renelde = Saintes 63 F3
St-Rémy (Abbaye de) 83 E1
St-Remy-Geest (= St-Remigius-Geest) 65 E3
St-Roch 77 E2
St-Sauveur 62 B3
St-Servais 75 E2
St-Séverin 76 C1
St-Symphorien 73 E2
St-Thibaut 84 A1
St-Trond = St-Truiden 66 A2
St-Verone 64 C1
St-Vincent 89 D4
Ste-Anne 62 C3
Ste-Begge 76 A2
Ste-Brigide 75 D3
Ste-Cécile 88 B4
Ste-Marie 65 E4
Ste-Marie-Chevigny 84 A4
Ste-Marie-Geest 65 E3
Ste-Marie-sur-Semois 89 E4
Ste-Ode 84 A3
Saintes (= St-Renelde) 63 F3
Saisine (La) 73 E1
Saive (Blégny) 67 E3
Saive (Faimes) 66 B4
Salazine 75 F4
Salet 75 E4
Salle 84 B3
Salles 81 D3
Salm 78 B3
Salmchâteau 78 B4
Salmonsart 73 F1
Salvacourt 84 B4
Samart 81 F1
Sambre 74 A3
Sambreville 75 D2
Sampont 89 F4
Samrée 84 B1
St. Vaast 73 F2
St. Vith 79 D4
Sars-la-Bruyère 73 D3
Sars-la-Buissière 74 A4
Sart 78 C1
Sart (Le) (Bertrix) 83 E4
Sart (Le) (Neufchâteau) 89 D3
Sart-à-Rèves 74 B1
Sart-Bernard 75 F3
Sart Colin (La) 72 A1
Sart-Custinne 82 C3
Sart-Dames-Avelines 74 C1
Sart d'Avril 75 F1
Sart-en-Fagne 82 A2
Sart-Eustache 74 C3
Sart-lez-Walhain 65 D4
Sart-Mélin 65 E3
Sart-Messire-Guillaume 64 C4
Sart-Moulin 64 B3
Sart-Risbart 65 D3
Sart-St-Laurent 75 D3
Sart Station 78 C1
Sart-Tilman 67 D4
Sarte (Château de la) 76 B1
Sarte (La) 76 B1
Sartiau 74 A4
Sartis (Les) 72 C2
Sas 53 F2
Sas ('t) 54 B4
Sas-Slijken 51 D1
Sassenhout 55 E1
St-Martin (Nil-) 75 D1
Saupont (Le) 88 B2
Saut des Sorcières 88 B3
Sautin 81 D2
Sautour 81 F1
Sauvagemont 64 B4
Sauvegarde 54 A3
Sauvenière 75 D1
Savy 84 B3
Sbêrchamps 83 F4
Scaubec 62 C3
Schaakske 51 D3
Schaerbeek / Schaarbeek 64 B1
Schaffen 55 F3
Schakkebroek 66 A1
Schalbroek 56 A4
Schalkhoven 66 C1
Schaltin 76 A3
Schamelbeek 63 F2
Schans 56 A4
Schapenbrug 42 C4
Schare 51 F3
Scheewege (Damme) 51 F1
Scheewege (Diksmuide) 50 B3
Scheewege (Wingene) 51 F3
Schelde / Escaut 61 F4
Scheldeke 51 E3
Schelderode 52 C4
Scheldewindeke 52 C4
Schelle 54 A2
Schellebelle 53 D4
Schendelbeke 63 D2
Schepdaal 63 F2
Scherpenberg (Heuvelland) 60 B2
Scherpenberg (Malle) 46 D4
Scherpenheuvel (= Montaigu) 55 F4
Schilde 54 C1
Schiplaken 54 B4
Schlierbach 79 D4
Schockville 89 F3
Schoenberg 79 E4
Schollaert 55 F2
Schoonaarde (Dendermonde) 53 E4
Schoonaarde (Diest) 55 F4
Schoonaarde (Kortenberg) 64 C1
Schoonbeek 66 C1
Schoonbroek 46 F4
Schoonderbuken 55 F4
Schoor 56 A2
Schoorbakke 50 C3
Schoorheide 56 A2
Schoot 55 F3
Schoppen 79 D2
Schore 50 C3
Schorisse 62 C2
Schorvoort 46 F4
Schotelven 46 F4
Schoten 54 B1
Schriek 55 D3
Schrijberg 53 E2
Schuiferskapelle 51 F3
Schuilhoek 53 F1
Schulen 56 A4
Schuurhoven 46 D4
Sclage 64 C4
Sclaigneau 76 A2
Sclassin 83 D3
Sclayn 75 F1
Sclimpré 65 E2
Scourmont 81 E4
Scri 75 D4
Scry 76 C1
Scy 76 B4
Sech'ri 83 D3
Seilles 76 A1
Selange 94 A2
Seloignes 81 D3
Semmerzake 52 C4
Semois 88 C4
Seneffe 74 A1
Senelle (Forêt de) 81 E2
Senenne 76 A4
Senonchamps 84 B3
Sensenruth 88 A3
Seny 76 C2
Senzeille 81 E1
Septon 76 C3
Seraing 67 D4
Seraing-le-Château 66 B4
Serinchamps 83 E1
Séron 65 F4
Serpenthoek 50 C4
Serskamp 53 D4
Serville 75 E4
Setz 79 E4
Seule (De) 60 C3
Seviscourt 83 F4
Sibret 84 B4
Signeulx 93 F3
Sijsele 51 F1
Sijslo 51 E3
Silenrieux 81 E1
Silly 63 D4
Sinaai 53 E2
Sinnich 67 F2
Sinsin 76 B4
St-Adriaan 54 C4
St-Agatha-Berchem / Berchem-Ste-Agathe 64 A1
St-Agatha-Rode 64 C2
St.-Amands 53 F3
St-Amandsberg 52 C3
St-Amandus 51 F2
St-Andries 51 E1
St-Anna (Oost-Vlaanderen) 53 E3
St-Anna (West-Vlaanderen) 61 F2
St-Anna-Pede 64 A2
St-Antelinks 63 D2
St-Antonius 45 C4
St-Baafs-Vijve 62 A1
St-Blasius-Boekel 62 C2
St-Brixius-Rode 54 A4
St-Denijs 61 F3
St-Denijs-Boekel 62 C1
St-Denijs-Westrem 52 C4
St-Dympna 55 F2
St-Elooi (Ieper) 60 C2
St-Elooi (Wingene) 51 F3
St-Eloois-Vijve 62 A1
St-Eloois-Winkel 61 E1
St-Genesius-Rode (= Rhode St-Genèse) 64 A3
St-Georges-sur-Meuse 66 C4
St-Gertrudis-Pede 63 F2
St-Gillis 53 F4
St-Gillis-Waas 53 F1
St-Goriks-Oudenhove 62 C1
St-Henricus 51 E4
St-Hubertus 51 E3
St-Huibrechts-Hern 66 C1
St-Huibrechts-Lille 56 C1
St-Idesbald 50 A3
St-Jacobs-Kapelle 50 C4
St-Jan (Ieper) 60 C1
St-Jan (Wingene) 51 F3
St-Jan-in-Eremo 52 B1
St-Jan-ter-Biezen 60 A1
St-Jans-Geest = St-Jean-Geest 65 E3
St-Jansberg 56 A4
St-Job-in-'t-Goor 45 C4
St-Joris (Alken) 66 B1
St-Joris (Beernem) 51 F2
St-Joris (Nieuwpoort) 50 B2
St-Joris-Weert 65 D2
St-Joris-Winge 65 E1
St-Jozef (Londerzeel) 54 A3
St-Jozef (Rijkevorsel) 46 D4
St-Jozef-Olen 55 E1
St-Juliaan 60 C1
St-Katarina 61 F1
St-Katelijne-Waver 54 C3
St-Katharina-Lombeek 63 F1
St-Katrien-Houtem 65 E2
St-Kornelis-Horebeke 62 C2
St-Kruis 51 F1
St-Kruis-Winkel 53 D2
St-Kwintens-Lennik 63 F2
St-Lambrechts-Herk 66 B1
St-Lambrechts-Woluwe / Woluwe-St-Lambert 64 B1
St-Laureins 52 A1
St-Laureins-Berchem 63 F2
St-Lenaarts 46 D3
St-Lievens-Esse 63 D1
St-Lievens-Houtem 63 D1
St-Lodewijk 62 A2
St-Marcou 63 E4
St-Margriete 43 B4
St-Margriete-Houtem 65 F2
St-Maria-Horebeke 62 C2
St-Maria-Latem 62 C1
St-Maria-Lierde 63 D2
St-Maria-Oudenhove 63 D2
St-Martens 65 F1
St-Martens-Bodegem 63 F1
St-Martens-Latem 52 B4
St-Martens-Leerne 52 B4
St-Martens-Lennik 63 F2
St-Martens-Lierde 63 D2
St-Martens-Voeren (= Fouron-St-Martin) 67 F2
St-Martenskerk 55 E4
St-Michiels 51 E1
St-Niklaas (= St-Nicolas) 53 F2
St-Paul 65 D4
St-Pauwels 53 F1
St-Pieter 61 E1
St-Pieters (Vlaams-Brabant) 65 E1
St-Pieters (West-Vlaanderen) 51 E1
St-Pieters-Kapelle (Vlaams-Brabant) 63 E3
St-Pieters-Kapelle (West-Vlaanderen) 50 C2
St-Pieters-Leeuw 64 A2
St-Pieters-Rode 55 E4
St-Pieters-Voeren (= Fouron-St-Pierre) 67 F2
St-Pieters-Woluwe / Woluwe-St-Pierre 64 B2
St-Pietersveld 51 F3
St-Remigius-Geest = St-Remy-Geest 65 E3
St-Rijkers 50 B4
St-Sixtus (Abdij) 60 B1
St-Stevens-Woluwe 64 B1
St-Truiden (= St-Trond) 66 A2
St-Ulriks-Kapelle 64 A1
Sipernau 57 E2
Sippenaeken 69 D2
Sirault 73 D2
Sirieu 73 E1
Sivry-Gare 81 D1
Sivry-Rance 89 E4
Six Flags 64 C3
Six Ourthes (Belvédère des) 84 B1
Six Planes 87 F2
Skeuvre 76 A3
Sledderlo 57 D4
Sleeuwhagen 53 F4
Sleidinge 52 C2
Sleihage 51 D4
Sletten 63 E1
Slijpe 50 C2
Slijpskapelle 61 E1
Slindonk 52 B3
Sluis 56 A1
Sluizen (= Sluse) 67 D2
Sluizen = L'Écluse 65 E2
Sluse = Sluizen 67 D2
Smeerebbe-Vloerzegem 63 F2
Smeermaas 67 E1
Smetlede 53 D4
Smissenhoek 63 D2
Smuid 83 E3
Snaaskerke 50 C2
Snellegem 51 E2
Snepkens 55 E3
Snepkensvijver 55 E1
Sneppe 51 F4
Snoek 66 B1
Soheit-Tinlot 76 C1
Sohier 83 D3
Soignies (= Zinnik) 73 E1
Soiron 67 F4
Soleilmont 74 C2
Solières 76 B1
Solre-St-Géry 81 D1
Solre-sur-Sambre 73 F4
Solt 57 E2
Solvay (Domaine) 64 B3
Solwaster 78 C1
Somagne 78 C3
Somal 76 C3
Sombeke 53 F2
Sombreffe 74 C1
Somme-Leuze 76 C3
Sommerain 84 C1
Sommethonne 93 D3
Sommière 75 E4
Som'tet 75 D4
Somzée 74 C4
Sonnis 56 C3
Sonseinde 62 C1
Sorée 76 A3
Sorinne-la-Longue 75 F3
Sorinnes 75 F4
Sosoye 75 E4
Sougné-Remouchamps 77 E1
Soulme 82 A1
Soumagne 67 F4
Soumoy 81 E1
Sourbrodt 79 D1
Souverain-Pré 77 D1
Souvret 74 B2
Sovet 76 A4
Soy 77 D4
Soye 75 D2
Spa 77 F1
Spa-Francorchamps (Circuit de) 78 C2
Spâce 76 A2
Spalbeek 56 B4
Spârmont 77 D2
Spermalie 50 C2
Spiennes 73 E3

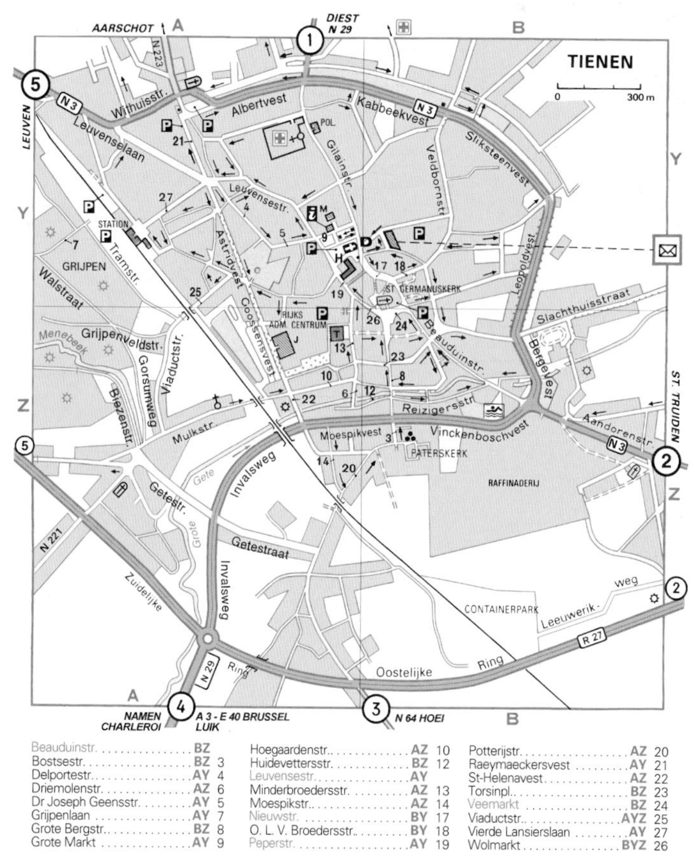

Beauduinstr. BZ
Bostsestr. BZ 3
Delportestr. AY 4
Driemolenstr. AZ 6
Dr Joseph Geenstr. AY 5
Grijpenlaan AY 7
Grote Bergstr. BZ 8
Grote Markt AY 9
Hoegaardenstr. AZ 10
Huidevettersstr. BZ 12
Leuvensestr. AY
Minderbroedersstr. AZ 13
Moespikstr. AZ 14
Nieuwstr. BY 17
O. L. V. Broedersstr. BY 18
Peperstr. AY 19
Potterijstr. AZ 20
Raeymaeckersvest AY 21
St-Helenavest AZ 22
Torsinpl. BZ 23
Veemarkt BZ 24
Viaductstr. AYZ 25
Vierde Lansierslaan AY 27
Wolmarkt BYZ 26

T

TONGEREN

U

V

TOURNAI

TURNHOUT

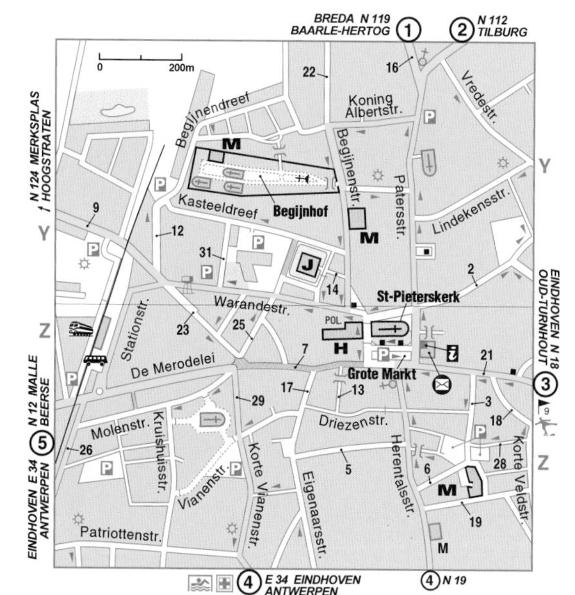

W

VERVIERS

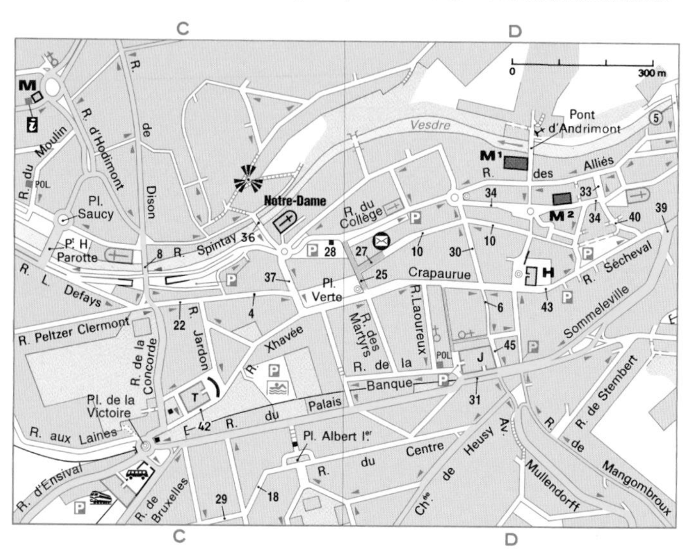

X

Y

Z

WAVRE

Street	Grid	No.
Belle Voie (Av.)	D	52
Berger (Pl. Henri)	C	70
Bruxelles (Chée de)	C	51
Carabiniers (R. des)	C	86
Clos (Av. du)	D	84
Commerce (R. du)	C	78
Croix du Feu (R. des)	D	76
Désiré Yemaux (Av.)	D	48
Ermitage (R. de l')	C	72
Flandre (R.)	C	17
Fontaines (R.)	C	36
Haute (R.)	C	12
Letroye (R. F.)	CD	41
Mercier (Pl. Cardinal)	C	82
Meunier (R. du)	C	88
Moulin à Vent (R. du)	C	56
Nuit et Jour (Ruelle)	C	24
Piat (R. Théophile)	C	64
Pré de Wildre (Ruelle du)	CD	80
Provinciale (R.)	C	39
Saint-Roch (R.)	CD	74
Volontaires (R. des)	C	68

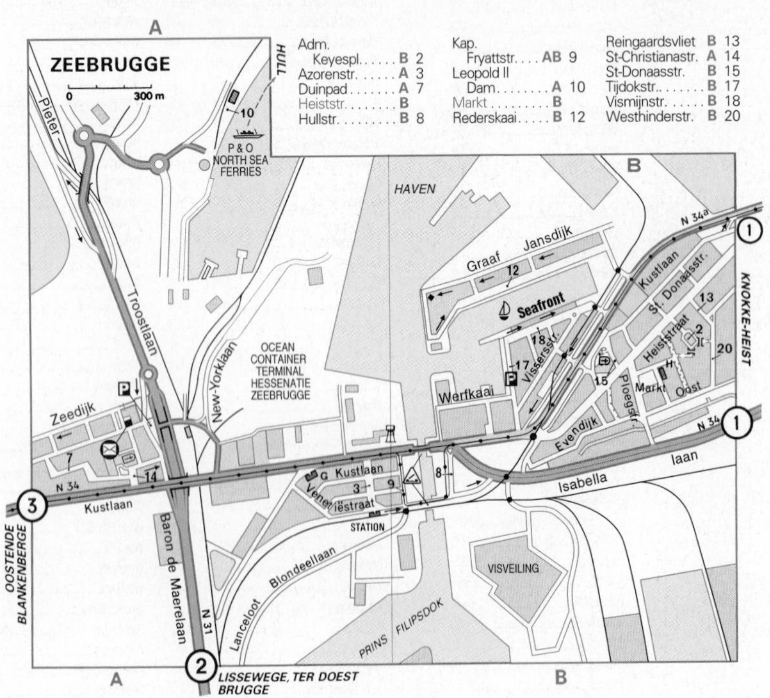

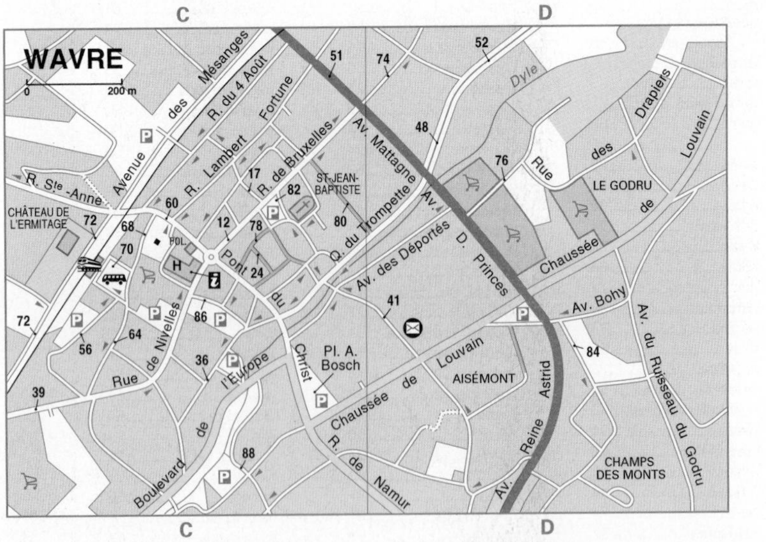

Luxembourg

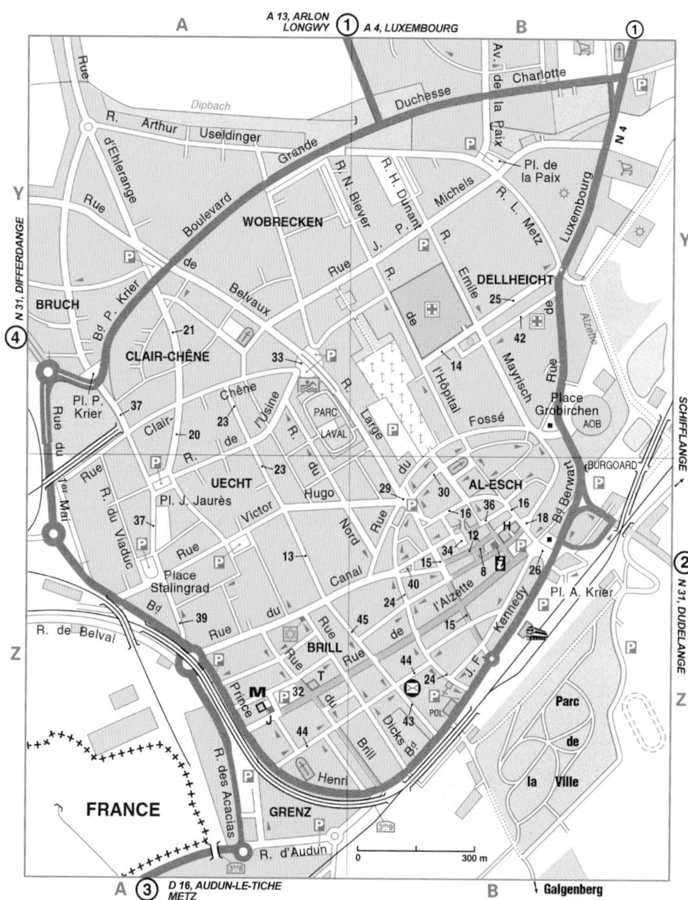

ESCH-SUR-ALZETTE
Alzette (R. de l') ABZ
Boltgen (Pl.) BZ 8
Charbons (R. des) AZ 13
Commerce (R. du) BZ 12
Dellheicht (R.) BY 14
Gare (Av. de la) BZ 15
Grand-Rue BZ 16
Hôtel-de-Ville (Pl. de l') BZ 18
Karl-Marx (R.) AY 20
Léon-Jouhaux (R.) AY 21
Léon-Weirich (R.) AYZ 23
Libération (R. de la) BZ 24
Mathias-Koener (R.) BY 25
Norbert-Metz (Pl.) BZ 26
Remparts (Pl. des) BZ 29
Remparts (R. des) BZ 30
Résistance (Pl. de la) AZ 32
Sacrifiés 1940-45 (Pl. des) AY 33
St-Michel (Pl.) BZ 34
St-Vincent (R.) BZ 36
Sidney-Thomas (R.) AYZ 37
Stalingrad (R. de) AZ 39
Synagogue (Pl. de la) BZ 40
Wurth-Paquet (R.) BY 42
Xavier-Brasseur (R.) BZ 43
Zénon-Bernard (R.) ABZ 44
10-Septembre (R. du) ABZ 45
A 13, ARLON LONGWY
A 4, LUXEMBOURG
N 4
N 31, DIFFERDANGE
N 31, DUDELANGE
SCHIFFLANGE
D 16, AUDUN-LE-TICHE METZ
WOBRECKEN
DELLHEICHT
BRUCH
CLAIR-CHÊNE
UECHT
AL-ESCH
BRILL
GRENZ
FRANCE
Parc de la Ville
Galgenberg
Dipbach
Place Grobirchen
Pl. de la Paix
Pl. P. Krier
Place Stalingrad
Pl. J. Jaurès
Pl. A. Krier
PARC LAVAL
BURGOARD
300 m

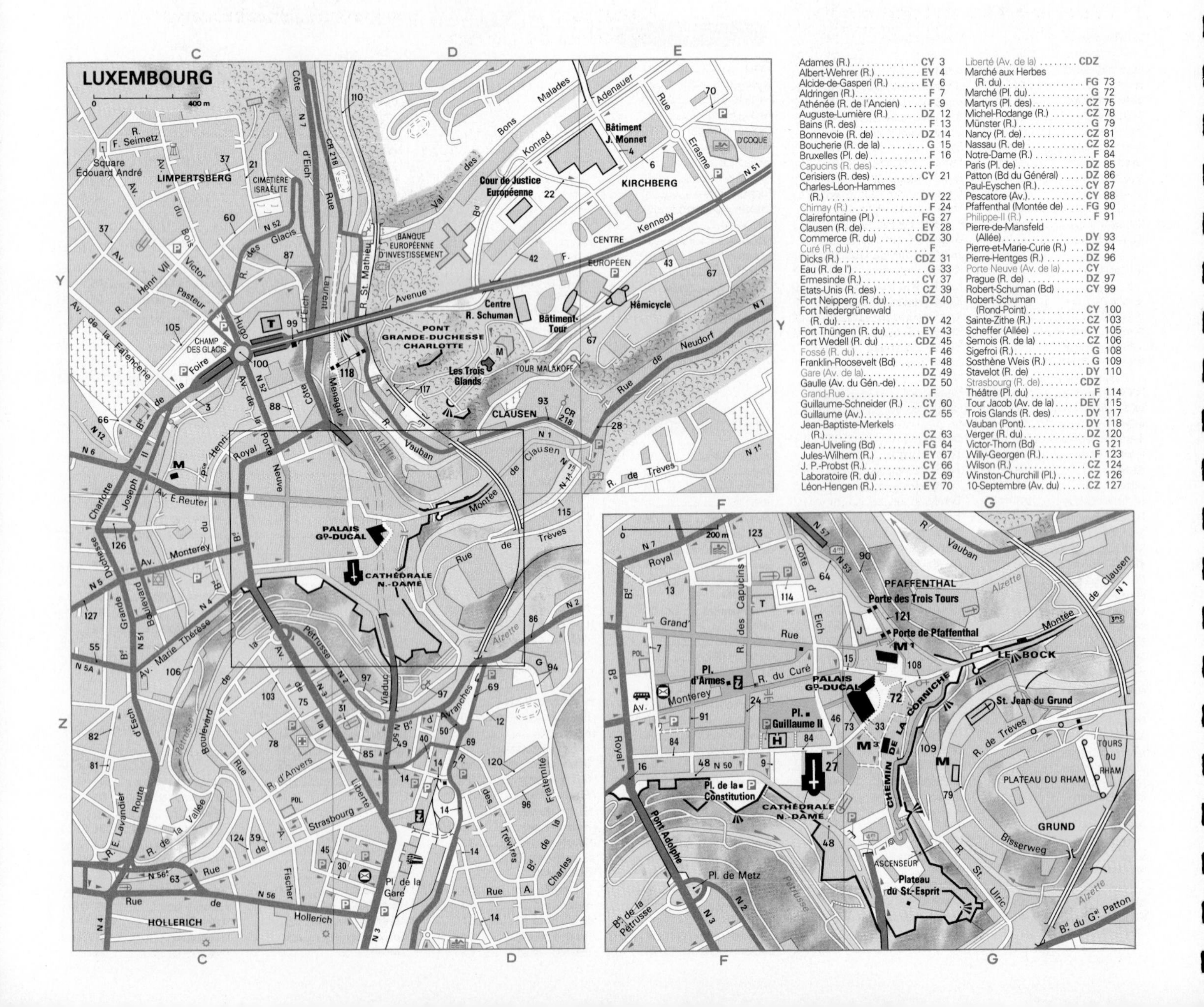

LUXEMBOURG
400 m
Adames (R.) CY 3
Albert-Wehrer (R.) EY 4
Alcide-de-Gasperi (R.) EY 6
Aldringen (R.) F 7
Athénée (R. de l'Ancien) F 9
Auguste-Lumière (R.) DZ 12
Bains (R. des) F 13
Bonnevoie (R. de) DZ 14
Boucherie (R. de la) G 15
Bruxelles (Pl. de) F 16
Capucins (R. des) F
Cerisiers (R. des) CY 21
Charles-Léon-Hammes (R.) DY 22
Chimay (R.) F 24
Clairefontaine (Pl.) FG 27
Clausen (R. de) EY 28
Commerce (R. du) CDZ 30
Curé (R. du) F
Dicks (R.) CDZ 31
Eau (R. de l') G 33
Ermesinde (R.) CY 37
Etats-Unis (R. des) CZ 39
Fort Neipperg (R. du) DZ 40
Fort Niedergrünewald (R. du) DY 42
Fort Thüngen (R. du) EY 43
Fort Wedell (R. du) CDZ 45
Fossé (R. du) F 46
Franklin-Roosevelt (Bd) F 48
Gare (Av. de la) DZ 49
Gaulle (Av. du Gén.-de) DZ 50
Grand-Rue F
Guillaume-Schneider (R.) CY 60
Guillaume (Av.) CZ 55
Jean-Baptiste-Merkels (R.) CZ 63
Jean-Ulveling (Bd) FG 64
Jules-Wilhem (R.) EY 67
J. P.-Probst (R.) CY 66
Laboratoire (R. du) DZ 69
Léon-Hengen (R.) EY 70
Liberté (Av. de la) CDZ
Marché aux Herbes (R. du) FG 73
Marché (Pl. du) G 72
Martyrs (Pl. des) CZ 75
Michel-Rodange (R.) CZ 78
Münster (R.) G 79
Nancy (Pl. de) CZ 81
Nassau (R. de) CZ 82
Notre-Dame (R.) F 84
Paris (Pl. de) DZ 85
Patton (Bd du Général) DZ 86
Paul-Eyschen (R.) CY 87
Pescatore (Av.) CY 88
Pfaffenthal (Montée de) FG 90
Philippe-II (R.) F 91
Pierre-de-Mansfeld (Allée) DY 93
Pierre-et-Marie-Curie (R.) DZ 94
Pierre-Hentges (R.) DZ 96
Porte Neuve (Av. de la) CY
Prague (R. de) DZ 97
Robert-Schuman (Bd) CY 99
Robert-Schuman (Rond-Point) CY 100
Sainte-Zithe (R.) CZ 103
Scheffer (Allée) CY 105
Semois (R. de la) CZ 106
Sigefroi (R.) G 108
Sosthène Weis (R.) G 109
Stavelot (R. de) DY 110
Strasbourg (R. de) CDZ
Théâtre (Pl. du) F 114
Tour Jacob (Av. de la) DEY 115
Trois Glands (R. des) DY 117
Vauban (Pont) DY 118
Verger (R. du) DZ 120
Victor-Thorn (Bd) G 121
Willy-Georgen (R.) F 123
Wilson (R.) CZ 124
Winston-Churchill (Pl.) CZ 126
10-Septembre (Av. du) CZ 127
LIMPERTSBERG
KIRCHBERG
Bâtiment J. Monnet
Cour de Justice Européenne
BANQUE EUROPÉENNE D'INVESTISSEMENT
CENTRE EUROPÉEN
Centre R. Schuman
Bâtiment Tour
Hémicycle
PONT GRANDE-DUCHESSE CHARLOTTE
Les Trois Glands
TOUR MALAKOFF
CLAUSEN
CHAMP DES GLACIS
CIMETIÈRE ISRAÉLITE
Square Édouard André
PALAIS Gd-DUCAL
CATHÉDRALE N.-DAME
HOLLERICH
Pl. de la Gare
PFAFFENTHAL
Porte des Trois Tours
Porte de Pfaffenthal
LE BOCK
Pl. d'Armes
Pl. Guillaume II
St. Jean du Grund
PLATEAU DU RHAM
GRUND
Pl. de la Constitution
CHEMIN DE LA CORNICHE
Pont Adolphe
Pl. de Metz
ASCENSEUR
Plateau du St-Esprit
TOURS DU RHAM
D'COQUE

St-Pirmin (= Piirmesknupp) 85 D4
Sandweiler 95 D2
Sanem (= Suessem) 94 B3
Sassel (= Saassel) 85 D2
Savelborn (= Suewelbur) 91 D3
Schandel 90 B3
Scheidel (= Schedel) 85 E4
Scheidgen (= Scheedgen) 91 E3
Scheierbierg 95 E3
Scheierhaff 95 E2
Schengen 95 E3
Schieren (= Schiren) 90 C3
Schifflange (= Schëffléng) 94 B3
Schimpach (= Schëmpech) 85 D3
Schinkert 85 E3
Schleif (= Schleef) 85 D3
Schléiwenhaff 94 C2
Schlindermanderscheid
(= Schlënnermanescht) 85 E4
Schmëtt 85 E1
Schoenfels (= Schëndels) 90 C4
Schoos (= Schous) 91 D3
Schorenshaff 91 E4
Schouweiler (= Schuller) 94 B2
Schrassig (= Schraasseg) 95 D2
Schrondweiler 91 D3
Schuttrange (= Schëtter) 95 D2
Schwebich 90 B4
Schwebsange
(= Schwéidsbéng) 95 E3
Schweich (= Schweech) 90 B4
Selscheid (= Selschent) 85 D3
Sëlz 85 F4
Senningen (= Sennéng) 95 D1
Senningerberg
(= Sennéngerbierg) 95 D1
Septfontaines (= Simmer) 90 B4
Siebenaler (= Siwwenaler) 85 E3
Sieweschloeff 91 E2
Simmerschmelz 90 B4
Soleuvre (= Zolwer) 94 B3
Sonlez (= Soller) 84 C4
Sprinkange (= Sprénkéng) 94 B2
Stadtbredimus
(= Stadbriedemes) 95 E2
Stegen (= Steën) 91 D3
Steinfort (= Stengefort) 94 B1
Steinheim (= Stenem) 91 F3
Steinsel (= Stesel) 90 C4
Stockem (= Stackem) 85 D2
Stolzembourg
(= Stolzebuerg) 85 F3
Strassen (= Stroossen) 94 C2
Sûre 84 C4
Surré (= Sir) 84 C4
Syre 95 D2
Syren (= Siren) 95 D2

T

Tadler (= Toodler) 85 E4
Tandel 85 F4
Tarchamps (= Ischpelt) 84 C4
Tétange (= Téiteng) 94 C4
Tëtelbierg 94 A3
Tintesmillen 85 E2
Tretterbaach 85 D2
Trintange (= Trënténg) 95 D2
Troine (= Tratten) 85 D2
Troine-Route
(= Trätterstrooss) 85 D3
Troisvierges (= Elwen) 85 D2
Tuntange (= Tënten) 90 C4

U - V

Uebersyren (= Iwwersiren) 95 D2
Uewerschlënner 85 E4
Untereisenbach (= Eesbech) 85 F3
Urbaach 90 C3
Urspelt 85 E2
Useldange (= Useldéng) 90 B3
Vesque 94 A3
Vianden (= Veianen) 85 F4
Vichten (= Viichten) 90 B3

W - Z

Wahl (= Wal) 90 B3
Wahlhausen (= Wuelëssen) 85 E3
Waldbillig (= Waldbëlleg) 91 E3
Waldbredimus
(= Waldbriedemes) 95 D2
Waldhof (= Waldhaff) 95 D1
Walferdange (= Walfer) 94 C1
Wallendorf-Pont
(= Wallendorfer-Bréck) 91 E2
Walsdorf 85 F4
Wark 90 C2
Warken 90 C2
Wasserbillig
(= Waasserbëlleg) 91 F4
Watrange (= Walter) 84 C4
Wecker 91 E4
Weerschrumschloeff 91 E3
Weicherdange
(= Wäicherdang) 85 D3
Weidingen (= Wegdichen) 85 D3
Weiler (Clervaux) 85 D2
Weiler (Vianden) 85 E3
Weiler-la-Tour
(= Weiler zum Tur) 95 D3
Weilerbach (= Weilerbaach) 91 E2
Weiswampach
(= Wäiswampech) 85 E1
Welfrange (= Welfréng) 95 D3
Wellenstein (= Wellesteen) 95 E3
Welscheid (= Welschent) 85 E4
Wemperhardt
(= Wämperhaart) 85 E1
Weyer 91 D4
Wickrange (= Wickréng) 94 B3
Widdebierg 91 E4
Wiltz (Rivière) 85 D3
Wiltz (= Wolz) 85 D3
Wilwerdange
(= Wilwerdang) 85 E1
Wilwerwiltz (= Wëlwerwolz) 85 E3
Wincrange (= Wëntger) 85 D2
Windhof (= Wandhaff) 94 B1
Winseler (= Wanseler) 85 D3
Wintrange (= Wëntreng) 95 E3
Woltz 85 E2
Wolwelange (= Wolwen) 90 A3
Wormeldange
(= Wuermeldéng) 95 E2
Zittig (= Zitteg) 91 E3
Zolver Knapp 94 B3

AMSTERDAM

Index des rues / Straatnamenregister / Street index

Nom de la rue	Amstel	Straatnaam / Street
Renvoi du carroyage sur le plan	H10	Verwijzing naar het vak op de plattegrond / Map grid reference
Rue indiquée par un numéro sur le plan	= 25	Genummerde straat op de plattegrond / Street indicated by a number on the plan

Achtergracht J12
Achter Oosteinde J12
Albert Cuypstraat J11-J12
Amstelstraat H12
Amstelveld H12
Anne Frankstraat H12-H13
Bakkersstraat H12
Barndesteeg G12
Begijnensteeg H11
Berenstraat H11
Bergstraat G11
Bethaniëndwars-
straat = 16 G12
Bethaniënstraat G12
Beulingstraat H11
Beurspassage G11
Beursplein G11-G12
Beurspoortje = 16 G11
Beursstraat G12
Binnen Bantammer-straat G12
Binnenkant G12
Binnen Vissersstraat G11
Binnen Wieringerstraat G11
Blaeu Erf = 12 G11
Blaeustraat = 14 G11
Blasiusstraat J12-J13
Blauwbrug H12
Blauwburgwal G11
Blindemansteeg H11-H12
Bloedstraat G12
Boerensteeg G12
Boomsteeg = 6 G12
Boomstraat G11
Brandewijnsteeg G12
Buiten Bantammer-straat G12
Buiten Vissersstraat = 1 G11
Cellebroerssteeg H11
Cornelis Anthonisz-straat J11
Damrak G11-G12
Damraksteeg G11
Damstraat G11-G12
Daniël Stalpertstraat J11
Den Texstraat J11-J12
Derde Weteringdwars-straat J11
Deymanstraat J12
Dijkstraat G12
Dirk van Hasseltssteeg G11
Dollebegijnensteeg = 9 G12
Dora Tamanaplein J12
Driekoningenstraat G11
Dubbeleworststeeg H11
Duifjessteeg H11
Dwars Spinhuissteeg = 2 H12
Eerste Anjeliersdwars-straat G11
Eerste Bloemdwars-straat G11
Eerste Boerhaavestraat J12
Eerste Boomdwarsstraat G11
Eerste Egelantiersdwars-straat G11
Eerste Jacob van
Campenstraat J11
Eerste Jan Steenstraat J11
Eerste Laurierdwars-straat G11
Eerste Leliedwarsstraat G11
Eerste Lindendwars-straat G11
Eerste Looiersdwars-straat H11
Eerste Oosterparkstraat J12-J13
Eerste Sweelinckstraat J12
Eerste Tuindwarsstraat G11
Eerste van der Helststraat J11
Eerste Weteringdwars-straat J11
Eerste Wetering-plantsoen J11
Eggertstraat G11
Elleboogsteeg G12
Enge Kapelsteeg H11
Enge Kerksteeg G12
Enge Lombardsteeg H11-H12
Engelse Pelgrimsteeg H12
Engelsesteeg G11
Falckstraat J12
Februariplein H12
Foeliestraat G12-G13
Fokke Simonszstraat J11-J12
Frans Halsstraat J11
Frederiksplein J12
Gabriël Metsusstraat J11
Gapersteeg G11
Gasthuismolensteeg G11
Gebed Zonder End = 4 H11
Gedempte
Begijnensloot = 6 H11
Geelvincksteeg H11
Geldersekade G12
Geldersesteeg G12
Gerard Douplein J11
Gerard Doustraat J11-J12
Gordijnensteeg = 11 G12
Gouwenaarssteeg = 2 G11
Govert Flinckstraat J11-J12
Gravenstraat G11
Grimburgwal H11-H12
Groenburgwal H12
Guldehandsteeg G12
Halvemaansbrug H12
Handboogstraat H11
Haringpakkerssteeg G12
Hartenstraat G11
Hasselaerssteeg G12
Heiligeweg H11
Heintje Hoekssteeg G12
Heisteeg H11
Hemonylaan J12
Hemonystraat J12
Hercules Seghersstraat J11
Herengracht G11-H12
Herenmarkt G11
Herenstraat G11
Hermietenstraat = 17 G11
Hirschpassage H11
H.M. van
Randwijkplantsoen J11
Hobbemastraat J11
Hogesluis Brug J12
Honthorststraat J11
Hortusplantsoen H12
Houtkopersburgwal H12
Houtkopersdwars-straat = 4 H12
Huddestraat J12
Hudekade J12
Huidekoperstraat J12
Huidenstraat H11
Jacob Israël de Haanstraat J12
Jeroenenstraat = 3 G11
Jodenbreestraat H12
Johannes Vermeerplein J11
Johannes Vermeerstraat J11
Johnny Jordaanplein H11
Jonas Daniël Meijerplein H12
Jonge Roelensteeg G11
J.W. Siebbeleshof G12
Kalfsvelsteeg = 3 H11
Kalkmarkt G12
Karnemelksteeg G12
Karthuizersplantsoen G11
Karthuizersstraat G11
Kattengat G11
Keizerrijk G11
Keizersgracht G11-H12
Keizerstraat G12
Kerkstraat H11-H12
Kleersloot = 18 G12
Kleine-Gartman-plantsoen H11
Klimopstraatje G11
Klooster H11
Kloveniersteeg = 17 G12
Koeriersterplein H12
Koestraat G12
Koggestraat G11
Kolksteeg G12
Koningsplein H11
Koningsstraat G12
Korsjespoortsteeg G11
Korte Dijkstraat H12
Korte Kolksteeg = 6 G11
Korte Koningsstraat G12
Korte Korsjespoort-steeg = 5 G11
Korte Leidsedwars-straat H11
Korte Lijnbaansteeg = 8 G11
Korte Niezel G12
Korte Reguliersdwars-
straat H11-H12
Korte Spinhuissteeg = 1 H12
Korte Stormsteeg G12
Kromelleboogsteeg = 15 G11
Kromme Waal G12
Kronkelpad J11
Kuipersteeg H11
Kuipersstraat J12
Langebrugsteeg = 5 H11
Lange Leidsedwars-straat H11
Lange Niezel G12
Langestraat G11
Lastageweg G12
Leeuwenhoekstraat J12
Leidekkerssteeg G12
Leidsegracht H11
Leidsekruisstraat H11
Leidseplein H11
Leidsestraat H11
Leliegracht G11
Lepelkruisstraat H12
Lepelstraat H12
Lijnbaanssteeg G11
Lindenstraat G11
Maarten Jansz Koster-
straat J12
Magere Brug H12
Mandenmakerssteeg = 2 G12
Manegestraat H12
Marie Heinekenplein J11
Markenplein H12
Martelaarsgracht G12
Mauritskade J12-H14
Mauritsstraat J12
Max Euweplein J11
Molenpad H11
Molensteeg G12
Molsteeg G11
Monnikendwars-
straat = 12 G12-F13
Monnikenstraat G12
Montelbaanstraat G12
Moreelsestraat J11
Mosterdpotsteeg G11
Mozes en Aäronstraat G11
Mr. Visserplein H12
Muiderstraat H12
Muntplein H11
Museumplein J11
Nicolaas Berchemstraat J12
Nicolaas Witsenkade J11-J12
Nicolaas Witsenstraat J12
Nieuwe Achtergracht H12-H13
Nieuwe Amstelbrug J12
Nieuwe Amstelstraat H12
Nieuwe Batavierstraat H12
Nieuwebrugstraat G12
Nieuwe Doelenstraat H11-H12
Nieuwe Grachtje H12
Nieuwe Herengracht H12
Nieuwe Jonkerstraat G12
Nieuwe Keizersgracht H12
Nieuwe Kerkstraat H12-H13
Nieuwe Looiersdwars-straat J11
Nieuwe Looiersstraat J11-J12
Nieuwendijk G11-G12
Nieuwe Nieuwstraat G11
Nieuwe Prinsengracht H12-H13
Nieuwe Ridderstraat G12
Nieuwe Spaarpotsteeg G11
Nieuwe Spiegelstraat H11
Nieuwe Weteringstraat J11
Nieuwezijds Armsteeg = 1 G12
Nieuwezijds Kolk = 7 G11
Noorderdwarsstraat J11
Noordermarkt G11
Noorderstraat J11-J12
Olieslagerssteeg H11
Onbekendegracht H12
Onkelboerensteeg H12
Onze Lieve Vrouwesteeg G11-G12
Oosteinde J12
Oosterdokskade G12
Openhartsteeg H11
Ossenspooksteeg G11
Oude Braak G12
Oudebrugsteeg G12
Oude Doelenstraat = 15 G12
Oude Hoogstraat G12
Oude Kennissteeg = 10 G12
Oudekerksplein G12
Oude Leliestraat G11
Oude Looiersstraat H11
Oude Manhuispoort H12
Oude Nieuwstraat G11
Oude Spiegelstraat H11
Oude Turfmarkt H11
Oude Waal G12
Oudezijds Armsteeg G12
Oudezijds Kolk G12
Oudezijds Voorburgwal H11-G12
Paardenstraat H12
Paleisstraat G11
Panaalsteeg G12
Papenbroekssteeg G11
Papenbrugstraat G12
Passeerdersgracht H11
Passeerdersstraat H11
Paternostersteeg G12
Pentagon H12
Peperstraat G12
Pieter de Hoochstraat J11
Pieter Jacobszdwars-
straat = 18 G11
Pieter Jacobszstraat G11-G12
Pieter Pauwstraat J12
Pijlsteeg G11-G12
Plantage Middenlaan H12-H13
Plantage Parklaan H12-H13
Prinsenhofssteeg = 19 G12
Prinsenstraat G11
Prof. Tulpplein J12
Prof. Tulpstraat J12
Quellijnstraat J11-J12
Raadhuisstraat G11
Raamdwarsstraat H11
Raamgracht H12
Raamsteeg H11
Raamstraat H11
Ramskooi G12
Rapenburg G12-H13
Rapenburgerstraat H12
Recht Boomssloot G12
Reestraat G11
Reguliersbreestraat H11
Reguliersdwarsstraat H11-H12
Rembrandtplein H12
Rinnengasthuisstraat H12
Romeinsarmsteeg H11
Roomolenstraat G11
Rozenboomsteeg = 7 H11
Runstraat H11
Rusland H12
Rustenburgerdwars-straat J12
Ruyschstraat J12-J13
Saenredamstraat J11
Sarphatikade J12
Sarphati Park J12
Sarphatistraat J12-H13
Schapensteeg H12
Schippersstraat G12
Schoorsteenvegerssteeg H11
Schoutensteeg G12
Schwammerdamstraat J12
Servaes Noutsstraat J12
Servetsteeg G12
's Gravelandse Veer H12
's Gravenhekje G12
Sint Agnietenstraat H12
Sint Annendwars-straat = 7 G12
Sint Annenstraat G12
Sint Antoniesluis H12
Sint Barberenstraat = 2 H11
Sint Geertruiden-steeg = 10 G11
Sint Jacobsstraat G11-G12
Sint Jansstraat G12
Sint Jorisstraat H11
Sint Luciënsteeg H11
Sint Nicolaasstraat G11
Sint Olofspoort G12
Sint Pieterspoort = 20 G11
Sint Pieterspoortsteeg G11
Sint Pieterssteeg H11
Sint Willibrordusdwars-straat J12
Sint Willibrordusstraat J12
Slijkstraat H12
Smaksteeg G11
Snoekjesgracht = 3 H12
Snoekjessteeg H12

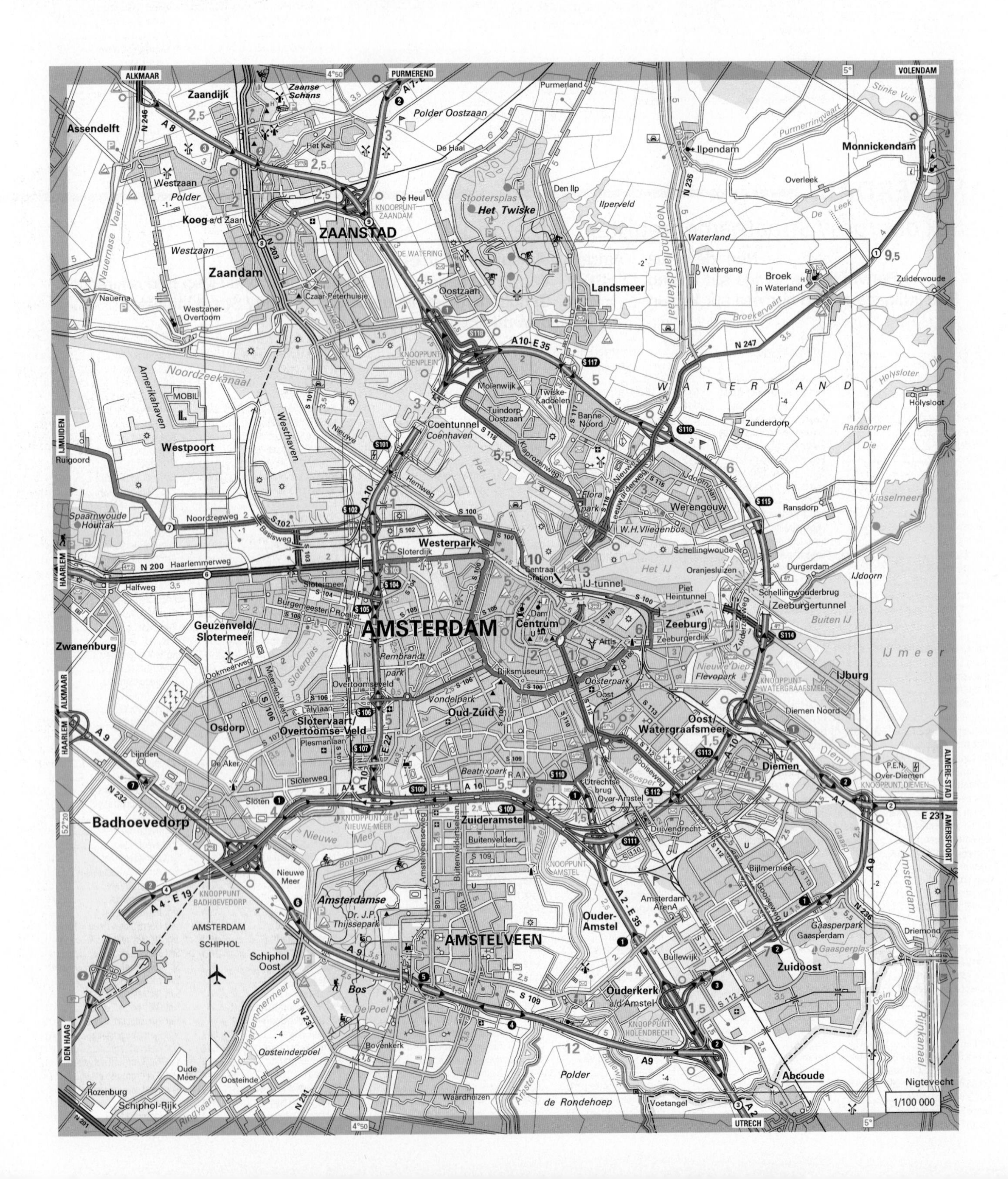

ALKMAAR
PURMEREND
VOLENDAM
Zaandijk
Zaanse Schans
Assendelft
Polder Oostzaan
Purmerland
Ilpendam
Monnickendam
Westzaan
Polder
Koog a/d Zaan
ZAANSTAD
Het Twiske
Den Ilp
Ilperveld
Waterland
Zaandam
Oostzaan
Landsmeer
Watergang
Broek in Waterland
Zuiderwoude
Nauerna
Westzaner-Overtoom
Noordzeekanaal
Amerikahaven
Westhaven
Westpoort
WATERLAND
Holysloot
Zunderdorp
Ransdorp
Coentunnel
Coenhaven
Tuindorp-Oostzaan
Banne-Noord
Molenwijk
IJMUIDEN
Ruigoord
Spaarnwoude
Houtrak
Westerpark
Sloterdijk
Werengouw
Schellingwoude
Durgerdam
HAARLEM
N 200
Halfweg
Centraal Station
IJ-tunnel
Zeeburgertunnel
Zeeburg
Geuzenveld/Slotermeer
AMSTERDAM
Centrum
Artis
IJburg
Zwanenburg
Rijksmuseum
Oosterpark
Vondelpark
Oud-Zuid
Osdorp
Slotervaart/Overtoomse-Veld
Oost/Watergraafsmeer
Diemen
De Aker
Beatrixpark
Sloten
Utrechtse brug
Over-Amstel
ALMERE-STAD
Badhoevedorp
Zuideramstel
Buitenveldert
Duivendrecht
AMERSFOORT
Nieuwe Meer
KNOOPPUNT BADHOEVEDORP
Amsterdamse Bos
AMSTERDAM SCHIPHOL
Schiphol Oost
AMSTELVEEN
Ouder-Amstel
Amsterdam ArenA
Bijlmermeer
Gaasperpark
Gaasperdam
Driemond
Zuidoost
Ouderkerk a/d Amstel
KNOOPPUNT HOLENDRECHT
DEN HAAG
Bovenkerk
Oude Meer
Oosteinde
Rozenburg
Schiphol-Rijk
Waardhuizen
Polder de Rondehoep
Voetangel
Abcoude
Nigtevecht
UTRECH
1/100 000

Amsterdam

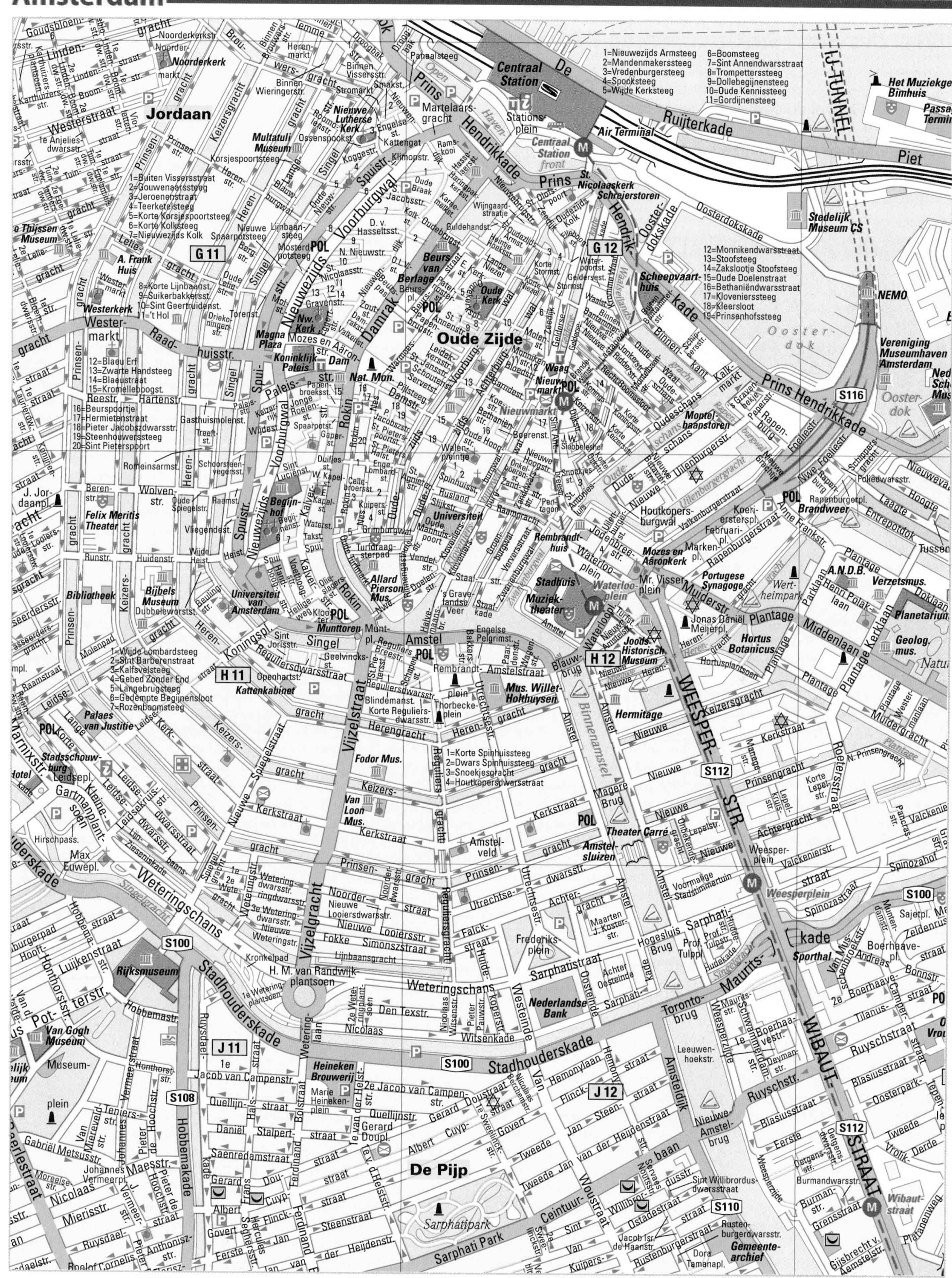
1=Nieuwezijds Armsteeg
2=Mandenmakerssteeg
3=Vredenburgersteeg
4=Spooksteeg
5=Wijde Kerksteeg
6=Boomsteeg
7=Sint Annendwarsstraat
8=Trompettersteeg
9=Dollebegijnensteeg
10=Oude Kennissteeg
11=Gordijnensteeg
1=Buiten Visserssstraat
2=Gouwenaarssteeg
3=Jeroenenstraat
4=Teerketelsteeg
5=Korte Korsjespoortsteeg
6=Korte Kolksteeg
7=Nieuwezijds Kolk
8=Korte Lijnbaanst.
9=Suikerbakkerssst.
10=Sint Geertruidenst.
11='t Hol
12=Blauw Erf
13=Zwarte Handsteeg
14=Blaeustraat
15=Kromelleboogst.
16=Beurspoortje
17=Hermietenstraat
18=Pieter Jacobszdwarsstr.
19=Steenhouwerssteeg
20=Sint Pieterspoort
12=Monnikendwarsstraat
13=Stoofsteeg
14=Zakslootje Stoofsteeg
15=Oude Doelenstraat
16=Bethaniëndwarsstraat
17=Kloveniersteeg
18=Kleersloot
19=Prinsenhofssteeg
1=Wijde Lombardsteeg
2=Sint Barberenstraat
3=Kalfsvelsteeg
4=Gebed Zonder End
5=Langebrugsteeg
6=Gedempte Begijnensloot
7=Rozenboomsteeg
1=Korte Spinhuissteeg
2=Dwars Spinhuissteeg
3=Snoekjesgracht
4=Houtkopersdwarsstraat
Centraal Station
De Ruijterkade
IJ-TUNNEL
Het Muziekgebouw
Bimhuis
Air Terminal
Prins Hendrikkade
Noorderkerk
Jordaan
Multatuli Museum
Nieuwe Lutherse Kerk
St. Nicolaaskerk
Schreierstoren
Stedelijk Museum CS
NEMO
Oosterdok
Vereniging Museumhaven Amsterdam
Scheepvaarthuis
A. Frank Huis
Westerkerk
Westermarkt
Raadhuisstr.
Magna Plaza
Koninklijk Paleis
Dam
Nat. Mon.
Beurs van Berlage
Oude Kerk
Oude Zijde
Waag
Nieuwmarkt
Montelbaanstoren
Universiteit
Rembrandthuis
Mozes en Aäronkerk
Portugese Synagoge
Jonas Daniël Meijerpl.
Joods Historisch Museum
Stadhuis Muziektheater
Waterlooplein
Allard Pierson Mus.
Begijnhof
Felix Meritis Theater
Bijbels Museum
Bibliotheek
Universiteit van Amsterdam
Munttoren
Kattenkabinet
Mus. Willet-Holthuysen
Hermitage
Hortus Botanicus
Planetarium
A.N.D.B.
Verzetsmus.
Geolog. mus.
Artis
Palaes van Justitie
Stadsschouwburg
Leidsepl.
Fodor Mus.
Van Loon Mus.
Theater Carré
Amstel sluizen
Magere Brug
Weesperplein
Rijksmuseum
Van Gogh Museum
Heineken Brouwerij
Nederlandse Bank
Sporthal
De Pijp
Sarphatipark
Gemeente-archief
Wibautstraat
WEESPERSTR.
WIBAUTSTRAAT
Stadhouderskade
Weteringschans
Singelgracht
Herengracht
Keizersgracht
Prinsengracht
Vijzelgracht
Vijzelstraat
Rokin
Damrak
Singel
Amstel
Binnenamstel
G 11
G 12
H 11
H 12
J 11
J 12
S100
S108
S110
S112
S116

BRUXELLES / BRUSSEL

Index des rues / Straatnamenregister / Street index

Nom de la rue	Orban (av.-laan)	**Straatnaam / Street**
Renvoi du carroyage sur le plan	H7	**Verwijzing naar het vak op de plattegrond / Map grid reference**
Rue indiquée par un numéro sur le plan	= 4	**Genummerde straat op de plattegrond / Street indicated by a number on the plan**

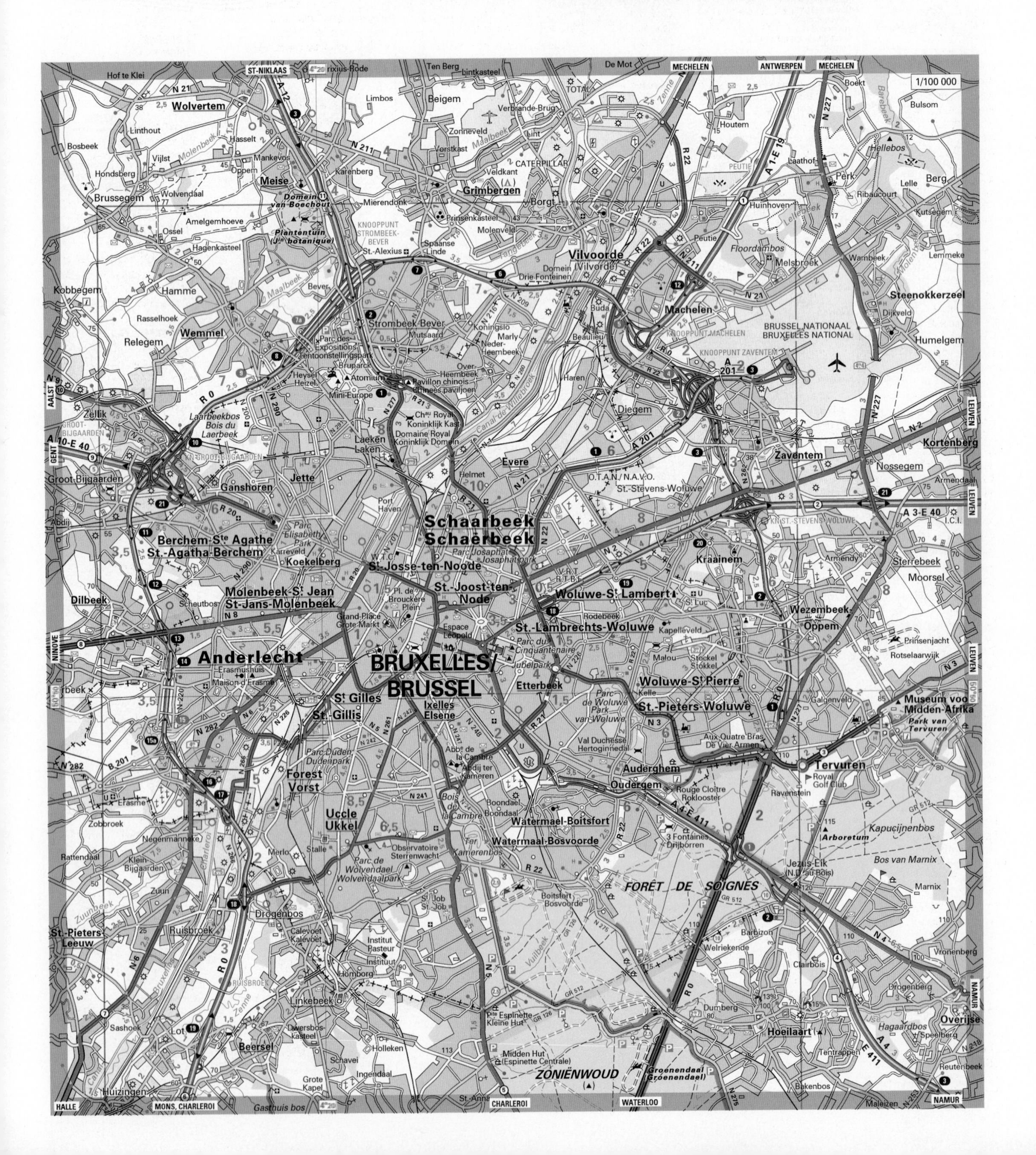

Bruxelles / Brussel

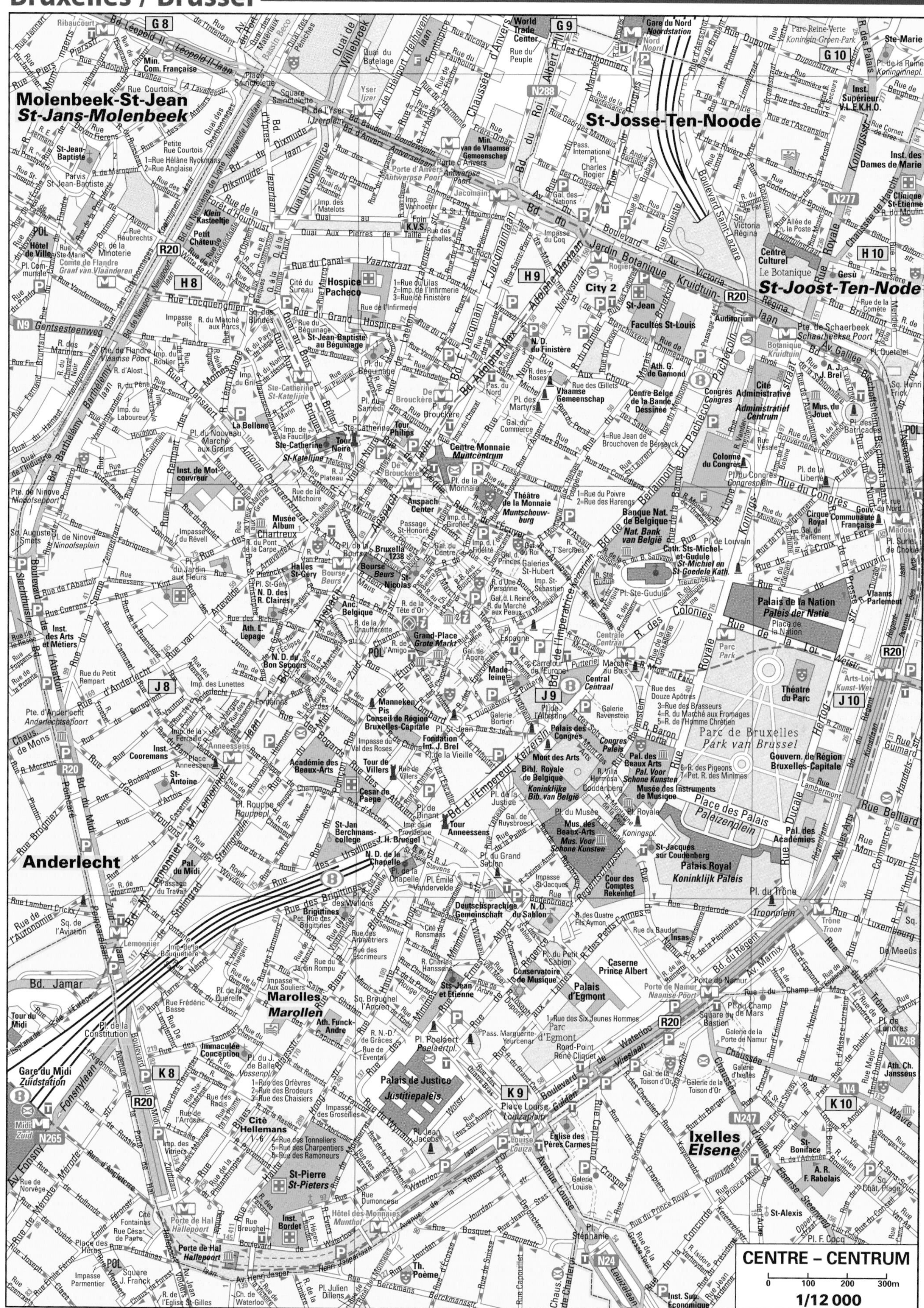

FRANCE

A

AMIENS

B

C

DUNKERQUE

Albert-1er (R.) CZ 2
Alexandre-III (Bd) CZ 3
Arbres (R. des) CDY 6
Asseman (Pl. P.) DY 8
Bergues (R. du Canal de) CZ 9
Bollaert (Pl. Émile) CZ 12
Calonne (Pl.) DZ 16
Carnot (Bd) DY 18
Carton-Lurat (Av.) DZ 19
Clemenceau (R.) CZ 21
Écluse-de-Bergues (R.) CZ 26
Faidherbe (Av.) DY
Fusillés-Marins (R.) CZ 30
Gare (Pl. de la) CZ 32
Gaulle (Pl. du Gén.-de) CZ 33
Geeraert (Av. Adolphe) DY
Hermitte (R. l') CY 35
Hollandais (Quai des) CZ 36
Hôtel-de-Ville (R. de l') DY 37
Jardins (Quai des) CZ 38
Jean-Bart (Pl.) CZ 41
Jean-Jaurès (R.) CZ 40
Jeu-de-Paume (R. du) CZ 42
Leclerc (R. du Mar.) CY 43
Leughenaer (R. du) CY 44
Lille (R. de) CZ 45
Magasin-Général (R.) CZ 48
Malo (Av. Gaspard) DY 49
Mar.-de-France (Av. des) DY 51
Mer (Digue de) DY
Minck (Pl. du) CY 53
Paris (R. de) CZ 54
Prés.-Poincaré (R. du) CZ 57
Prés.-Wilson (R. du) CZ 58
Quatre-Écluses (Quai) CZ 59
Thiers (R.) CZ 65
Turenne (Pl.) DY 67
Valentin (Pl. C.) CZ 68
Verley (Bd Paul) DY 69
Victoire (Pl. et R. de la) CDY 70
Victor-Hugo (Bd) CZ 72

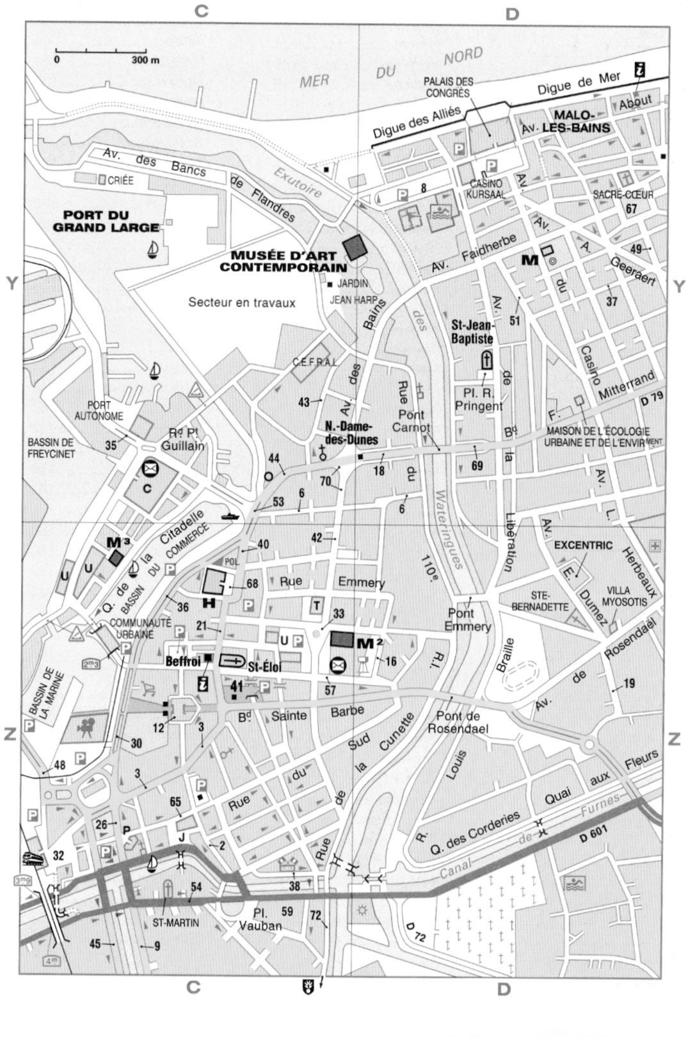

G

H

I

J

K

L

M

HAUBOURDIN
Carnot (R. Sadi) . . . . GT 22
Vanderhaghen (R. A.) . . . . . GT 157

HELLEMMES-LILLE
Salengro (R. Roger) . . . . . HS 142

HEM
Clemenceau (Bd G.) . . . . . JS 28
Croix (R. de) . . . . JS 40
Gaulle (Av. Ch.-de) . . . . . . JS 64

LAMBERSART
Hippodrome (Av. de l') . . . GS 76

LANNOY
Leclerc (R. du Gén.) . . . . . JS 97
Tournai (R. de) . . . . JS 153

LA MADELEINE
Gambetta (R.) . . . . GS 63
Gaulle (R. du Gén.-de) . . . HS 69
Lalau (R.) . . . . HS 87

LILLE
Arras (R. du Fg d') . . . . GT 4
Postes (R. du Fg des) . . GST 129

LOMME
Dunkerque (Av. de) . . . . . GS 52

LOOS
Doumer (R. Paul) . . . . GT 49
Foch (R. du Mar.) . . . . . . GST 58
Potié (R. Georges) . . . . . . GT 130

LYS-LEZ-LANNOY
Guesde (R. Jules) . . . . JS 75
Lebas (R. J.-B.) . . . . JS 94

MARCQ-EN-BARŒUL
Clemenceau (Bd) . . . . HS 30
Couture (R. de la) . . . . HS 39
Foch (Av. Mar.) . . . . HS 57
Nationale (R.) . . . . HS 122

MARQUETTE-LEZ-LILLE
Lille (R. de) . . . . GS 103
Menin (R. de) . . . . HS 117

MONS-EN-BARŒUL
Gaulle (R. du Gén.-de) . . . HS 70

MOUVAUX
Carnot (Bd) . . . . HR 21

ST-ANDRÉ-LEZ-LILLE
Lattre-de-Tassigny (Av. du Mar.-de) . . . . . . GS 91
Leclerc (R. du Gén.) . . . . . GS 99

TOUFFLERS
Déportés (R. des) . . . . JS 48

TOURCOING
Yser (R. de l') . . . . JR 165
3-Pierres (R. des) . . . . JR 166

VILLENEUVE-D'ASCQ
Ouest (Bd de l') . . . . HS 124
Ronsse (R. Ch.) . . . . JT 136
Tournai (Bd de) . . . . JT 151

WAMBRECHIES
Marquette (R. de) . . . . GZ 108

WATTIGNIES
Clemenceau (R.) . . . . GT 31
Gaulle (R. du Gén.-de) . . . . GT 72
Victor-Hugo (R.) . . . . GT 160

WATTRELOS
Carnot (R.) . . . . JRS 24
Jean-Jaurès (R.) . . . . JR 82
Lebas (R. J.-B.) . . . . JR 96
Mont-à-Leux (R. du) . . . . . JR 121

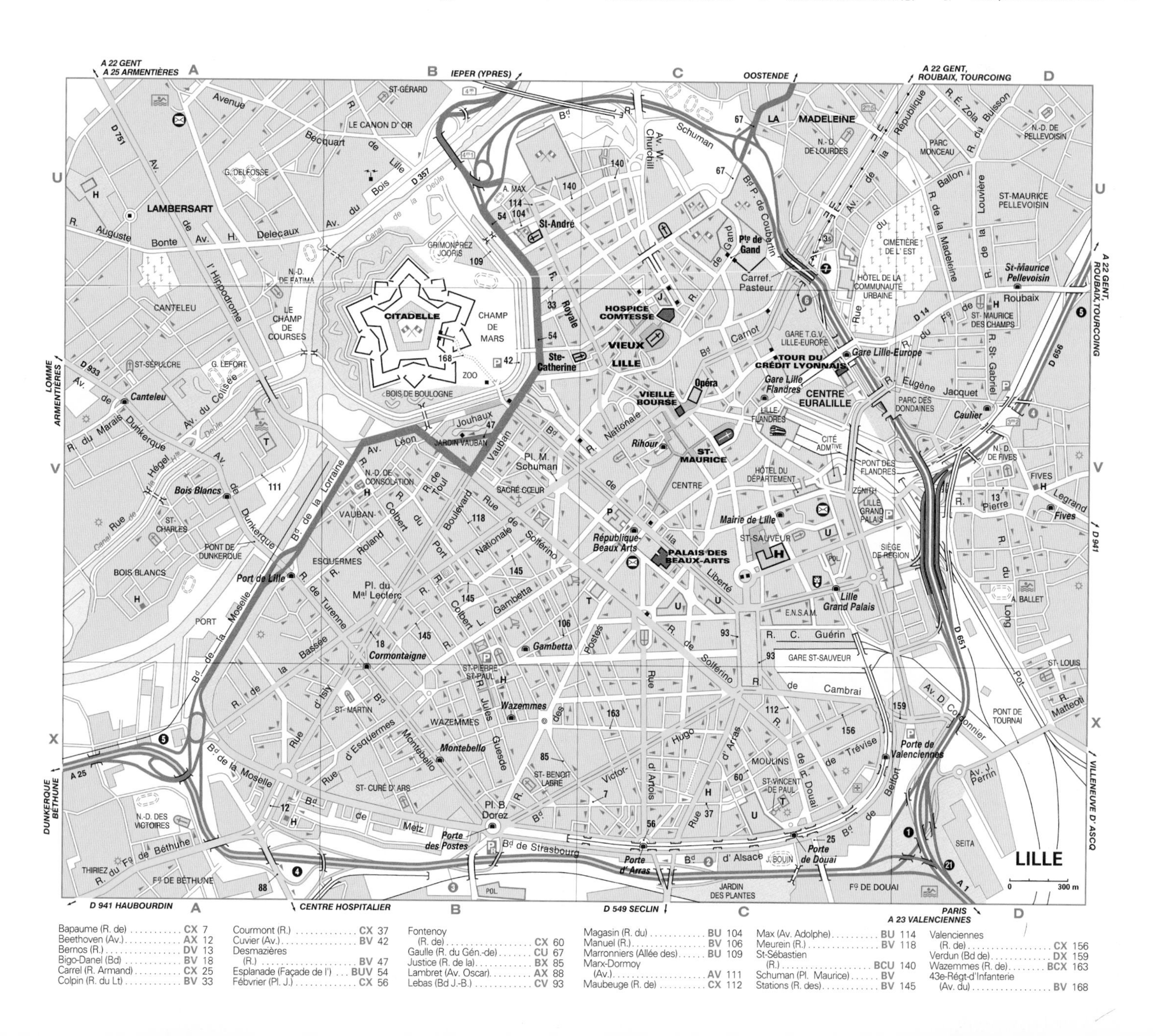

A 22 GENT
A 25 ARMENTIÈRES
IEPER (YPRES)
OOSTENDE
A 22 GENT, ROUBAIX, TOURCOING
LAMBERSART
LA MADELEINE
CITADELLE
CHAMP DE MARS
BOIS DE BOULOGNE
ZOO
HOSPICE COMTESSE
VIEUX LILLE
Opéra
VIEILLE BOURSE
TOUR DU CRÉDIT LYONNAIS
Gare Lille Flandres
Gare Lille-Europe
CENTRE EURALILLE
ST-MAURICE
Mairie de Lille
PALAIS DES BEAUX-ARTS
République Beaux Arts
Lille Grand Palais
GARE ST-SAUVEUR
Wazemmes
Gambetta
Cormontaigne
Port de Lille
Bois Blancs
Canteleu
Porte des Postes
Porte d'Arras
Porte de Douai
Porte de Valenciennes
JARDIN DES PLANTES
LILLE
D 941 HAUBOURDIN
CENTRE HOSPITALIER
D 549 SECLIN
PARIS
A 23 VALENCIENNES
VILLENEUVE D'ASCQ
DUNKERQUE BÉTHUNE
LOMME ARMENTIÈRES

S

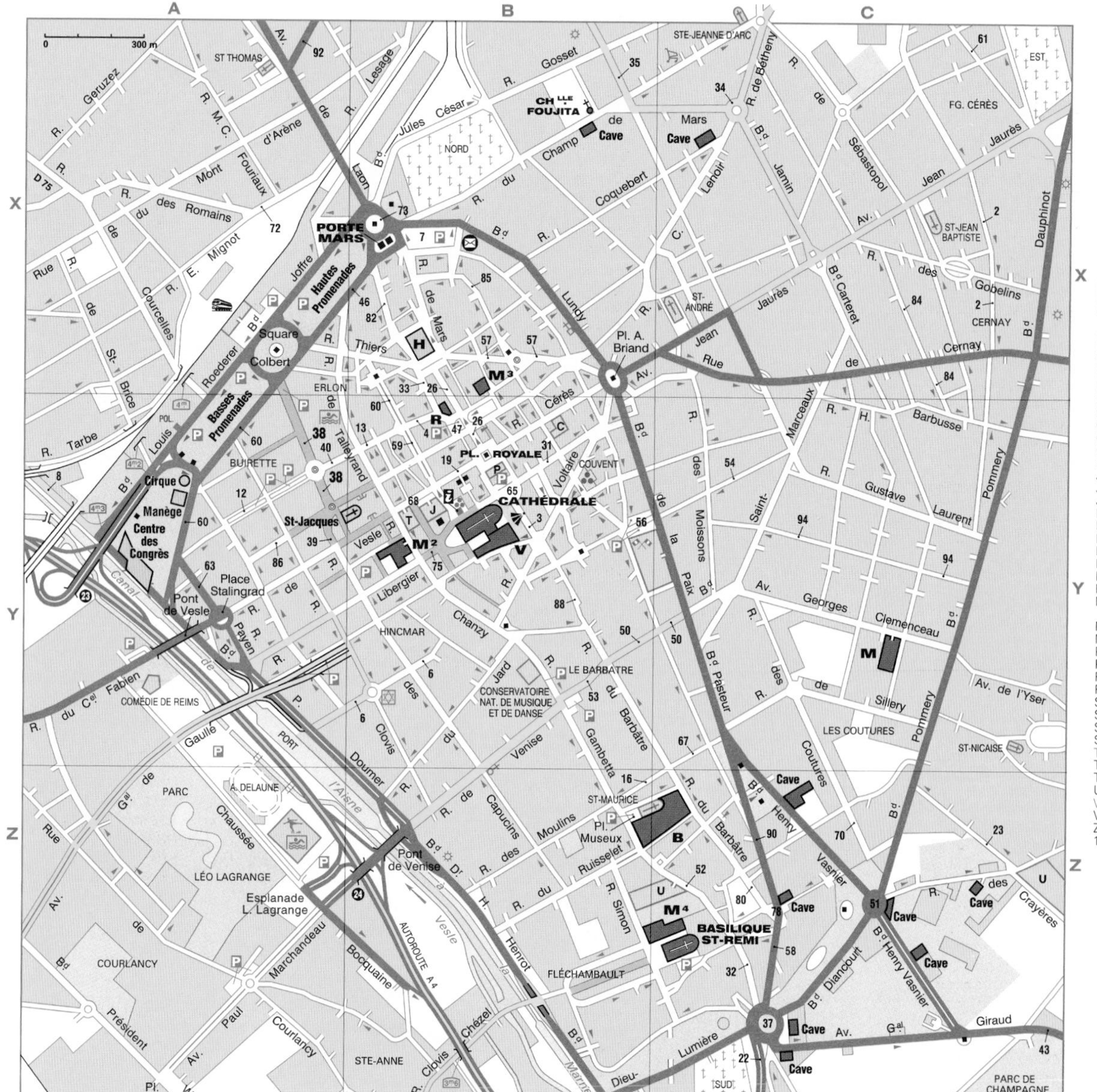

REIMS

- Alsace-Lorraine (R. d') .... CX 2
- Anatole-France (Cours) ... BY 3
- Arbalète (R. de l') .... BY 4
- Boulard (R.) .... BY 6
- Boulingrin (Pl. du) .... BX 7
- Brébant (Av.) .... AY 8
- Buirette (R.) .... AY 12
- Cadran St-Pierre (R.) ...... BY 13
- Carmes (R. des) .... BZ 16
- Carnégie (Pl.) .... BY 17
- Carnot (R.) .... BY 19
- Champagne (Av. de) .... CZ 22
- Chemin Vert (R. du) .... CZ 23
- Colbert (R.) .... BXY 26
- Desteuque (R. E.) .... BY 31
- Dieu-Lumière (R.) .... CZ 32
- Dr-Jacquin (R.) .... BXY 33
- Dr-Knoéri (Pl. du) .... CX 34
- Dr-Lemoine (R.) .... BX 35
- Droits-de-l'Homme (Pl. des) .... CZ 37
- Drouet d'Erlon (Pl.) .... AY 38
- Dubois (R. Th.) .... AY 39
- Étape (R. de l') .... AY 40
- Farman (Av. H.) .... CZ 43
- Foch (Bd) .... ABX 46
- Forum (Pl.) .... BY 47
- Gerbert (R.) .... BCY 50
- Gouraud (Pl. Gén.) .... CZ 51
- Grand-Cerf (R. du) .... CZ 52
- Herduin (R. Lt) .... BY 53
- Houzeau-Muiron (R.) ...... CY 54
- Jamot (R. Paul) .... BY 56
- Jean-Jaurès (Av.) .... BCX
- J.-J.-Rousseau (R.) .... BX 57
- Lambert (Bd Victor) .... CZ 58
- Langlet (Crs J.-B.) .... BY 59
- Laon (Av. de) .... ABX
- Leclerc (Bd Général) ...... AX 60
- Lefèbvre (R. E.) .... CX 61
- Louvois (R. de) .... BZ 62
- Magdeleine (R.) .... AY 63
- Martyrs-de-la-Résistance (Pl. des) .... BY 65
- Montlaurent (R.) .... CY 67
- Myron-Herrick (Pl.) .... BY 68
- Philipe (R. Gérard) .... CZ 70
- Prés.-F.-Roosevelt (R.) .... AX 72
- République (Pl. de la) ..... BX 73
- Rockefeller (R.) .... BY 75
- St-Nicaise (Pl.) .... CZ 78
- Salines (R. des) .... CZ 80
- Sarrail (R. Gén.) .... BX 82
- Strasbourg (R. de) .... CX 84
- Talleyrand (R. de) .... ABY
- Temple (R. du) .... BX 85
- Thillois (R. de) .... AY 86
- Université (R. de l') .... BY 88
- Vesle (R. de) .... ABY
- Victor-Hugo (Bd) .... CZ 90
- Zola (R. Émile) .... AX 92
- 16e-et-22e-Dragons (R. des) .... CY 94

T

U

V

W

X

Y

Z

DISTANCES ENTRE 50 VILLES

Les distances sont comptées à partir du centre-ville et par la route la plus pratique, c'est à dire celle qui offre les meilleures conditions de roulage, mais qui n'est pas nécessairement la plus courte.

AFSTANDEN TUSSEN 50 STEDEN

De afstanden zijn in km berekend van centrum tot centrum langs de geschicktste, dus niet noodzakelijkerwijze de kortste route.

DISTANCES IN KM BETWEEN 50 TOWNS

Distances are shown in kilometres and are calculated from town/city centres along the most practicable roads, although not necessarily taking the shortest route.

ENTFERNUNGEN ZWISCHEN 50 STÄDTEN

Die Entfernungen gelten ab Stadtmitte unter Berücksichtigung der günstigsten, jedoch nicht immer kürzesten Strecke.

Bastogne – Groningen: 458 km

	Alkmaar	Amiens	Amsterdam	Antwerpen	Apeldoorn	Arnhem	Bastogne	Beauvais	Bouillon	Breda	Brugge	Bruxelles / Brussel	Calais	Charleroi	Chimay	Clervaux	Dinant	Dunkerque	Eindhoven	Emmen	Enschede	Eupen	Geel	Genk	Gent	Groningen	Haag (Den)	Haarlem	Kortrijk	Liège	Lille	Luxembourg	Maastricht	Middelburg	Mons	Namur	Nijmegen	Oever (Den)	Oostende	Reims	Roermond	Rotterdam	Sedan	Spa	Tilburg	Tournai	Utrecht	Valenciennes	Zeebrugge
Amiens	465																																															
Amsterdam	44	422																																														
Antwerpen	197	261	158																																													
Apeldoorn	127	449	97	186																																												
Arnhem	139	420	108	157	33																																											
Bastogne	379	321	339	190	323	293																																										
Beauvais	518	61	476	316	506	481	346																																									
Bouillon	401	244	362	206	382	352	64	282																																								
Breda	144	323	104	60	133	114	245	379	263																																							
Brugge	279	213	250	90	278	252	254	269	271	151																																						
Bruxelles / Brussel	250	226	210	55	238	213	144	282	162	112	99																																					
Calais	407	167	365	205	396	370	348	213	315	269	115	201																																				
Charleroi	303	204	263	106	292	266	135	260	131	165	152	62	230																																			
Chimay	361	175	322	164	350	324	158	232	102	223	186	120	242	57																																		
Clervaux	375	394	336	219	319	290	30	373	94	268	303	203	403	203	187																																	
Dinant	336	272	297	141	322	292	100	329	89	198	204	98	298	58	63	127																																
Dunkerque	365	208	326	165	354	328	312	254	329	227	73	159	45	198	212	361	265																															
Eindhoven	164	348	125	88	115	85	214	404	273	59	180	137	294	193	250	209	214	253																														
Emmen	225	546	194	284	114	142	431	603	486	230	376	336	492	391	448	411	422	451	224																													
Enschede	197	514	167	252	74	96	364	571	423	203	344	304	460	359	416	327	364	419	178	96																												
Eupen	299	321	260	146	244	214	135	378	194	192	231	131	331	131	186	102	135	290	135	334	249																											
Geel	216	306	171	45	173	143	175	362	234	102	138	96	251	150	207	179	174	211	53	283	237	108																										
Genk	259	314	220	90	204	174	140	370	199	146	183	95	295	135	191	144	139	254	95	313	245	74	53																									
Gent	251	209	222	62	250	225	210	265	227	123	54	57	154	111	168	259	163	114	149	347	319	189	107	152																								
Groningen	172	568	187	306	141	169	458	624	508	252	398	358	514	413	470	453	444	473	251	58	151	378	319	339	367																							
Haag (Den)	88	394	63	132	136	127	317	450	334	87	213	184	340	239	296	345	270	299	147	232	207	281	173	218	186	238																						
Haarlem	33	437	22	175	110	120	353	493	377	121	257	227	382	282	339	348	313	342	140	207	182	274	216	235	236	201	63																					
Kortrijk	299	169	260	99	288	262	246	225	263	161	62	93	142	133	146	295	199	87	187	385	356	224	144	188	47	407	232	274																				
Liège	282	285	242	125	226	196	90	342	148	175	196	97	297	95	150	111	99	256	117	336	267	40	81	46	155	363	245	257	191																			
Lille	325	139	286	126	314	289	239	195	256	187	74	113	111	123	136	311	192	80	213	411	383	240	171	214	74	433	258	301	33	205																		
Luxembourg	450	386	411	255	402	372	72	381	102	312	318	218	412	200	196	62	138	378	293	464	379	156	255	219	277	539	384	426	313	169	305																	
Maastricht	253	315	214	107	198	168	129	371	188	147	199	111	312	128	184	124	129	272	89	307	239	53	70	38	166	334	235	229	207	33	233	209																
Middelburg	228	282	201	84	229	210	270	338	287	102	98	137	227	192	249	298	223	187	159	326	301	227	126	170	69	348	160	204	122	209	148	336	187															
Mons	313	160	273	115	301	276	167	217	184	175	130	72	186	51	60	239	120	154	200	398	370	168	158	162	120	420	245	288	89	132	79	233	160	198														
Namur	302	230	263	107	288	258	88	287	106	164	170	64	256	40	95	117	42	224	179	388	329	102	141	105	129	410	235	278	159	66	149	156	94	187	75													
Nijmegen	156	403	125	140	57	20	265	459	323	95	233	193	348	248	305	260	264	308	66	166	121	185	135	146	202	193	141	136	243	169	269	345	142	193	256	228												
Oever (Den)	46	496	74	234	158	171	412	553	436	180	326	286	442	341	398	408	372	401	199	168	230	333	275	294	295	129	130	86	336	317	362	485	290	276	349	336	190											
Oostende	320	226	281	120	309	283	267	283	284	182	28	114	97	168	203	316	220	57	208	406	377	245	166	209	68	428	253	295	72	212	92	333	226	141	145	184	265	356										
Reims	481	173	442	284	504	474	186	159	124	343	278	240	275	178	148	214	182	284	395	571	545	317	356	321	278	593	414	456	237	271	209	225	310	351	213	228	446	517	294									
Roermond	217	359	178	131	150	120	173	415	232	111	223	144	336	168	224	168	172	296	53	260	191	93	102	54	190	286	199	193	231	77	257	253	50	210	203	136	92	253	252	355								
Rotterdam	99	368	74	105	125	117	290	424	308	61	187	158	313	213	270	319	244	273	118	222	197	248	147	191	160	244	30	74	208	230	234	357	209	135	221	207	120	142	229	428	170							
Sedan	420	228	381	225	400	370	83	266	21	282	288	182	298	116	86	110	107	294	291	505	441	214	253	217	246	528	353	395	248	167	219	121	206	305	163	125	343	456	303	110	250	321						
Spa	309	328	270	153	254	224	85	384	144	202	237	138	337	137	193	76	142	297	145	363	279	39	116	80	196	390	280	284	232	46	247	130	60	232	172	105	196	345	253	268	104	248	164					
Tilburg	159	334	119	71	124	94	252	390	274	26	163	124	279	178	235	247	210	239	39	234	188	173	112	134	133	261	110	134	174	156	199	323	130	126	187	173	76	195	194	394	91	78	294	184				
Tournai	331	153	292	131	320	294	210	209	228	193	79	91	135	95	108	283	164	103	219	417	388	212	176	195	79	439	264	306	39	176	28	277	204	152	50	121	276	367	95	220	242	232	209	219	205			
Utrecht	82	388	42	125	70	70	304	444	328	72	218	178	333	233	290	299	264	293	90	167	141	225	167	186	187	186	67	57	228	208	254	377	181	168	241	228	87	118	249	448	143	59	348	236	86	258		
Valenciennes	346	125	306	149	335	309	200	182	218	208	122	105	161	84	87	272	154	129	233	432	403	202	192	195	121	454	279	321	81	166	54	267	193	194	40	111	291	382	138	177	238	247	167	209	220	57	273	
Zeebrugge	288	225	258	98	286	261	265	281	283	159	19	113	128	166	201	315	219	88	188	383	355	244	146	191	67	405	219	263	70	210	91	332	208	86	144	182	242	334	29	292	231	187	303	251	172	94	224	136	
Zwolle	152	474	122	211	42	69	359	530	414	158	303	264	419	319	376	354	350	379	152	75	72	279	220	240	273	101	159	136	314	263	340	439	236	254	327	313	93	137	335	534	187	151	434	290	160	344	95	363	312

	Alkmaar	Amiens	Amsterdam	Antwerpen	Apeldoorn	Arnhem	Bastogne	Beauvais	Bouillon	Breda	Brugge	Bruxelles / Brussel	Calais	Charleroi	Chimay	Clervaux	Dinant	Dunkerque	Eindhoven	Emmen	Enschede	Eupen	Geel	Genk	Gent	Groningen	Haag (Den)	Haarlem	Kortrijk	Liège	Lille	Luxembourg	Maastricht	Middelburg	Mons	Namur	Nijmegen	Oever (Den)	Oostende	Reims	Roermond	Rotterdam	Sedan	Spa	Tilburg	Tournai	Utrecht	Valenciennes	Zeebrugge
Amiens	4:31																																																
Amsterdam	0:39	4:16																																															
Antwerpen	2:01	2:39	1:45																																														
Apeldoorn	1:30	4:29	1:12	1:58																																													
Arnhem	1:33	4:12	1:17	1:41	0:30																																												
Bastogne	3:46	3:20	3:30	2:10	3:12	2:52																																											
Beauvais	4:56	0:41	4:40	3:03	4:53	4:37	3:55																																										
Bouillon	3:57	3:04	3:41	2:06	3:47	3:27	0:42	3:18																																									
Breda	1:29	3:12	1:13	0:41	1:26	1:08	2:40	3:35	2:33																																								
Brugge	3:05	2:17	2:47	1:12	3:01	2:44	2:50	2:41	2:42	1:43																																							
Bruxelles / Brussel	2:33	2:18	2:17	0:42	2:30	2:13	1:47	2:41	1:39	1:12	1:10																																						
Calais	3:56	1:36	3:38	2:01	3:53	3:37	3:39	1:58	3:47	2:36	1:14	2:03																																					
Charleroi	3:05	2:01	2:49	1:12	3:02	2:45	1:38	2:25	1:40	1:45	1:35	0:47	2:15																																				
Chimay	3:54	2:18	3:38	2:02	3:52	3:35	1:47	2:42	1:21	2:34	2:14	1:37	2:42	0:49																																			
Clervaux	3:59	4:03	3:43	2:26	3:25	3:05	0:38	4:31	1:16	2:55	3:16	2:19	4:06	2:17	2:23																																		
Dinant	3:21	2:40	3:05	1:30	3:11	2:51	1:01	3:04	0:56	2:01	2:06	1:07	2:54	0:52	0:54	1:37																																	
Dunkerque	3:32	1:57	3:16	1:39	3:30	3:13	3:14	2:19	3:07	2:12	0:50	1:40	0:32	2:01	2:29	3:41	2:34																																
Eindhoven	1:44	3:31	1:28	1:02	1:15	0:56	2:14	3:55	2:47	0:43	2:08	1:31	2:55	2:02	2:50	2:25	2:14	2:33																															
Emmen	2:19	5:18	2:00	2:47	1:13	1:26	4:08	5:41	4:38	2:15	3:52	3:19	4:41	3:48	4:36	4:17	4:05	4:20	2:13																														
Enschede	2:04	5:03	1:46	2:32	0:52	1:01	3:36	5:27	4:09	2:01	3:38	3:05	4:27	3:34	4:22	3:39	3:36	4:06	1:48	1:13																													
Eupen	2:58	3:06	2:42	1:29	2:23	2:04	1:24	3:29	1:57	1:53	2:19	1:22	3:09	1:20	2:07	1:19	1:23	2:48	1:27	3:07	2:28																												
Geel	2:21	3:04	2:03	0:35	1:56	1:36	1:47	3:27	2:20	1:04	1:40	1:05	2:28	1:34	2:23	2:03	1:46	2:06	0:54	2:54	2:29	1:09																											
Genk	2:36	3:03	2:20	0:58	2:01	1:42	1:27	3:26	2:00	1:27	2:03	1:01	2:48	1:24	2:11	1:44	1:27	2:27	1:05	2:59	2:27	0:49	0:39																										
Gent	2:40	2:11	2:22	0:44	2:35	2:18	2:23	2:35	2:15	1:17	0:45	0:48	1:35	1:12	2:01	2:49	1:43	1:14	1:39	3:23	3:11	1:55	1:11	1:33																									
Groningen	1:51	5:29	1:55	2:57	1:27	1:40	4:23	5:53	4:50	2:26	4:04	3:31	4:53	4:00	4:48	4:34	4:17	4:31	2:27	0:45	1:45	3:37	3:14	3:12	3:33																								
Haag (Den)	1:05	4:08	0:57	1:37	1:34	1:24	3:36	4:32	3:29	1:15	2:36	2:10	3:32	2:38	3:27	3:50	2:56	3:10	1:39	2:23	2:09	2:53	2:01	2:23	2:10	2:29																							
Haarlem	0:27	4:21	0:29	1:50	1:19	1:19	3:34	4:45	3:42	1:19	2:57	2:23	3:45	2:52	3:40	3:45	3:09	3:23	1:33	2:08	1:54	2:47	2:14	2:23	2:25	2:02	0:52																						
Kortrijk	2:56	1:45	2:40	1:02	2:53	2:36	2:38	2:09	2:31	1:35	0:43	1:04	1:28	1:18	1:46	3:05	1:58	1:07	1:57	3:41	3:29	2:11	1:29	1:49	0:32	3:52	2:30	2:44																					
Liège	2:53	2:49	2:37	1:19	2:18	1:59	1:00	3:13	1:33	1:48	2:03	1:06	2:54	1:04	1:51	1:26	1:07	2:32	1:22	3:17	2:44	0:32	0:59	0:38	1:37	3:31	2:42	2:41	1:56																				
Lille	3:15	1:28	2:59	1:22	3:12	2:56	2:39	1:52	2:32	1:55	0:55	1:22	1:12	1:19	1:47	3:19	1:59	0:55	2:16	4:01	3:49	2:25	1:48	2:08	0:51	4:11	2:49	3:03	0:28	2:05																			
Luxembourg	4:25	3:44	4:09	2:34	4:00	3:40	0:56	4:20	1:04	3:05	3:10	2:12	3:58	1:59	2:12	1:02	1:26	3:39	3:04	4:34	3:55	2:09	2:36	2:15	2:44	5:13	4:00	4:13	3:03	1:48	3:02																		
Maastricht	2:38	3:05	2:22	1:20	2:04	1:44	1:23	3:29	1:56	1:34	2:26	1:22	3:11	1:20	2:03	1:34	1:23	2:50	1:08	3:02	2:29	0:40	1:01	0:33	1:53	3:17	2:31	2:26	2:14	0:32	2:24	2:11																	
Middelburg	2:23	3:02	2:09	0:55	2:21	2:03	2:53	3:26	2:46	1:06	1:27	1:27	2:26	1:56	2:44	3:07	2:13	2:04	1:38	3:10	2:56	2:13	1:18	1:40	0:59	3:20	1:48	2:11	1:27	2:04	1:45	3:16	2:02																
Mons	3:09	1:36	2:54	1:18	3:07	2:50	1:54	2:00	1:47	1:49	1:22	0:52	1:50	0:34	1:03	2:34	1:14	1:33	2:11	3:55	3:43	1:40	1:43	1:36	1:14	4:05	2:44	2:58	0:54	1:20	0:53	2:17	1:38	2:02															
Namur	3:02	2:19	2:45	1:11	2:51	2:32	1:17	2:42	1:05	1:41	1:47	0:48	2:33	0:33	1:20	1:54	0:33	2:16	1:55	3:47	3:17	1:05	1:28	1:07	1:21	3:57	2:36	2:50	1:37	0:45	1:36	1:36	1:02	1:54	0:49														
Nijmegen	1:42	4:07	1:24	1:36	0:44	0:19	2:41	4:30	3:14	1:05	2:41	2:08	3:30	2:37	3:25	2:53	2:41	3:09	0:51	1:42	1:18	1:55	1:38	1:31	2:10	1:57	1:32	1:28	2:32	1:50	2:50	3:29	1:35	2:01	2:40	2:21													
Oever (Den)	0:38	4:50	0:50	2:19	1:41	1:44	4:02	5:13	4:11	1:48	3:25	2:52	4:14	3:20	4:09	4:14	3:38	3:52	2:02	1:41	2:16	3:16	2:43	2:52	2:54	1:18	1:28	0:59	3:15	3:11	3:33	4:41	2:55	2:42	3:23	3:18	1:54												
Oostende	3:08	2:17	2:52	1:14	3:05	2:48	2:49	2:40	2:42	1:47	0:26	1:15	1:04	1:39	2:18	3:16	2:09	0:42	2:09	3:53	3:41	2:22	1:41	2:00	0:44	4:04	2:42	2:56	0:45	2:04	1:00	3:12	2:22	1:36	1:23	1:49	2:44	3:26											
Reims	5:12	1:42	4:56	3:20	4:56	4:37	1:51	2:08	1:13	3:52	2:42	2:55	2:27	2:07	1:48	2:27	2:09	2:38	4:00	5:58	5:22	3:10	3:33	3:12	2:38	6:09	4:46	5:00	2:14	2:45	1:58	2:17	3:07	3:30	1:56	2:18	4:27	5:31	2:45										
Roermond	2:16	3:30	2:00	1:24	1:31	1:12	1:47	3:53	2:20	1:12	2:30	1:30	3:17	1:44	2:31	1:59	1:47	2:55	0:46	2:29	1:57	1:01	1:08	0:37	1:57	2:44	2:08	2:04	2:18	0:56	2:36	2:35	0:42	2:06	2:00	1:27	1:01	2:35	2:30	3:35									
Rotterdam	1:07	3:44	0:59	1:13	1:24	1:14	3:12	4:07	3:05	0:50	2:12	1:46	3:08	2:14	3:03	3:25	2:32	2:46	1:22	2:13	2:00	2:31	1:37	1:58	1:45	2:23	0:32	0:55	2:09	2:23	2:27	3:35	2:14	1:25	2:17	2:12	1:18	1:31	2:20	4:05	1:51								
Sedan	4:09	2:54	3:53	2:19	3:59	3:40	0:54	3:09	0:16	2:49	2:55	1:56	3:39	1:32	1:14	1:30	1:10	3:27	3:03	4:55	4:25	2:12	2:36	2:14	2:29	5:05	3:43	3:57	2:44	1:48	2:47	1:19	2:10	3:01	1:56	1:20	3:30	4:28	2:58	1:08	2:35	3:21							
Spa	3:07	3:11	2:51	1:34	2:33	2:13	0:59	3:34	1:32	2:03	2:24	1:27	3:14	1:25	2:12	1:04	1:28	2:53	1:37	3:31	2:46	0:30	1:15	0:53	1:58	3:46	2:58	2:55	2:16	0:37	2:28	1:53	0:44	2:16	1:41	1:08	2:03	3:26	2:27	2:46	1:09	2:36	1:47						
Tilburg	1:42	3:17	1:26	0:46	1:22	1:02	2:30	3:41	2:38	0:19	1:52	1:19	2:41	1:48	2:36	2:41	2:05	2:19	0:31	2:20	1:56	1:44	1:10	1:19	1:21	2:35	1:21	1:30	1:42	1:39	2:01	3:08	1:23	1:15	1:51	1:45	0:58	2:00	1:54	3:38	1:00	0:59	2:53	1:52					
Tournai	3:17	1:37	3:01	1:24	3:14	2:57	2:19	2:01	2:12	1:57	0:57	1:05	1:25	0:59	1:27	2:59	1:39	1:08	2:18	4:03	3:51	2:04	1:50	1:55	0:53	4:13	2:51	3:05	0:29	1:45	0:28	2:42	2:02	1:45	0:33	1:17	2:53	3:36	1:00	2:03	2:22	2:29	2:24	2:09	2:02				
Utrecht	0:59	3:53	0:43	1:23	0:54	0:49	3:06	4:17	3:14	0:51	2:28	1:55	3:17	2:24	3:12	3:17	2:41	2:55	1:06	1:42	1:29	2:19	1:46	1:55	1:57	1:51	0:53	0:47	2:18	2:15	2:37	3:44	1:59	1:45	2:27	2:21	1:00	1:17	2:30	4:14	1:36	0:47	3:29	2:28	1:02	2:38			
Valenciennes	3:33	1:22	3:16	1:40	3:30	3:14	2:18	1:46	2:10	2:13	1:24	1:16	1:39	0:57	1:24	2:57	1:37	1:22	2:33	4:19	4:07	2:03	2:06	2:00	1:20	4:29	3:07	3:21	0:57	1:44	0:42	2:41	2:00	2:13	0:31	1:16	3:09	3:52	1:28	1:40	2:25	2:45	2:21	2:08	2:18	0:43	2:52		
Zeebrugge	3:09	2:23	2:51	1:15	3:04	2:47	2:56	2:47	2:49	1:47	0:21	1:22	1:23	1:46	2:24	3:23	2:16	1:02	2:11	3:52	3:41	2:29	1:43	2:05	0:51	4:03	2:33	2:57	0:52	2:11	1:07	3:19	2:26	1:21	1:30	1:56	2:43	3:25	0:34	2:49	2:32	2:11	3:04	2:33	1:52	1:07	2:26	1:34	
Zwolle	1:39	4:37	1:20	2:07	0:32	0:46	3:28	5:01	3:58	1:35	3:12	2:39	4:01	3:08	3:56	3:39	3:25	3:40	1:32	0:47	1:05	2:42	2:19	2:18	2:41	1:01	1:41	1:28	3:03	2:37	3:21	4:16	2:21	2:29	3:11	3:05	1:01	1:23	3:14	4:58	1:49	1:35	4:13	2:50	1:38	3:22	1:03	3:35	3:13

4:23

TABLEAU DES TEMPS DE PARCOURS

Le temps de parcours entre deux localités est indiqué à l'intersection des bandes horizontales et verticales.

REISTIJDENTABEL

De reistijd tussen twee steden vindt u op het snijpunt van de horizontale en verticale stroken.

DRIVING TIMES CHART

The driving time between two towns is given at the intersection of horizontal and vertical bands.

FAHRZEITEN

Die Fahrzeit in zwischen zwei Städten ist an dem Schnittpunkt der waagerechten und der senkrechten Spalten in der Tabelle abzulesen.

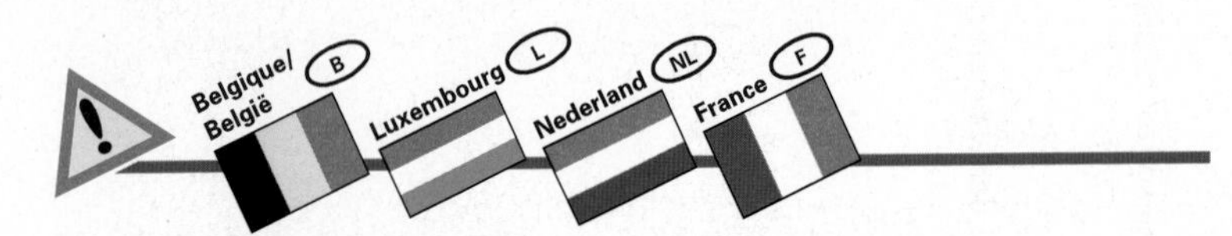

Limitations de vitesse en kilomètres/heure
Snelheidsbeperkingen (in km/uur)
Maximum Speed Limit: in kilometres per hour
Geschwindigkeitsbegrenzung in km/h

	B	L	NL	F
	50	50	50	50
	90	90	80	90
	120	130	120	130

Taux maximum d'alcool toléré dans le sang
Maximaal toegelaten alcoholconcentratie in het bloed
Maximum blood alcohol level
Maximal zulässiger Blutalkoholgehalt

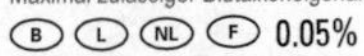

Age minimum des enfants admis à l'avant:
Minimum leeftijd van passagiers vooraan:
Children under years of age not permitted in front seats:
Mindestalter für Kinder auf den Frontsitzen:

Age minimum du conducteur :
Minimum leeftijd van de bestuurder:
Minimum driving age:
Mindestalter für Autofahrer:

(B) (L) (NL) (F) 18

Port de la ceinture de sécurité à l'avant et à l'arrière obligatoire
Gebruik van veiligheidsgordels vooraan en achteraan verplicht
Seat belts must be worn by driver and all passengers in front and rear seats
Anlegen von Sicherheitsgurten vorn und hinten vorgeschrieben

Helmpflicht für Motorradfahrer und -beifahrer
Port du casque pour les motocyclistes et les passagers obligatoire
Gebruik van valhelm verplicht voor bestuurders en passagiers van motorfietsen
Helmets compulsory for motorcycle riders and passengers

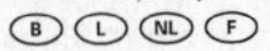

Pneus cloutés autorisés
Spijkerbanden toegestaan
Studded tyres allowed
Spikereifen erlaubt

(B) 01/11 - 31/03 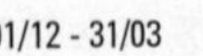 (L) 01/12 - 31/03 (F) 15/11 - 31/03

Pneus cloutés interdits
Spijkerbanden verboden
Studded tyres forbidden
Spikereifen verboten

Triangle de présignalisation obligatoire
Gevarendriehoek verplicht
Warning Triangle compulsory
Warndreieck vorgeschrieben

(B) (L) (NL) (F)

Gilet de sécurité obligatoire
Reflecterend vest verplicht
Reflective jacket compulsory
Sicherheitsweste vorgeschrieben

Gilet de sécurité conseillé
Reflecterend vest aanbevolen
Reflective jacket recommended
Sicherheitsweste empfohlen

(L) (NL)

Trousse de premiers secours obligatoire
Verbandtrommel verplicht
First aid kit compulsory
Verbandskasten vorgeschrieben

Trousse de premiers secours conseillée
Verbandtrommel aanbevolen
First aid kit recommended
Verbandskasten empfohlen

(L) (NL) (F)

Extincteur obligatoire
Brandblusser verplicht
Fire extinguisher compulsory
Feuerlöscher vorgeschrieben

Extincteur conseillé
Brandblusser aanbevolen
Fire extinguisher recommended
Feuerlöscher empfohlen

(L) (NL) (F)

Jeu d'ampoules de rechange conseillé
Set reservelampjes aanbevolen
Spare bulb set recommended
Ersatzlampen für Scheinwerfer empfohlen

Documents required. Vehicle registration document or rental agreement. Third party Insurance certificate. National vehicle identification plate.
Vereiste documenten: inschrijvingsbewijs of huurcontract van het voertuig, verzekering voor burgerlijke aansprakelijkheid, officiële nummerplaat.
Documents nécessaires : certificat d'immatriculation du véhicule ou de location, assurance responsabilité civile, plaque nationale.
Benötigte Dokumente: Zulassungs- oder Mietwagenpapiere, Haftpflicht-versicherungsnachweis, Nationalitätskennzeichen.

BENELUX

LÉGENDE — VERKLARING VAN DE TEKENS

Cartographie — Kaarten

Cartographie	Kaarten
Routes	**Wegen**
Autoroute	Autosnelweg
Double chaussée de type autoroutier	Gescheiden rijbanen van het type autosnelweg
Échangeurs : complet, partiels	Aansluitingen : volledig, gedeeltelijk
Numéros d'échangeurs	Afritnummers
Aire de service - Aire de repos (BOLDER)	Serviceplaats - Rustplaats
Route de liaison internationale ou nationale	Internationale of nationale verbindingsweg
Route de liaison interrégionale ou de dégagement	Interregionale verbindingsweg
Route revêtue - non revêtue	Verharde weg - onverharde weg
Sentier	Pad
Autoroute, route en construction (le cas échéant : date de mise en service prévue)	Autosnelweg in aanleg - Weg in aanleg (indien bekend : datum openstelling)
Largeur des routes	**Breedte van de wegen**
Chaussées séparées	Gescheiden rijbanen
4 voies - 2 voies larges	4 rijstroken - 2 brede rijstroken
2 voies - 1 voie	2 rijstroken - 1 rijstrook
Distances (totalisées et partielles)	**Afstanden** (totaal en gedeeltelijk)
Sur autoroute:	Op autosnelwegen:
section à péage	gedeelte met tol
section libre	tolvrij gedeelte
Sur route	Op andere wegen
Obstacles	**Hindernissen**
Forte déclivité (flèches dans le sens de la montée)	Steile helling (pijlen in de richting van de helling)
Passages de la route: à niveau, supérieur, inférieur	Wegovergangen: gelijkvloers, overheen, onderdoor
Hauteur limitée (au-dessous de 4,50 m)	Vrije hoogte (indien lager dan 4,5 m)
Limites de charge : d'un pont, d'une route (au-dessous de 19 t)	Maximum draagvermogen : van een brug, van een weg (indien minder dan 19t)
Pont mobile	Beweegbare brug
Route à sens unique - Barrière de péage	Weg met eenrichtingsverkeer - Tol
Route réglementée - Route interdite	Beperkt opengestelde weg - Verboden weg
Transports	**Vervoer**
Aéroport - Aérodrome	Luchthaven - Vliegveld
Voie ferrée - Station	Spoorweg - Station
Transport des autos :	Vervoer van auto's :
par bateau	per boot
par bac	per veerpont
Bac pour piétons (liaison saisonnière en rouge)	Veerpont voor voetgangers (tijdens het seizoen : rood teken)
Hébergement - Administration	**Verblijf - Administratie**
Localité possédant un plan dans le Guide MICHELIN	Plaats met een plattegrond in DE MICHELIN GIDS
Ressources sélectionnées dans le Guide MICHELIN (Binche)	Hotels of restaurants die in DE MICHELIN GIDS vermeld worden
Hôtel ou restaurant isolé	Afgelegen hotel of restaurant
Village de vacances	Bungalowpark
Auberge de jeunesse - Camping	Jeugdherberg - Kampeerterrein
Frontière	Staatsgrens
Limites administratives	Administratieve grenzen
Capitale de division administrative	Hoofdplaats van administratief gebied
Sports - Loisirs	**Sport - Recreatie**
Golf - Hippodrome - Vol à voile	Golfterrein - Renbaan - Zweefvliegen
Circuit autos, motos - Zone de promenade	Circuit voor auto's, motoren - Wandelplaats
Baignade - Port de plaisance	Zwemplaats - Jachthaven
Parc récréatif - Parc aquatique	Recreatiepark - Watersport
Musée de plein air - Parc d'attractions	Openluchtmuseum - Pretpark
Parc animalier, zoo - Réserve d'oiseaux	Safaripark, dierentuin - Vogelreservaat
Station balnéaire, de villégiature	Badplaats, vakantieoord
Station thermale - Piste cyclable	Fietspad - Kuuroord
Parc national - Réserve naturelle	Nationaal park - Natuurreservaat
Train touristique	Toeristentreintje
Curiosités	**Bezienswaardigheden**
Principales curiosités : voir LE GUIDE VERT	*Belangrijkste bezienswaardigheden : zie DE GROENE GIDS*
Panorama - Point de vue	Panorama - Uitzichtpunt
Parcours pittoresque	Schilderachtig traject
Édifice religieux - Château	Kerkelijk gebouw - Kasteel
Grotte - Ruines	Grot - Ruïne
Monument mégalithique - Moulin à vent	Megaliet - Molen
Champs de fleurs - Autre curiosité	Bloembollenvelden - Andere bezienswaardigheid
Signes divers	**Diverse tekens**
Édifice religieux - Cimetière militaire	Kerkelijk gebouw - Militaire begraafplaats
Hôpital - Château - Ruines	Hospitaal - Kasteel - Ruïne
Phare - Moulin à vent - Éolienne	Vuurtoren - Molen - Windmolen
Usine - Carrière - Mine	Fabriek - Steengroeve - Mijn
Raffinerie - Centrale électrique	Raffinaderij - Elektriciteitscentrale
Fort - Puits de pétrole ou de gaz	Fort - Olie- of gasput
Tour ou pylône de télécommunications	Telecommunicatietoren of -mast

Plans de ville — Plattegronden

Plans de ville	Plattegronden
Curiosités	**Bezienswaardigheden**
Bâtiment intéressant	Interessant gebouw
Édifice religieux intéressant	Interessant kerkelijk gebouw
Voirie	**Wegen**
Autoroute	Autosnelweg
Route à chaussées séparées	Weg met gescheiden rijbanen
Échangeur: complet, partiel	Knooppunt/aansluiting: volledig, gedeeltelijk
Grande voie de circulation	Hoofdverkeersweg
Sens unique	Eenrichtingsverkeer
Rue réglementée ou impraticable	Onbegaanbarestraat, beperkt toegankelijk
Rue piétonne - Tramway	Voetgangersgebied - Tramlijn
Rue commerçante (R. Pasteur)	Winkelstraat
Parking - Parking Relais	Parkeerplaats - Parkeer en Reis
Porte	Poort
Passage sous voûte - Tunnel	Onderdoorgang - Tunnel
Gare et voie ferrée	Station spoorweg
Passage bas (inf. à 4 m 50)	Vrije hoogte (onder 4 m 50)
Charge limitée (inf. à 19 t)	Maximum draagvermogen (onder 19 t.)
Pont mobile - Bac pour autos	Beweegbare brug - Auto-veerpont
Signes divers	**Overige tekens**
Information touristique	Informatie voor toeristen
Mosquée - Synagogue	Moskee - Synagoge
Tour - Ruines	Toren - Ruïne
Moulin à vent - Château d'eau	Windmolen - Watertoren
Jardin, parc, bois	Tuin, park - Bos
Cimetière - Calvaire	Begraafplaats - Kruisbeeld
Stade - Golf	Stadion - Gofterrein
Hippodrome - Patinoire	Renbaan - Ijsbaan
Piscine de plein air, couverte	Zwembad: openlucht, overdekt
Vue - Panorama	Uitzicht - Panorama
Monument - Fontaine	Gedenkteken, standbeeld - Fontein
Usine - Centre commercial	Fabriek - Winkelcentrum
Port de plaisance	Jachthaven
Phare - Embarcadère	Vuurtoren - Aanlegsteiger
Aéroport	Luchthaven
Station de métro - Gare routière	Metrostation - Busstation
Transport par bateau : passagers et voitures, passagers seulement	Vervoer per boot: passagiers en auto's, uitsluitend passagiers
Bureau principal de poste restante	Hoofdkantoor voor poste-restante
Hôpital - Marché couvert	Ziekenhuis - Overdekte markt
Bâtiment public repéré par une lettre:	Openbaar gebouw, aangegeven met een letter:
Hôtel de ville (H)	Stadhuis
Gouvernement Provincial (P)	Provinciehuis
Palais de justice (J)	Gerechtshof
Musée - Théâtre (M, T)	Museum - Schouwburg
Université, grande école (U)	Universiteit, hogeschool
Police (commissariat central) (POL)	Politie (in grote steden, hoofdbureau)
Gendarmerie (G)	Marechaussee/rijkswacht

BENELUX

KEY — ZEICHENERKLÄRUNG

Mapping

Roads
Motorway
Dual carriageway with motorway characteristics
Interchanges : complete, limited
Interchange numbers
Service area - Rest area
International and national road network
Interregional and less congested road
Road surfaced - unsurfaced
Footpath
Motorway/road under construction
(when available : with scheduled opening date)

Road widths
Dual carriageway
4 lanes - 2 wide lanes
2 lanes - 1 lane

Distances (total and intermediate)
on motorway:
Toll roads
Toll-free section
on road

Obstacles
Steep hill
(ascent in direction of the arrow)
Level crossing:
railway passing, under road, over road
Height limit (under 4,50 m.)
Load limit of a bridge, of a road (under 19 t.)
Swing bridge
One way road - Toll barrier
Road subject to restrictions - Prohibited road

Transportation
Airport - Airfield
Railway - Station
Transportation of vehicles:
by boat
by ferry
Passenger ferry
(seasonal services in red)

Accommodation - Administration
Town plan featured in THE MICHELIN GUIDE
Resources mentioned in THE MICHELIN GUIDE
Secluded hotel or restaurant
Bungalow park
Youth hostel - Camping site
National boundary
Administrative boundaries
Administrative district seat

Sport & Recreation Facilities
Golf course - Horse racetrack - Gliding
Racetrack - Walk
Bathing place - Pleasure boat harbour
Country park - Water park
Open air museum - Amusement park
Safari park, zoo - Bird sanctuary, refuge
Seaside resort , villagiature resort
Spa - Cycle track
National park - Nature reserve
Tourist train

Sights
Principal sights: see THE GREEN GUIDE
Panoramic view - Viewpoint
Scenic route
Religious building - Historic house, castle
Cave - Ruins
Prehistoric monument - Windmill
Bulbfields - Other place of interest

Other signs
Religious building - Military cemetery
Hospital - Castle - Ruins
Lighthouse - Windmill - Wind turbine
Factory - Quarry - Mine
Refinery - Power station
Fort - Oil or gas well
Telecommunications tower or mast

Town plans

Straßen
Autobahn
Schnellstraße mit getrennten Fahrbahnen
Anschlussstellen :
Voll - bzw. Teilanschlussstellen
Anschlussstellennummern
Tankstelle mit Raststätte - Rastplatz
Internationale bzw.nationale Hauptverkehrsstraße
Überregionale Verbindungsstraße oder Umleitungsstrecke
Straße mit Belag - ohne Belag
Pfad
Autobahn, Straße im Bau
(ggf. voraussichtliches Datum der Verkehrsfreigabe)

Straßenbreiten
Getrennte Fahrbahnen
4 Fahrspuren - 2 breite Fahrspuren
2 Fahrspuren - 1 Fahrspur

Straßenentfernungen
(Gesamt- und Teilentfernungen)
auf der Autobahn:
Mautstrecke
Mautfreie Strecke
auf der Straße

Verkehrshindernisse
Starke Steigung
(Steigung in Pfeilrichtung)
Bahnübergänge:
schienengleich, Unterführung, Überführung
Beschränkung der Durchfahrtshöhe
(angegeben, wenn unter 4,50 m)
Höchstbelastung einer Straße/Brücke
(angegeben, wenn unter 19 t)
Bewegliche Brücke
Einbahnstraße - Mautstelle
Straße mit Verkehrsbeschränkungen - Gesperrte Straße

Verkehrsmittel
Flughafen - Flugplatz
Bahnlinie - Bahnhof
Autotransport:
per Schiff
per Fähre
Personenfähre
(rotes Zeichen : saisonbedingte Verbindung)

Unterkunft - Verwaltung
Orte mit Stadtplan im MICHELIN-FÜHRER
Im MICHELIN-FÜHRER erwähnt
Abgelegenes Hotel oder Restaurant
Bungalowdorf
Jugendherberge - Campingplatz
Staatsgrenze
Verwaltungsgrenzen
Verwaltungshauptstadt

Sport - Freizeit
Golfplatz - Pferderennbahn - Segelflugplatz
Rennstrecke - Wandermöglichkeit
Strandbad - Yachthafen
Erholungspark - Badepark
Freilichtmuseum - Vergnügungspark
Tierpark, Zoo - Vogelschutzgebiet
Seebad, Ferienort
Thermalbad - Radweg
Nationalpark - Naturschutzgebiet
Museumseisenbahn

Sehenswürdigkeiten
Hauptsehenswürdigkeiten: siehe GRÜNER REISEFÜHRER
Rundblick - Aussichtspunkt
Landschaftlich schöne Strecke
Sakral-Bau - Schloss, Burg
Höhle - Ruine
Vorgeschichtliches Steindenkmal - Windmühle
Blumenfeld - Sonstige Sehenswürdigkeit

Sonstige Zeichen
Sakral-Bau - Soldatenfriedhof
Krankenhaus - Schloss, Burg - Ruine
Leuchtturm - Windmühle - Windkraftanlage
Fabrik - Steinbruch - Bergwerk
Raffinerie - Kraftwerk
Fort, Festung - Erdöl-, Erdgasförderstelle
Funk-, Sendeturm

Kartographie / Stadtpläne

Kartographie	Symbols	Stadtpläne
Sights		**Sehenswürdigkeiten**
Place of interest		Sehenswertes Gebäude
Interesting place of worship		Sehenswerter Sakralbau
Roads		**Verkehrswege**
Motorway		Autobahn
Dual carriageway		Straße mit getrennten Fahrbahnen
Interchanges : complete, limited		Anschlussstellen : Voll - bzw. Teilanschlussstellen
Major road		Hauptverbindungsstraße
One-way street		Einbahnstraße
Street subject to restrictions		Straße mit Verkehrsbeschränkungen
Pedestrian street - Tramway		Fußgängerstraße - Straßenbahn
Shopping street	R. Pasteur	Einkaufsstraße
Car park - Park and ride		Parkplatz - Park-and-Ride-Plätze
Gateway		Tor
Pedestrian subway - Tunnel		Gewölbedurchgang - Tunnel
Station - Railway		Bahnhof - Bahnlinie
Height limit (under 4.50 m)		Beschränkung der Durchfahrtshöhe (angegeben, wenn unter 4,50 m)
Load limit (under 19 t)	18	Höchstbelastung (angegeben, wenn unter 19 t)
Swing bridge - Car ferry		Bewegliche Brücke - Autofähre
Other signs		**Sonstige Zeichen**
Tourist information centre		Informationsstelle
Mosque - Synagogue		Moschee - Synagoge
Tower - Ruins		Turm - Ruine
Windmill - Water tower		Windmühle - Wasserturm
Garden, park - Wood		Garten, Park - Wäldchen
Cemetery - Wayside cross		Friedhof - Bildstock
Stadium - Golf course		Stadion - Golfplatz
Horse racetrack - Skating rink		Pferderennbahn - Eisbahn
Swimming pool outdoor, indoor		Schwimmbad: Freibad - Hallenbad
Viewpoint - Panoramic view		Aussichtspunkt - Rundblick
Monument - Fountain		Denkmal - Brunnen
Factory - Shopping centre		Fabrik - Einkaufszentrum
Pleasure boat harbour		Yachthafen
Lighthouse - Landing stage		Leuchtturm - Anlegestelle
Airport		Flughafen
Underground station - Bus station		U -bahnstation - Autobusbahnhof
Transportation of vehicles: passengers and cars, passengers only		Autotransport: Autofähre, Personenfähre
Post office		Postamt
Hôpital - Marché couvert		Ziekenhuis - Overdekte markt
Building located by a letter:		Durch Buchstaben gekennzeichnete Gebäude:
Town hall	H	Rathaus
Provincial Government	P	Provinzregierung
Justizgebäude	J	Justizgebäude
Museum - Theatre	M T	Museum - Theater
University, College	U	Universität, Hochschule
Police headquarters	POL	Polizei (Polizeipräsidium)
Police	G	Gendarmerie

FRANCE NORD

LÉGENDE

Cartographie

Routes
Autoroute - Station-service - Aire de repos
Double chaussée de type autoroutier
Échangeurs : complet, partiels
Numéros d'échangeurs
Route de liaison internationale ou nationale
Route de liaison interrégionale ou de dégagement
Route revêtue - non revêtue
Chemin d'exploitation - Sentier
Autoroute - Route en construction
(le cas échéant: date de mise en service prévue)

Largeur des routes
Chaussées séparées
4 voies
2 voies larges
2 voies
1 voie

Distances (totalisées et partielles)
Section à péage sur autoroute
Section libre sur autoroute
sur route

Numérotation - Signalisation
Route européenne - Autoroute
Route nationale - départementale

Obstacles
Forte déclivité (flèches dans le sens de la montée)
de 5 à 9%, de 9 à 13%, 13% et plus
Col et sa cote d'altitude
Parcours difficile ou dangereux
Passages de la route : à niveau, supérieur, inférieur
Hauteur limitée (au-dessous de 4,50 m)
Limites de charge : d'un pont, d'une route (au-dessous de 19 t.)
Pont mobile - Barrière de péage
Route à sens unique - Radar fixe
Route réglementée
Route interdite

Transports
Voie ferrée - Gare
Aéroport - Aérodrome
Transport des autos :
par bateau
par bac (le Guide MICHELIN donne le numéro de téléphone des principaux bacs)
Bac pour piétons et cycles

Administration
Frontière - Douane
Capitale de division administrative

Sports - Loisirs
Stade - Golf - Hippodrome
Port de plaisance - Baignade - Parc aquatique
Base ou parc de loisirs - Circuit automobile
Piste cyclable / Voie Verte
Source : Association Française des Véloroutes et Voies Vertes
Refuge de montagne - Sentier de grande randonnée

Curiosités
Principales curiosités : voir LE GUIDE VERT
Table d'orientation - Panorama - Point de vue - Parcours pittoresque
Édifice religieux - Château - Ruines
Monument mégalithique - Phare - Moulin à vent
Train touristique - Cimetière militaire
Grotte - Autres curiosités

Signes divers
Puits de pétrole ou de gaz - Carrière - Éolienne
Transporteur industriel aérien
Usine - Barrage - Tour ou pylône de télécommunications
Raffinerie - Centrale électrique - Centrale nucléaire
Phare ou balise - Moulin à vent - Château d'eau - Hôpital
Église ou chapelle - Cimetière - Calvaire
Château - Fort - Ruines - Village étape
Grotte - Monument - Altiport
Forêt ou bois - Forêt domaniale

Plans de ville

Curiosités
Bâtiment intéressant
Édifice religieux intéressant:
Catholique
Protestant

Voirie
Autoroute - Double chaussée de type autoroutier
Échangeurs numérotés : complet - partiels
Grande voie de circulation
Sens unique - Rue réglementée ou impraticable
Rue piétonne
Tramway
Rue commerçante
Parking - Parking Relais
Porte - Passage sous voûte - Tunnel
Gare et voie ferrée - Auto / Train
Funiculaire - Téléphérique, télécabine
Pont mobile - Bac pour autos

Signes divers
Information touristique
Mosquée - Synagogue
Tour - Ruines
Moulin à vent - Château d'eau
Jardin, parc, bois
Cimetière - Calvaire
Stade - Golf
Hippodrome - Patinoire
Piscine de plein air, couverte
Vue - Panorama - Table d'orientation
Monument - Fontaine - Usine
Centre commercial - Cinéma Multiplex
Port de plaisance - Phare
Tour de télécommunications
Aéroport - Station de métro
Gare routière
Transport par bateau :
passagers et voitures, passagers seulement
Repère commun aux plans et aux cartes Michelin détaillées
Bureau principal de poste restante et téléphone
Hôpital - Marché couvert - Caserne
Bâtiment public repéré par une lettre :
Chambre d'agriculture - Chambre de commerce
Gendarmerie - Hôtel de ville - Palais de justice
Musée - Préfecture, sous-préfecture - Théâtre
Université, grande école
Police (commissariat central)
Passage bas (inf. à 4 m 50) - Charge limitée (inf. à 19 t)

NOORD-FRANKRIJK

VERKLARING VAN DE TEKENS

Kaarten

Wegen
Autosnelweg - Tankstation - Rustplaats
Gescheiden rijbanen van het type autosnelweg
Aansluitingen : volledig, gedeeltelijk
Afritnummers
Internationale of nationale verbindingsweg
Interregionale verbindingsweg
Verharde weg - Onverharde weg
Landbouwweg - Pad
Autosnelweg - Weg in aanleg
(indien bekend : datum openstelling)

Breedte van de wegen
Gescheiden rijbanen
4 rijstroken
2 brede rijstroken
2 rijstroken
1 rijstrook

Afstanden (totaal en gedeeltelijk)
Gedeelte met tol op autosnelwegen
Tolvrij gedeelte op autosnelwegen
Op andere wegen

Wegnummers - Bewegwijzering
Europaweg - Autosnelweg
Nationale weg - Departementale weg

Hindernissen
Steile helling (pijlen in de richting van de helling)
5 - 9%, 9 - 13%, 13% of meer
Bergpas en hoogte boven de zeespiegel
Moeilijk of gevaarlijk traject
Wegovergangen: gelijkvloers, overheen, onderdoor
Vrije hoogte (indien lager dan 4,5 m)
Maximum draagvermogen: van een brug, van een weg (indien minder dan 19 t)
Beweegbare brug - Tol
Weg met eenrichtingsverkeer - Flitspaal
Beperkt opengestelde weg
Verboden weg

Vervoer
Spoorweg - Station
Luchthaven - Vliegveld
Vervoer van auto's :
per boot
per veerpont (telefoonnummer van de belangrijkste ponten worden vermeld in DE RODE GIDS)
Veerpont voor voetgangers en fietsers

Administratie
Staatsgrens - Douanekantoor
Hoofdplaats van administratief gebied

Sport - Recreatie
Stadion - Golfterrein - Renbaan
Jachthaven - Zwemplaats - Watersport
Recreatiepark - Autocircuit
Fietspad / Wandelpad in de natuur
Source : Association Française des Véloroutes et Voies Vertes
Berghut - Lange afstandswandelpad

Bezienswaardigheden
Belangrijkste bezienswaardigheden : zie DE GROENE GIDS
Oriëntatietafel - Panorama - Uitzichtpunt - Schilderachtig traject
Kerkelijk gebouw - Kasteel - Ruïne
Megaliet - Vuurtoren - Molen
Toeristentreintje - Militaire begraafplaats
Grot - Andere bezienswaardigheden

Diverse tekens
Olie- of gasput - Steengroeve - Windmolen
Kabelvrachtvervoer
Fabriek - Stuwdam - Telecommunicatietoren of -mast
Raffinaderij - Elektriciteitscentrale - Kerncentrale
Vuurtoren of baken - Molen - Watertoren - Hospitaal
Kerk of kapel - Begraafplaats - Kruisbeeld
Kasteel - Fort - Ruïne - Dorp voor overnachting
Grot - Monument - Landingsbaan in de bergen
Bos - Staatsbos

Plattegronden

Bezienswaardigheden
Interessant gebouw
Interessant kerkelijk gebouw :
Kerk
Protestantse kerk

Wegen
Autosnelweg - Weg met gescheiden rijbanen
Knooppunt / aansluiting : volledig, gedeeltelijk
Hoofdverkeersweg
Eenrichtingsverkeer - Onbegaanbare straat, beperkt toegankelijk
Voetgangersgebied
Tramlijn
Winkelstraat
Parkeerplaats - P & R
Poort - Onderdoorgang - Tunnel
Station, spoorweg - Autotrein
Kabelspoor - Tandradbaan
Beweegbare brug - Auto - veerpont

Overige tekens
Informatie voor toeristen
Moskee - Synagoge
Toren - Ruïne
Windmolen - Watertoren
Tuin, park, bos
Begraafplaats - Kruisbeeld
Stadion - Golfterrein
Renbaan - Schaatsbaan
Zwembad : openlucht, overdekt
Uitzicht - Panorama - Oriëntatietafel
Gedenkteken, standbeeld - Fontein - Fabriek
Winkelcentrum - Bioscoopcomplex
Jachthaven - Vuurtoren
Telecommunicatietoren
Luchthaven - Metrostation
Busstation
Vervoer per boot :
passagiers en auto's, uitsluitend passagiers
Verwijstekens uitvalsweg : identiek op plattegronden en Michelinkaarten
Hoofdkantoor voor poste-restante - Telefoon
Ziekenhuis - Overdekte markt - Kazerne
Openbaar gebouw, aangegeven met een letter :
Landbouwscharp - kamer van Koophandel
Marechaussee / rijkswacht - Stadhuis - Gerechtshof
Museum - Prefectuur - Onderprefectuur - Schouwburg
Universiteit, hogeschool
Politie (in grote steden, hoofdbureau)
Vrije hoogte (onder 4 m 50) - Maximum draagvermogen (onder 19 t.)

NORTH OF FRANCE
KEY

Mapping

Roads
Motorway - Petrol station - Rest area
Dual carriageway with motorway characteristics
Interchanges : complete, limited
Interchange numbers
International and national road network
Interregional and less congested road
Road surfaced - unsurfaced
Rough track - Footpath
Motorway - Road under construction
(when available : with scheduled opening date)

Road widths
Dual carriageway
4 lanes
2 wide lanes
2 lanes
1 lane

Distances (total and intermediate)
Toll roads on motorway

Toll-free section on motorway

on road

Numbering - Signs
European route - Motorway
National road - Departmental road

Obstacles
Steep hill (ascent in direction of the arrow)
5 - 9%, 9 -13%, 13% +
Pass and its height above sea level
Difficult or dangerous section of road
Level crossing : railway passing, under road, over road
Height limit (under 4.50 m)
Load limit of a bridge, of a road (under 19 t)
Swing bridge - Toll barrier
One way road - Speed camera
Road subject to restrictions
Prohibited road

Transportation
Railway - Station
Airport - Airfield
Transportation of vehicles :
by boat
by ferry (THE RED GUIDE gives the phone numbers for main ferries)
Ferry (passengers and cycles only)

Administration
National boundary - Customs post
Administrative district seat

Sport & Recreation Facilities
Stadium - Golf course - Horse racetrack
Pleasure boat harbour - Bathing place - Water park
Country park - Racing circuit
Cycle track / Country footpath
Source : Association Française des Véloroutes et Voies Vertes
Mountain refuge hut - Long distance footpath

Sights
(Principal sights: see THE GREEN GUIDE)
Viewing table - Panoramic view - Viewpoint - Scenic route
Religious building - Historic house, castle - Ruins
Prehistoric monument - Lighthouse - Windmill
Tourist train - Military cemetery
Cave - Other places of interest

Other signs
Oil or gas well - Quarry - Wind turbine
Industrial cable way
Factory - Dam - Telecommunications tower or mast
Refinery - Power station - Nuclear Power Station
Lighthouse or beacon - Windmill - Water tower - Hospital
Church or chapel - Cemetery - Wayside cross
Castle - Fort - Ruines - Stopover village
Grotte - Monument - Mountain airfield
Forest or wood - State forest

Town plans

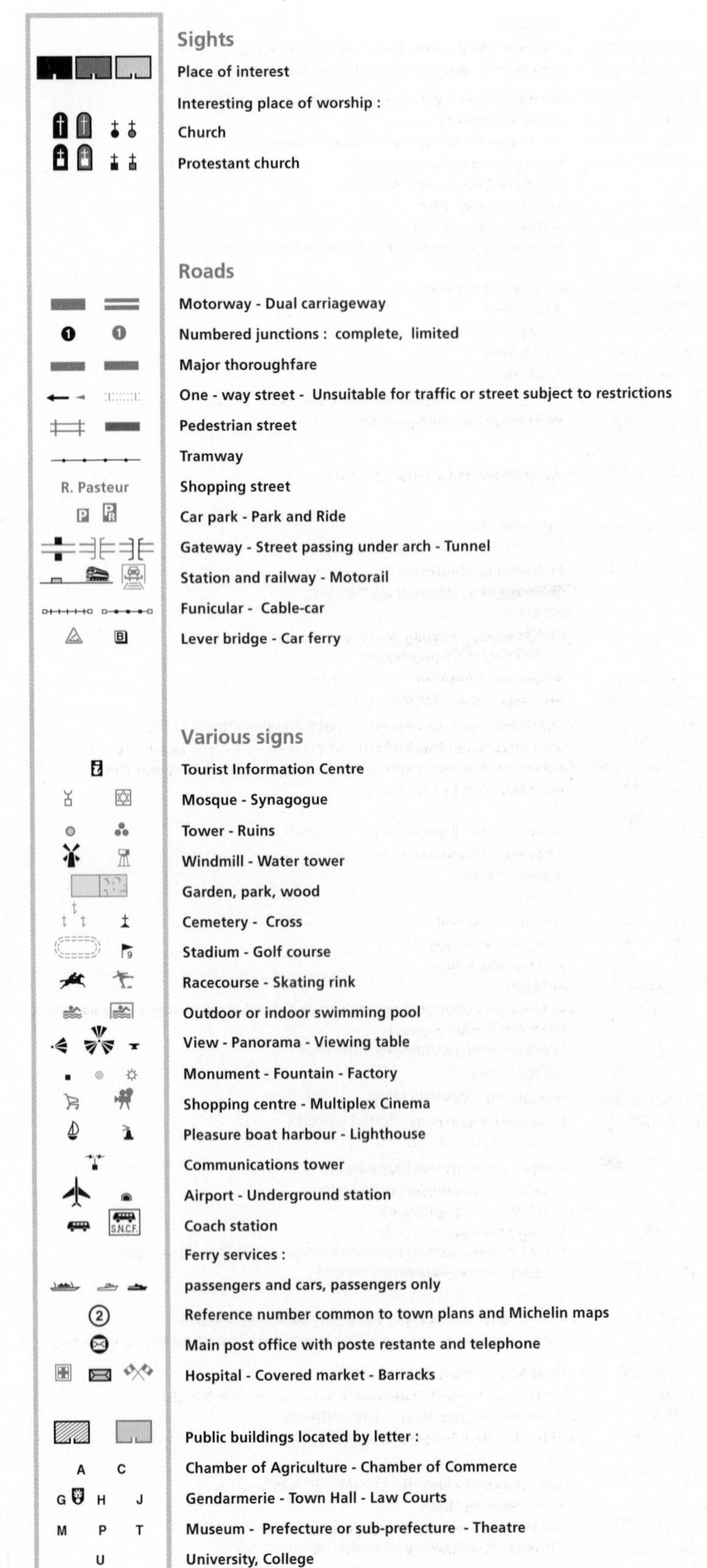

Sights
Place of interest
Interesting place of worship :
Church
Protestant church

Roads
Motorway - Dual carriageway
Numbered junctions : complete, limited
Major thoroughfare
One - way street - Unsuitable for traffic or street subject to restrictions
Pedestrian street
Tramway
Shopping street
Car park - Park and Ride
Gateway - Street passing under arch - Tunnel
Station and railway - Motorail
Funicular - Cable-car
Lever bridge - Car ferry

Various signs
Tourist Information Centre
Mosque - Synagogue
Tower - Ruins
Windmill - Water tower
Garden, park, wood
Cemetery - Cross
Stadium - Golf course
Racecourse - Skating rink
Outdoor or indoor swimming pool
View - Panorama - Viewing table
Monument - Fountain - Factory
Shopping centre - Multiplex Cinema
Pleasure boat harbour - Lighthouse
Communications tower
Airport - Underground station
Coach station
Ferry services :
passengers and cars, passengers only
Reference number common to town plans and Michelin maps
Main post office with poste restante and telephone
Hospital - Covered market - Barracks
Public buildings located by letter :
Chamber of Agriculture - Chamber of Commerce
Gendarmerie - Town Hall - Law Courts
Museum - Prefecture or sub-prefecture - Theatre
University, College
Police (in large towns police headquarters)
Low headroom (15 ft . max .) - Load limit (under 19 t)

NORDFRANKREICH

ZEICHENERKLÄRUNG

Kartographie

Straßen
Autobahn - Tankstelle - Tankstelle mit Raststätte
Schnellstraße mit getrennten Fahrbahnen
Anschlussstellen : Voll - bzw. Teilanschlussstellen
Anschlussstellennummern
Internationale bzw.nationale Hauptverkehrsstraße
Überregionale Verbindungsstraße oder Umleitungsstrecke
Straße mit Belag - ohne Belag
Wirtschaftsweg - Pfad
Autobahn - Straße im Bau
(ggf. voraussichtliches Datum der Verkehrsfreigabe)

Straßenbreiten
Getrennte Fahrbahnen
4 Fahrspuren
2 breite Fahrspuren
2 Fahrspuren
1 Fahrspur

Entfernungen (Gesamt- und Teilentfernungen)
Mautstrecke auf der Autobahn
Mautfreie Strecke auf der Autobahn
Auf der Straße

Nummerierung - Wegweisung
Europastraße - Autobahn
Nationalstraße - Departementstraße

Verkehrshindernisse
Starke Steigung (Steigung in Pfeilrichtung)
5-9%, 9-13%, 13% und mehr
Pass mit Höhenangabe
Schwierige oder gefährliche Strecke
Bahnübergänge : schienengleich, Unterführung, Überführung
Beschränkung der Durchfahrtshöhe (angegeben, wenn unter 4,50 m)
Höchstbelastung einer Straße/Brücke (angegeben, wenn unter 19 t)
Bewegliche Brücke - Mautstelle
Einbahnstraße - Starenkasten
Straße mit Verkehrsbeschränkungen
Gesperrte Straße

Verkehrsmittel
Bahnlinie - Bahnhof
Flughafen - Flugplatz
Schiffsverbindungen:
per Schiff
per Fähre (im ROTEN HOTELFÜHRER sind die Telefonnummern der wichtigsten Fährunternehmen angegeben)
Fähre für Personen und Fahrräder

Verwaltung
Staatsgrenze - Zoll
Verwaltungshauptstadt

Sport - Freizeit
Stadion - Golfplatz - Pferderennbahn
Yachthafen - Strandbad - Badepark
Freizeitanlage - Rennstrecke
Radweg / Feldweg
Source : Association Française des Véloroutes et Voies Vertes
Schutzhütte - Fernwanderweg

Sehenswürdigkeiten
Hauptsehenswürdigkeiten: siehe GRÜNER REISEFÜHRER
Orientierungstafel - Rundblick - Aussichtspunkt - Landschaftlich schöne Strecke
Sakral-Bau - Schloss, Burg - Ruine
Vorgeschichtliches Steindenkmal - Leuchtturm - Windmühle
Museumseisenbahn-Linie - Soldatenfriedhof
Höhle - Sonstige Sehenswürdigkeit

Sonstige Zeichen
Erdöl-, Erdgasförderstelle - Steinbruch - Windkraftanlage
Industrieschwebebahn
Fabrik - Staudamm - Funk-, Sendeturm
Raffinerie - Kraftwerk - Kernkraftwerk
Leuchtturm oder Leuchtfeuer - Windmühle - Wasserturm - Krankenhaus
Kirche oder Kapelle - Friedhof - Bildstock
Schloss, Burg - Fort, Festung - Ruine - Übernachtungsort
Höhle - Denkmal - Landeplatz im Gebirge
Wald oder Gehölz - Staatsforst

Stadtpläne

Sehenswürdigkeiten
Sehenswertes Gebäude
Sehenswerter Sakralbau :
Katholische Kirche
Evangelische Kirche

Straßen
Autobahn - Schnellstraße
Nummerierte Voll - bzw. Teilanschlussstellen
Hauptverkehrsstraße
Einbahnstraße - Gesperrte Straße oder mit Verkehrsbeschränkungen
Fußgängerzone
Straßenbahn
Einkaufsstraße
Parkplatz - Park-and-Ride-Plätze
Tor - Passage - Tunnel
Bahnhof und Bahnlinie - Autoreisezug
Standseilbahn - Seilschwebebahn
Bewegliche Brücke - Autofähre

Sonstige Zeichen
Informationsstelle
Moschee - Synagoge
Turm - Ruine
Windmühle - Wasserturm
Garten, Park, Wäldchen
Friedhof - Bildstock
Stadion - Golfplatz
Pferderennbahn - Eisbahn
Freibad - Hallenbad
Aussicht - Rundblick - Orientierungstafel
Denkmal - Brunnen - Fabrik
Einkaufszentrum - Multiplex-Kino
Yachthafen - Leuchtturm
Funk-, Fernsehturm
Flughafen - U-Bahnstation
Autobusbahnhof
Schiffsverbindungen:
Autofähre - Personenfähre
Straßenkennzeichnung (identisch auf Michelin-Stadtplänen und -Abschnittskarten)
Hauptpostamt (postlagernde Sendungen) u. Telefon
Krankenhaus - Markthalle - Kaserne
Öffentliches Gebäude, durch einen Buchstaben gekennzeichnet :
A C Landwirtschaftskammer - Handelskammer
G H J Gendarmerie - Rathaus - Gerichtsgebäude
M P T Museum - Präfektur, Unterpräfektur - Theater
U Universität, Hochschule
POL Polizei (in größeren Städten Polizeipräsidium)
Unterführung (Höhe bis 4,50 m) - Höchstbelastung (unter 19 t)

Édition 2009 par la Manufacture des Pneumatiques Michelin.
Société en commandite par actions au capital de 304 000 000 Euros
Place des Carmes-Déchaux - 63 Clermont-Ferrand (France)
R.C.S. Clermont-Fd B 855 200 507

De par l'évolution rapide des données, il n'est pas totalement exclu que certaines d'entre elles ne soient pas complètement exactes ou exhaustives. Michelin décline toute responsabilité en cas d'omissions, imperfections et/ou erreurs.

Malgré tout le soin apporté à la réalisation de cet ouvrage, il se peut qu'un exemplaire défectueux ait échappé à notre vigilance. Dans ce cas, veuillez le rapporter à votre libraire qui vous l'échangera ou contacter :
Michelin Cartes et Guides - 46, av. de Breteuil - 75324 PARIS CEDEX 07
www.ViaMichelin.com

Editie 2009 door de Manufacture des Pneumatiques Michelin.
Société en commandites par actions au capital de 304 000 000 Euros
Place des Carmes-Déchaux - 63 Clermont-Ferrand (France)
R.C.S. Clermont-Fd B 855 200 507

While every effort is made to ensure that all information printed in this publication is correct and up-to-date, Michelin Maps & Guides accepts no liability for any direct, indirect or consequential losses howsoever caused so far as such can be excluded by law.
Hoewel deze uitgave met de nodige zorg tot stan kwam, is het mogelijk dat een beschadigd exemplaar aan onze aandacht ontsnapte. In dat geval kunt u uw exemplaar inruilen bij uw boekhandel of contact opnemen met :
Michelin Cartes et Guides / Kaarten en Gidsen - Brusselsesteenweg 494, bus 1 - B - 1731 Zellik (Asse)
www.ViaMichelin.com

Édition 2009 by Manufacture Française des Pneumatiques Michelin
Société en commandite par actions au capital de 304 000 000 EUR
Place des Carmes-Déchaux - 63 Clermont-Ferrand (France)
R.C.S. Clermont-Fd B 855 200 507

In spite of the care taken in the production of this book, it is possible that a defective copy may have escaped our attention. If this is so, please return it to your bookseller, who will exchange it for you, or contact :
Michelin Maps & Guides-Hannay House - 39 Clarendon Road
Watford Herts WD17 1JA
www.ViaMichelin.com

DL : 11/2008
Imprimé en Italie 10/08
CANALE- Borgaro Torinese - Italie